Collection
DOMINO

# Math 5e

Programme 2006

Sous la direction de
**Christophe HACHE**

**Véronique DONAT**
Collège Jean-Moulin, La-Queue-en-Brie (94)

**Hélène GOSSET**
Collège François-Villon, Paris (75)

**Julie HOROKS**
Université Denis-Diderot, Paris (75)

**Nicolas RAMBAUD**
Collège André-Albert, Saujon (17)

# Présentation du manuel

## Une structure innovante

Chaque chapitre contient 3 leçons, pour un apprentissage séquencé facilitant l'utilisation autonome de l'élève.

Nous nous appelons Karim, Anaëlle et Léo. Nous allons vous accompagner tout au long de votre manuel.

### Explication des pictogrammes

**49** **Bande jaune :** une aide à cet exercice est proposée en fin d'ouvrage

**Ressources :** le professeur dispose d'un document à photocopier et à distribuer pour faciliter le travail

**Ordinateur :** cet exercice nécessite l'utilisation d'un logiciel de géométrie

**Développement durable :** pour une sensibilisation du futur citoyen aux problèmes environnementaux

**Santé et sécurité :** pour aider les futurs citoyens à adopter un comportement responsable.

## D'un Siècle à l'autre

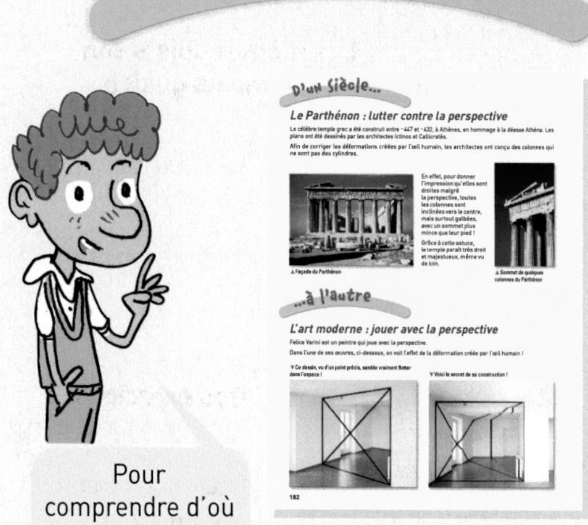


Pour comprendre d'où viennent les mathématiques ...

... et pourquoi elles sont utiles aujourd'hui.

## Les approches

Des situations choisies par le professeur pour approcher les notions du programme.

## Les leçons

Un cours clair allant à l'essentiel sur une double page.

À gauche les notions importantes.

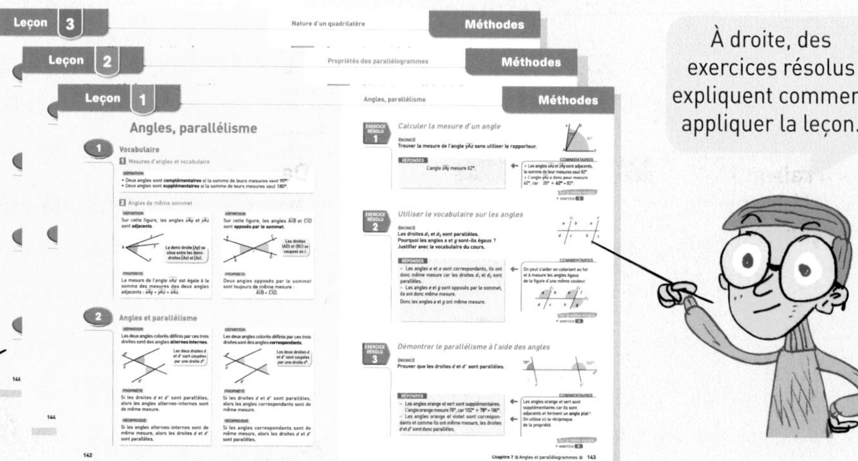


À droite, des exercices résolus expliquent comment appliquer la leçon.

# Les exercices d'application

Une page d'exercices par leçon avec des aides pour apprendre ou réviser à son rythme.

Pour appliquer le contenu des trois leçons

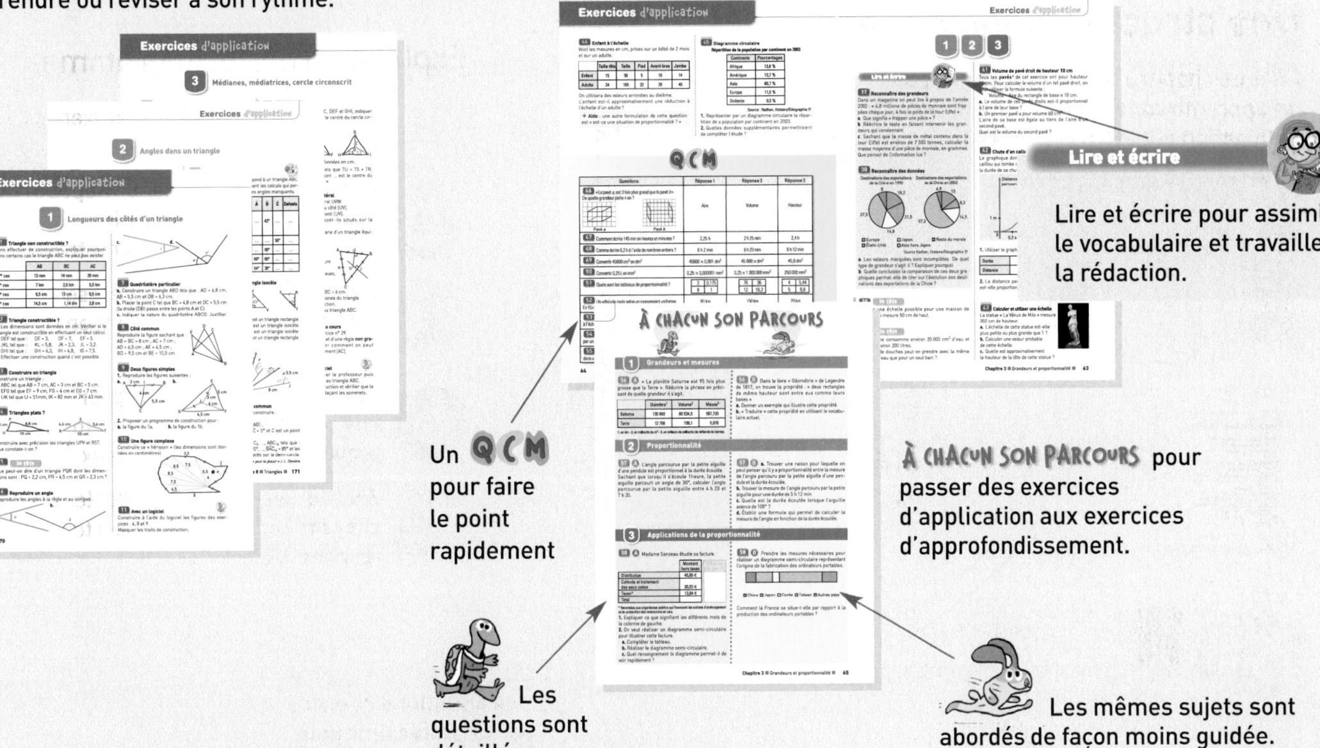

Lire et écrire pour assimiler le vocabulaire et travailler la rédaction.

Un QCM pour faire le point rapidement

À CHACUN SON PARCOURS pour passer des exercices d'application aux exercices d'approfondissement.

Les questions sont détaillées.

Les mêmes sujets sont abordés de façon moins guidée.

# Les exercices d'approfondissement

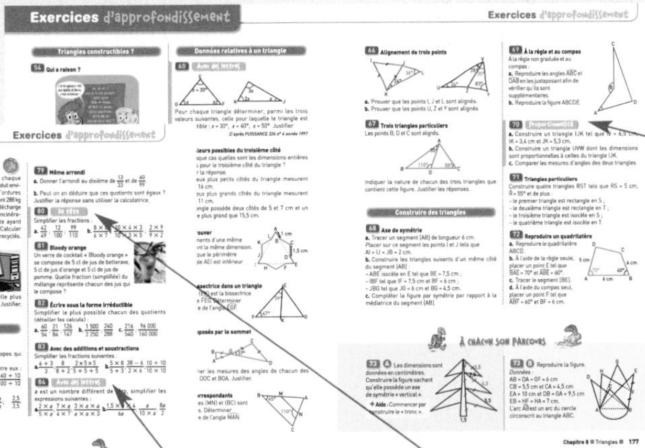

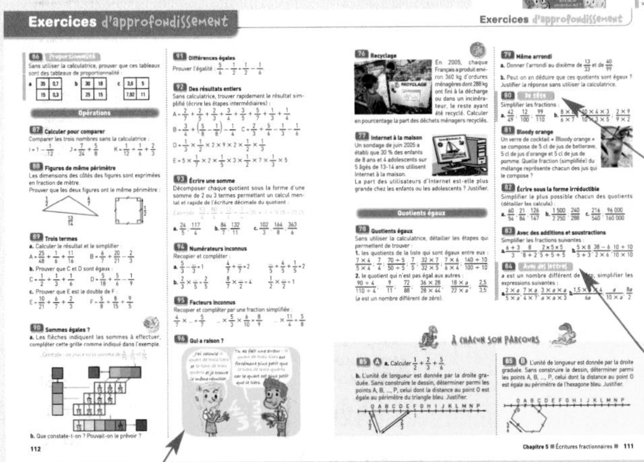

Des exercices **Proportionnalité** pour suivre cette notion au fil des chapitres.

Des exercices **De tête** pour travailler le calcul mental.

Des exercices **Avec des lettres** pour se familiariser avec les expressions littérales.

**Qui a raison ?** pour débattre et argumenter.

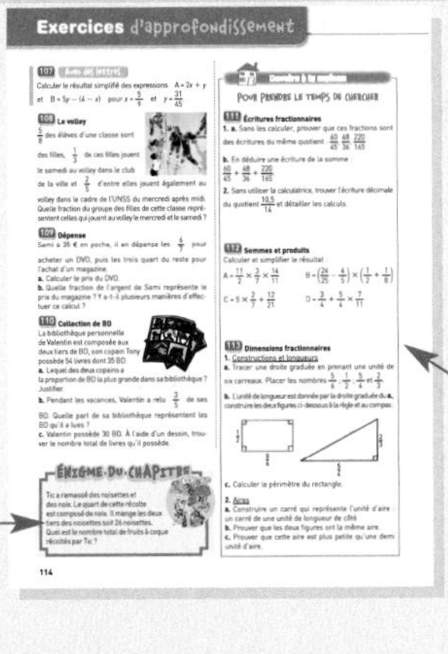

Une **Énigme** pour les malins

**Devoirs à la maison**

Pour prendre le temps de chercher.

## En fin de manuel

Un chapitre dédié à la résolution de problèmes

CHAPITRE 11

De nombreux énoncés de problèmes pour apprendre à chercher.

# Sommaire

# 1 Nombres relatifs

## Les objectifs du programme

### Nombres relatifs entiers et décimaux : sens et calculs

→ Notion de nombres relatifs : utiliser la notion d'opposé.

→ Ordre : ranger des nombres relatifs courants en écriture décimale.

→ Additions et soustractions de nombres relatifs.

• Calculer la somme ou la différence de deux nombres relatifs.

• Calculer sur des exemples numériques une expression dans laquelle interviennent uniquement les signes +, − et éventuellement des parenthèses.

• Sur des exemples numériques, écrire en utilisant correctement des parenthèses un programme de calcul portant sur des sommes ou des différences de nombres relatifs.

## Sommaire

# D'un siècle...

## Thermomètres

Le premier thermomètre véritable a été inventé en Italie au XVII$^{e}$ siècle par le grand duc de Toscane.
Cet appareil à alcool portait 50 graduations.
En hiver, il descendait jusqu'à 7 degrés et montait, en été, jusqu'à 40 degrés.

Il y eut ensuite plusieurs graduations proposées (Fahrenheit, Réaumur, Celsius...).

Celle de Celsius a fini par s'imposer dans la plupart des pays mais ce choix fut difficile car il nécessitait l'utilisation des **nombres négatifs*** encore mal connus à cette époque.

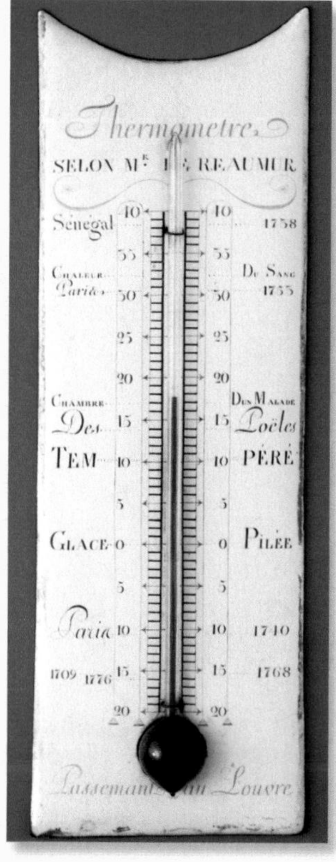


# ...à l'autre

## Zéro absolu

Des scientifiques ont montré que la température la plus basse qu'on puisse obtenir en théorie est −273,16 °C.

▲ La lévitation d'un aimant au-dessus d'un supraconducteur refroidi par de l'azote liquide.

Les physiciens ont découvert que certains matériaux ont des propriétés très intéressantes quand leur température baisse (on parle de propriétés de superfluidité et de supraconductivité). Les recherches pour atteindre de très basses températures sont donc nombreuses.

En pratique, on atteint aujourd'hui « facilement » −272,95 °C en faisant s'évaporer de l'hélium.

Une autre méthode permet d'obtenir des températures encore plus basses, jusqu'à −273,159999 °C. Mais personne n'est encore parvenu à atteindre la fameuse limite des −273,16 °C.

# Notion de nombres relatifs

## 1 Les nombres relatifs

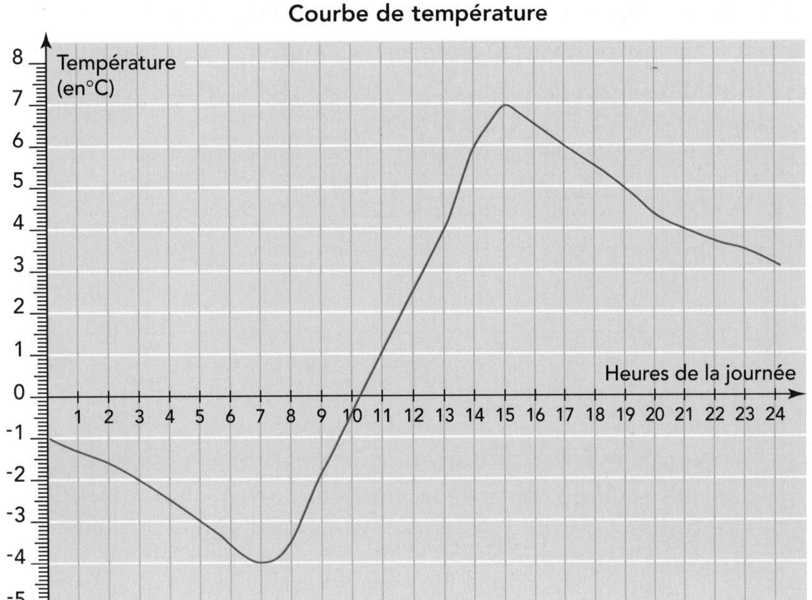


**1.** Remplir le tableau ci-dessous à l'aide des températures lues sur le graphique.

| Heures | 0 | 1 | 2 | … |
|---|---|---|---|---|
| Températures (en degrés) | | | | |

**2.** À quelle heure la température était-elle maximale ? Combien valait-elle ?
**3.** À quelle heure la température était-elle minimale ? Combien valait-elle ?
**4.** Classer les températures du tableau de la plus petite à la plus grande.

## 2 Nouveaux nombres

Imaginons que l'on puisse trouver un nombre ▲ **tel que*** ▲ + 2 = 0.

**a.** Combien vaut alors ▲ + 3 ? (Aide : ▲ + 3 = ▲ + 2 + 1)
**b.** En appliquant le même principe qu'à la question **a.**, combien vaut :

▲ + 7 ? ▲ + 5 ? ▲ + 11 ?

INFORMATION : Le nombre qui se cache sous le triangle se note $^{-}2$.

## 3 Soustractions impossibles

**1.** Calculer, lorsque c'est possible, les soustractions suivantes :

**a.** 10 — 3 = … **b.** 74,56 — 21 = … **c.** 12 — 19 = …

**d.**
```
  62,12
— 14,9
  ...
```
**e.**
```
  34
— 41,5
  ...
```
**f.**
```
  21
— 74,56
  ...
```

**2. Effectuer*** ces opérations à l'aide d'une calculatrice scientifique.

## Additions des nombres relatifs

### 4 Dénivelé

Un groupe d'amis a décidé de faire une randonnée en montagne.

**1.** Voici les **dénivelés*** du premier jour.
**a.** **Exprimer*** à l'aide d'un **nombre relatif*** le dénivelé total au cours de la journée.
**b.** Écrire le calcul qui doit être fait pour obtenir ce nombre ?

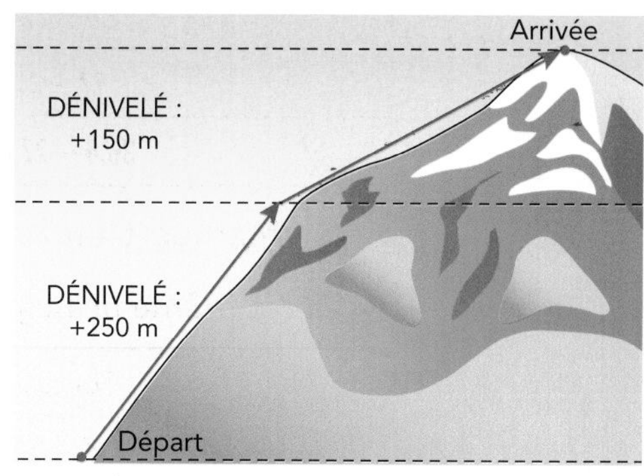


**2.** Voici les dénivelés du deuxième jour :
**a.** Exprimer à l'aide d'un nombre relatif le dénivelé total au cours de la journée.
**b.** Exprimer ce résultat sous la forme d'une addition.

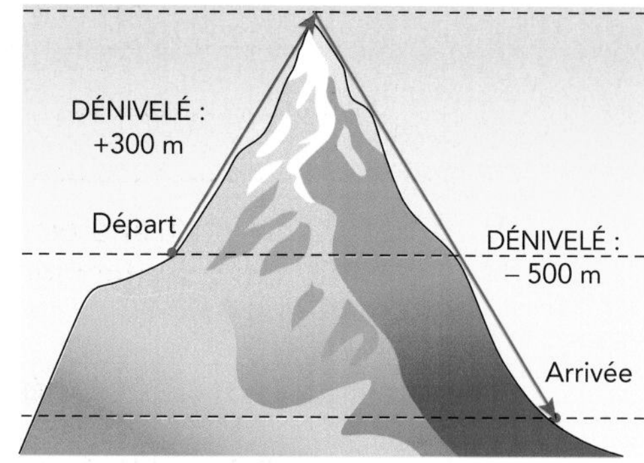


**3.** Le troisième jour, leur trajet se décompose en deux : une première partie correspondant à un dénivelé de −450 m, puis une seconde partie correspondant à un dénivelé de −100 m. Exprimer à l'aide d'une addition de nombres relatifs le dénivelé total de cette journée. Quel est alors le résultat ?

**4.** Quel résultat peut-on alors donner aux additions de nombres relatifs suivantes ?
**a.** (+300) + (−400)
**b.** (−500) + (−200)
**c.** (+100) + (+80)
**d.** (+600) + (−200)

### 5 Additionner des nombres relatifs.

**1.** Que peut-on dire de (−4) + (+4) ? de (+2) + (−2) ? de (−7,3) + (+7,3) ?

**2.** Pour calculer une addition de nombres de signes différents, on peut **décomposer*** un des deux nombres.

Exemple : (+7) + (−2) = (+5) + (+2) + (−2) = +5

En utilisant ce procédé, **effectuer*** les additions de nombres relatifs suivantes :
**a.** (+8) + (−1)
**b.** (+12) + (−3)
**c.** (−6) + (+9)
**d.** (−15) + (+28)
**e.** (+12,4) + (−7,8)
**f.** (−10) + (+4)

# Soustractions des nombres relatifs

## 6 Soustraire des relatifs

**a.** **Effectuer*** les opérations suivantes :

| Soustractions | Additions |
|---|---|
| 17 — 11 = … | 17 + (⁻11) = … |
| 36,4 — 27,88 = … | 36,4 + (⁻27,88) = … |

Que remarque-t-on ?

**b.** Sur le même principe, reproduire et compléter le tableau suivant :

| Soustractions | Additions |
|---|---|
| 25 — 16 = … | |
| 34,1 — 12,65 = … | |
| | 41 + (⁻23) = … |
| | 12,4 + (⁻6,5) = … |

**c.** Comment transformer en addition 5 — 7 ? Quel sera le résultat ?
Comment transformer en addition 3 — (⁻4) ? Quel sera le résultat ?

## 7 Chronologies et différences

**a.** Le grand Calife de Bagdad, Abbaside Al-Mamoun, vécut de 786 à 833. Il fit, entre autres, creuser dans la grande pyramide de Gizeh, une nouvelle entrée sur l'une des faces.
Calculer la durée de vie de ce calife.

**b.** Un géographe grec, Strabon, vécut de ⁻58 à 28. Il a écrit que la grande pyramide, avait sur une de ses faces, une pierre, qui une fois enlevée, donnait accès à une petite galerie en pente descendant jusqu'aux fondations.
Quelle soustraction de **nombres relatifs*** faut-il effectuer pour calculer la durée de vie de Strabon ? Quel est son résultat ?

**c.** Cette grande pyramide de Gizeh a été construite à la demande du pharaon Chéops. Ce roi a vécu 25 ans et est décédé en ⁻2565.
Quelle soustraction de nombres relatifs faut-il effectuer pour trouver son année de naissance ? Quel est son résultat ?

## 8 Calculs et parenthèses

**a.** Effectuer les opérations suivantes :

A = 32 — 13 — 5 + 4 B = 32 — (13 — 5 + 4)
C = 32 — 13 — (5 + 4) D = 32 — [13 — (5 + 4)]

**b.** Appliquer les mêmes règles avec les opérations sur les nombres relatifs suivantes.

E = (⁺3) — (⁻7) + (⁻2) — (⁺1) B = (⁺3) — [(⁻7) + (⁻2)] — (⁺1)
C = (⁺3) — [(⁻7) + (⁻2) — (⁺1)]

Leçon 1

# Notion de nombres relatifs

## 1 Nombres relatifs

**DESCRIPTION**

On introduit de nouveaux nombres, les **nombres négatifs**. Ils vont permettre :
- de donner un résultat à des opérations jusque-là impossibles.
- d'associer une **abscisse*** à chaque point d'un **axe gradué***.

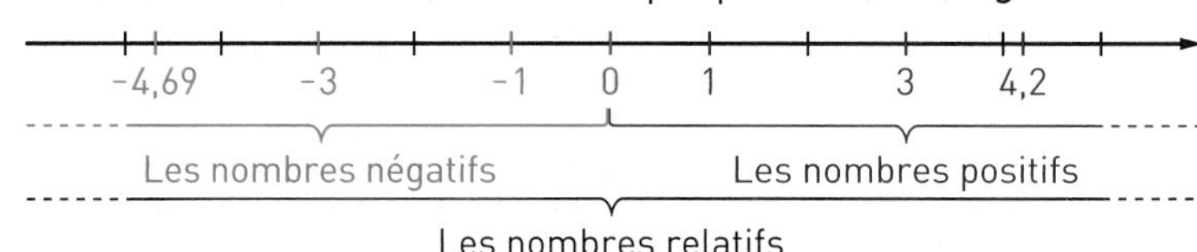


**REMARQUES :**

– On note parfois les nombres positifs avec un « + » (par exemple 6,2 = +6,2).
– On parle du signe des nombres : « signe moins » pour les nombres négatifs,
« signe plus » pour les nombres positifs.

**DÉFINITION**

Deux nombres qui sont à la même distance de 0 mais qui sont de signes différents s'appellent des **nombres opposés** (par exemple 3 et −3).

## 2 Ordre

### 1 Lecture sur un axe

**PROPRIÉTÉ**

Sur un axe gradué, l'ordre croissant est indiqué par la flèche.

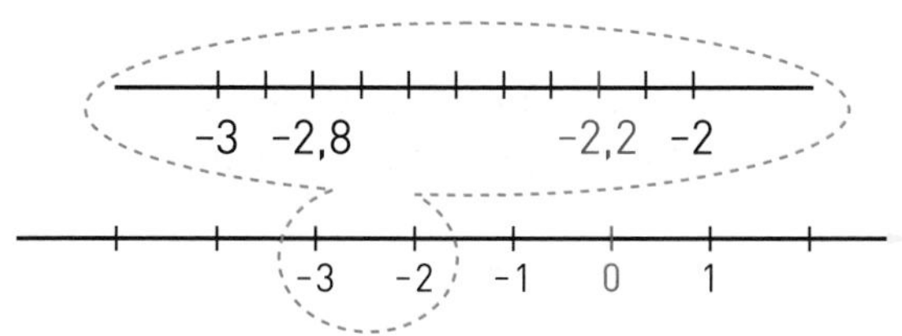


### 2 Propriété

**PROPRIÉTÉ**

– Si deux nombres sont de signes différents, alors le nombre positif est plus grand que le nombre négatif.
– Si deux nombres sont positifs, l'ordre est déjà connu.
– Si deux nombres sont négatifs, le plus grand est celui qui est le plus proche de zéro.

**EXEMPLES :**

- $1 > -3$ car 1 et −3 sont de signes différents, le plus grand est le nombre positif 1.
- $-2,2 > -2,8$ car −2,2 et −2,8 sont négatifs, −2,2 est le plus proche de 0 que −2,8.

EXERCICE RÉSOLU 1

## *Ordre de nombres relatifs*

ÉNONCÉ

Associer une altitude à chaque lieu en s'aidant des commentaires.

| Altitude par rapport au niveau de la mer (niveau 0) |
|---|
| −9 200 m |
| 8 586 m |
| 8 848 m |
| 4 808 m |
| −11 022 m |

| Lieux |
|---|
| Mont Blanc |
| Fosse des Mariannes (profondeur maximale des océans) |
| Mont Kanchenjunga : plus haut que le Mont Blanc |
| Profondeur maximum de l'océan Atlantique au large de Porto Rico |
| Everest (sommet le plus haut de la terre) |

RÉPONSES

Dans l'ordre croissant :

- -11 022 m Fosse des Mariannes
- -9 200 m Profondeur maximum de l'océan Atlantique
- 4 808 m Mont Blanc
- 8 586 m Mont Kanchenjunga
- 8 848 m Everest

COMMENTAIRES

- On trie d'abord les nombres négatifs de la liste pour les associer aux lieux d'altitudes négatives. Même chose pour les nombres négatifs.
- Le point le plus profond est associé au nombre le plus petit.

Sur le même modèle

▸ exercices 3, 4

EXERCICE RÉSOLU 2

## *Axe gradué*

ÉNONCÉ

**a.** Placer les nombres suivants sur la droite graduée :

5 ; -4 ; 1,5 ; -2 ; -2,5 ; +3,5 ; +2 ; -4,5.

**b.** Les classer du plus petit au plus grand.

RÉPONSES

a.

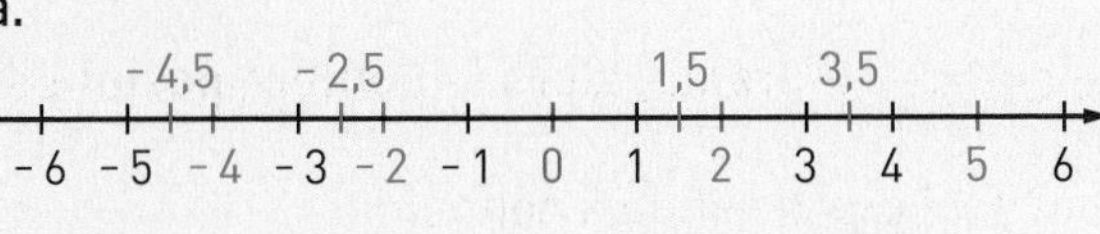


b. $-4{,}5 < -4 < -2{,}5 < -2 < 1{,}5 < 2 < 3{,}5 < 5$

COMMENTAIRES

Même si cela n'est pas demandé, on peut tracer un axe gradué, éventuellement à main levée, pour ordonner des nombres relatifs.

Sur le même modèle

▸ exercices 5, 7

# Additions de nombres relatifs

***Attention :*** *on met souvent des parenthèses autour des nombres pour distinguer les signes d'opérations des signes des nombres.*

## 1 Additions de deux nombres relatifs

• *Ajouter deux nombres négatifs*

Ajouter −3 et −2 peut se traduire par :

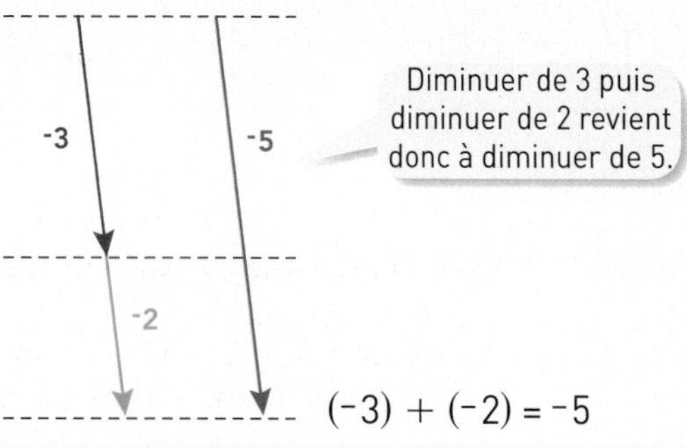
-3
-5
-2
Diminuer de 3 puis diminuer de 2 revient donc à diminuer de 5.
(−3) + (−2) = −5

• *Ajouter deux nombres de signes différents*

Ajouter +4 et −5 peut se traduire par :

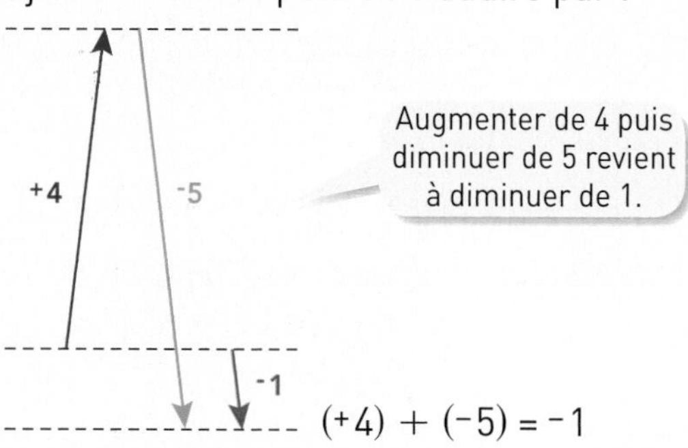
+4
-5
-1
Augmenter de 4 puis diminuer de 5 revient à diminuer de 1.
(+4) + (−5) = −1

## 2 Technique

Quand on ajoute deux nombres de mêmes signes le résultat a le même signe que les deux nombres.

EXEMPLES : (−13,2) + (−5,4) = −18,8

13,2 + 5,4 = 18,8

Quand on ajoute deux nombres de signes différents le résultat est du même signe que le nombre qui a la plus grande distance à 0.

EXEMPLES : (−12) + (+7) = −5

12 — 7 = 5

REMARQUE : La somme de deux nombres opposés vaut toujours zéro : (−3) + (+3) = 0.

## 3 Additions de plus de deux nombres

Pour effectuer une addition de plus de deux nombres relatifs, on peut :

• Calculer de gauche à droite

EXEMPLE : (−2) + (+3) + (+2) + (−8) = (+1) + (+2) + (−8)
= (+3) + (−8) = (−5)

• Repérer les opposés pour ne pas avoir à les compter

EXEMPLE : ~~(−2)~~ + (+3) + ~~(+2)~~ + (−8) = (+3) + (−8) = −5

(− 2) + (+ 2) = 0

• Grouper les positifs entre eux, les négatifs entre eux

EXEMPLE : (−2) + (+3) + (+5) + (−11) = (+8) + (−13) = −5

EXERCICE RÉSOLU 1

## *Additions*

**ÉNONCÉ**

**Calculer chacune des expressions suivantes :**

A = (−2) + (−7) B = (−3) + (+4)

C = −4 + 5 D = (−1,5) + (+3,2)

**RÉPONSES**

A = −9 ;

B = +1 ;

C = 1 ;

D = +1,7

**COMMENTAIRES**

- L'expression A peut se traduire par :

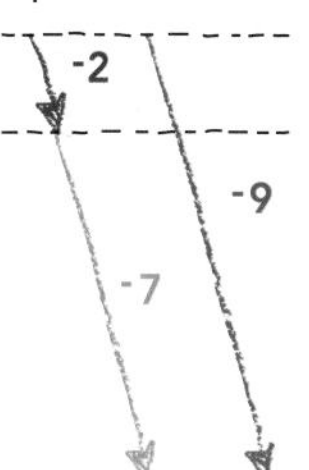

- L'expression C peut aussi s'écrire C = (− 4) + (+ 5)
- Pour l'expression D qui comporte des nombres décimaux, il ne faut pas hésiter à poser l'opération 3,2 — 1,5.
- On aurait aussi pu écrire B = 1, C = 1 et D = 1,7.

Sur le même modèle
▸ exercices 15 à 19

EXERCICE RÉSOLU 2

## *Additions multiples*

**ÉNONCÉ**

**Calculer A = (−3) + (−6) + (+2) + (+9) + (+3).**

**RÉPONSE**

A = (−3) + (−6) + (+2) + (+9) + (+3)

A = (−9) + (+2) + (+9) + (+3)

A = (−7) + (+9) + (+3)

A = (+ 2) + (+3)

A = (+5)

**COMMENTAIRES**

Il aurait été aussi possible de regrouper d'abord les nombres de même signe :

A = (−3) + (−6) + (+2) + (+9) + (+3)

A = (−9) + (+14) = (+5)

Ou encore de commencer par supprimer les opposés :

A = (−3) + (−6) + (+2) + (+9) + (+3)

A = (−6) + (+11) = (+5)

Sur le même modèle
▸ exercices 23 à 25

# Soustractions de nombres relatifs

## 1 Soustraire des nombres

**PROPRIÉTÉ**

Soustraire un nombre relatif, cela revient à ajouter son opposé.

**EXEMPLES :**

$(-3) - (+6) = (-3) + (-6)$
$= -9$

On soustrait $+6$ — On ajoute $-6$

$(-3) - (-8{,}5) = (-3) + (+8{,}5)$
$= +5{,}5$

On soustrait $-8{,}5$ — On ajoute $+8{,}5$

$3 - 11 = (+3) - (+11)$
$= (+3) + (-11)$
$= -8$

On soustrait 11 — On ajoute $-11$

**ATTENTION :** Dans une soustraction, on ne peut pas changer l'ordre des termes.
Par exemple : $(-3) - (-7) = +4$ et $(-7) - (-3) = -4$

## 2 Opérations multiples

**MÉTHODE**

Dans une chaîne de calculs qui contient des additions et des soustractions, on repère chaque soustraction d'un nombre pour la réécrire sous forme d'une addition de l'opposé de ce nombre.

**EXEMPLE :**

$A = -8 - (-9) + (-4) - (+2{,}5) + 1$
$= -8 + (+9) + (-4) + (-2{,}5) + (+1)$
$= (+10) + (-14{,}5)$
$= -4{,}5$

Soustraire $-9$, cela revient à ajouter $+9$

Soustraire $+2{,}5$, cela revient à ajouter $-2{,}5$

On a regroupé les nombres de même signe

**REMARQUE :** Quand il y a des parenthèses dans un calcul, on commence par effectuer les opérations entre parenthèses (voir chapitre 4).

## 3 Évolutions et soustractions

**REMARQUE :** Calculer l'**évolution*** d'une **grandeur*** entre deux dates revient à faire une soustraction.

**EXEMPLE :** Évolution de température = Température finale — Température initiale.
Évolution de profondeur = Profondeur finale — Profondeur initiale.

## Soustractions

**ÉNONCÉ**

**Calculer les différences suivantes :**

$A = (-41) - (-13)$ $\quad$ $B = (+74) - [+14 - (-3)]$

**RÉPONSES**

$A = (-41) + (+13)$
$A = -28$

$B = (+74) - [+14 + (+3)]$
$B = (+74) - (+17)$
$B = (+74) + (-17)$
$B = 57$

**COMMENTAIRES**

Pour le calcul A, soustraire $-13$ revient à ajouter son opposé $+13$

• Pour le calcul B, on effectue en premier le calcul entre crochets : $+14 - (-3)$

• **Les crochets sont une notation particulière des parenthèses.**

Sur le même modèle
▸ exercices 29 à 31

EXERCICE RÉSOLU 2

## Opérations multiples

**ÉNONCÉ**

**Calculer $A = (-0,58) + (-1,12) - (-5,1) - (+4,89)$**

**RÉPONSE**

$A = (-0,58) + (-1,12) + (+5,1) + (-4,89)$
$A = (-6,59) + (+5,1)$
$A = -1,49$

**COMMENTAIRES**

• On commence par réécrire la soustraction de $-5,1$ en l'addition de son opposé $+5,1$.

• De même avec la soustraction de $+4,89$.

• On a regroupé les nombres de même signe.

Sur le même modèle
▸ exercice 36

## Problème

**ÉNONCÉ**

**Une discipline en apnée s'appelle le « no limit » : le plongeur descend à l'aide d'un poids et remonte à l'aide d'un ballon ou d'une combinaison gonflable.**
**En 1960, Enzo Majorca réussit à atteindre la profondeur de $-45$ m.**
**En 2005, Herbert Nitsch a plongé à $-172$ m.**
**Calculer l'évolution de ce record de 1960 à 2005.**

**RÉPONSE**

$-172 - (-45) = -172 + (+45) = -127$
L'évolution de ce record est de $-127$ m.

**COMMENTAIRES**

On effectue l'opération :
Profondeur en 2005 — Profondeur en 1960.

Sur le même modèle
▸ exercices 33, 39

# 1 Notion de nombres relatifs

### 1 Classer

**Classer*** les nombres suivants en deux groupes, les nombres positifs et les nombres négatifs :

+2   −3   5   +6   4,5   0   +0,5   −1   −4,4

### 2 Retrouver les positifs

**a.** Recopier les nombres positifs de la liste suivante :

−5   −3   5   6   +2,4   0   +12   −6

**b.** Y a-t-il des nombres opposés dans la liste de départ ? Lesquels ?

### 3 Ordonner

Voici les températures relevées chaque matin d'une semaine d'hiver dans le jardin de Katleen.

Lundi : − 3,5 °C   Vendredi : − 2 °C
Mardi : − 2,5 °C   Samedi : 0 °C
Mercredi : − 1 °C   Dimanche : − 1,5 °C
Jeudi : 0,5 °C

**a.** Quelle matinée a-t-il fait le plus froid ? Le plus chaud ?

**b.** Placer ces températures sur un axe gradué horizontal en prenant 2 cm pour 1 °C.

**c.** Classer ces températures dans l'ordre croissant.

### 4 Nombres positifs, nombres négatifs

**a.** Voici une liste de nombres positifs :

5   10   0,85   0,9   +9,96   +5,12

**Classer*** ces nombres dans l'ordre croissant.

**b.** Voici une liste de nombres négatifs.

−5   −10   −0,85   −0,9   −9,96   −5,12

Utiliser la réponse précédente pour classer ces nombres dans l'ordre croissant.

### 5 Axe gradué

Hippocrate est un médecin grec né vers −460 et décédé vers −377.
Aristote est un philosophe grec qui a vécu de −384 à −322.

**a.** Reproduire cet axe gradué :

**b.** Colorier en rouge la période pendant laquelle Hippocrate a vécu et en bleu celle pendant laquelle Aristote a vécu.

**c.** D'après ce schéma, lequel a vécu le plus longtemps ?

### 6 Inférieur ou supérieur

Recopier et compléter par $<$ ou $>$.

**a.** 2,1 ... 3,1   **b.** 2,1 ... −3,1   **c.** −8,4 ... −7
**d.** −2 ...12,89   **e.** 2,5 ... −15,9   **f.** −6,8 ... 6,8

### 7 Sur un axe gradué

**a.** Tracer un axe gradué en prenant comme unité le carreau. Placer sur cet axe les nombres suivants :

4   +2   −3   −2,5   −4   3   −5,5

**b.** Classer ces nombres dans l'ordre décroissant.

### 8 Devinettes

**a.** Donner tous les nombres supérieurs à −3,5.

**b.** Donner tous les nombres inférieurs à −4,7.

### 9 Abscisse

**Lire*** l'**abscisse*** des points A, B, C, D et E de l'axe gradué ci-dessous.

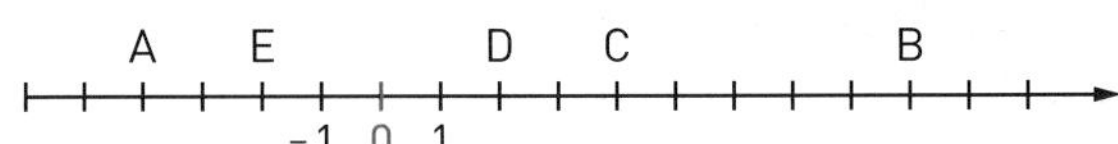


### 10 Plus petit, plus grand

**1.** Proposer un nombre inférieur à...

**a.** +4,4   **b.** −4,4   **c.** −14   **d.** −11,2

**2.** Reprendre la question précédente en remplaçant « inférieur » par « supérieur ».

### 11 Intercaler

Donner un nombre **compris entre*** ...

**a.** +2,7 et 3,6   **b.** −2 et −1   **c.** −0,4 et 0
**d.** −8 et −7   **e.** −1 et −0,95   **f.** −1,62 et −1,6

### 12 Inégalités

Compléter les inégalités avec un nombre bien choisi.

**a.** $-2,4 < \dots < -1$   **b.** $-1 < \dots < +0,5$
**c.** $2,5 < \dots < 6,4$   **d.** $-85 < \dots < -67$

### 13 Ordonner

**a.** Classer les nombres suivants dans l'ordre croissant.

−8   −3   +6   −4,2   −5   5,1   −5,2   0   −1,01

**b.** Classer les nombres suivants dans l'ordre décroissant.

−2,2   −2,02   −8   5,8   −5,8   −6,4   +1,001   1,01

## 2 Additions de nombres relatifs

**14 Démarrer**

Calculer :

$A = (+17) + (+26)$ $B = (+5,9) + (+1,8)$
$C = (-19) + (-41)$ $D = (-11,2) + (-5,4)$
$E = (-13) + (+42)$ $F = (-25) + (+11)$

**15 De tête**

Calculer :

$A = (-3) + (+7)$ $B = (-4) + (-3)$
$C = (-8) + (+12)$ $D = (+2) + (-5)$
$E = (+5) + (+3)$ $F = (-1) + (+2)$

**16 Nombres entiers**

Calculer :

$A = (-25) + (-69)$ $B = (-45) + (+87)$
$C = (+13) + (-98)$ $D = (-15) + (+587)$
$E = (-156) + (+87)$ $F = -850 + 841$

**17 Nombres décimaux**

Calculer :

$A = (-1,3) + (+5,4)$ $B = 2 + (-3,4)$
$C = (-0,4) + (-0,8)$ $D = (-1) + (-0,4)$
$E = (+4,6) + (1,8)$ $F = -1,2 + 12$

**18 Nombres décimaux (bis)**

Calculer :

$A = (-32,5) + (+9,41)$ $B = (+7,4) + (+42,6)$
$C = (+10,98) + (-7,4)$ $D = -248,45 + 17,4223$

**19 Résultats**

Reproduire et compléter le tableau en reliant les opérations à leurs résultats.

| Opérations |
|---|
| (+25) + (−37) |
| (−25) + (−37) |
| 25 + 37 |
| (+0,25) + (−0,37) |
| (−25) + (+37) |
| 0,37 − 0,25 |

| Résultats |
|---|
| 12 |
| 62 |
| −12 |
| 0,12 |
| −62 |
| −0,12 |

**20 Avec des lettres**

**a.** Calculer $A = z + t$ pour $z = -2$ et $t = -8$.
**b.** Calculer $B = s + p + m$ pour $s = 3$, $p = -11$ et $m = -2$.

**21 Opposés**

Supprimer les opposés pour simplifier les opérations et les **effectuer***.

$A = (-4) + (-3) + (-7) + (+7) + (+4) + (+5)$
$B = (-145) + (+526) + (+145) + (+2) + (-526)$
$C = -2,95 + (+2,69) + (-2,68) + (-2,69) + (+2,95)$

**Pour les exercices 22 et 23.**

Ajouter d'abord les nombres de même signe puis calculer.

**22** $A = (-21) + (+51) + (+10) + (-36) + (-42) + (+24)$
$B = 6 + (-5,5) + (-4,3) + (+4,9) + (+8,35) + (-8,85)$
$C = (-6,4) + (-5,6) + (+4,6) + (+13,1) + (-10) + (+2)$

**23** $D = (-101) + (-95) + (-2) + (+45) + (+202) + (-500)$
$E = (+0,002) + (-0,04) + (-0,3) + (+0,258) + (-1)$
$F = 14 + (-15) + (+85) + (-11,4) + (+12,3)$

**24 Regroupements astucieux**

Regrouper les nombres entre eux pour calculer rapidement.

$A = 3 + (+7) + (-4) + (+5) + (-8) + (-1) + (-6)$
$B = (-1) + (-2) + (+3) + (-5) + (+6) + (-1) + (-2)$
$C = (-2,5) + (-6,7) + (-4,5) + (+2,7)$

**Pour les exercices 25 et 26.**

Recopier et compléter cette chaîne de nombres en ajoutant à chaque fois le nombre indiqué.

**25**

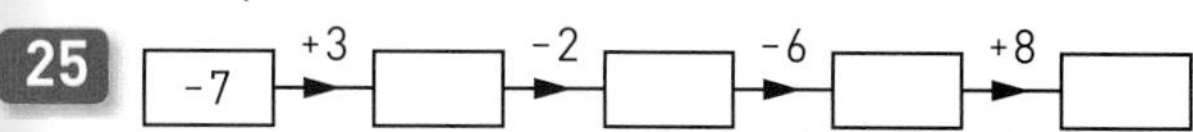


**26**

-5 → +1 → -4 → +3 → +2

+4 → -7 → +6 → -1 → -5

**27 Problème**

Hammourabi, roi de Babylone, est né en −1792.
Il aurait vécu 42 ans.
En quelle année serait-il décédé ?

# 3 Soustractions de nombres relatifs

### 28 Calculs en ligne

Réécrire les soustractions en additions et calculer.

A = (-10) – (-8) B = (+10) – (+6)
C = 5 – (-7) D = (-1) – (+4)
E = 7 – 12 F = 0 – (-11)

### 29 Nombres décimaux

Réécrire les soustractions en additions puis calculer.

A = (+10,7) – (+12,5) B = -12 – (-2,2)
C = 42,66 – (+12,09) D = (-92,1) – (-7,9)

### 30 Nombres entiers

Calculer :

A = (-124) – (-37) B = (-97) – (+19)
C = 65 – (-94) D = (-145) – (+952)
E = (+73) – (+45) F = 99 – (-187)

### 31 Soustractions et additions

Sans effectuer les calculs, associer les opérations qui ont le même résultat.

| Additions | Soustractions |
|---|---|
| (-3) + (+5) | (-3) – (+5) |
| (-3) + (-5) | (+3) – (+5) |
| 3 + 5 | (-3) – (-5) |
| (+3) + (-5) | (+3) – (-5) |

### 32 Thermomètre

Sur ce thermomètre, Julien a noté des heures.
Quelle est l'évolution de la température :

**a.** de 7 h 00 à 9 h 00 ?
**b.** de 12 h 00 à 17 h 00 ?
**c.** de 20 h 00 à 23 h 00 ?

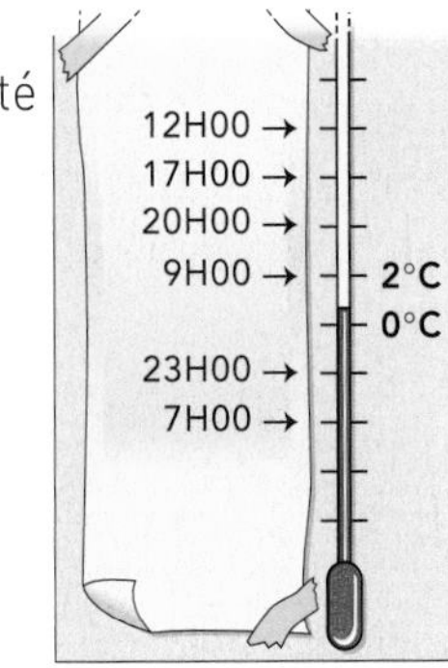


### 33 De tête

Calculer :

A = (-14) – (+5) C = 8 – (-1) – (+1) – (-3)
B = (+11) – (-9) – (-3) D = 0 – (-4) – (+1) – (-6)

### 34 Soustractions

Calculer en posant au besoin des opérations.

A = (-11,9) – (+14) – (+8,12)
B = (+25,01) – (-3,2) – (+12,4) – (-12,8)
C = (-10) – (-84,1) – (+41,9)
D = (-158) – (+147,4) – (-11)

### 35 Soustractions et additions

**a.** Calculer :

A = (-12) + (-41,5) – (-32)
B = 7 – (-12,4) – (-4) + (-14,8)
C = (-2,05) – (-3,5) + (+4,45) – (-1)
D = 99 + (-12) – (-12) + (-13) – (-13)

**b.** Vérifier à l'aide de la calculatrice.

### 36 À la chaîne

Recopier et compléter cette chaîne de nombres en soustrayant à chaque fois le nombre indiqué.

+5 —(+6)→ ☐ —(-2)→ ☐ —(+1)→ ☐ —(-3)→ ☐

### 37 Priorité

**a.** Calculer en respectant les priorités.

A = 2 – [(+3) + (-4) – (-6)]
B = (-10) – [(-2) – (-5) – (-1)]
C = [(-10) – (-5) – (+1)] + 12

**b.** Vérifier à la calculatrice.

### 38 Histoire

**a.** Pythagore, un mathématicien, serait né en -570 et mort en -480. Combien d'années a-t-il vécu ?
**b.** Archimède était un scientifique décédé en -212 à l'âge de 75 ans. Calculer son année de naissance.

### 39 Vocabulaire

Traduire chaque phrase par une opération et donner son résultat :

**a.** Soustraire (-10) à (-18).
**b.** Soustraire (+11,2) à 4.
**c.** Soustraire (-14,1) à 0.
**d.** Soustraire 32,1 à (-74,1).

### 40 Avec des lettres

On suppose que $x = -2$, $y = +7$ et $z = -3,5$.

Calculer : $A = x - y$
$B = x + y - z$
$C = x - y - z$

**41** **Additions et axe gradué**

**a.** Effectuer les additions suivantes.

A = (−120) + (+115)    B = 543 + (−542)

C = (−13,5) + (+7)    D = (−0,13) + (−1,87)

**b.** Placer les résultats des opérations précédentes sur un axe gradué en choisissant convenablement l'unité.

**42** **Additions et ordre**

**a.** Effectuer les additions suivantes.

A = (−3) + (−6)    B = (−1) + (+4)

C = 3 + (−4,6) + (+1,1)    D = (−0,4) + (−10) + (+11,2)

**b.** Classer les résultats des opérations précédentes dans l'ordre décroissant.

**43** **Soustractions et additions**

Effectuer les opérations suivantes.

A = (−3) − (−8,1)    B = 5,41 + (−45)

C = (−12,4) + (−9,63)    D = (−7,4) − (+14,03)

E = 0 − (−12,4)    F = 0 − (+12,4)

**44** **Calculs**

**a.** Choisir un **nombre relatif*** et effectuer les calculs suivants.

- Lui ajouter −3.
- Soustraire +10 au résultat obtenu.
- Ajouter −91 au nouveau résultat.
- Soustraire −100 au dernier résultat.

**b.** Comment passer du nombre de départ au résultat final en une seule opération ? Expliquer.

**45** **Priorités**

**a.** Effectuer les calculs suivants.

A = (−3,5) − [−7 − (−5,4)]

B = 21 − [3,4 − (+4,1) + (−1)]

C = −11,85 − [(+15) − (−4,78)]

**b.** Vérifier ces trois calculs à l'aide de la calculatrice.

**46** **Opposés**

**a.** Combien vaut l'opposé du nombre −6 ? Et de 14,1 ?

**b.** Combien vaut l'opposé de l'opposé de l'opposé de −7 ?

**47** **Vrai ou faux**

Dire si l'affirmation suivante est vraie ou fausse :
« la différence de deux nombres opposés vaut 0 ».

## Lire et écrire

**48** **Sommes, différences**

Élodie dicte à Esteban les devoirs :

« • *Tu dois effectuer la somme de −4, −9, 6 et −1.*
• *Tu dois effectuer la différence de 7 et de −12 puis ajouter −7.*
• *Tu dois calculer la différence de la somme de −1 et 9 et de la somme de 2 et −4.* »

Écrire les calculs correspondant aux devoirs et les effectuer.

**49** **Donner des additions**

**a.** Proposer une addition de deux **nombres relatifs*** de mêmes signes ayant pour somme −5.

**b.** Proposer une addition de deux nombres relatifs de signes différents ayant pour somme −5.

**c.** Proposer une addition de trois nombres relatifs ayant pour somme +7,5.

**50** **Donner une soustraction**

Proposer une soustraction de deux **nombres relatifs*** ayant pour différence −10,47.

**51** **Formuler**

Jérémy doit dicter les devoirs à Matthieu.
Son professeur a demandé d'effectuer :

A = −3 + (−7) + (−10)
B = 2 − (−1)
C = 2 + (−8) − (5 − (−9))

Décrire ces calculs en utilisant les mots :
« somme », « différence », « ajouter », « soustraire ».

**52** **Trop d'informations**

Maéva a relevé la température ce matin en se levant à 6 h 30 : elle était de −4 °C. À 7 h 00, elle était de −3,4 °C. À 7 h 30, elle a noté −2,8 °C. À 8 h 00, le thermomètre affichait −1 °C. À 8 h 30, 0,5 °C. Elle arrive à l'école à 9 h 00, il fait 2,5 °C.

**a.** Trouver dans l'énoncé les informations qui permettent de répondre à la question : « quelle évolution de température y a-t-il entre 7 h 00 et 9 h 00 ? ».

**b.** Répondre à cette question.

Choisir parmi les trois réponses proposées la ou le(s) bonne(s) réponse(s).

| Questions | Réponse 1 | Réponse 2 | Réponse 3 |
|---|---|---|---|
| **53** Sur cet axe, l'abscisse du point A est égal à… 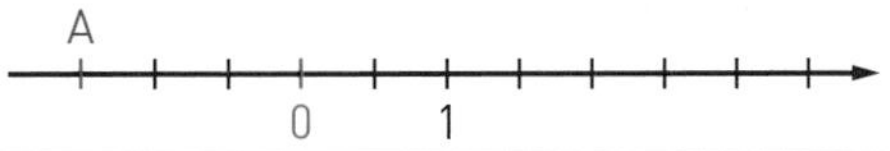 (axe gradué : A ; 0 ; 1) | −3 | −1,5 | +1,5 |
| **54** Les points A (0,4), B (−0,4) et C (1,2) sont convenablement placés sur cet axe gradué. 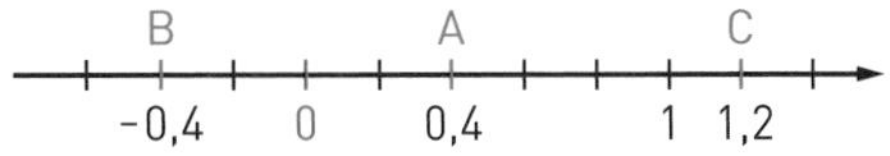 (axe : B −0,4 ; 0 ; A 0,4 ; 1 ; C 1,2) Classer leurs abscisses dans l'ordre décroissant. | −0,4 0,4 1,2 | 0,4 −0,4 1,2 | 1,2 0,4 −0,4 |
| **55** En observant cet axe gradué, on peut dire que l'abscisse de P est… 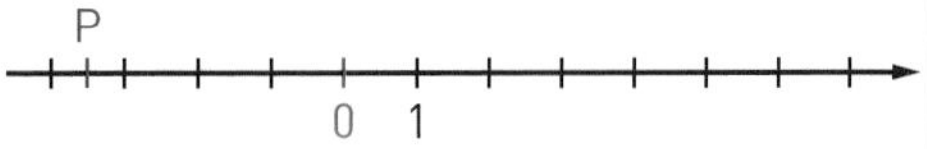 (axe : P ; 0 ; 1) | entre −4 et −3 | entre 3 et 4 | inférieure à −3 |
| **56** Rangée dans l'ordre croissant, la liste de nombres −8 ; −9,4 ; −7 ; 6 ; −7,6 devient… | 6 ; −7 ; −7,6 ; −8 ; −9,4 | −9,4 ; −8 ; −7 ; −7,6 ; 6 | −9,4 ; −8 ; −7,6 ; −7 ; 6 |
| **57** (−12,45) + (−9,05) =… | −21,5 | −3,4 | 21,95 |
| **58** −6,2 − (−12,8) =… | −19 | −6,6 | 6,6 |
| **59** On peut dire que deux nombres sont opposés lorsque… | leur somme est égale à 0 | leur somme est égale à 1 | leur différence est égale à 0 |
| **60** Sur cette frise chronologique, on peut calculer la durée de vie de Cléopâtre en effectuant l'opération… 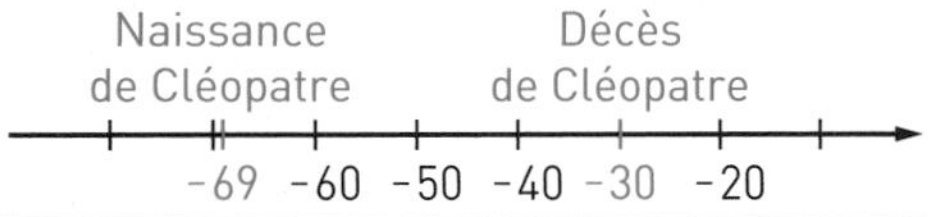 (frise : Naissance de Cléopatre −69 ; −60 ; −50 ; −40 ; Décès de Cléopatre −30 ; −20) | −30 − 69 | −30 − (−69) | −30 + (−69) |
| **61** En utilisant la question précédente, on peut dire que Cléopâtre a vécu… | 39 ans | 69 ans | 99 ans |
| **62** (−3) − [−2 − (−1)] = … | 0 | −2 | −6 |
| **63** Une montgolfière en vol est d'abord montée de 50 mètres puis est redescendue de 76 m. Finalement… | elle est descendue de 26 m | elle est montée de 26 m | on ne peut pas savoir si on ne sait pas à quelle altitude elle était au départ |
| **64** (−12) + (+7) − … = 3 Le nombre manquant dans cette opération est… | 2 | +8 | −8 |

# À CHACUN SON PARCOURS

## 1 Notion de nombres relatifs

**65 A** **a.** Classer dans l'ordre croissant les nombres suivants :
−6,89  8,45  −6,8  −6  −6,9  −7  7,89
**b. Intercaler*** un **nombre relatif*** entre − 1 et 0,4.
Donner au moins trois réponses différentes

**65 B** Graziella a écrit une liste de nombres dans l'ordre décroissant mais certains chiffres ont été effacés et remplacés par des étoiles.
Recopier et compléter cette liste (attention, parfois, il y a plusieurs possibilités)

**a.** 7,83 > 7,*5 > 3,4* > −1,68 > −1,* > −1,79

**b.** −1,79 > −*,05 > −3 > −1*,*

## 2 Additions de nombres relatifs

**66 A** Calculer les sommes suivantes :

A = −3 + (−7) + (+8) + (−10)

B = 3 + (−7) + 12 + (−4)

C = −1 + (−10) + (−100) + (−1 000) + 10 000

**66 B** Corriger les additions suivantes

A = −6 + (−4,5) + (−5)
= −15

B = (−1) + (+56) + (−12) + 13
= −56

C = (−12) + (−12) + (+24)
= −48

D = −3 + (−3) + (+5) + (−0,01) + 10
= 8,9

## 3 Soustractions de nombres relatifs

**67 A** **a.** Calculer les différences suivantes.
A = −3 − (−12)  B = (−1) − 6
C = −10,4 − 23  D = 44 − (−3,45)
**b.** Effectuer les calculs suivants en détaillant les étapes.
E = 3 + (−15) − (−7)
F = −6 − (−17) − (−20) + 3
G = 80 − [3 − (−6)] − [−1 + (−7)]

**67 B** **a.** Calculer les différences suivantes.
A = −6,98 − (−14,3)  B = 78,47 − (+96,4565)
C = −741 − (−845,1)  D = −0,015 − 7,41
**b.** Effectuer les calculs suivants en détaillant les étapes.
E = −5 − [−1 − (−6 + 7 − 3)]
F = −4 − [−6 − [−12 + (−4) − (−2)]]
G = 0,1 − [−1,2 − (−7,45)]

**68 A** Toutankhamon fut un pharaon décédé en −1335 à l'âge de 18 ans.
En quelle année était-il né ?

**68 B** Ramsès II fut un pharaon né en −1304. Il a vécu 67 ans. Ramsès III a vécu 32 ans et s'est éteint en −1134.
Combien d'années séparent la date de décès de Ramsès II de la date de naissance de Ramsès III ?

## Axe gradué

**Pour les exercices 69 à 71.**
Lire sur l'axe gradué l'abscisse de chaque point.

**69**

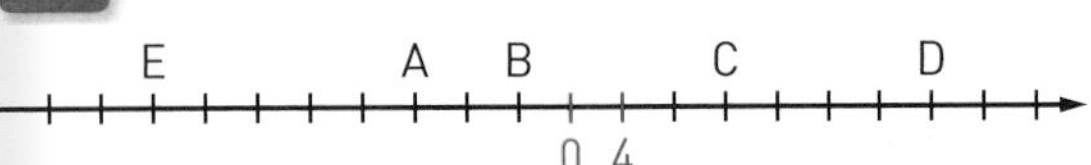


**70**

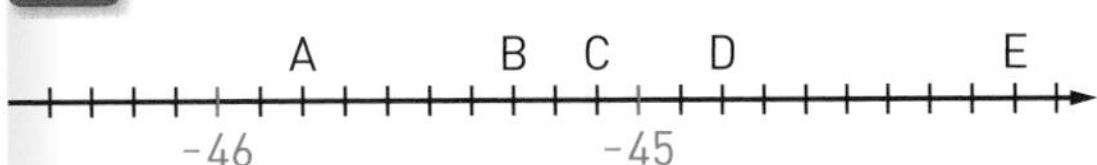


**71**

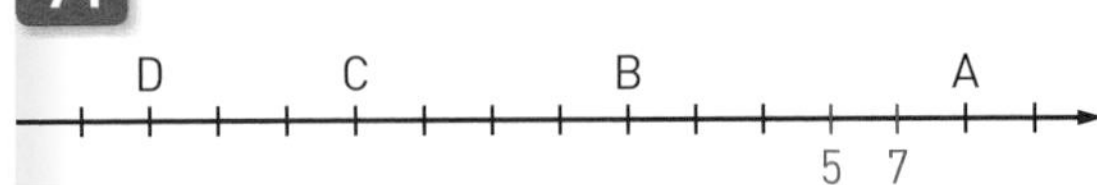


### 72 Placer des points

Reproduire cet axe gradué et placer les points Q, C, M d'abscisses **respectives*** : -7,61 ; -7,54, et -7,48.

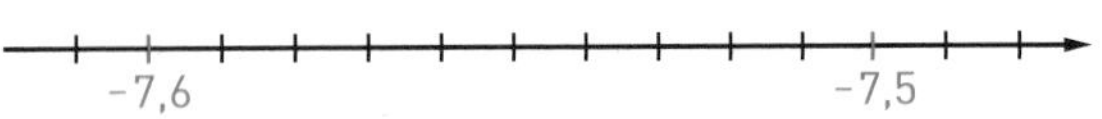


### 73 Axe à construire

Tracer un axe gradué permettant de placer les points T(-1,5), H(2), F(-3) et K(-3,5).

## Ordre

### 74 Ordre croissant

Recopier cette liste de nombres dans l'ordre croissant :
-5,47 -7,01 2,85 +1,05 -41 -5 -7,008

### 75 Ordre décroissant

Recopier cette liste de nombres dans l'ordre décroissant :
-55 -87,08 12 -68,98 -70 0 -12 -11

### 76 Encadrer

**Encadrer*** les nombres relatifs suivants par deux nombres entiers relatifs **consécutifs*** :

**a.** -45,68 **b.** 0,125 **c.** -0,89
**d.** -100,12 **e.** -3,87

### 77 Inférieur ou supérieur

Recopier et compléter à l'aide du symbole < ou >.

**a.** -8,3 ... -7,5 **b.** 5,4 ... -1,89
**c.** -0,96 ... -0,905 **d.** -100.... +250

### 78 Entier le plus proche

Donner l'**arrondi*** à l'unité la plus proche de chacun des nombres relatifs suivants et indiquer à chaque fois si son arrondi est supérieur ou inférieur au nombre.

**a.** 65,8 **b.** -98,4 **c.** -123,8
**d.** -99,3 **e.** +75,096 **f.** -99,71

### 79 Intercaler

Dans chaque cas, trouver trois nombres compris entre les deux nombres proposés.

**a.** -41,2 et -40 **b.** -1,4 et 0,85
**c.** -101 et -100,9 **d.** -0,1 et -0,01

### 80 Devinette

Trouver un nombre relatif décimal à quatre chiffres compris entre -48 et -41 à partir des informations suivantes.

- Son chiffre des unités est 7.
- Son chiffre des dixièmes est le résultat de -3 − (-6).
- Son chiffre des centièmes est le résultat de -2 + 8.

### 81 Des records

L'Europe a connu une vague de froid exceptionnelle au début du mois de mars 2005. Voici quelques températures relevées à cette période :

Paris : -6 °C
Colmar : -15 °C
Rome (Italie) : -2,5 °C
Gielas (Suède) : -39,6 °C
Bucarest (Roumanie) : -20 °C
Roeros (Norvège) : -38,8 °C
Neuchâtel (Suisse) : -34,4 °C

Classer ces villes dans l'ordre croissant de leur température.

## Opérations avec deux nombres

### 82 De tête

Calculer mentalement les soustractions suivantes :

A = -8 − (-3) B = (-7) − (+12) C = 8 − (-11)
D = (+3) − (-6) E = 15 − 18 F = 70 − (-30)

### 83 Soustractions

**a.** Effectuer les soustractions suivantes en posant au besoin des opérations.

A = -6,65 − (-65,4) B = 4,56 − (+8,654)
C = 0,96 − (+8,47) D = -0,00145 − 2,148

**b.** Vérifier ces opérations à l'aide de la calculatrice.

**84** **Programme**

**a.** Choisir un nombre relatif et effectuer les calculs suivants.

- Lui ajouter +7.
- Soustraire +10 au résultat obtenu.
- Soustraire −1 au nouveau résultat.
- Ajouter +2 au dernier résultat.

**b.** Que remarque-t-on ? Expliquer.

**85** **Qui a raison**

(-10)-(-15) a un résultat négatif car les deux nombres sont négatifs.
Non, le résultat est +5.


**86** **Avec des lettres**

On suppose que $a = -5$, $b = 17$ $c = +5$ et $d = -7{,}3$

Calculer : $M = a + b$ $N = c + d$

$P = a - b$ $Q = c - d$

## Opérations avec plusieurs nombres

**87** **De tête**

Calculer mentalement les opérations suivantes :

$A = 7 + (-5) + 3 + (-8) + (+1)$

$B = (-2) + (+7) + (-3) + (-7)$

$C = 100 + (-56) + (-44) + 1$

$D = (-12{,}5) + (-7{,}4) + 13 + (-1)$

**88** **Additions**

Effectuer les additions suivantes :

$E = -17{,}45 + (-12{,}7) + 24{,}14 + (-11)$

$F = -54 + (-41{,}05) + 851 + (-0{,}89)$

$G = 32{,}98 + (-14{,}59) + (-54{,}01) + (+100)$

$H = 547 + (-145{,}1) + (-41) + (-45{,}41)$

**89** **Utiliser la calculatrice**

**a.** Vérifier les additions de l'exercice précédent à l'aide de la calculatrice.

**b.** Effectuer, à l'aide de la calculatrice, les additions suivantes :

$A = 1\,002 + (-700) + (+36) + (-1\,000) + (-38)$

$B = -0{,}8 + (-1) + (+0{,}6) + (+1{,}2)$

**c.** Comment aurait-on pu calculer les additions de la question **b. astucieusement*** à la main ?

**90** **Calculs enchaînés**

Calculer les expressions en indiquant les étapes.

$A = -3 + (-7{,}4) - [-1{,}5 + (-4{,}8)]$

$B = 15{,}5 - [-4{,}2 - (-5{,}3)] - [-3 + (-7)]$

$C = 8{,}4 + (-5{,}4) - [-5{,}9 - (-9)]$

## À chacun son parcours

**91** **A** On trouve dans l'océan des murènes qui vivent à −1 000 m ; le crustacé Phronima à −500 m, le poisson lanterne à −1 700 m, le calmer vampir à −700 m.

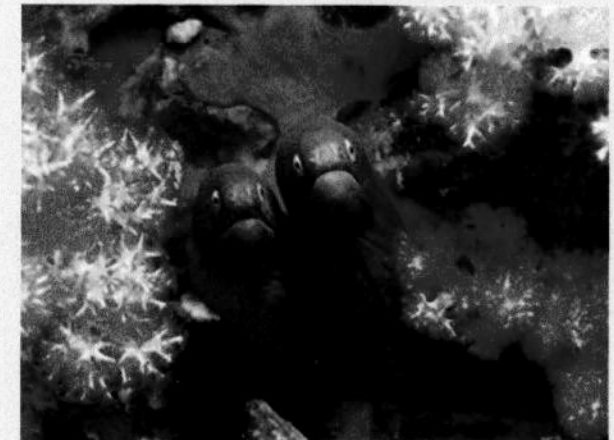

**a.** Classer ces animaux dans l'ordre croissant des profondeurs où on les trouve habituellement.

**b.** Le poisson lanterne remonte à −100 m pour manger. Quelle hauteur parcourt-il alors pour manger ?

**91** **B** Voici le nom, la date de naufrage et la profondeur de quelques épaves au large de Marseille :

- Le Dalton (cargo), 19/02/1928 : −25 m
- Le Drôme (navire), 23/01/1918 : −52 m
- Le Liban (paquebot), 07/06/1903 : −36 m
- Un Messerschmitt (avion), le 07/03/1944 : −45 m
- Le Saint Dominique (voilier), le 16/06/1897 : −33 m

**a.** Classer ces épaves dans l'ordre décroissant de leur profondeur.

**b.** Classer ces épaves dans l'ordre croissant de leur date de naufrage.

**92 Organiser un calcul**

Associer astucieusement les termes de ces additions pour les effectuer rapidement.

$A = (-100) + (-57) + (+12) + (+102) + (+56) + (-12)$

$B = (-4{,}4) + (+4) + (-3{,}1) + (-1{,}5) + (+0{,}4) + 0{,}5$

$C = (-6{,}2) + (-5{,}7) + (-4{,}8) + (+5{,}6) + (+4{,}7) + 6{,}1$

**93 Goal average**

L'équipe de football de Saintes a rencontré des équipes voisines. Pour chacune d'elles, elle a disputé un match « aller » et un match « retour ». À chaque match, l'entraîneur a relevé +1 si son équipe a marqué un but de plus que l'autre, et −1 si son équipe a marqué un but de moins. Recopier et compléter ce tableau.

| Contre l'équipe de... | Match « aller » | Match « retour » | Bilan |
|---|---|---|---|
| Rochefort | +1 | +2 | |
| Cozes | 0 | −3 | |
| Royan | −1 | | +5 |
| Gémozac | | −3 | −5 |
| Marennes | +4 | | +1 |
| Total | | | |

**94 Avec des lettres**

On suppose que $a = 8$, $b = -12$ et $c = -5$.

Calculer : $A = a + b + c$ $\quad C = a - b + c$

$B = a - b - c$ $\quad D = c - b - c$

**95 Avec des lettres**

On suppose que $a = -10$, $b = -15$, $c = 15$ et $d = 1$.

Calculer :

$E = a + b + c + d$ $\quad F = a + b - c - d$

$G = a - b + c + d$ $\quad H = a - (b - c) + d$

$I = a - (b - c) - (a + d)$

**96 Lettres et priorités**

Reproduire et compléter le tableau suivant.

| $a$ | $b$ | $c$ | $a - b - c$ | $a - (b + c)$ | $a - b + c$ |
|---|---|---|---|---|---|
| −5 | 3 | −1 | | | |
| 2 | −2 | −4 | | | |
| 10 | 10 | −5 | | | |

**97 Qui a raison ?**

En rentrant de l'école, Johan raconte à ses parents : « J'avais 34 billes en allant à l'école. À la récré du matin j'en ai d'abord gagné 12 puis perdu 23. Après le déjeuner, j'en ai perdu 28.

Enfin, à la récré du soir, j'en ai gagné 19 puis perdu 4. »

« D'accord, dit son père, tu reviens avec 10 billes ».

« Non, dit sa mère, il y a quelque chose qui cloche ».

**98 Suites d'additions**

**a.** On effectue toujours l'addition d'un même nombre pour passer d'une case à la suivante. Compléter chaque case vide par le nombre qui convient.

| −13,4 | −11,4 | −9,4 | | | | | |
|---|---|---|---|---|---|---|---|

**b.** Même question :

| | | −7,6 | −6,2 | | | −2 | |
|---|---|---|---|---|---|---|---|

**c.** Même question :

| | 15 | | | −30 | | −60 | |
|---|---|---|---|---|---|---|---|

## Égalités

**99 Tester**

**a.** Est-il vrai que le nombre masqué par la tache d'encre est −5 ? Justifier.

$-7 + \blacksquare = -2$

**b.** Prouver que +8 est le nombre masqué par la tache.

$-3 - \blacksquare = -11.$

**c.** Quel nombre est masqué par la tache ?

$2 - (\blacksquare) = -19$

**100 Opération masquée**

Recopier et compléter ces égalités à l'aide de + ou de −.

**a.** (−8) ... (−3) = −11 **b.** 5 ... 9 = −4

**c.** −11 ... (−17) = 6 **d.** −14 ... (+20) = 6

**e.** −1 ... 6 = 5 **f.** −1 ... 6 = −7

**101 Opérations masquées**

Recopier et compléter ces égalités à l'aide de + ou de −.

**a.** 3 ... (−5) ... (−2) = −4 **b.** 3 ... (−5) ... (−2) = 10

**c.** 3 ... (−5) ... (−2) = 6 **d.** 3 ... (−5) ... (−2) = 0

## Évolution

### 102 En montagne

On a l'habitude de dire que la température en montagne chute de 0,6 °C à chaque fois qu'on s'élève de 100 mètres.

**a.** À l'aide de cette règle, recopier et compléter le tableau suivant.

**Massif du Mont Blanc en octobre**

| Altitude en mètres | 600 | **900** | 1 000 | 1 200 | 1 500 | 2 400 |
|---|---|---|---|---|---|---|
| Température en °C | | **1** | | | | |

**b.** Quelle est l'évolution de la température de 900 m à 2 400 m ?

### 103 La courbe de température

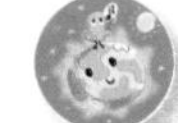

**Évolution de la température moyenne de la planète de 1860 à 2000**

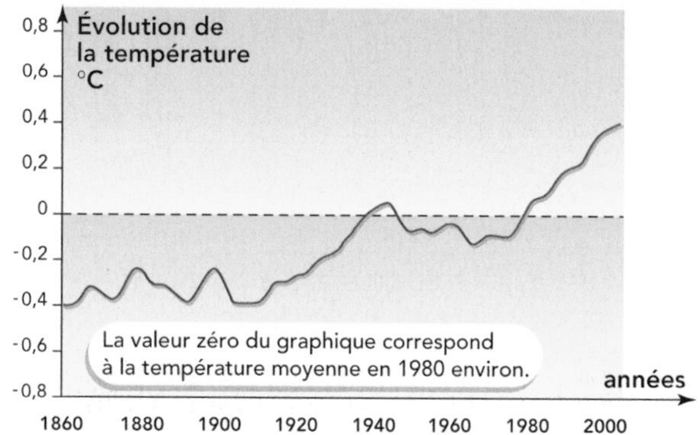


**a.** En réalité, la température moyenne de la planète en 1980 était de 15,1 °C. Calculer la température moyenne de la planète en 1900 ; en 2000.

**b.** En quelle année la température a-t-elle été la plus basse ? De combien était-elle ?

**c.** En quelle année la température était elle la plus haute ? De combien était elle ?

**d.** Calculer l'évolution de la température de 1860 à 2000.

**e.** Proposer un commentaire de ce graphique à l'aide des questions précédentes.

### 104 Dans l'atmosphère

Voici un tableau indiquant la température moyenne de l'air en fonction de l'altitude par rapport à la surface de la terre.

| Altitude (en km) | 0 | 1 | 2 | 2,5 | 3 | 4 | 6 | 8 | 10 |
|---|---|---|---|---|---|---|---|---|---|
| T° (en °C) | 15 | 7 | 2 | −1 | −3 | −10 | −23 | −38 | −51 |

**a.** À partir de quelle altitude peut-on dire que la température de l'air devient négative ?

**b.** Quelle évolution de température y a-t-il de l'altitude 3 000 m à l'altitude 8 000 m ?

**c.** Un avion passe de l'altitude 6 000 m à l'altitude 0 pour atterrir. Quelle évolution de température doit-il subir ?

### 105 Les Grecs

**a.** La guerre du Péloponnèse a duré de −431 à −404. Combien d'années a-t-elle duré ?

**b.** Le règne d'Alexandre le Grand a duré 13 ans. Il s'est terminé en −323.
Quand a-t-il commencé ?

**c.** Eratosthène était un savant né en −276. Il est décédé à l'age de 82 ans.
En quelle année est-il mort ?

### 106 Des mathématiciens célèbres

**a.** Pythagore est né en Grèce vers −570. On lui attribue une propriété célèbre étudiée en quatrième. Quel âge aurait Pythagore aujourd'hui ?

**b.** En 2006, on peut dire que Euclide, un autre mathématicien, est né il y a 2 316 ans.
En quelle année est-il né ?

▲ Pythagore

##  À CHACUN SON PARCOURS 

### 107 A

Quel est le nombre qui se cache dans le rectangle vert ?

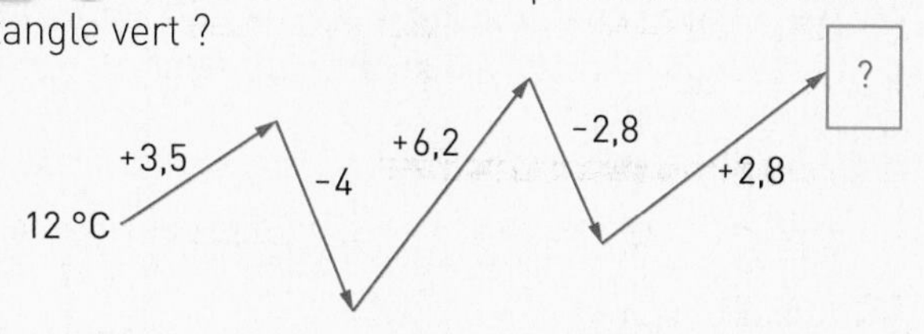


### 107 B

Effectuer les opérations suivantes.

A = −3 + 7,84 − 12

B = 7 − 8,78 − 9,01 + 7,3 − 4,23

C = −3 − [(−4) − (−5 − 2)]

# Exercices d'approfondissement

**108 Les Romains**

**a.** La fondation de Rome date de −753.
Combien d'années nous séparent de cette date ?
**b.** En −27 débute le règne de l'empereur Auguste.
Il décède en 14 après J.-C.
Combien de temps a-t-il régné ?
**c.** Dioclétien était empereur de 285 à 305.
Combien de temps a-t-il régné ?

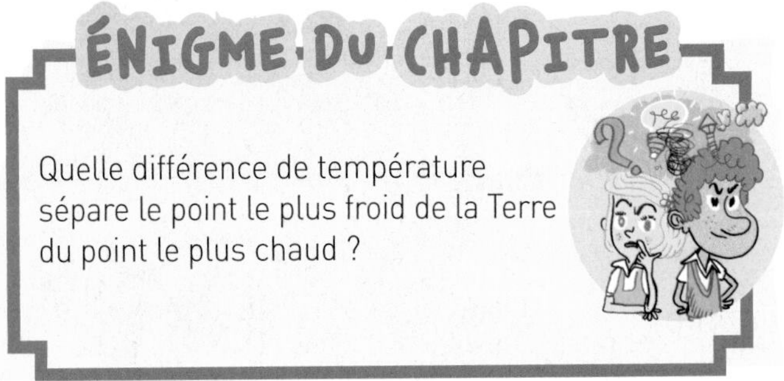


Quelle différence de température sépare le point le plus froid de la Terre du point le plus chaud ?

## Devoirs à la maison

### POUR PRENDRE LE TEMPS DE CHERCHER

**109 Dictionnaire**

À l'aide d'un dictionnaire, trouver les dates de naissances et de décès de ces personnages.
Jules César
Alexandre le grand
Vercingétorix
Hérodote
Périclès

**1.** Donner la liste de ces personnages dans l'ordre croissant de leur date de naissance.
**2.** Donner la liste de ces personnages dans l'ordre croissant de leur durée de vie.

**110 Grille**

Pour traverser cette grille, on doit croiser des nombres de plus en plus grands en avançant verticalement ou horizontalement.
En partant de la case bleue, tracer un chemin sur cette grille. Sur quel nombre arrive-t-on ?

| −88 | −85 | −84 | −87 | −32 | −852 | −20 | −35 |
|---|---|---|---|---|---|---|---|
| −95 | −84,8 | −89 | −100 | +12 | −3 | +70 | −1 |
| −88,1 | −84 | −79 | −86 | −88 | −70 | −73 | 0 |
| −78,1 | −76 | −75 | −74,9 | −73 | −69 | −71 | −10 |
| −77 | −76,6 | −75,1 | −75 | −74 | −65,1 | −66 | −1 |
| −3 | −74 | −99 | −5,45 | −66,4 | −65 | −64 | −67 |
| −12 | −13 | −12,1 | −45 | −66 | −61,8 | −68 | −3 |
| −74 | −84 | +52 | −1 | −16,1 | −32 | −96 | −5,4 |
| −65 | −3 | 4,8 | +2 | 0 | −0,1 | −12,5 | −18 |
| −63 | −4 | 5 | −12 | 15 | 7,5 | 3,4 | −12 |

**111 Les fuseaux horaires**

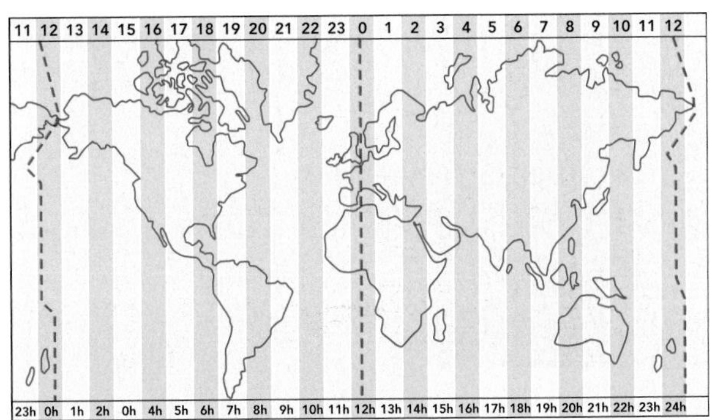


Cette carte du monde indique par exemple que lorsqu'il est midi à Paris, il est 15 h 00 à Moscou, mais il n'est que 7 h 00 du matin à New York.
La liste suivante donne quelques endroits de la planète avec leur décalage par rapport à Paris :

*Québec* . . . . . . . . . . . . . . . . −6
*Égypte* . . . . . . . . . . . . . . . . . +1
*Guadeloupe (Fr)* . . . . . . . . . . −5
*Guyane (Fr)* . . . . . . . . . . . . . −4
*Kerguelen (Fr)* . . . . . . . . . . . +4
*Luxembourg* . . . . . . . . . . . . . 0
*Madagascar* . . . . . . . . . . . . . +2
*Maroc* . . . . . . . . . . . . . . . . . . −1
*Martinique* . . . . . . . . . . . . . . −5
*Marquises (Fr)* . . . . . . . . . . . −10,5
*Nouvelle-Calédonie (Fr)* . . . +10
*Réunion (Fr)* . . . . . . . . . . . . . +3
*Saint-Pierre et Miquelon (Fr)* . . −4
*Société, Îles de la (Fr)* . . . . . −11
*Vietnam* . . . . . . . . . . . . . . . . +6

**Par exemple, l'heure au Québec est égale à l'heure à Paris − 6 heures.**

**a.** Il est 14 h 00 à Paris, quelle heure est-il en Guyane ? En Egypte ? Dans les îles de la Société ?
**b.** Il est 4 h 00 du matin à Paris, quelle heure est-il dans les îles Kerguelen ? En Martinique ? Dans les îles Marquises ?
**c.** Il est 7 h 00 du matin à Saint Pierre et Miquelon, quelle heure est-il à Paris ?
**d.** Il est 3 h 00 du matin au Maroc, quelle heure est-il au Vietnam ?
**e.** Quel décalage horaire y a-t-il à Saint Pierre et Miquelon par rapport à l'Égypte ?

# 2 Repères, représentations de données

## Les objectifs du programme

### Repérage

- → Sur une droite graduée, lire l'abscisse d'un point et placer un point d'abscisse donnée. Déterminer la distance de deux points.
- → Dans un repère orthogonal, lire les coordonnées d'un point et placer un point de coordonnées données.
- → Connaître et utiliser le vocabulaire : origine, coordonnées, abscisse, ordonnée.

### Représentations de données

- → Calculer des effectifs et des fréquences.
- → Regrouper des données en classes d'égale amplitude.
- → Lire et interpréter des informations à partir d'un tableau ou d'une représentation graphique.
- → Présenter des données sous la forme d'un tableau, d'un diagramme ou d'un histogramme.

## Sommaire

## Des graphiques pour convertir

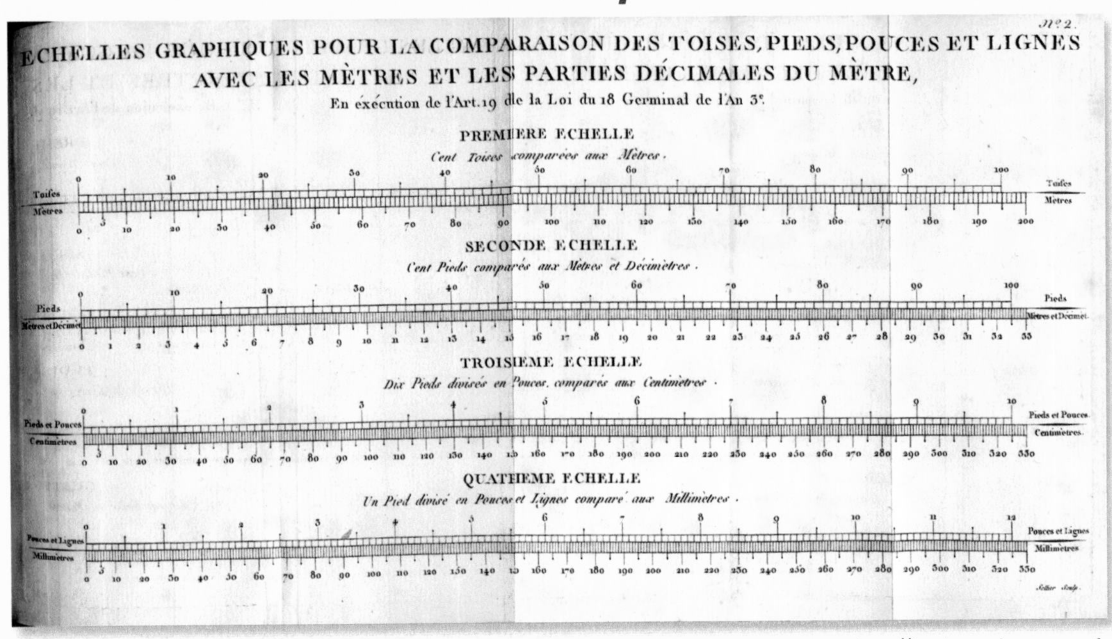


http://fonds-ancien.ensmp.fr

L'usage des graphiques est ancien. Depuis longtemps on a cherché à en produire pour représenter des données. Le graphique ci-dessus date du XIXe siècle. Il permet d'effectuer des conversions entre différentes unités de longueur sans effectuer de calculs.

...à l'autre

## Des graphiques pour résumer

Aujourd'hui encore on utilise des graphiques pour représenter des données.
Par exemple, la « rose des vents » ci-contre permet de voir très rapidement que les vents en provenance du Sud Est sont très peu fréquents (longueur des tiges) et qu'ils ont des vitesses beaucoup plus faibles (absence de couleur orange) que les vents provenant du Sud Ouest.
Il est beaucoup moins évident de déduire ces renseignements de la seule lecture des données présentées dans le tableau !

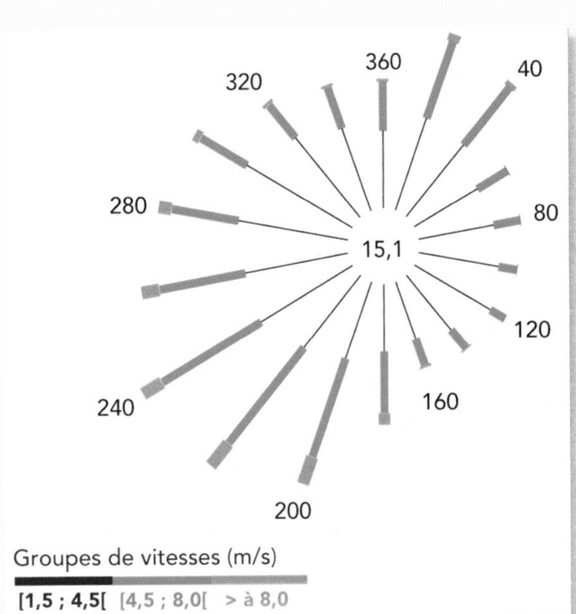


▲ Fréquence des vents à Beauvais-Tille (Oise) en fonction de leur provenance en %.

| Dir. | [1,5 ; 4,5[ | [4,5 ; 8,0[ | > 8,0 m/s | Total |
|---|---|---|---|---|
| 20 | 2,9 | 2,4 | 0,3 | 5,6 |
| 40 | 2,8 | 2,5 | 0,2 | 5,1 |
| ... | ... | ... | ... | ... |
| 180 | 2,0 | 1,8 | 0,4 | 4,2 |
| 200 | 2,4 | 3,1 | 0,9 | 6,4 |
| 220 | 2,8 | 3,7 | 0,9 | 7,3 |
| 240 | 3,3 | 3,5 | 0,7 | 7,5 |
| 260 | 3,2 | 2,7 | 0,6 | 6,5 |
| 280 | 3,4 | 2,1 | 0,4 | 5,9 |
| 300 | 3,8 | 1,6 | 0,2 | 5,6 |
| 320 | 3,1 | 1,3 | 0,1 | 4,5 |
| ... | ... | ... | ... | ... |
| [0 ; 1,5[ | | | | 15,1 |

Dir. : Direction d'où vient le vent : 90° = Est, 180° = Sud, 270° = Ouest, 360° = Nord.

# Repères

## Calcul de la distance entre deux points

Pour chacun des axes ci-dessous, répondre aux 3 questions suivantes.
**a.** Quelles sont les **abscisses*** des points A et B ?
**b.** Quelle est la longueur du segment [AB] ?
**c.** Comment calculer la longueur AB à l'aide des abscisses de A et B ?

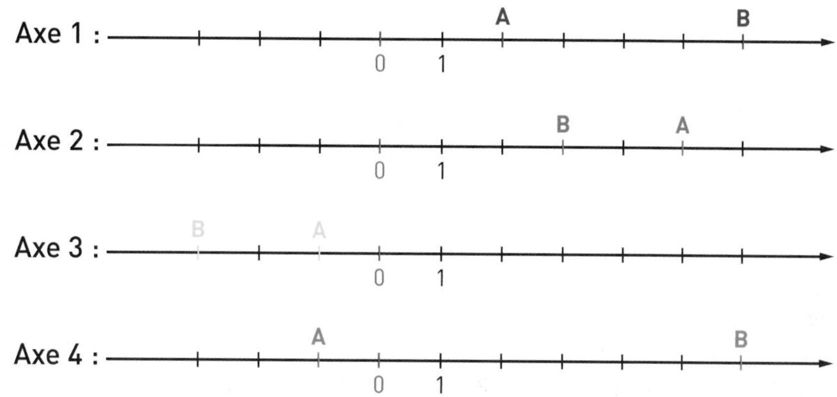


**d.** Peut-on trouver une formule qui permettrait de calculer la longueur AB dans les quatre cas, en utilisant les abscisses de A et B ?

## Repérage dans le plan

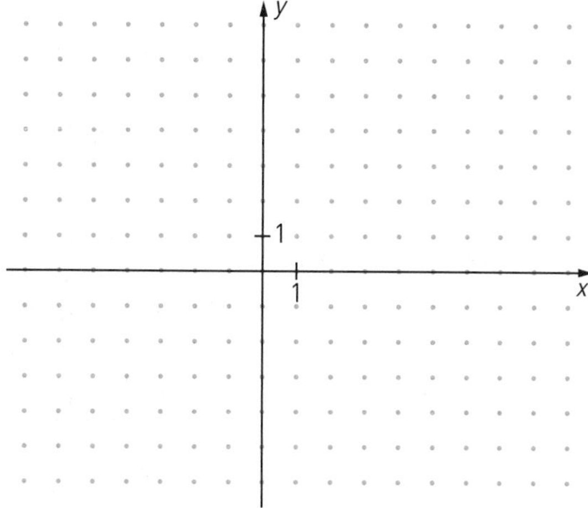


Sur une feuille de papier pointé, tracer deux axes gradués perpendiculaires.
**a.** Choisir 5 points **quelconques*** de la feuille. Les nommer A, B, C, D et E, et les marquer en vert.
**b.** Sur une feuille ordinaire, décrire la position des 5 points placés.
**c.** Échanger la description avec celle d'un autre élève. Sur la feuille de papier pointé, essayer de placer, en rouge, les points décrits par cet élève.
**d.** Vérifier si les figures des deux élèves (les axes et les 10 points) se superposent.

# Tableaux et graphiques

## 3 Retrouver un graphique cohérent avec des données

On s'intéresse à la répartition par âges des femmes en Afrique, en Europe et en Asie, en 2002.

1. En utilisant le tableau distribué par le professeur, retrouver pour chacun des graphiques ci-dessous, le continent auquel il correspond. Proposer alors un titre et rédiger une **légende*** pour chaque graphique.

**Diagrammes circulaires :**

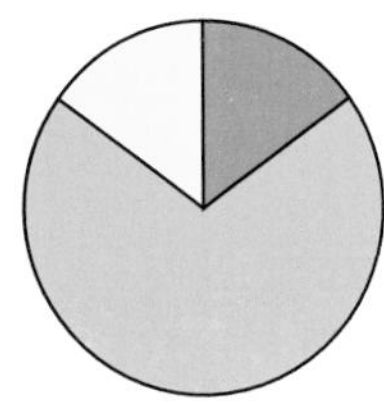
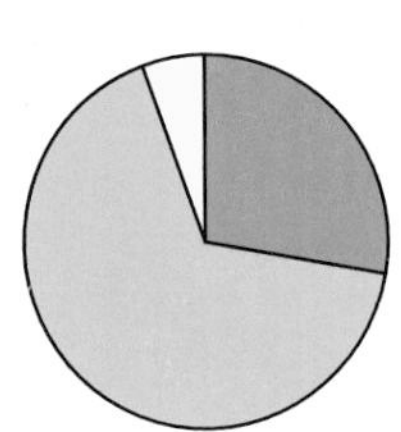
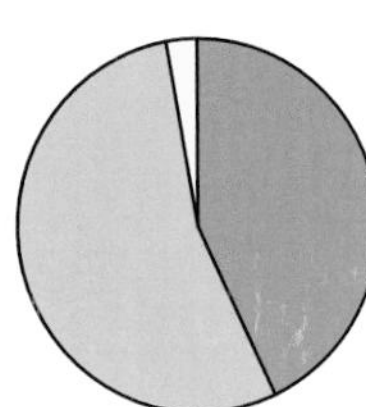

**Diagrammes en bandes :**

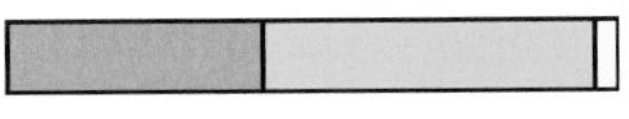

**Diagrammes en tuyaux d'orgue :**

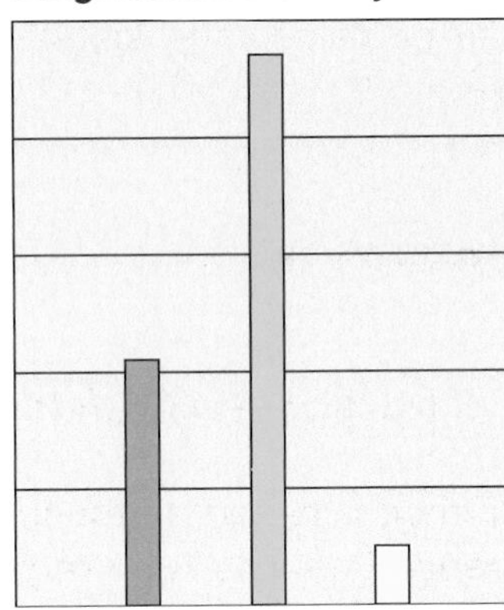
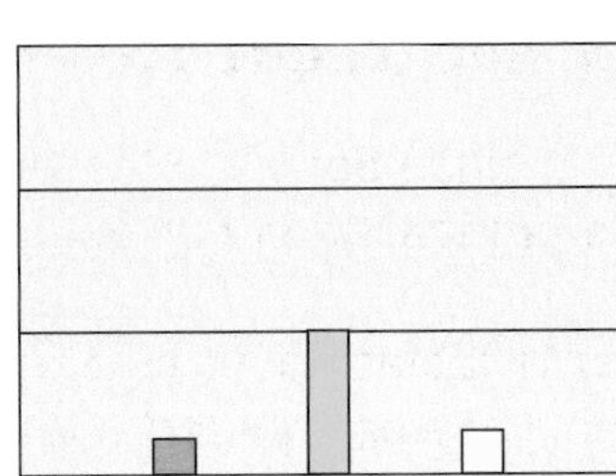
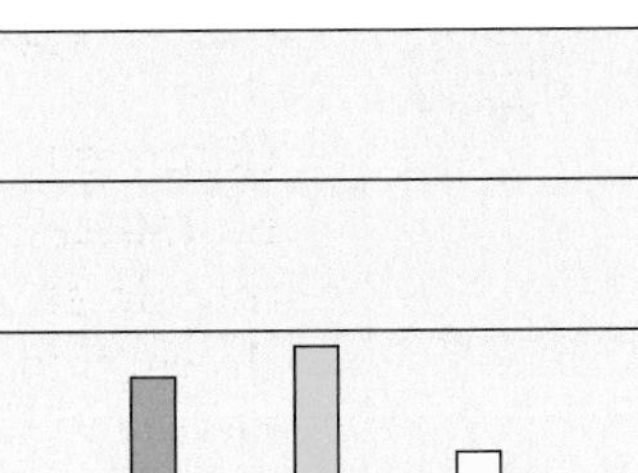

2. Quel type de graphique (diagramme circulaire, en bandes ou en tuyaux d'orgue permet de répondre à la question : « Lequel des trois continents compte le plus de jeunes femmes ? »

## 4 Compléter des données avec un tableur

Charger le fichier indiqué par le professeur.
Le tableau donne la répartition de la population mondiale par âge et par sexe en 2002.
*Toutes les **données*** sont des estimations.*

a. Observer le contenu des cellules dans la partie du tableau qui concerne les hommes (voir la fiche p. 240).
b. En s'inspirant des formules repérées au **a.**, compléter les cellules bordées de rouge dans la partie du tableau qui concerne les femmes.
c. Pour chaque continent, comparer la cellule correspondant à « tous âges » pour les hommes et pour les femmes. Quelle interprétation peut-on trouver à cette comparaison ?

# Fréquences et pourcentages

## 5 Donner du sens aux pourcentages

On veut comparer la répartition de la population mondiale selon les régions du monde et l'âge en 2002.
En utilisant le document fourni par le professeur, dire si les affirmations suivantes sont vraies ou fausses. Pour les 3 dernières affirmations, sur quelle partie du tableau peut-on s'appuyer pour répondre ?

- « L'Océanie est le continent qui contient le moins de personnes ayant entre 15 et 64 ans, car il s'y trouve seulement environ 20 580 000 personnes entre 15 et 64 ans. »
- « La répartition de la population par âge est pratiquement identique entre l'Asie et l'Amérique latine. »
- « La population européenne est plus vieille que celle des autres continents. »
- « C'est sur le continent africain qu'il y a le moins de personnes âgées. »

## 6 Calculer une fréquence avec un tableur

Charger le fichier indiqué par le professeur.
Le tableau donne la répartition par âge de la population selon différentes régions du monde en 2002.
On veut compléter le tableau pour obtenir pour chaque région du monde, la population de chaque **classe*** d'âge par rapport à la population totale de cette région du monde.

**1.** Observer la formule de la cellule H13. Expliquer cette formule.
En s'inspirant de cette formule, compléter toutes les cellules bordées de rouge.

**2.** Pour obtenir des **pourcentages*** à partir des **fréquences***, cliquer sur une cellule avec le bouton droit de la souris et sélectionner le FORMATAGE DE LA CELLULE. Choisir ensuite : POURCENTAGE et « 0 » DÉCIMALES.
Faire la transformation pour la cellule H13 et observer la transformation.

**a.** Par quel calcul passe-t-on de la fréquence au pourcentage ?

**b.** Rédiger une phrase qui explique à quoi correspond ce pourcentage.

**3.** En utilisant soit le formatage, soit le calcul trouvé au **2.**, transformer **astucieusement*** le tableau des fréquences en tableau des pourcentages.

> On peut formater toutes les cellules en même temps.

**4.** Compléter la colonne « tous âges » du tableau des pourcentages en effectuant la somme des colonnes précédentes.
Expliquer le résultat trouvé.

Leçon 1

# Repères

## 1 Droite graduée

### 1 Repérage

**DESCRIPTION**

Pour repérer la position d'un point sur une droite, on choisit une **origine**, une **unité** et un **sens**.

**EXEMPLE**

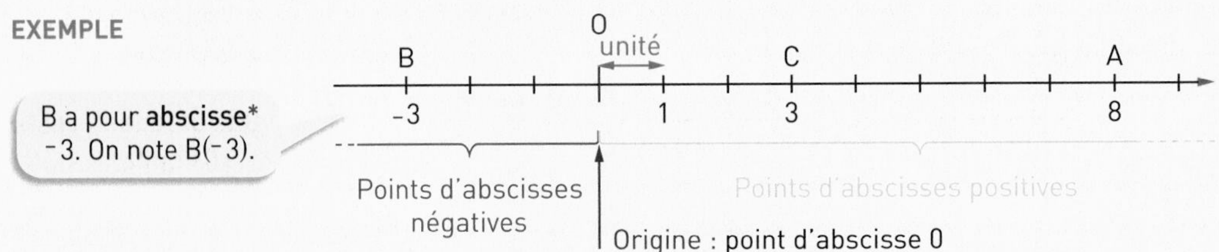


### 2 Calcul de la longueur d'un segment

**FORMULE**

A et B étant deux points sur une droite graduée :

Longueur AB = Abscisse la plus grande — Abscisse la plus petite

**EXEMPLE** : A(8) et B(-3) étant les points de la droite ci-dessus :
$8 > -3$ donc $AB = 8 - (-3) = 11$

Attention : le calcul d'une longueur donne toujours un nombre positif.

## 2 Repère orthogonal

**DÉFINITION**

Un **repère orthogonal** est formé de deux droites graduées perpendiculaires. Pour décrire la position d'un point dans le repère, on utilise deux **coordonnées** : son **abscisse** et son **ordonnée**.

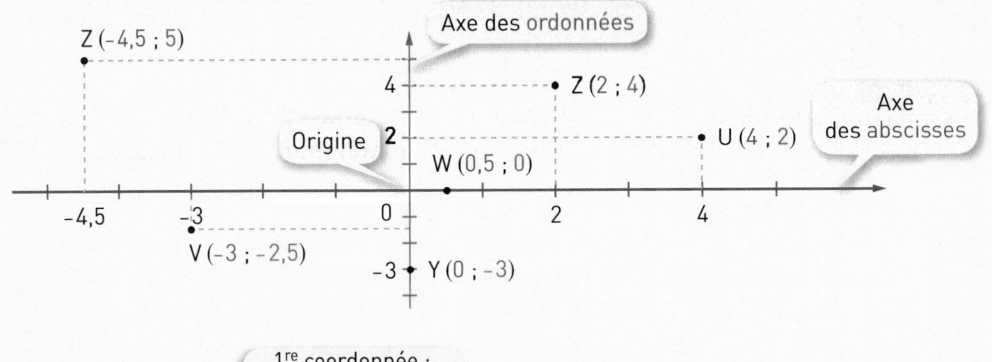


**EXEMPLE** : Les coordonnées de Z sont (2 ; 4) et celles de U sont (4 ; 2).

## Choisir une graduation

**ÉNONCÉ**

Choisir, dans chaque cas, une **graduation*** pour placer les points sur une droite graduée.
**a.** A(250), B(−600), C(−450) et D(300) ;
**b.** E(−0,03), F(−0,1), G(0,05) et H(0,01)

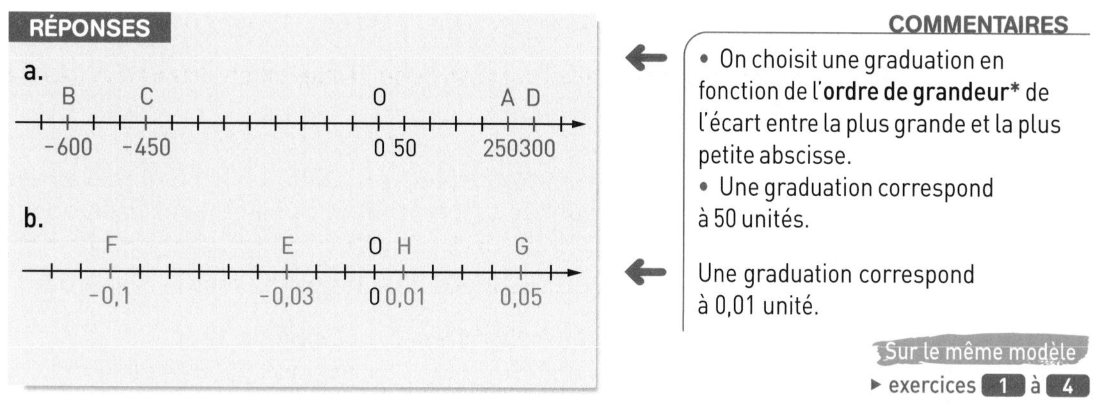


**COMMENTAIRES**

- On choisit une graduation en fonction de l'**ordre de grandeur*** de l'écart entre la plus grande et la plus petite abscisse.
- Une graduation correspond à 50 unités.

Une graduation correspond à 0,01 unité.

Sur le même modèle
▸ exercices 1 à 4

EXERCICE RÉSOLU 2

## Calculer la distance entre deux points

**ÉNONCÉ**

Les points A(6), B(−3,5) et C(−2,5) sont sur une droite graduée.
Calculer les longueurs AB et BC.

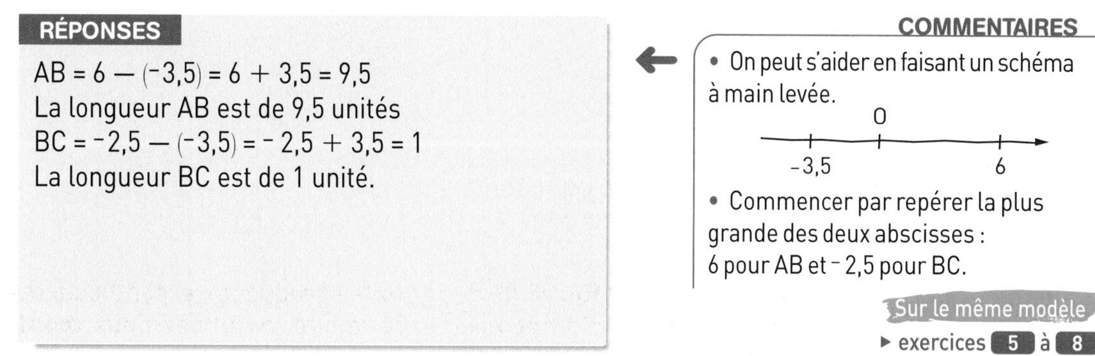


**RÉPONSES**

AB = 6 − (−3,5) = 6 + 3,5 = 9,5
La longueur AB est de 9,5 unités
BC = −2,5 − (−3,5) = − 2,5 + 3,5 = 1
La longueur BC est de 1 unité.

**COMMENTAIRES**

- On peut s'aider en faisant un schéma à main levée.
- Commencer par repérer la plus grande des deux abscisses : 6 pour AB et − 2,5 pour BC.

Sur le même modèle
▸ exercices 5 à 8

EXERCICE RÉSOLU 3

## Placer des points et lire des coordonnées

**ÉNONCÉ**

Dans un repère orthogonal en prenant 1 cm comme unité, placer les points A(−0,5 ; 0,5) et B(1,5 ; −0,5). Lire les coordonnées du milieu I du segment [AB].

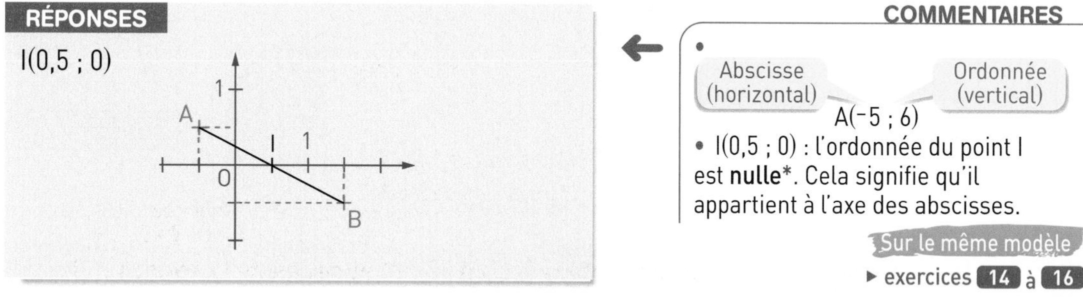


**RÉPONSES**

I(0,5 ; 0)

**COMMENTAIRES**

- I(0,5 ; 0) : l'ordonnée du point I est **nulle***. Cela signifie qu'il appartient à l'axe des abscisses.

Sur le même modèle
▸ exercices 14 à 16

# Diagrammes

## 1 Vocabulaire

**Répartition des élèves d'un collège par âge**

| **Âge** | 10 ans | 11 ans | 12 ans | 13 ans | 14 ans | 15 ans | 16 ans | 18 ans |
|---|---|---|---|---|---|---|---|---|
| **Effectifs** | 22 | 83 | 101 | 92 | 71 | 25 | 8 | 1 |

DÉFINITION

**Données :** ensemble des renseignements recueillis (ici le nombre d'élèves par âge)
**Effectifs :** nombre de personnes correspondant à une certaine valeur des données.

On peut parfois regrouper les données par **classe*** de même **amplitude***.

**Répartition des élèves par classe d'âge d'amplitude 2 ans**

| **Classe** | De 10 ans à 12 ans | De 12 à 14 ans | De 14 à 16 ans | De 16 à 18 ans | De 18 à 20 ans |
|---|---|---|---|---|---|
| **Effectifs** | 105 | 193 | 96 | 9 | 1 |

## 2 Diagrammes et histogrammes

Voici cinq représentations pour les données du paragraphe **1**.

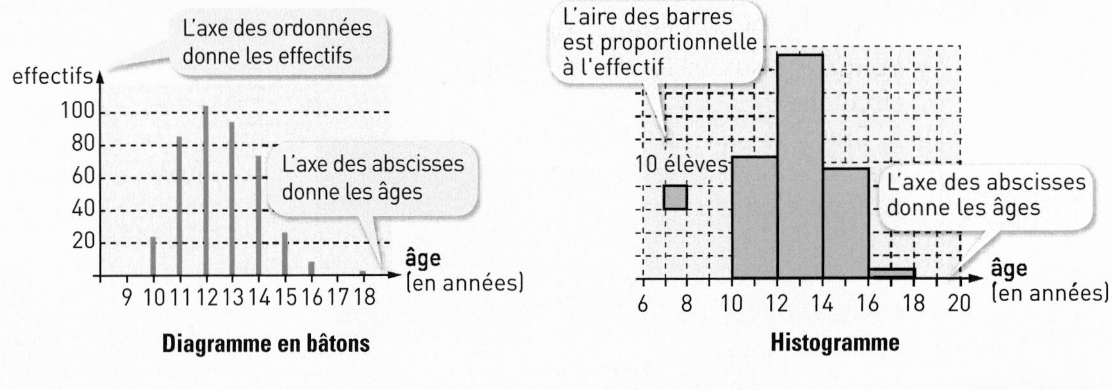


**Diagramme en bâtons** **Histogramme**

Légende des trois diagrammes ci-dessous :
De 10 à 12 ans — De 12 à 14 ans — De 14 à 16 ans — De 16 à 18 ans — De 18 à 20 ans

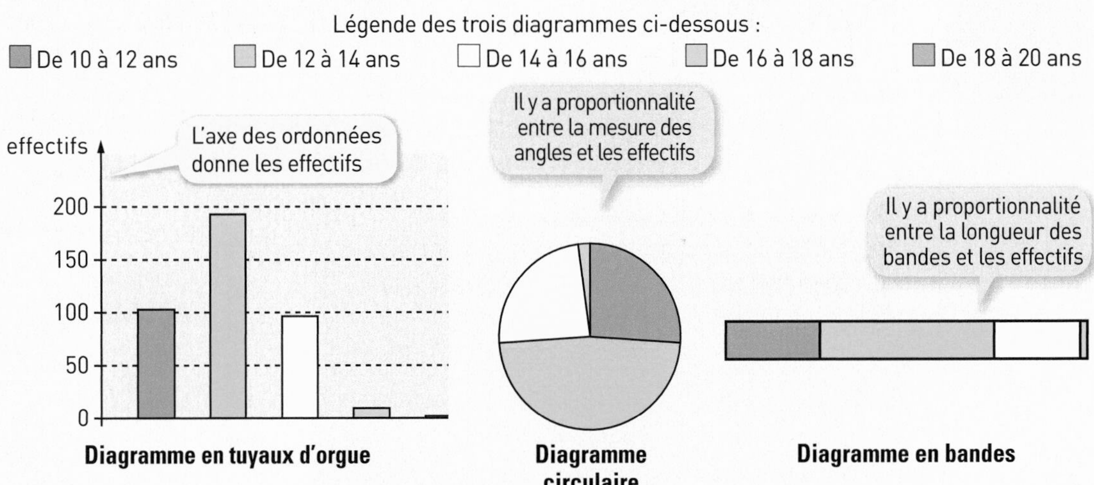


**Diagramme en tuyaux d'orgue** **Diagramme circulaire** **Diagramme en bandes**

## *Représenter des données dans un diagramme en bandes*

**ÉNONCÉ**

Représenter les données du tableau dans un diagramme en bandes.

**Répartition des élèves en France à la rentrée 2003**

| **Niveau** | Maternelle | Élémentaire | Collège | Lycée | TOTAL |
|---|---|---|---|---|---|
| **Effectif** | 2 599 000 | 3 953 000 | 3 323 000 | 2 257 000 | 12 132 000 |

**RÉPONSES**

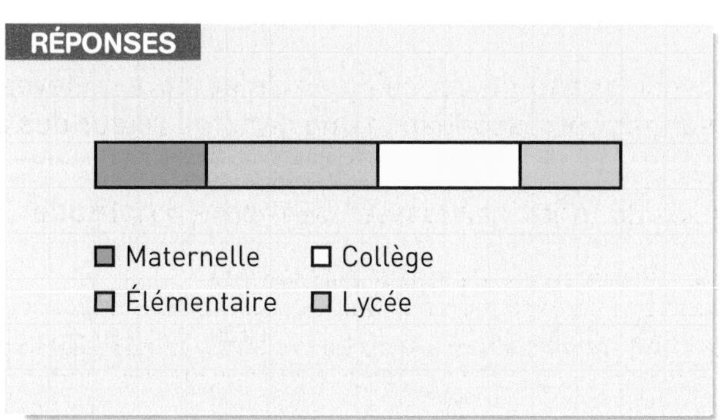

**COMMENTAIRES**

• On calcule la longueur de chaque bande en utilisant la proportionnalité (ici on a divisé tous les effectifs par 2 000 000).

• Le diagramme est moins précis que les données, mais il permet une comparaison rapide des effectifs.

Sur le même modèle

▸ exercices 19 à 21

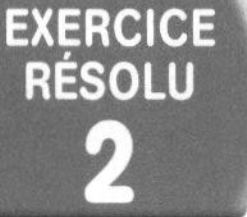


## *Réaliser un diagramme circulaire à l'aide d'un tableur*

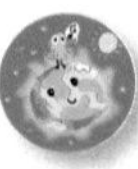

**ÉNONCÉ**

**1.** À l'aide d'un tableur, représenter les données sous la forme d'un diagramme circulaire.

**2.** Citer des sources d'énergie renouvelable. Quelle remarque le diagramme permet-il de faire à ce sujet ?

| | A | B | C | D |
|---|---|---|---|---|
| 1 | **Consommation d'énergie en France en 2001** | | | |
| 2 | *source : Observatoire de l'énergie* | | | |
| 3 | | | | |
| 4 | | En Mtep* | | |
| 5 | charbon | 11,9 | | |
| 6 | gaz naturel | 37,2 | | |
| 7 | Pétrole | 36 | | |
| 8 | électricité primaire | 111,2 | | |
| 9 | Energie renouvelable | 12,2 | | |
| 10 | total | 208,5 | | |
| 11 | | | | |
| 12 | *Mtep est une unité qui désigne « millions de tonnes équivalent pétrole » | | | |

**RÉPONSES**

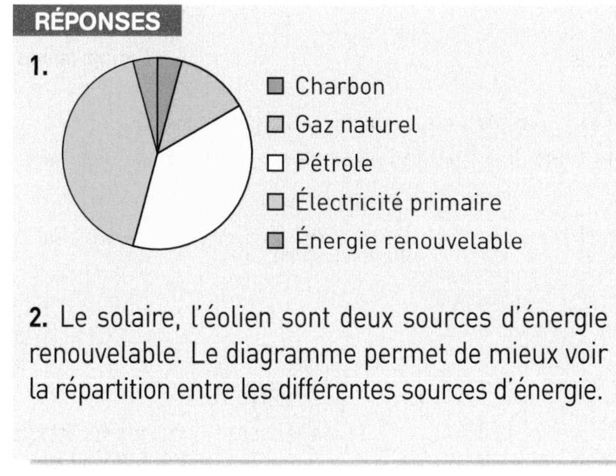


**2.** Le solaire, l'éolien sont deux sources d'énergie renouvelable. Le diagramme permet de mieux voir la répartition entre les différentes sources d'énergie.

**COMMENTAIRES**

• Sélectionner les données à représenter, sans la ligne total (voir le tableau de l'énoncé).

– Cliquer sur INSERTION/GRAPHIQUE (ou DIAGRAMME).

– Choisir le type de graphique : (SECTEURS ), puis cliquer sur SUIVANT.

– Cliquer sur FIN.

Sur le même modèle

▸ exercices 22 et 23

# Fréquences et pourcentages

## Fréquence et pourcentage

**Palmarès des sites culturels et récréatifs en 2003**

| | Effectifs (en millions de visiteurs) | Fréquence $\frac{\text{effectif}}{\text{effectif total}}$ | Pourcentage *fréquence* × *100* |
|---|---|---|---|
| Disneyland Paris | 12,40 | 0,39 | 39 % |
| Tour Eiffel | 5,86 | 0,18 | 18 % |
| Musée du Louvre | 5,74 | 0,18 | 18 % |
| Centre Georges Pompidou | 5,32 | 0,17 | 17 % |
| Château de Versailles | 2,85 | 0,09 | 9 % |
| *Total* | *32,17* | *1,00* | *100 %* |

On dit par exemple que « 18 % du nombre d'entrées dans les sites les plus visités étaient, en 2003, des entrées à la tour Eiffel ».

REMARQUE : La fréquence est un nombre compris entre 0 et 1, le pourcentage est un nombre compris entre 0 et 100.

**PROPRIÉTÉS**

La somme de toutes les fréquences doit être égale à 1.
La somme de tous les pourcentages doit être égale à 100.

## Comparer des données

**PROPRIÉTÉS**

Pour comparer deux séries de données, on peut :
- comparer les effectifs,
- comparer les pourcentages.

Dans les deux cas, il faut être attentif aux effectifs totaux.

EXEMPLES

**Réussite au brevet des collèges en 2003 par académie**

| | Académie de Lyon | Académie de Nice |
|---|---|---|
| Nombre de présents | 36 048 | 22 889 |
| Nombre d'admis | 29 075 | 18 686 |

D'après le tableau, beaucoup plus d'élèves ont été admis dans l'académie de Lyon que dans l'académie de Nice.

**Pourcentages de réussite en 2003 par académie**

| | Académie de Lyon | Académie de Nice |
|---|---|---|
| Pourcentage de réussite | 80,7 % | 81,6 % |

D'après les pourcentages calculés, on ne peut pas dire que les élèves de l'académie de Lyon ont mieux réussi que ceux de l'académie de Nice.

EXERCICE RÉSOLU 1

## Calculer des pourcentages

ÉNONCÉ

a. Sans effectuer aucun calcul, quel est le pourcentage **approximatif*** de licenciés de chaque fédération ?
b. Effectuer précisément les calculs des pourcentages.

**Licenciés sportifs des 4 fédérations les plus représentées en 2003 en France**

| Fédération française | Nombre de licenciés |
|---|---|
| – de football | 2 141 239 |
| – de tennis | 1 075 025 |
| – de judo-jujitsu et disciplines associées | 556 406 |
| – d'équitation | 468 591 |
| **Total** | 4 241 261 |

RÉPONSES

a. Le football concerne environ 50 % des licenciés, le tennis environ 25 % des licenciés.
Le judo-jujitsu et l'équitation concernent chacun environ 12,5 % (la moitié du tennis) des licenciés.

b.

| FFF | 50,5 % |
|---|---|
| FFT | 25,3 % |

| FFJJ | 13,1 % |
|---|---|
| FFE | 11,0 % |

Vérification : $50,5 + 25,3 + 13,1 + 11,0 \approx 100$

COMMENTAIRES

- On utilise les ordres de grandeur. 2 000 000 correspond à la moitié de 4 000 000.
- Le quart correspond à 25 %.
- La moitié d'un quart (un huitième) correspond à 12,5 %.
- On **arrondit*** souvent les pourcentages à l'unité ou au dixième.
- On ne trouve pas toujours exactement 100 car chaque fréquence obtenue est souvent un arrondi.

Sur le même modèle

▸ exercices 27, 28 et 32

EXERCICE RÉSOLU 2

## Comparer des données

ÉNONCÉ

**À l'issue des jeux olympiques d'Athènes en 2004, les 25 pays d'Europe avaient récolté 286 médailles et les États-Unis 103 médailles.**
**Sachant que 6 298 athlètes des 25 pays de l'Union Européenne et 1 418 athlètes des États-Unis ont participé à ces jeux, comparer les deux résultats.**

RÉPONSES

$\frac{286}{6\,298} \times 100 \approx 4,5\ \%$ et $\frac{103}{1\,418} \times 100 \approx 7,3\ \%$

4,5 % des participants européens ont obtenu une médaille, contre 7,3 % des participants originaires des États-Unis.
La performance des athlètes des États-Unis est donc meilleure que celle des athlètes européens.

COMMENTAIRES

- On calcule chaque pourcentage : $\frac{\textit{effectif}}{\textit{effectif total}} \times 100$
- Attention : comparer des effectifs et comparer des pourcentages ne conduit pas toujours à la même conclusion.

Sur le même modèle

▸ exercice 33

# 1 Repères

**Pour les exercices 1 à 4.**
Placer les points sur une droite graduée en choisissant une unité adaptée.

**1** A(-2 500) B(6 500) C(500) D(2 500)

**2** E(-20 000) F(-5 600) G(-13 000) H(-10 700)

**3** I(0,7) J(-0,89) K(0,15) L(-0,8) M(-0,15)

**4** N(-6,3) P(-0,5) Q(-1,25) R(-3)

**Pour les exercices 5 à 8.**
En utilisant les points des exercices 1 à 4, calculer les longueurs demandées et citer les points dont la distance à l'origine est la même.

**5** OA, OB, OC, OD, AB et BC.

**6** OH, OE, HE, EF et HG.

**7** OI, OK, OM, KI, JL, KM et IJ.

**8** QR, RN, NP et PQ.

**Pour les exercices 9 à 12**
Les points sont placés sur un axe gradué. Trouver les abscisses des points B et C. Vérifier par un calcul.

**9** A(5) et AB = AC = 5

**10** A(-3) et AB = AC = 3

**11** A(-5) et AB = AC = 7

**12** A(2,5) et AB = AC = 4,5

**13 Repère orthogonal avec même unité**
**a.** Dans un repère orthogonal d'origine O, en prenant 1 cm comme unité, placer les points :
A(6 ; 2) B(5 ; 0) C(-3 ; 1) D(-4 ; -1,5)
E(-4 ; 5) F(-3 ; 2,5) G(0 ; 3,5) H(4,5 ; 3,5)
**b.** Tracer le **polygone*** ABOCDEFGH.
**c.** Placer un point pour marquer l'œil de l'animal ainsi obtenu et déterminer les coordonnées de ce point.

**14 Températures**
Les abscisses correspondent aux mois (1 pour janvier, 2 pour février...) et les ordonnées aux températures.
**a.** Reproduire le graphique et le compléter avec les points F(6 ; 9) G(7 ; 12) H(8 ; 12) I(9 ; 7) J(10 ; 3) K(11, -1) et L(12 ; -5).
**b.** Dans un tableau, inscrire les températures moyennes par mois.

**Température moyenne à Helsinki (Finlande)**

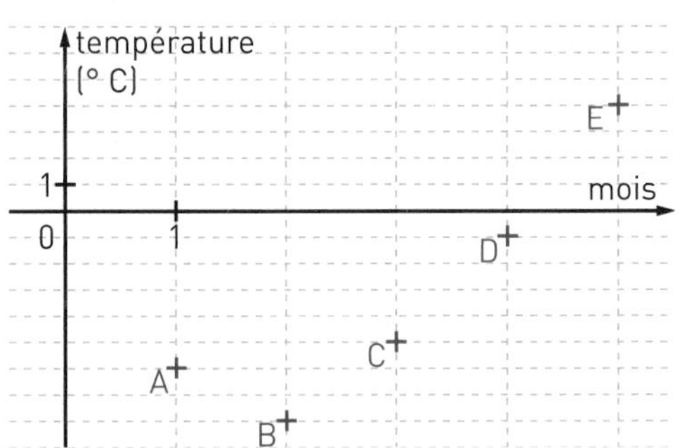


**15 Repère orthogonal, milieux**
Dans un repère orthogonal, prendre une unité de 0,5 cm sur l'axe des abscisses et de1 cm sur l'axe des ordonnées.
**a.** Placer les points
A(-3 ; 1) B(2 ; 1) C(6 ; 0) D(6 ; -2)
E(-6 ; -3) F(1 ; -3) G(0 ; 3,5).
**b.** Placer les points I, J, K, L, M et N milieux **respectifs*** des segments [AB], [BC], [CD], [DE], [EF] et [FG].
**c. Lire*** les coordonnées des points I, J, K, L, M et N.

**16 Repère orthogonal, symétries**
Dans un repère orthogonal d'origine O, prendre une unité de 1 cm sur l'axe des abscisses et de 5 cm sur l'axe des ordonnées.
**a.** Placer les points A(-8,5 ; 1,3) B(-1,5 ; 1,1) C(-4 ; 1,4) et D(-6 ; 0,4).
**b.** Placer les points $A_1$, $B_1$, $C_1$ et $D_1$ **respectivement*** symétriques de A, B, C et D par rapport à l'axe des abscisses.
**c.** Lire les coordonnées de ces points
**d.** Placer les points $A_2$, $B_2$, $C_2$ et $D_2$ respectivement symétriques de $A_1$, $B_1$, $C_1$ et $D_1$ par rapport à l'axe des ordonnées.
**e.** Lire les coordonnées de $A_2$, $B_2$, $C_2$ et $D_2$.

## 2 Diagrammes

### 17 Représentation graphique à la main

**Volume sonore selon la source**

| Source de bruit | Nombre dB (décibels) |
|---|---|
| Fusée au décollage | 180 |
| Chuchotement à 1,20 m | 20 |
| Rugissement d'un lion | 90 |
| Seuil de la douleur | 120 |
| Cantine scolaire | 95 |
| Avion au décollage | 130 |
| Scooter | 90 |
| Discothèque | 120 |
| Puissance maximale autorisée pour un baladeur | 100 |

**a.** Choisir le mode de représentation graphique qui convient le mieux pour les données présentées et réaliser ce graphique.
**b.** Quelles sources de bruit ont des volumes sonores surprenants ?

### 18 Construire un tableau

En France on dénombrait 4 millions de personnes présentant une déficience auditive en 1998. Parmi ces personnes, 450 000 ont moins de 18 ans et 2 400 000 ont plus de 65 ans.
**1.** Ranger ces données dans un tableau et compléter ce tableau en calculant le nombre de personnes âgées de 18 à 65 ans qui présentent une déficience auditive.
**2.** Comment peut-on expliquer les déficiences auditives des jeunes de moins de 18 ans ?

**Pour les exercices 19 à 21.**

**1.** Construire le diagramme en bandes correspondant aux données.
**2.** Répondre à la question posée.

**19** **1.** Déficience auditive : utiliser les données de l'exercice 18.
**2.** Le diagramme permet-il une meilleure visualisation des données ?

**20** **1.** Contenance globale du corps humain : eau = 60 %, matières organiques (lipides, protides, glucides) = 39 %, sels minéraux = 1 %.
**2.** Le diagramme permet-il une meilleure visualisation des données ?

**21** **1. a.** Couleur de cheveux des français : châtains = 50 %, gris = 20 %, blonds = 10 %, noirs = 10 %, roux = 5 %, brun foncé = 2,5 %, blancs = 2,5 %.
**b.** Nombre de personnes dans la classe selon la couleur de leur cheveux.
**2.** Comparer les deux diagrammes obtenus.

**Pour les exercices 22 et 23.**

**a.** Charger le fichier indiqué par le professeur et représenter, à l'aide du tableur, le diagramme circulaire demandé.
**b.** Répondre à la question posée.

**22** **a.** Représenter la répartition des continents sur la Terre.
**b.** Existe-t-il des pays qui appartiennent à plusieurs continents ? Donner éventuellement des exemples.

**23** **a.** Représenter la répartition dans le monde des jeunes de moins de 15 ans en 2001.
**b.** Quelle remarque peut-on faire sur l'endroit où se concentre la plus grande partie de la jeunesse mondiale ?

### 24 Données géographiques

Représenter les données à l'aide d'un diagramme en tuyaux d'orgue.

**Températures minimales moyennes par ville en janvier**

| Villes | Températures |
|---|---|
| Canberra (Australie) | 12,7 °C |
| Maputo (Mozambique) | 21,6 °C |
| Mexico (Mexique) | 5,5 °C |
| Reykjavik (Islande) | −2,2 °C |
| Washington (USA) | −6,1 °C |

### 25 Regrouper en classes

**a.** Charger le fichier indiqué par le professeur. Utiliser les données pour calculer l'effectif de chaque **classe*** d'**amplitude*** 5 000 dollars. Compléter alors le tableau.
**b.** Quel fait marquant le diagramme met-il en évidence ?

## 3 Fréquences et pourcentages

### 26 Associer fréquence et pourcentage

Trouver les fréquences et les pourcentages qui représentent la même proportion.

$F_1 = 0{,}4$ $F_2 = 0{,}65$ $F_3 = \frac{40}{100}$ $F_4 = \frac{6}{10}$ $F_5 = 0{,}05$

$P_1 = 60\ \%$ $P_2 = 65\ \%$ $P_3 = 40\ \%$ $P_4 = 5\ \%$

### 27 Calculer un pourcentage (1)

Dans un collège 4 classes sur 24 sont des classes de 5e. Quel est le pourcentage de classes de 5e dans ce collège ? Répondre en faisant une phrase complète.

### 28 Calculer un pourcentage (2)

Le commerce équitable est un commerce qui garantit en particulier que les producteurs reçoivent une rémunération satisfaisante.
Sur les 180 000 tonnes de café consommées en France en 2003, 950 provenaient du commerce équitable. Quel pourcentage de la consommation de café provenait donc du commerce équitable en France en 2003 ? Répondre en faisant une phrase complète.

### 29 Sommes de pourcentages

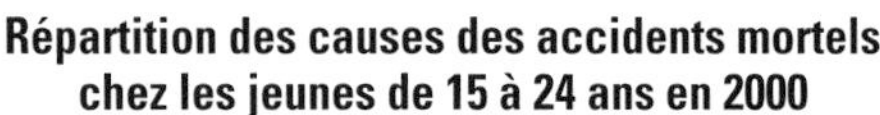

**Répartition des causes des accidents mortels chez les jeunes de 15 à 24 ans en 2000**

| Causes | % parmi les jeunes tués |
|---|---|
| Vitesse excessive du conducteur | 56,5 |
| Alcool du conducteur | 35,8 |
| Inaptitude à la conduite du conducteur | 26,5 |
| Non port de la ceinture de sécurité | 23,9 |
| Fatigue du conducteur | 21,3 |
| État du véhicule | 19,7 |
| Inattention du conducteur | 15,1 |
| Non port du casque | 5,5 |

**a.** Faire une phrase avec les données de la ligne en vert.
**b.** Effectuer la somme de ces pourcentages. Pourquoi cette somme n'est-elle pas égale à 100 ?
**c.** Quelle conclusion sur l'attitude à avoir au volant, peut-on tirer du résultat de la question **b** ?

### 30 De tête

On sait que le pourcentage de jeunes de 17 ans qui fumaient en France en 2002 était de 37,5 %. Calculer le pourcentage de fumeurs.

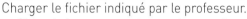

### 31 Effectifs et pourcentages

Charger le fichier indiqué par le professeur.
**a.** Obtenir les pourcentages de non fumeurs dans chaque pays, ainsi que le nombre de fumeurs.
**b.** Quel est le pays où il y a le plus de fumeurs ?

### 32 Calculer des pourcentages (3)

**Les 10 langues les plus parlées dans le monde en 2050 par les jeunes de 15 à 24 ans (prévision)**

| Langues | Effectifs (en millions de personnes) |
|---|---|
| Chinois | 166 |
| Hindi/Ourdou | 73,7 |
| Arabe | 72,2 |
| Anglais | 65 |
| Espagnol | 62,8 |
| Portugais | 32,5 |
| Bengali | 31,6 |
| Russe | 14,8 |
| Japonais | 11,3 |
| Malais | 10,5 |
| Autres | 342 |

Source : *Le monde* 26/08/05.

**a.** Calculer le pourcentage de la population de 15 à 24 ans qui parlera chacune des langues en 2050.
**b.** Quel commentaire peut-on faire sur cette répartition des langues ?

### 33 Comparer des données

**Population adulte illettrée en 2000**

| | Population adulte | Population adulte illettrée |
|---|---|---|
| Pays A | 34 500 000 | 764 000 |
| Pays B | 3 100 000 | 57 000 |

**a.** Peut-on dire qu'il y a plus d'adultes illettrés dans le pays A que dans le pays B ?
**b.** Effectuer les calculs pour que la comparaison soit possible. Conclure.

## Lire et écrire

**34** **Vase**

Le graphique suivant ainsi que les points placés sont la solution d'un exercice.
Écrire un énoncé pour cet exercice.

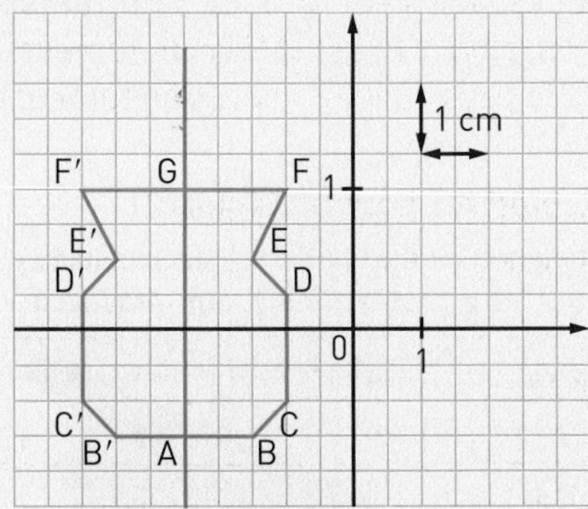


**35** **Fumeurs et non fumeurs**

Exercice :

**Fumeurs et non fumeurs dans la population française**

| | Effectif des fumeurs | Effectifs des non fumeurs |
|---|---|---|
| Hommes | 10 822 500 | 18 427 500 |
| Femmes | 9 594 500 | 21 355 500 |

Calculer le pourcentage de femmes parmi les fumeurs.

Réponse d'un élève :

*Total des femmes = 9 594 500 + 21 355 500*
*= 30 950 000*

$$\frac{9\ 594\ 500}{30\ 950\ 000} \times 100 = 31\ \%$$

*31 % des fumeurs sont des femmes.*

**a.** Quelle est l'erreur faite par l'élève dans la copie présentée ? Quel pourcentage l'élève a-t-il calculé ?
**b.** Proposer une rédaction correcte de cet exercice.

**36** **Abscisses de milieux**

Sur une droite graduée, prendre 1 cm comme unité.
**a.** Placer les points A(− 5,5) et B(− 7,5).
**b.** Placer le point C pour que le point B soit le milieu de [AC]. **Lire*** l'abscisse du point C.
**c.** Placer le point D pour que le point C soit le milieu de [BD]. Lire l'abscisse du point D.
**d.** Placer le point E pour que le point D soit le milieu de [CE]. Lire l'abscisse du point E.
**e.** En utilisant les abscisses des points A et E, calculer la longueur AE.
**f.** En utilisant les abscisses des points A et B et les définitions des points C, D et E, calculer la longueur AE. Comparer aux résultats précédents.

**37** **Électricité**

**Répartition de la consommation d'électricité par habitant en 2001 selon les pays**

| Consommation par habitant (en kWh*) | Nombre de pays |
|---|---|
| Moins de 5 000 | 139 |
| De 5 000 à moins de 10 000 | 19 |
| De 10 000 à moins de 15 000 | 5 |
| De 15 000 à moins de 20 000 | 6 |
| De 20 000 à moins de 25 000 | 0 |
| De 25 000 à moins de 30 000 | 2 |

* kWh : kiloWattheures

**1.** Choisir le mode de représentation graphique qui convient le mieux pour ces données et réaliser ce graphique.
**2.** Chercher quels sont les deux pays de la dernière classe.

**38** **Internet haut débit en France**

**Nombre de ménages abonnés à Internet haut débit**

| | 31/12/2003 | 31/12/2004 |
|---|---|---|
| Effectifs total | 3 569 381 | 6 529 997 |
| Abonnement câble | 393 854 | 454 035 |
| Abonnement ADSL | 3 172 013 | 6 072 723 |
| Autres abonnements | … | … |

**a.** Recopier et compléter le tableau.
**b.** Calculer pour chaque année, le pourcentage de ménages abonnés à l'Internet haut débit par le câble.
**c.** Sachant que le nombre de ménages en France était d'environ 23 800 000, calculer le pourcentage de ménages abonnés à l'Internet haut débit fin 2003, puis fin 2004.

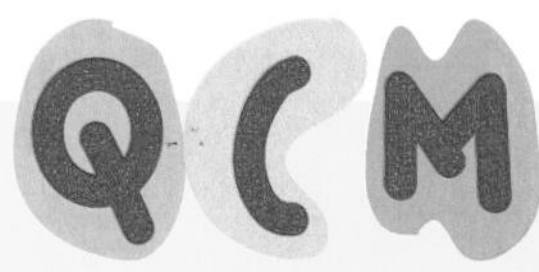

| Questions | Réponse 1 | Réponse 2 | Réponse 3 |
|---|---|---|---|
| **39** Quels sont les points qui ont −3 pour abscisse ? | M(5 ; −3) | Z(−3 ; 0) | [graphique : repère avec le point H] |
| **40** [graphique : repère avec le point L] | L'ordonnée de L est 3 | L'abscisse de L est −5 | Les coordonnées du point L sont (3 ; −5) |
| **41** Sur un axe gradué on place A(−2,5) et B(6). Quelle est la longueur AB ?<br>→ **Aide :** Tracer un axe à main levée. | (−2,5) − (6) | 6 − (−2,5) | 3,5 |
| **42** Quelles sont les informations qui correspondent à ce diagramme en tuyaux d'orgue ?<br>Pourcentage d'élèves ayant empunté au moins un livre au CDI par niveau de classe 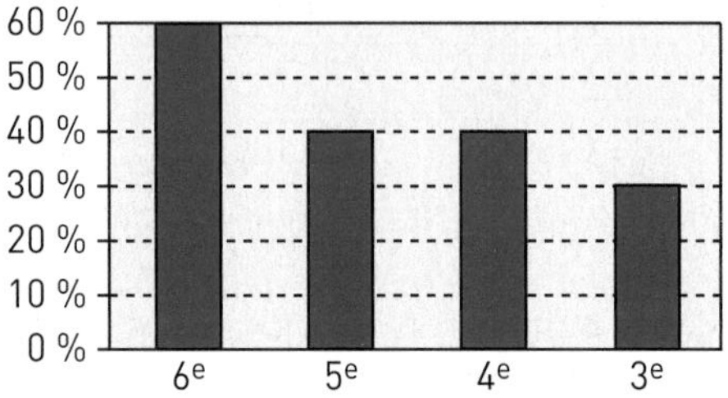<br>[diagramme : 6e : 60 % ; 5e : 40 % ; 4e : 40 % ; 3e : 30 %] | 30 % des élèves du collège sont en 3e. | Il y a autant d'élèves de 4e que d'élèves de 5e qui ont emprunté un livre au CDI. | 60 % des élèves de 6e ont emprunté au moins livre au CDI. |
| **43** Langues étudiées dans une classe :<br>**Langue** : allemand, anglais, italien<br>**Effectif** : 2, 18, 6<br>Quels sont les graphiques qui représentent ces données ? | [diagramme circulaire] | [diagramme circulaire] | [diagramme en bande] |
| **44** L'espace utilisé d'un disque dur d'une capacité totale de 26,3 Go est de 19,7 Go. Quels nombres représentent environ le taux d'utilisation du disque ? | 75 % | $\frac{3}{4}$ | 0,75 |
| **45** Sur une étiquette de vêtement, on lit : acrylique : 40 %, laine : 28 %, polyester : 7 %. Sachant qu'il y a 4 composants, quel est le pourcentage d'acétate dans ce vêtement ? | 75 % | On ne peut pas savoir | 25 % |

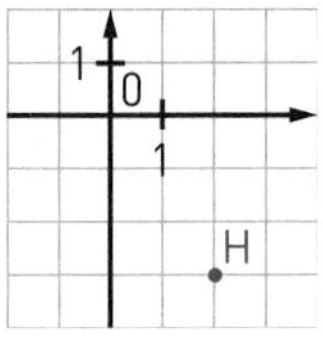

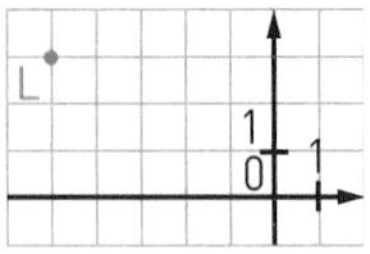

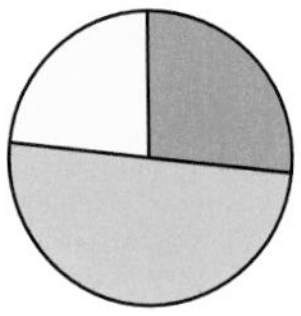

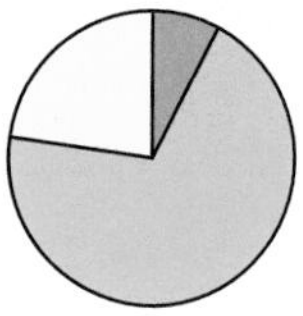

# À CHACUN SON PARCOURS

## 1 Repères

**46 A** Sur une droite graduée, on prend 2 cm comme unité.

**a.** Placer les points G(−2,25) et H(4,5).

**b.** Marquer en rouge le point situé à 1,5 unité de G et dont l'abscisse est inférieure à −2. Quelle est l'abscisse de ce point ?

**c.** Repasser en bleu les portions de la droite correspondant aux points situés à plus de 0,5 unité de H et dont l'abscisse est positive. Placer deux points sur cette portion et donner leur abscisse.

**d.** Repasser en vert la portion de droite correspondant aux points dont la distance à 0 est plus grande que 1 et dont l'abscisse est négative.

**46 B** **a.** En choisissant l'unité qui convient, placer sur une droite graduée les points W(−1,6) et X(3,4).

**b.** Repasser en rouge les portions de droite correspondant aux points dont la distance à 0 est supérieure à 1,4.

**c.** Repasser en bleu la portion de droite correspondant aux points dont l'abscisse $a$ vérifie l'inégalité : $-1{,}6 < a < 3{,}4$.

## 2 Diagrammes

**47 A** Masse des composants dans 100 g de poulet

| | | | |
|---|---|---|---|
| Eau | 67 | Protéines | 20 |
| Glucides | 0 | Matières grasses | 13 |

Masse des composants dans 100 g de pâtes

| | | | |
|---|---|---|---|
| Eau | 13 | Protéines | 13,5 |
| Glucides | 70 | Matières grasses | 3,5 |

En prenant des bandes de 10 cm, construire deux diagrammes en bandes : l'un qui représente la composition de 100 g de poulet et l'autre celle de 100 g de pâtes.

**47 B** Masse (en g) des composants dans 100 g de pain ou de lait

| | lait | pain |
|---|---|---|
| Eau | 81,0 | 33,5 |
| Glucides | 5,0 | 55,0 |
| Protéines | 3,5 | 8,0 |

| | lait | pain |
|---|---|---|
| Mat. grasses | | |
| Sels minéraux | 7 | |

**a.** Compléter le tableau sachant que le pain blanc comporte autant de sels minéraux que de matières grasses.

**b.** Représenter la composition du pain blanc et du lait avec 2 diagrammes en bandes.

## 3 Fréquences et pourcentages

**48 A** **a.** Calculer la masse de matière grasse présente dans ce pot de fromage blanc.

**b.** Calculer le pourcentage de matière sans eau (la matière sèche) de ce pot de fromage blanc, puis la masse de cette matière sèche.

**c.** L'ancienne réglementation en matière d'étiquetage imposait d'écrire la proportion de la matière grasse sur la matière sèche. Quel était l'ancien étiquetage de ce pot de fromage blanc ?

FROMAGE BLANC
• MASSE : 1kg
• Mat. grasse sur Poids total : 3,3%
• Eau : 84 %


**48 B** Quel est le fromage le plus gras ? Pour en être convaincu, calculer la quantité de matière grasse qu'apportent 30 g de chacun des deux fromages.

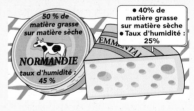

50 % de matière grasse sur matière sèche
NORMANDIE
taux d'humidité : 45 %

• 40% de matière grasse sur matière sèche
• Taux d'humidité : 25%
EMMENTAL

→ **Aide** : La matière sèche est la matière sans eau. Le taux d'humidité correspond au pourcentage d'eau par rapport au poids total.

# Exercices d'approfondissement

## Distance entre deux points

### 49 Prévisions sans dessin

Sur une droite graduée, on considère les points :
M(-9,3) N(118,2) P(5,6) Q(-2,6) et R(-4,3).

**a.** Sans placer les points sur la droite, peut-on prévoir quel segment formé aura la plus grande longueur ? et la plus petite ?

**b.** Calculer toutes les longueurs et vérifier que la prévision du **a.** était correcte.

### 50 Autour de Z

**a.** Sur une droite graduée, on prend 0,5 cm comme unité et on appelle O l'origine. Placer le point Z(3,5).

**b.** Placer tous les points de la droite tels que la distance entre chacun de ces points et Z soit égale à 10 unités. Combien de points trouve-t-on ?

**c.** Nommer ces points et donner leurs abscisses.

**d.** À partir des abscisses trouvées au **c.**, calculer les distances entre chaque point et Z et vérifier que cela donne bien 10 unités.

### 51 Autour de X

**a.** Sur une droite graduée, on prend 5 cm comme unité et on appelle O l'origine. Placer le point X(- 0,7)

**b.** Placer tous les points tels que la distance entre ces points et X soit égale à 1,2 unité. Combien de points trouve-t-on ?

**c.** Nommer ces points et donner leurs abscisses.

**d.** À partir des abscisses trouvées au **c.**, calculer les distances entre chaque point et X et vérifier que cela donne bien 1,2 unité.

## Repères et géométrie

### 52 Cerf-volant

**a.** Dans un repère orthogonal en prenant 1 cm comme unité sur chacun des deux axes, placer 4 points A, B, C et D tels que A et C soient sur l'axe des abscisses, B et D soient sur l'axe des ordonnées et ABCD soit un **cerf-volant***.

**b.** Lire les coordonnées des points A, B, C et D.

### 53 Losange

**a.** Dans un repère orthogonal, en prenant 3 cm comme unité sur l'axe des abscisses et 5 cm comme unité sur l'axe des ordonnées, placer 4 points E, F, G et H tels que les points E et F aient des abscisses négatives et EFGH soit un **losange***.

**b.** Lire les coordonnées des points E, F, G et H.

### 54 Cube en 2D

**a.** Dans un repère orthogonal, en prenant la même unité sur les deux axes, placer les points suivants (l'unité sera choisie pour pouvoir placer tous les points) :
A(35 ; 35) B(65 ; 65) C(-5 ; 65)
D(-35 ; 35) E(35 ; -35) F(65 ; -5)

**b.** Tracer les segments :
[AB], [BC], [CD], [DA], [AE], [EF] et [FB].

**c.** Placer deux points G et H pour terminer la **représentation en perspective*** du cube ABCD. Quelles sont les coordonnées de G et H ?

**d.** Terminer la représentation du cube, sans oublier les pointillés.

### 55 Un peu d'espace

**a.** Dans un repère orthogonal en prenant 5 cm pour unité sur l'axe des abscisses et 2 cm pour unité sur l'axe des ordonnées, placer les points suivants :
$A\left(-\frac{9}{10} ; 1\right)$ $B\left(\frac{2}{10} ; 1\right)$ $C\left(\frac{6}{10} ; \frac{1}{2}\right)$ $D\left(-\frac{5}{10} ; \frac{1}{2}\right)$
$E\left(-\frac{9}{10} ; \frac{1}{4}\right)$ $G\left(\frac{6}{10} ; -\frac{3}{4}\right)$ $H\left(-\frac{5}{10} ; -\frac{3}{4}\right)$

**b.** Tracer les segments [AB], [BC], [CD], [DA], [AE], [DH], [HG] et [GC].

**c.** Ajouter un point F et les segments nécessaires pour obtenir une représentation en perspective complète de ce **pavé droit***.

### 56 Droites sécantes

**a.** Dans un repère orthogonal, en prenant 2 cm comme unité sur l'axe des abscisses et 3 cm comme unité sur l'axe des ordonnées, placer les points suivants $A\left(-2 ; \frac{1}{3}\right)$ et $B\left(4 ; \frac{5}{6}\right)$. Tracer la droite (AB).

**b.** Placer le point C intersection de la droite (AB) avec l'axe des ordonnées. Quelles sont les coordonnées de C ?

### 57 Diagonales

**a.** Dans un repère orthogonal d'origine O, en prenant pour unité 1 cm sur les deux axes, placer les points :
A(-3,5 ; 0) B(0 ; 3,5) C(3,5 ; 0) et D(0 ; -3,5).

**b.** Sur quel axe se trouvent les points B et D ? Calculer les longueurs BD, BO et OD.

**c.** Sur quel axe se trouvent les points A et C ? Calculer les longueurs AC, AO et OC.

**d.** Que peut-on dire des segments [AC] et [BD] ? Quelle est la nature de ABCD ?

**58** De tête

Quelle remarque peut-on faire sur la position des points suivants dont on donne les coordonnées dans un repère orthogonal :

X(−7,5 ; 123) Y(29,2 ; 123) $Z\left(\frac{67}{100} ; 123\right)$ ?

**59** **Horizontales et verticales**

**a.** Dans un repère orthogonal en prenant 1 cm comme unité sur chacun des axes, tracer une droite horizontale. Placer ensuite 6 points A, B, C, D, E et F sur cette droite. Que peut-on dire des ordonnées de ces points ?
**b.** Comment sont les points qui ont pour ordonnée −21 ?
**c.** Placer le point Z(−8 ; 2). Tracer la droite verticale passant par Z. Que peut-on dire de l'abscisse de tous les points de cette droite ?
**d.** Décrire l'ensemble des points qui ont pour abscisse 12.

## Pourcentages et graphiques

**60** **Prénoms**

Charger le fichier indiqué par le professeur.
Le nombre total de naissances en 1993 est de 734 000 avec à peu près autant de filles que de garçons.

**a.** Calculer le pourcentage approché de chaque prénom parmi les filles ou les garçons.
**b.** Réaliser à l'aide du tableur deux diagrammes circulaires (l'un pour les filles et l'autre pour les garçons) sans oublier une catégorie « autre » pour désigner tous les autres prénoms donnés.
**c.** Pourquoi la rubrique « autre » est-elle aussi importante ?

**61** **e-commerce**

En mai 2003, une estimation européenne a quantifié la proportion d'achats effectués sur Internet.

**Proportion d'achats effectués sur Internet en 2003**

| Pays | Allemagne | France | Royaume Uni | Suède |
|---|---|---|---|---|
| % des achats sur Internet | 28 | 20 | 39 | 21 |

**a.** Trouver une représentation graphique qui convient pour ces données
**b.** Le graphique apporte-t-il des informations supplémentaires ?

## À chacun son parcours

**62 A** Tracer un repère orthogonal en prenant 1 cm comme unité.

**a.** Placer dans le repère un point M dont l'abscisse est comprise entre −5 et 2, et dont l'ordonnée est comprise entre 1,5 et 3. Donner les coordonnées de M.
**b.** Les abscisses des points appartenant à la zone coloriée en rouge sont toutes inférieures à un nombre. Lequel ?
**c.** Dans le repère du **a.**, colorier en vert la partie du plan correspondant aux points dont l'abscisse est comprise entre −3 et −2.

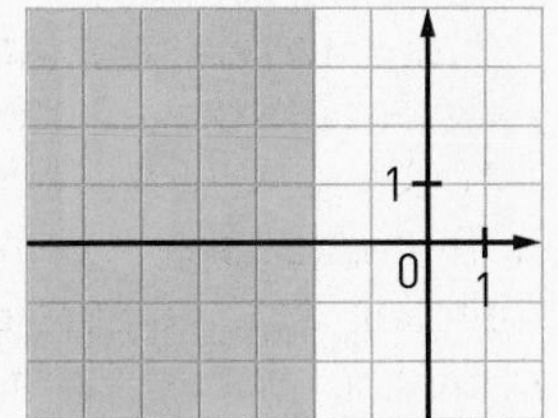


**62 B** Tracer un repère orthogonal en prenant 1 cm comme unité.

**1. a.** Colorier en rouge la partie de la feuille qui correspond aux points dont l'abscisse $a$ vérifie $-2{,}5 < a < 1{,}5$.
**b.** Colorier en bleu la partie du repère qui correspond aux points dont l'ordonnée $b$ vérifie $2 < b < 3{,}5$.
Quelles sont les coordonnées des sommet du rectangle violet obtenu ?
**2.** En s'inspirant du **1.**, donner les **inégalités*** qui correspondent au rectangle colorié en vert.

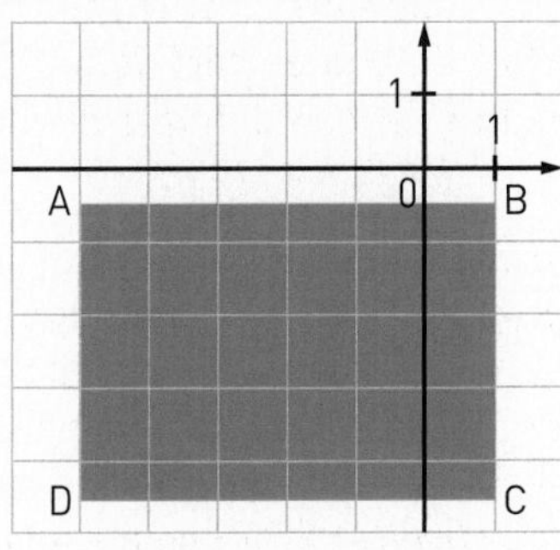

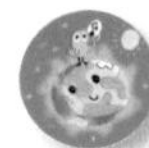

## 63 Émission de dioxyde de carbone

**Émissions de dioxyde de carbone ($CO_2$) par pays, pour les plus grands émetteurs**

| Pays | Milliers de tonnes de $CO_2$ |
|---|---|
| USA | 5 329 560 |
| UE | 3 012 360 |
| Chine | 3 012 360 |
| Russie | 1 390 320 |
| Japon | 1 158 600 |
| Autres pays | ... |
| **Total monde** | **23 172 000** |

| Pays | Tonnes de $CO_2$ par habitant |
|---|---|
| USA | 20,1 |
| Luxembourg | 16,9 |
| Australie | 16,9 |
| Canada | 15,8 |
| Belgique | 12,0 |
| Tchéquie | 11,7 |
| Finlande | 11,6 |
| Danemark | 10,8 |

**a.** En utilisant le tableau qui convient, calculer le pourcentage de la production mondiale de $CO_2$ produit par chacun des pays du tableau choisi.
**b.** Représenter cette répartition des émissions de $CO_2$ dans un diagramme en bandes.
**c.** Proposer un commentaire pour ce graphique.

## 64 Répartition de la population française

Charger le fichier indiqué par le professeur.
**a.** Calculer, à l'aide du tableur, la superficie totale et la population totale de la France métropolitaine.
**b.** Pour chaque région, calculer, à l'aide du tableur, le pourcentage du territoire ainsi que le pourcentage de la population totale correspondants.
**d.** Réaliser, à l'aide du tableur, deux diagrammes circulaires l'un pour la superficie et l'autre pour la population.
**e.** Comparer les deux diagrammes. Quelle remarque cette comparaison permet-elle de faire ?

## 65 Fréquence cardiaque

Charger le fichier indiqué par le professeur.
La fréquence cardiaque est le nombre de battements du cœur par minute.
**a.** Organiser les données dans un tableau en regroupant les fréquences cardiaques par classes d'amplitude 10 battements par minute.
**b.** Représenter ces données, à la main, à l'aide de 2 histogrammes différents, l'un pour les filles et l'autre pour les garçons.
**c.** Comparer les deux graphiques et proposer une interprétation.

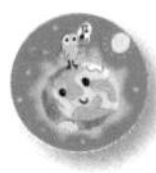

## 66 Dioxyde de carbone par habitant

Les données sont celles du tableau donnant les « tonnes de $CO_2$ par habitant » de l'exercice 63.
**a.** Représenter ces données dans un diagramme en tuyaux d'orgue.
**b.** Représenter ces données dans un histogramme en prenant des classes d'amplitude 1 tonne.
**c.** Quelles informations chacun des graphiques met-il en évidence ?

## 67 La musaraigne

**Répartition de l'alimentation de la musaraigne**

| Aliments | Masse (g) |
|---|---|
| larves d'insectes | 1,95 |
| insectes | 3,38 |
| escargots | 1,30 |
| vers de terre | 2,73 |
| autres arthropodes (crustacés, araignées) | 1,95 |

**a.** Calculer la répartition moyenne alimentaire de la musaraigne en pourcentage.
**b.** Réaliser un diagramme en bandes de cette répartition.

## 68 Élections présidentielles

**Résultats au premier tour de l'élection présidentielle de 2002**

| | |
|---|---|
| Jacques Chirac | 5 666 440 |
| Jean-Marie Le Pen | 4 805 307 |
| Lionel Jospin | 4 610 749 |
| François Bayrou | 1 949 436 |
| Autres | 11 475 088 |

**a.** Calculer le pourcentage de suffrages exprimés obtenus par chacun des candidats.
**b.** Réaliser un diagramme en bande pour représenter les résultats à cette élection présidentielle.
**c.** Rechercher les résultats des élections présidentielles de 1995 et les représenter sous la forme d'un diagramme en bandes semblable à celui du **b.** et comparer la rubrique « autres ».

## 69 Qui a raison ?

## Sur les pourcentages

**70** **Calculer un pourcentage**

Les véhicules hybrides possèdent à la fois un moteur électrique et un moteur à essence et ils ajustent le fonctionnement du moteur pour consommer le moins de carburant possible. En France, en 2003, on comptait environ 7 300 000 voitures en circulation. Parmi celles-ci, 135 étaient des voitures hybrides.
Quel pourcentage des voitures en circulation en France ces véhicules hybrides représentaient-ils en 2003 ?

**71** **Vrai ou faux ?**

**Départ en vacances des Français**

| Âge | 2004 |
|---|---|
| 0 à 13 ans | 73 % |
| 14 à 19 ans | 71 % |
| 20 à 24 ans | 59 % |
| 25 à 29 ans | 70 % |
| 30 à 39 ans | 68 % |
| 40 à 49 ans | 67 % |

| Âge | 2004 |
|---|---|
| 50 à 54 ans | 66 % |
| 55 à 59 ans | 66 % |
| 60 à 64 ans | 65 % |
| 65 à 69 ans | 66 % |
| 70 ans et plus | 42 % |
| **Ensemble** | **65 %** |

Source : Insee, enquête permanente sur les conditions de vie (EPCV).

On lit : « 73 % des enfants de 0 à 13 ans sont partis en vacances ».
Dire si les affirmations sont vraies, fausses ou si on ne peut pas répondre (indiquer alors les données qu'il faudrait pour pouvoir conclure) :
- Il y a plus de personnes de 25 à 29 ans qui partent en vacances que de personnes de 30 à 39 ans.
- Moins des deux tiers des Français partent en vacances.
- Il y a plus d'enfants de 0 à 13 ans qui partent en vacances que d'enfants de 0 à 13 ans qui ne partent pas en vacances.
- Il y a autant de personnes de 50 à 54 ans qui partent en vacances que de personnes de 55 à 59 ans.

**72** **Forêts**

**Surface recouverte par des forêts par région du monde**

| Région géographique | 1990 | 2000 |
|---|---|---|
| | Surface (milliers d'hectares) | |
| Afrique | 702 502 | 649 866 |
| Asie et Pacifique | 734 036 | 726 284 |
| Europe | 1 042 041 | 1 051 326 |
| Amérique latine et caraïbes | 1 011 049 | 964 358 |
| Amérique du nord | 466 684 | 470 564 |
| Asie occidentale | 3 675 | 3 663 |

**a.** Calculer l'évolution de la surface recouverte par des forêts de 1990 à 2000 pour chaque région (on notera par un nombre négatif les évolutions qui correspondent à une diminution). Arrondir au million d'hectares.
**b.** Construire un diagramme en tuyaux d'orgue donnant les évolutions par pays. L'axe des ordonnées doit comporter des valeurs positives et négatives. Sur cet axe, prendre comme unité 1 cm pour 10 millions d'hectares.
**c.** En utilisant les évolutions calculées au **a.**, calculer l'évolution totale de la surface recouverte par des forêts. Interpréter le résultat.

## À chacun son parcours

**73** **A** **1.** Un article vendu 20 € est soldé avec une remise de 40 %.
**a.** Calculer le montant de la réduction, puis le prix de l'article après application de la réduction.
**b.** Deux semaines après le début des soldes le magasin affiche « 15 % supplémentaires sur tous les produits soldés ».
Calculer le montant de la nouvelle réduction en appliquant cette réduction au prix de l'article soldé trouvé à la question **a.**
**c.** De combien a été la réduction complète sur cet article ?
**2.** Vrai ou faux : « Un article réduit de 40 %, puis de 15 % est réduit de 55 %. »

**73** **B** Durant les soldes, on voit dans la vitrine d'un magasin l'affiche suivante : un vendeur explique que dans son magasin après la deuxième démarque, tout les articles sont à moitié prix. A-t-il raison ? Expliquer.

-30% SUR TOUT LE MAGASIN
DEUXIÈME DÉMARQUE : -20%
SUPPLÉMENTAIRES SUR TOUT


→ **Aide** : faire des essais en fixant des prix de départ.

# Exercices d'approfondissement

## 74 Aliments

Un nutritionniste recommande aux jeunes de 10 à 14 ans de consommer en moyenne, chaque jour, les quantités d'aliments données dans le tableau :

| Aliments | Masse (g) |
|---|---|
| viandes | 90 |
| poissons | 40 |
| œuf | 15 |
| lait | 500 |
| fromage | 40 |
| beurre | 25 |
| huile | 15 |

| Aliments | Masse (g) |
|---|---|
| pain | 250 |
| farineux | 35 |
| pommes de terre | 265 |
| légumes frais | 275 |
| légumes secs | 50 |
| fruits frais | 150 |
| sucre | 45 |

**a.** Calculer le pourcentage de chaque aliment par rapport à la masse totale d'aliments conseillée.
**b.** Réaliser un diagramme en bandes de la répartition alimentaire pour un jeune.
**c.** Ces données signifient-elles qu'il faut manger chaque jour exactement toutes ces quantités ?

## 75 Bande d'ordinateur

Lorsqu'on installe un logiciel sur un ordinateur, pour afficher l'état d'avancement de l'installation, on voit sur l'écran une bande.
Le nombre total de barres vertes est 40.
**a.** Quel sera en pourcentage le degré d'avancement de l'installation lorsque quatre barres seront colorées ?
**b.** Si le logiciel comprend 2 Mo, combien de barres seront colorées lorsqu'on aura 345 Ko d'installés ?

## ÉNIGME DU CHAPITRE

On représente une situation de **proportionnalité*** dans un repère orthogonal en mettant une des **grandeurs*** en abscisse et l'autre en ordonnée. Quelle propriété, sur les points placés dans le repère, semble toujours vraie ?

## Devoirs à la maison

### POUR PRENDRE LE TEMPS DE CHERCHER

## 76 Croissance de la population en Europe

**Naissances et décès en 2003 par pays**

| | Naissances | Décès | Solde naturel |
|---|---|---|---|
| Allemagne | 709 900 | 858 500 | |
| Autriche | 76 900 | 77 700 | |
| Belgique | 111 200 | 106 000 | |
| Danemark | 64 800 | 57 800 | |
| Espagne | 438 500 | 368 800 | |
| Finlande | 56 400 | 48 000 | |
| France | 760 700 | 551 000 | |
| Grèce | 102 700 | 103 800 | |
| Irlande | 62 400 | 29 400 | |
| Italie | 540 300 | 592 100 | |
| Luxembourg | 5 200 | 3 800 | |
| Pays-Bas | 20 480 | 143 100 | |
| Portugal | 113 200 | 103 800 | |
| Royaume-Uni | 690 400 | 607 100 | |
| Suède | 98 700 | 93 300 | |

1re partie : Naissances

**a. Ordonner*** les pays selon le nombre de naissances.
**b.** Regrouper les pays en formant des classes d'amplitude 200 000 naissances.
**c.** Construire un histogramme.

2e partie : Solde naturel

*Solde naturel = Nombre naissances – Nombre décès*
*Si le solde est négatif, cela signifie que la population décroît.*

**a.** Calculer le solde naturel pour chacun des pays.
**b.** Présenter le solde naturel dans un graphique en mettant le solde en ordonnée et les pays en abscisse.
**c.** Quel pays présente le solde positif le plus grand ?
**d.** Au total, la population de ces 15 pays est-elle croissante ou décroissante ?

## 77 Reflet dans l'eau

**a.** Tracer un repère orthogonal d'origine O, en prenant 5 cm comme unité sur l'axe des abscisses et 2 cm comme unité sur l'axe des ordonnées
**b.** Placer les points suivants : A(0,3 ; 0,5) B(0,3 ; 0,75) C(0,2 ; 1) D(0,2 ; 1,5) E(0,3 ; 2) F(0,6 ; 2) G(0,8 ; 1,5) H(1 ; 1,25) I(0,8 ; 1) J(0,7 ; 0,75) K(0,7 ; 0,5) L(0,8 ; 0,25) M(0,8 ; −0,5) N(0,7 ; −0,75) P(−0,2 ; −0,75) Q(−0,4 ; 0) R(−0,4 ; 1,25) S(−0,2 ; 0,5)
**c.** Tracer les segments [AB], [BC], [CD], [DE], [EF], [FG], [GH], [HI], [GI], [IJ], [JK], [KL], [LM], [MN], [NP], [PQ], [QR], [RS] et [SA].
**d.** Placer les symétriques par rapport à la droite (NP) de chacun des points et donner leurs coordonnées. On nommera ces points A', B', C'... Tracer le nouvel animal.

# 3 Grandeurs et proportionnalité

## Les objectifs du programme

### Proportionnalité

- → Compléter un tableau de nombres représentant une relation de proportionnalité. Déterminer une quatrième proportionnelle.
- → Reconnaître si un tableau complet de nombres est ou non un tableau de proportionnalité.
- → Mettre en œuvre la proportionnalité :
  - calculer et utiliser un pourcentage,
  - calculer et utiliser une échelle,
  - reconnaître un mouvement uniforme.

### Représentation et traitement de données

Représentation de données : présenter des données sous la forme d'un diagramme circulaire ou semi-circulaire.

## Sommaire

# D'un siècle...

## Histoire d'une mesure précieuse

▲ Caroubier

Durant l'Antiquité, les marchands du Moyen-Orient utilisaient les graines de caroubier pour peser l'or et les pierres précieuses. En effet, ces graines ont comme particularité d'avoir toujours pratiquement la même masse.
C'est ainsi qu'on a nommé « carat » la masse d'une graine.

▲ Graines de caroubier ou caroubes

Aujourd'hui encore, on a gardé le terme de carat pour désigner la pureté de l'or et mesurer la masse des pierres, des perles et des diamants en joaillerie (1 carat = 0,2 grammes ou 2 dg).

Ce terme a plusieurs orthographes : Carat, Ct, C, karat, Karat, K.

En France, la majorité des bijoux sont de 18 carats.

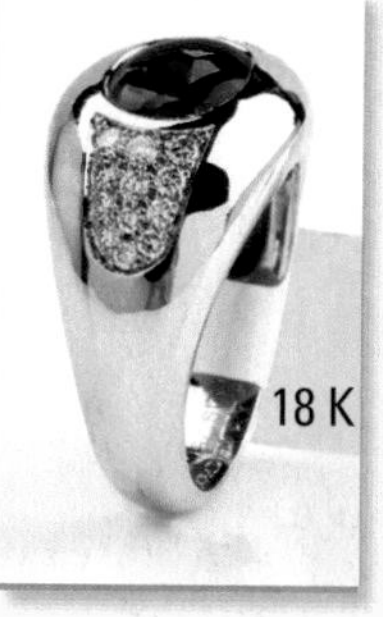


# ...à l'autre

## Utilisation d'une maquette

Pour rendre compte de l'allure d'un bâtiment avant sa construction, on réalise des maquettes. On voit que la maquette du stade vélodrome de Marseille est réalisée selon une certaine échelle car les proportions sont les mêmes que sur la photo.

▲ Maquette du stade vélodrome de Marseille

▲ Stade vélodrome de Marseille

# Grandeurs et mesures

## Plusieurs grandeurs pour un même objet

Karim prétend que sa balle est 3 fois plus lourde que le ballon d'Anaëlle.
Anaëlle dit que son ballon est 5 fois plus gros que la balle de Karim.
De quelle **grandeur*** chacun des enfants parle-t-il ?
Reformuler les affirmations de Karim et Anaëlle en précisant de quelle grandeur chacun des enfants parle.

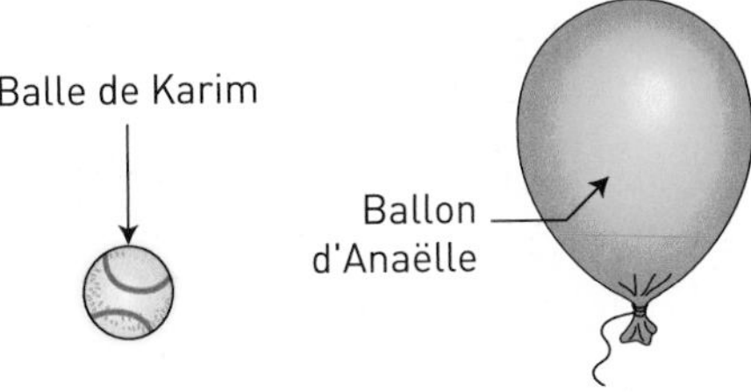

## Comparer des grandeurs sans mesurer

**a.** On dispose de 4 récipients de formats différents.

Sans effectuer aucune mesure, on voudrait savoir si la somme des volumes des récipients *a* et *b* est identique à la somme des volumes des récipients *c* et *d*.
Comment peut-on faire ? Décrire l'expérience.

**b.** On souhaite comparer des longueurs sans les mesurer ? Comment peut-on faire ?

**c.** Même question avec des angles, avec des aires et avec des durées.

## 3 Mesurer des volumes

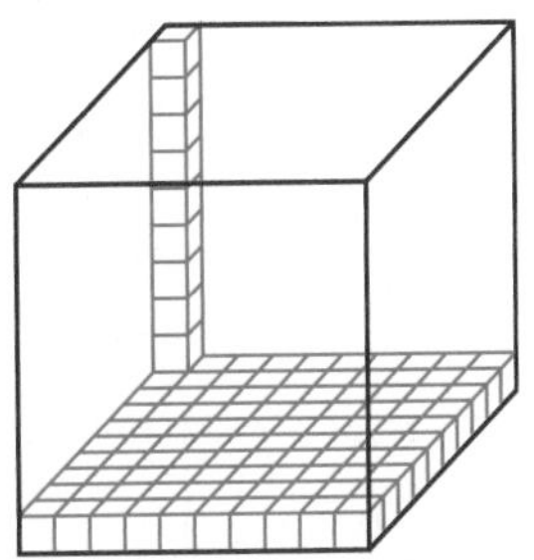

**1. a.** On considère un cube dont la mesure de la longueur du côté est 1 dm. La mesure de son volume est alors 1 $dm^3$.
Combien de cubes d'1 cm de côté peut-on placer dans le cube ?

**b.** Par combien doit-on multiplier une mesure en $dm^3$ pour obtenir une mesure en $cm^3$ du même volume ?

**c.** Par combien doit-on multiplier une mesure en $cm^3$ pour obtenir une mesure en $dm^3$ du même volume ?

**2.** On dispose de deux vases dont les volumes sont : volume A = 250 $cm^3$ et volume B = 66 $dm^3$.
Pourra-t-on verser le contenu des deux vases dans un troisième vase de 67 $dm^3$ ?

**3.** En utilisant un raisonnement identique à celui du **1.**, chercher par quel nombre on doit multiplier une mesure du volume en $m^3$ pour obtenir une mesure du volume en $dm^3$.

## Proportionnalité

### 4 Recherche d'une proportionnalité

La distance de freinage d'un véhicule correspond à la distance que le véhicule va parcourir entre le début du freinage et l'immobilisation complète ; elle ne tient donc pas compte du temps de réaction (qui dépend de l'état du conducteur).
Ce tableau donne les distances de freinage sur route sèche selon la vitesse du véhicule :

| Vitesse | 40 km/h | 50 km/h | 60 km/h | 80 km/h | 100 km/h | 120 km/h |
|---|---|---|---|---|---|---|
| Distance de freinage | 8 m | 12 m | 18 m | 31,5 m | 49 m | 71 m |

1. Le slogan « sécurité routière » d'un constructeur automobile est « Quand on roule à 100 km/h, la distance de freinage est deux fois plus longue qu'à 50 km/h, c'est logique ». Que peut-on penser de ce slogan ? Expliquer.
2. Peut-on déterminer, à partir du tableau, la distance de freinage sur route sèche lorsque la vitesse du véhicule est de 130 km/h ? Si, oui, donner cette distance.
3. Ce second tableau donne les distances de freinage sur route mouillée :

| Vitesse | 40 km/h | 60 km/h | 80 km/h | 100 km/h | 120 km/h |
|---|---|---|---|---|---|
| Distance de freinage | 16 m | 36 m | 63 m | 98 m | 142 m |

a. La distance de freinage sur route mouillée est-elle proportionnelle à la vitesse ?
b. Pour les vitesses données dans le tableau, la distance de freinage sur route mouillée est-elle proportionnelle à la distance de freinage sur route sèche ?

### 5 Compléter un tableau de proportionnalité

1. Compléter les tableaux de proportionnalité en effectuant uniquement les opérations indiquées.

a. Faire des additions et des soustractions.

| 3,4 | 0,9 | | 7,5 | 2,5 |
|---|---|---|---|---|
| 9,18 | 2,43 | 11,61 | | |

b. Multiplier par un nombre entier.

| 18,6 | 6,2 | 0,5 | 1 | |
|---|---|---|---|---|
| | 8,184 | 0,66 | | 40,92 |

c. Multiplier toujours par le même nombre.

| 0,972 | 1,2 | 0,0725 | 0,25 | 9,12 |
|---|---|---|---|---|
| | 4,8 | | 1 | |

2. Compléter le tableau de proportionnalité en effectuant les calculs les plus simples possible.

| | 3,6 | 36 | 7,2 | 39,6 | | 32,4 |
|---|---|---|---|---|---|---|
| 4 | | 6 | | | 9 | |

# Applications de la proportionnalité

## Échelles

1. Les cellules sur la photo sont-elles de la même taille, plus grandes ou plus petites que les cellules réelles ?
2. Les longueurs de la photo sont proportionnelles aux longueurs réelles. Après avoir mesuré sur l'image, Madeleine et Rishant ont rempli deux tableaux différents donnant les mesures trouvées et les longueurs réelles correspondantes.

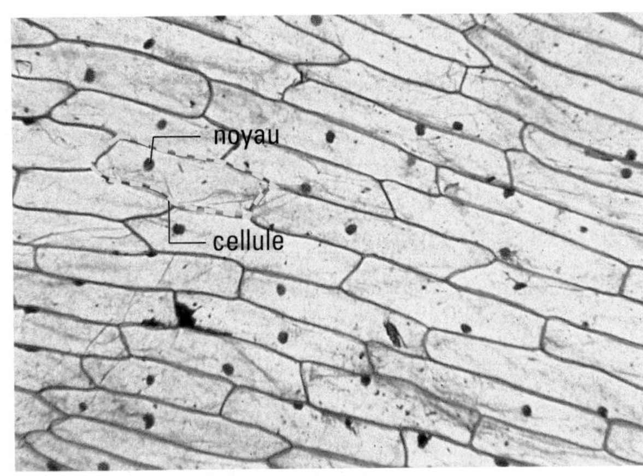


Tableau de Rishant

| | Longueur d'une cellule | Diamètre d'un noyau |
|---|---|---|
| **Dimensions sur la photo** | 18 mm | 1 mm |
| **Dimensions réelles** | 0,5 mm | 0,04 mm |

Tableau de Madeleine

| | Largeur d'une cellule | Diamètre d'un noyau |
|---|---|---|
| **Dimensions sur la photo** | 5 mm | 1 mm |
| **Dimensions réelles** | 0,15 mm | 0,03 mm |

Un seul de ces deux tableaux est correct. Lequel ? Pourquoi ?
3. Par quel nombre, faut-il multiplier les longueurs réelles pour obtenir les longueurs sur la photo ? Corriger le tableau incorrect.
4. Sur une photo à la même **échelle***, quelle serait l'**ordre de grandeur*** de la largeur d'une pelure d'oignon ?

## Diagramme circulaire

On veut construire un diagramme circulaire pour représenter le tableau. On rappelle que les mesures d'angles dans le diagramme doivent être proportionnelles aux valeurs à représenter (voir chapitre 2).

**Population française par tranches d'âge en 2005**

| Tranches d'âge | De 0 à 19 ans | De 20 à 59 ans | 60 ans et plus | *Total* |
|---|---|---|---|---|
| **Population (en milliers)** | 14 816 | 32 571 | 12 596 | *59 983* |
| Mesure d'angle (en degrés) | | | | |

Sources : prévisions Insee 2001.

a. Quelle mesure d'angle représente la population totale ?
Recopier le tableau et compléter la dernière colonne. En **déduire*** le coefficient de proportionnalité, exprimé sous la forme d'une **fraction***.
b. Compléter le reste du tableau avec des valeurs approchées **au** degré **près***, puis construire le diagramme circulaire en prenant un rayon de 7 cm.
c. Trouver une formule permettant de calculer la mesure de l'angle en degrés en **fonction*** de la population.

Leçon 1

# Grandeurs et mesures

## 1 Notion de grandeurs

En géométrie, comme en sciences de la vie et de la terre, en physique, en chimie ou dans la vie courante on utilise des **grandeurs*** pour **caractériser*** certaines propriétés des objets.

EXEMPLES DE GRANDEURS

- L'**aire** caractérise la superficie, l'étendue d'une surface.
- Le **volume** caractérise l'espace occupé par un objet.
- La **contenance** est la quantité de ce qu'un récipient peut contenir.
- Le **durée** caractérise le temps écoulé.

AUTRE EXEMPLES : La vitesse, la luminosité, la température, la masse, la longueur, l'angle de deux demi-droites, la capacité d'un disque dur sont aussi des grandeurs.

## 2 Mesures des grandeurs et unités

### 1 Les unités usuelles pour mesurer les grandeurs

| | Durée | Longueur | Aire | Volume | Contenance | Angle | Masse |
|---|---|---|---|---|---|---|---|
| **Unité** | seconde | mètre | mètre carré | mètre cube | litre | degré | gramme |
| **Notation** | s | m | $m^2$ | $m^3$ | L | ° | g |

### 2 Conversions des unités de volumes

CONVERSIONS

*Parties du $m^3$*

$1\ m^3 = 1\ 000\ dm^3$ — $1\ dm^3 = 1\ 000\ cm^3$ — $1\ cm^3 = 1\ 000\ mm^3$

$1\ dm^3 = \frac{1}{1\ 000}\ m^3$ — $1\ cm^3 = \frac{1}{1\ 000}\ dm^3$ — $1\ mm^3 = \frac{1}{1\ 000}\ cm^3$

*Liens entre volumes et contenances*

$1\ L = 1\ dm^3$ — $1\ cL = 1\ cm^3$

EXEMPLE : $8\ dm^3 = 8 \times \frac{1}{1\ 000}\ m^3 = 0{,}008\ m^3$ et $5\ cm^3 = 5 \times 1\ 000\ mm^3 = 5\ 000\ mm^3$.

### 3 Conversions des unités de durée

*Heures et minutes*

$1\ h = 60\ min$

$1\ min = \frac{1}{60}\ h$

*Minutes et secondes*

$1\ min = 60\ s$

$1\ s = \frac{1}{60}\ min$

EXEMPLE : $13\ h = 13 \times 60\ min = 780\ min$ et $7\ s = 7 \times \frac{1}{60}\ min = \frac{7}{60}\ min \approx 0{,}12\ min$

## *Distinguer des grandeurs relatives à un même objet*

ÉNONCÉ

**Diego prétend que les deux rectangles dessinés sont « égaux ».
Que veut-il dire ?**

**RÉPONSE**

Les aires des deux rectangles ne sont pas égales. Diego veut dire que les **périmètres*** des deux rectangles sont égaux.

**COMMENTAIRES**

Quant on dit que deux objets sont « égaux », il faut toujours préciser de quelle grandeur on parle.

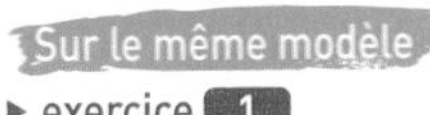


▸ exercice 1

EXERCICE RÉSOLU 2

## *Calculer avec des unités différentes*

ÉNONCÉ

**Pour arroser son jardin, Augustin a besoin de 250 L d'eau. Il récupère l'eau de pluie dans des récipients. Aura-t-il assez d'eau pour arroser son jardin ?
Récipient 1 : 500 cm$^3$, récipient 2 : 0,2 m$^3$.**

**RÉPONSE**

Le volume total contenu dans les récipients est :
$V = 500 \text{ cm}^3 + 0{,}2 \text{ m}^3$.
$V = 500 \times (0{,}001 \text{ dm}^3) + 0{,}2 \times (1\,000 \text{ dm}^3)$
$V = 0{,}5 \text{ dm}^3 + 200 \text{ dm}^3 = \mathbf{200{,}5 \text{ dm}^3}$
V = **200,5 L**.
200,5 L < 250 L donc Augustin ne pourra pas arroser complètement son jardin.

**COMMENTAIRES**

- La quantité d'eau nécessaire est donnée en litre, or **1 L = 1 dm$^3$** donc on convertit toutes les unités de volume en dm$^3$.
- On peut aussi convertir les mesures avant d'écrire les calculs.

▸ exercice 13

## *Convertir des mesures de durée*

ÉNONCÉ

**a.** **Convertir 187,2 min en heures.**
**b.** **Convertir 187,2 min en un nombre entier d'heures, de minutes et de secondes.**

**RÉPONSES**

**a.** $187{,}2 \text{ min} = 187{,}2 \times \frac{1}{60} \text{ h} = 3{,}12 \text{ h}$

**b.** 187,2 min = 180 min + 7,2 min
187,2 min = 3 h + 7,2 min
$187{,}2 \text{ min} = 3 \text{ h} + 7 \text{ min} + 0{,}2 \times 60 \text{ s}$
187,2 min = 3 h + 7 min + 12 s
187,2 min correspond à 3 h 7 min et 12 s

**COMMENTAIRES**

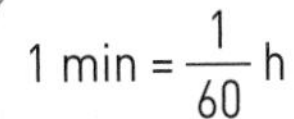


On reconnaît que $180 = 3 \times 60$ donc 187,2 min = 3 h + 7,2 min.
On convertit ensuite les parties de minutes (0,2 min) en secondes.

▸ exercices 10, 11 et 12

# Leçon 2

# Proportionnalité

## 1 Tableau de proportionnalité et grandeurs proportionnelles

**DÉFINITION**

Un **tableau de proportionnalité** est un tableau de deux lignes pour lequel une ligne s'obtient en multipliant l'autre ligne par un même nombre **non nul***.
Ce nombre est un **coefficient de proportionnalité**.

**EXEMPLE :** Ce tableau est un tableau de proportionnalité et les coefficients de proportionnalité sont 4 et $\frac{1}{4}$.

| 3,5 | 0,6 | 7,2 | $\frac{1}{4}$ | 5 |
|---|---|---|---|---|
| 14 | 2,4 | 28,8 | 1 | 20 |

($\times 4$ de la première ligne vers la deuxième ; $\times \frac{1}{4}$ de la deuxième ligne vers la première)

**REMARQUE :** Un coefficient de proportionnalité est toujours une **valeur exacte***.

**DÉFINITION**

Deux **grandeurs** sont **proportionnelles** si les mesures d'une des deux grandeurs s'obtiennent en multipliant les mesures de l'autre grandeur par un même nombre non nul.

**PROPRIÉTÉ**

Deux grandeurs sont proportionnelles si on peut écrire une formule du type
**Première grandeur = $c$ × Deuxième grandeur** (*où c est un nombre non nul*).

**EXEMPLE :** Périmètre du carré = 4 × Côté, le périmètre est proportionnel au côté.

## 2 Techniques pour compléter un tableau de proportionnalité

**EXEMPLE :** On veut compléter ce tableau de proportionnalité :

| 12 | 5 | |
|---|---|---|
| 9 | | 5,25 |

• **1^re^ méthode :** avec le coefficient de proportionnalité

| 12 | 5 | |
|---|---|---|
| 9 | | 5,25 |

($\times \frac{9}{12}$ de la première ligne vers la deuxième ; $\times \frac{12}{9}$ de la deuxième ligne vers la première)

$5 \times \frac{9}{12} = 3{,}75$.

$5{,}25 \times \frac{12}{9} = 7$.

• **2^e^ méthode :** avec la mesure 1 et des multiplications par un même nombre

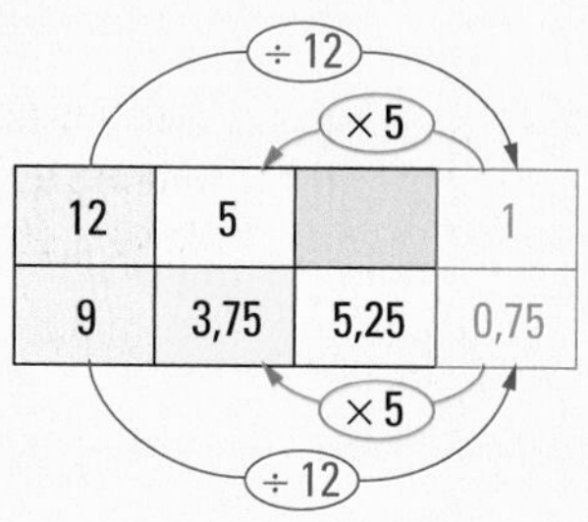


| 12 | 5 | | 1 |
|---|---|---|---|
| 9 | 3,75 | 5,25 | 0,75 |

• **3^e^ méthode :** avec des additions ou des soustractions de colonnes

| 12 | 5 | 7 | 1 |
|---|---|---|---|
| 9 | 3,75 | 5,25 | 0,75 |

(12 − 5 ; 9 − 3,75)

EXERCICE RÉSOLU 1

## *Reconnaître un tableau de proportionnalité*

**ÉNONCÉ**

**Ce tableau est-il un tableau de proportionnalité ? Si oui, donner un coefficient.**

| 7 | 12,34 | 5,3 | 4 |
|---|---|---|---|
| 8,75 | 15,425 | 6,5 | 5 |

**RÉPONSES**

On calcule :

$\frac{8,75}{7} = 1,25$ ; $\frac{15,425}{12,34} = 1,25$ ; $\frac{6,5}{5,2} \approx 1,226$.

Le quotient $\frac{6,5}{5,3}$ est différent des deux premiers quotients calculés donc le tableau n'est pas un tableau de proportionnalité.

**COMMENTAIRES**

Pour vérifier si un tableau est de proportionnalité, il faut rechercher si tous les quotients formés par deux valeurs qui se correspondent sont égaux.
Si deux quotients sont différents, on est sûr que ce n'est pas un tableau de proportionnalité.

Sur le même modèle
▸ exercice 16 à 18

EXERCICE RÉSOLU 2

## *Compléter un tableau de proportionnalité.*

**ÉNONCÉ**

**Compléter le tableau pour obtenir un tableau de proportionnalité.**

| 4,8 | | 9,6 | | 10,5 |
|---|---|---|---|---|
| 8 | 12 | | 1,5 | |

**RÉPONSES**

$\frac{4,8}{8} = 0,6$ : le coefficient pour aller de la deuxième à la première ligne est 0,6.

On remplit la première ligne :
$1,5 \times 0,6 = 0,9$ ; $12 \times 0,6 = 7,2$

On complète la deuxième ligne :

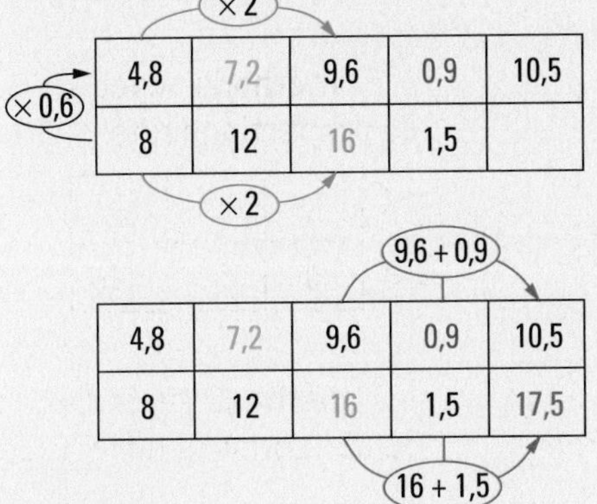



| 4,8 | 7,2 | 9,6 | 0,9 | 10,5 |
|---|---|---|---|---|
| 8 | 12 | 16 | 1,5 | |

| 4,8 | 7,2 | 9,6 | 0,9 | 10,5 |
|---|---|---|---|---|
| 8 | 12 | 16 | 1,5 | 17,5 |

Vérification :

$\frac{4,8}{8} = \frac{7,2}{12} = \frac{9,6}{16} = \frac{0,9}{1,5} = \frac{10,5}{17,5} = 0,6.$

**COMMENTAIRES**

On peut aussi calculer la mesure correspondant à 1 : c'est 0,6.

On multiplie une colonne par un nombre.

On additionne deux colonnes.

Tous les quotients formés par deux valeurs qui se correspondent doivent être égaux.

Sur le même modèle
▸ exercice 19 à 22

# Applications de la proportionnalité

## 1 Échelles

DÉFINITION

L'**échelle** d'une représentation est le **coefficient de proportionnalité** qui permet de passer des mesures réelles aux mesures de la représentation.

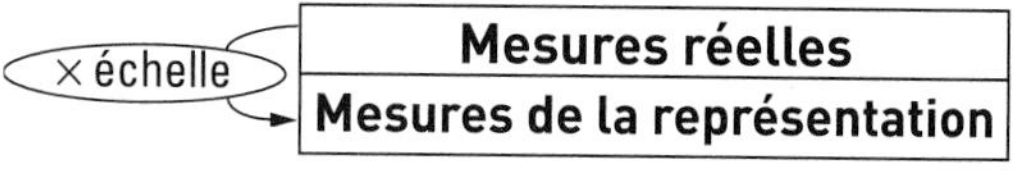


Les mesures sont dans la même unité.

EXEMPLE : Un plan d'une ville est une **réduction** de la réalité. Dans ce cas l'échelle est un nombre plus petit que 1.

EXEMPLE : Le microscope donne un **agrandissement** de la réalité. Dans ce cas l'échelle est un nombre plus grand que 1.

## 2 Le mouvement uniforme

DÉFINITION

Un **mouvement est uniforme** lorsqu'il y a proportionnalité entre la distance parcourue et la durée du parcours (la vitesse est alors constante).

EXEMPLE : Un cycliste parcourt 32 km en 2 heures.
Si le mouvement est uniforme, on peut calculer qu'en 1 heure il aura parcouru 16 km.
Si le mouvement n'est pas uniforme on ne sait pas quelle distance il parcourt en 1 heure.

## 3 Construire un diagramme circulaire

RAPPEL : Dans un diagramme circulaire, la mesure des angles est proportionnelle aux **effectifs*** et aux pourcentages.

EXEMPLE :

**Seconde langue dans une classe de 4e**

| | Allemand | Anglais | Espagnol | Total |
|---|---|---|---|---|
| **Effectif** | 6 | 4 | 15 | 25 |
| **Mesure de l'angle** | 86,4° | 57,6° | 216° | 360° |

$\times \frac{360}{25}$

Pour tracer un angle de 216°, on trace un angle de 180° (**plat***) et on ajoute 36°.
216° = 180° +36°

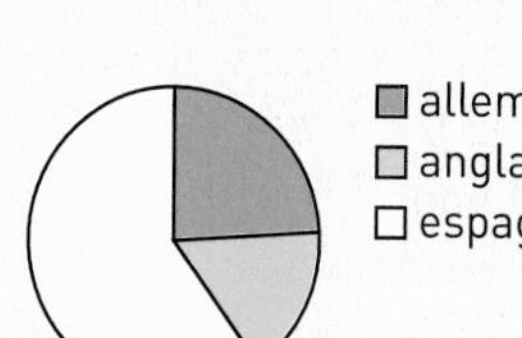


Ne pas oublier la **légende***.

EXERCICE RÉSOLU 1

## *Calculer et utiliser une échelle*

**ÉNONCÉ**

**Sur une carte du centre ville d'Aix-en-Provence, la longueur du cours Mirabeau est de 8,5 cm. Dans la réalité, le cours Mirabeau a pour longueur 500 m.**

**a. Calculer l'échelle de cette carte.**

**b. Sur la carte la « Fontaine des 9 canons » se trouve à 3,4 cm de la « Fontaine du roi René ». Quelle distance sépare les deux fontaines dans la réalité ?**

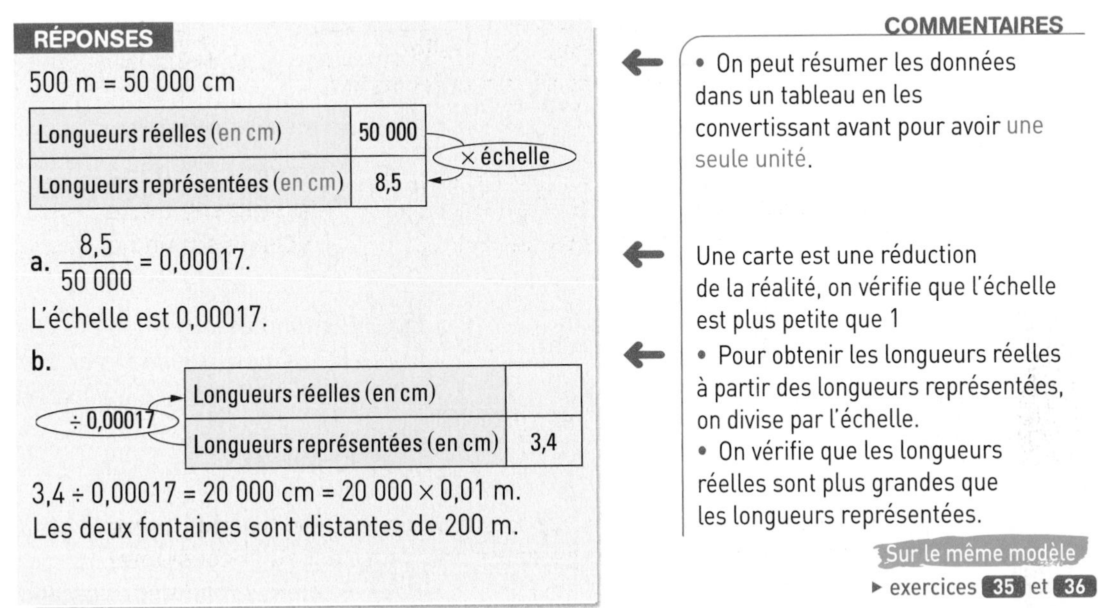

**RÉPONSES**

500 m = 50 000 cm

| Longueurs réelles (en cm) | 50 000 |
|---|---|
| Longueurs représentées (en cm) | 8,5 |



a. $\dfrac{8,5}{50\,000} = 0,00017$.

L'échelle est 0,00017.

b.

| Longueurs réelles (en cm) | |
|---|---|
| Longueurs représentées (en cm) | 3,4 |



$3,4 \div 0,00017 = 20\,000$ cm $= 20\,000 \times 0,01$ m.

Les deux fontaines sont distantes de 200 m.

**COMMENTAIRES**

- On peut résumer les données dans un tableau en les convertissant avant pour avoir une seule unité.

Une carte est une réduction de la réalité, on vérifie que l'échelle est plus petite que 1

- Pour obtenir les longueurs réelles à partir des longueurs représentées, on divise par l'échelle.
- On vérifie que les longueurs réelles sont plus grandes que les longueurs représentées.

Sur le même modèle
▸ exercices 35 et 36

EXERCICE RÉSOLU 2

## *Utiliser un mouvement uniforme*

**ÉNONCÉ**

**Une voiture roule selon un mouvement uniforme en parcourant 45 km en 30 minutes.**

**a. Quelle est la distance parcourue en 5 minutes ?**

**b. Quelle est la durée d'un trajet de 52,5 km ?**

**RÉPONSES**

| Distance parcourue | 45 km | | 52,5 km |
|---|---|---|---|
| Durée du parcours | 30 min | 5 min | |

Le mouvement est uniforme donc c'est une situation de proportionnalité.

a. 45 km ÷ 6 = 7,5 km.

La voiture parcourt 7,5 km en 5 minutes.

b. 45 km + 7,5 km = 52,5 km, donc la durée d'un parcours de 52,5 km est la somme des durées pour 45 km et pour 7,5 km.

30 minutes + 5 min = 35 min.

Un trajet de 52,5 km dure 35 minutes.

**COMMENTAIRES**

- On peut résumer les données dans un tableau en donnant un titre à chaque ligne.
- On utilise la proportionnalité entre la durée et la distance.

- 30 min ÷ 6 = 5 min.
- On peut aussi utiliser le fait que la durée du parcours de 52,5 km est 52,5 fois la durée du parcours de 1 km : $52,5 \times \dfrac{30}{45}$ min = 35 min

Sur le même modèle
▸ exercices 32 et 33

# 1 Grandeurs et mesures

### 1 Distinguer des grandeurs

Dans « Les éléments de géométrie » Legendre écrit au début du XIXe siècle :

« Tout triangle ABC est la moitié du parallélogramme qui a même base et même hauteur ».

Le schéma indique à quoi correspondent la base et la hauteur :

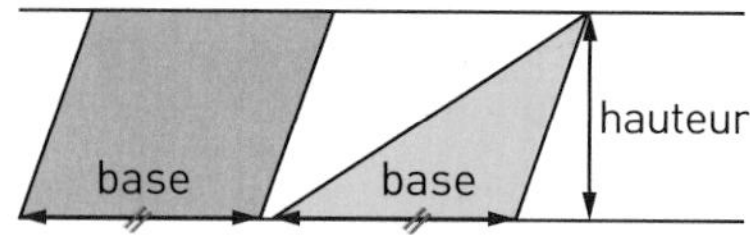


Écrire la propriété en précisant les grandeurs qui interviennent.

### 2 Comparer des périmètres

Sans effectuer aucune mesure, tracer un rectangle dont le **périmètre*** est 6 fois plus grand que la longueur représentée :

→ **Aide** : on peut utiliser un compas pour **reporter*** la longueur donnée.

### 3 Comparer des longueurs

Sans effectuer aucune mesure, trouver combien de fois la longueur *b* revient dans la longueur *a*.

Longueur *a*

Longueur *b*

### 4 En cm²

Convertir les mesures d'aires suivantes en cm$^2$.

3 mm$^2$ ; 234,7 mm$^2$ ; 3,5 dm$^2$ ; 25 m$^2$ ; 0,032 m$^2$.

*Rappel : 1 m$^2$ = 1 × 100 dm$^2$.*

### 5 En m²

Convertir les mesures d'aires suivantes en m$^2$.

7,8 km$^2$ ; 0,067 hm$^2$ ; 1 356 dm$^2$ ; 0,002 km$^2$.

### 6 En mesure entière

Pour chaque mesure d'aire, choisir une unité qui permet d'obtenir une mesure entière.

5,65 cm$^2$ ; 0,873 m$^2$ ; 1,956 km$^2$ ; 0,4 dm$^2$

*Exemple : 5,6 dm$^2$ = 560 cm$^2$.*

### 7 En cm³

Convertir les mesures de volumes en cm$^3$.

0,00045 m$^3$ ; 87 mm$^3$ ; 8,6 dm$^3$ ; 4,7 m$^3$ ; 540 mm$^3$.

### 8 En litres

Convertir en litres, les mesures de l'exercice 6.

### 9 En mesure entière

Pour chaque volume, choisir une unité qui permet d'obtenir une mesure entière (voir l'exemple de l'exercice 5).

6,7 m$^3$ ; 0,0564 dm$^3$ ; 0,5 cm$^3$ ; 1,2 L.

### 10 En minutes

Convertir les mesures de durées en minutes :

4 h ; 6,5 h ; 2 h 20 min ; 5 h 2 min 45 s ; 1,25 h.

### 11 En heures

Convertir les mesures de durées en heures :

15 min ; 36 min ; 90 min ; 1 h 3 min ; 102 min.

### 12 En heures, minutes et secondes

Convertir en un nombre entier d'heures, de minutes et de secondes : 3,25 h ; 0,72 h ; 150,3 min ; 1 548 s.

### 13 Somme de mesures de volumes

Durant une journée, Nassim boit les volumes suivants :

| Petit déjeuner | Matinée | Déjeuner | Goûter | Dîner |
|---|---|---|---|---|
| 250 cm$^3$ de lait | 15 cL de jus | 0,4 dm$^3$ d'eau | 200 mL de lait | 2 dL d'eau |

Calculer le volume total bu par Nassim en une journée.

→ **Aide** : 1 cL = 1 × 0,01 L.

### 14 Somme de mesures de durées

Cette semaine Cédric a chronométré le temps qu'il passait à faire ses devoirs. Quelle est donc la durée de son travail à la maison ?

| Lundi | Mardi | Mercredi | Jeudi | Vendredi | Samedi | Dimanche |
|---|---|---|---|---|---|---|
| 20 min | 35 min | 1 h 5 min | 8 min | 16 min | 52 min | 12 min |

### 15 Comparer des mesures de durées

Qu'est-ce qui est plus grand :

2 h 34 min 25 s ou 9 266 s ?

## 2 Proportionnalité

**Pour les exercices 16 à 18**

Déterminer s'il s'agit d'un tableau de proportionnalité. Si oui, calculer le coefficient de proportionnalité.

**16**

| 9 | 13,5 | 2,7 | 8,1 |
|---|---|---|---|
| 16 | 24 | 4,8 | 14,4 |

**17**

| 4,65 | 2,325 | 16,74 | 27,9 |
|---|---|---|---|
| 7,44 | 3,72 | 26,78 | 44,64 |

**18**

| 6 | 3 | 21,6 | 36 |
|---|---|---|---|
| 9,6 | 4,8 | 34,56 | 57,6 |

**Pour les exercices 19 à 22**

Compléter les tableaux de proportionnalité en indiquant tous les calculs.

**19**

| 32 | 7 | |
|---|---|---|
| 8 | | 9,75 |

**20**

| 7,5 | | 28 |
|---|---|---|
| | 25,625 | 35 |

**21**

| | 2 | 0,1 |
|---|---|---|
| 2,7 | 9 | |

**22**

| 71 | 65 | 32,5 | 6 | |
|---|---|---|---|---|
| | 45,5 | | | 26,75 |

**23 Reconnaître une situation de proportionnalité**

**Population d'un pays par rapport à sa surface (2003)**

| | Côte d'Ivoire | Argentine | Allemagne | Australie |
|---|---|---|---|---|
| Population (en millions) | 17 | 36,9 | 82,6 | 19,9 |
| Surface (en milliers de km$^2$) | 323 | 2 784 | 357 | 7 750 |

La situation décrite par le tableau est-elle une situation de proportionnalité ?
Si oui, quelle est la surface de la Russie, sachant que sa population est de 136,9 millions d'habitants ?

**24 Déterminer une quatrième proportionnelle**

Les deux rectangles suivants ont des dimensions proportionnelles. Déterminer $x$.

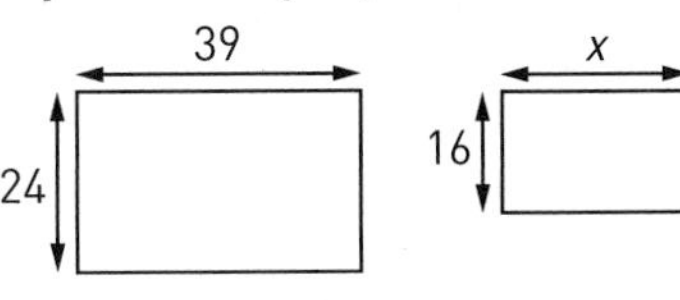


**25 Volume d'une sphère**

La formule permettant de calculer le volume d'une sphère est :

$$\text{Volume} = \frac{4}{3} \times \pi \times \text{Rayon} \times \text{Rayon} \times \text{Rayon}.$$

Le volume d'une sphère est-il proportionnel à son rayon ?

**26 Périmètre d'un rectangle de largeur 5 cm**

On note $L$ la mesure de la longueur d'un rectangle de largeur 5 cm.

**1.** Prouver que le périmètre d'un tel rectangle se calcule selon la formule :

$$\text{Périmètre} = 10 + (2 \times L)$$

**2.** Le périmètre d'un tel rectangle est-il proportionnel à sa longueur ?

**Pour les exercices 26 et 27**

Relever les **abscisses*** et les **ordonnées*** des 4 points marqués sur la courbe, les ranger dans un tableau et déterminer si l'on obtient un tableau de proportionnalité.

**27**

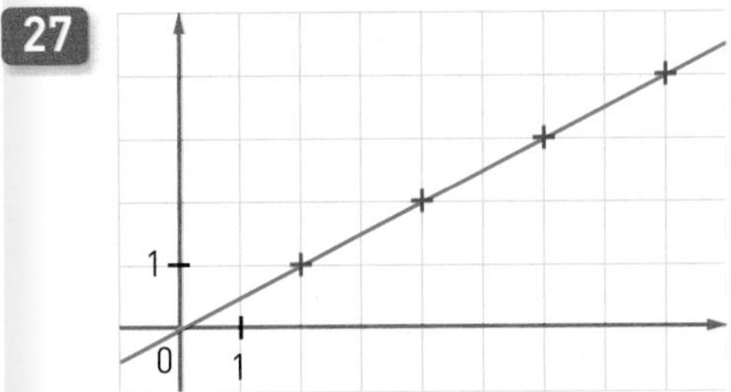


**28**

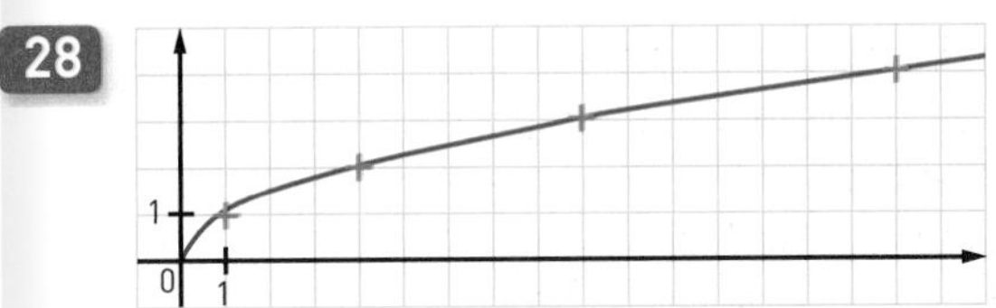

## 3 Applications de la proportionnalité

### 29 Construire un diagramme circulaire

**Répartition de la consommation d'eau en France.**

| Utilisation | Volume en m³ |
|---|---|
| Usages agricoles | 10 millions |
| Usages industriels | 11 millions |
| Utilisations domestiques | 16 millions |
| Production d'énergie | 52 millions |

**a.** On veut représenter ces données dans un diagramme circulaire. Calculer les mesures d'angles.

→ **Aide** : calculer la consommation totale d'eau.

**b.** Réaliser le diagramme circulaire en prenant un cercle de rayon 5 cm.
**c.** À quel type de production d'énergie la 4ᵉ ligne du tableau correspond-elle ?

### 30 Utiliser un diagramme circulaire

Le diagramme donne la répartition des accidents domestiques selon le lieu où ils se produisent. Calculer le pourcentage de chaque type d'accidents.

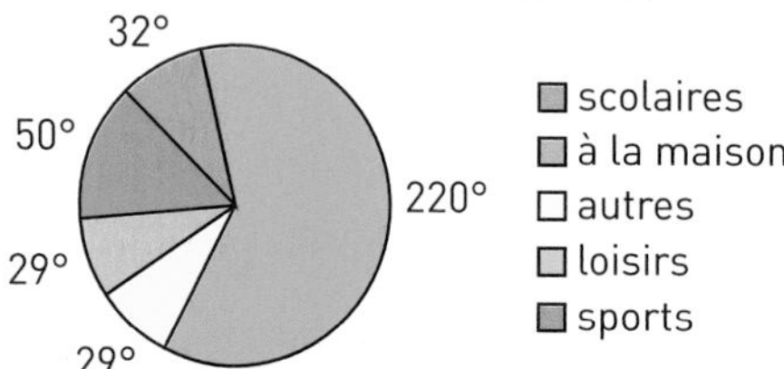


### 31 Construire un diagramme semi-circulaire

En 2003, 798 millions de personnes étaient sous-alimentées dans le monde. Sachant que la population mondiale était de 6 milliards 314 millions, représenter par un **diagramme semi-circulaire*** cette donnée. Le diagramme aide-t-il à la compréhension de la situation ?

### 32 Mouvement uniforme

Deux voitures roulent selon un mouvement uniforme.
La première voiture parcourt 18 km en 12 min ;
la seconde parcourt 51 km en 34 min.
Les deux voitures suivent le même trajet.
Au départ, les deux voitures sont au même endroit.
Quelle voiture roulera en tête ?

### 33 Reconnaître un mouvement uniforme

Un chauffeur routier relève de temps en temps la distance qu'il a parcourue en fonction de la durée du parcours. Roule-t-il selon un mouvement uniforme ?

| Distance parcourue en km | 15 | 57,5 | 83 | 93,75 |
|---|---|---|---|---|
| Durée en minutes | 12 | 46 | 67 | 75 |

### 34 Graphique et mouvement uniforme

Le graphique donne la distance parcourue par un véhicule, en fonction de la durée.
**a.** Quelle est la distance parcourue pendant les 20 premières minutes ?
**b.** Quelle est la distance parcourue pendant les 90 premières minutes ?
**c.** Pendant les 90 premières minutes, le mouvement de ce véhicule est-il uniforme ?

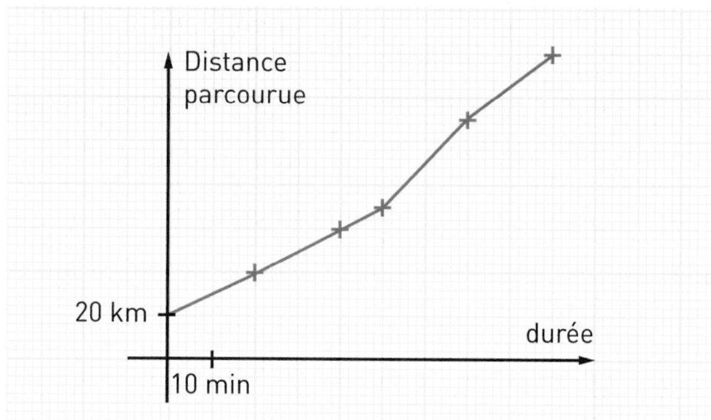


### 35 Calculer et utiliser une échelle

Sur une statuette grecque, intitulée « Aphrodite se mirant » la longueur d'une main mesure 1,5 cm.
**a.** La statuette est-elle plus petite ou plus grande que la réalité ? Que peut-on donc prévoir sur l'échelle. Calculer une valeur probable de l'échelle.
**b.** Quelle sera approximativement la dimension d'une jambe sur cette statuette ?

### 36 Échelle d'une carte

Sur une carte 5 km est représenté par 25 cm.
**a.** Quelle est l'échelle de la carte ?
**b.** Sur cette carte, par quelle distance sera représenté 200 m ?

## Lire et écrire

**37** **Reconnaître des grandeurs**

Dans un magazine on peut lire à propos de l'année 2002 : « 4,8 millions de pièces de monnaie sont frappées chaque jour, 4 fois le poids de la tour Eiffel ».

**a.** Que signifie « frapper une pièce » ?

**b.** Réécrire le texte en faisant intervenir les grandeurs qui conviennent.

**c.** Sachant que la masse de métal contenu dans la tour Eiffel est environ de 7 500 tonnes, calculer la masse moyenne d'une pièce de monnaie, en grammes. Que penser de l'information lue ?

**38** **Reconnaître des données**

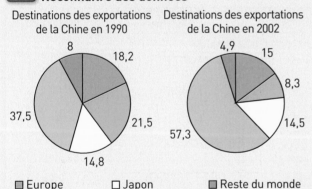

Destinations des exportations de la Chine en 1990

8 ; 18,2 ; 21,5 ; 14,8 ; 37,5

Destinations des exportations de la Chine en 2002

4,9 ; 15 ; 8,3 ; 14,5 ; 57,3

■ Europe ■ États-Unis □ Japon □ Asie hors Japon ■ Reste du monde

Source Nathan, Histoire/Géographie 5e.

**a.** Les valeurs marquées sont incomplètes. De quel type de grandeur s'agit-il ? Expliquer pourquoi.

**b.** Quelle conclusion la comparaison de ces deux graphiques permet-elle de tirer sur l'évolution des destinations des exportations de la Chine ?

**39** **De tête**

Donner une échelle possible pour une maison de poupée qui mesure 50 cm de haut.

**40** **De tête**

Une douche consomme environ 20 000 $cm^3$ d'eau et un bain environ 200 litres.

Combien de douches peut-on prendre avec la même quantité d'eau que pour un seul bain ?

**41** **Volume de pavé droit de hauteur 10 cm**

Tous les **pavés*** de cet exercice ont pour hauteur 10 cm. Pour calculer le volume d'un tel pavé droit, on peut utiliser la formule suivante :

Volume = Aire du rectangle de base × 10 cm.

**a.** Le volume de ces pavés droits est-il proportionnel à l'aire de leur base ?

**b.** Un premier pavé a pour volume 60 $cm^3$.

L'aire de sa base est égale au tiers de l'aire d'un second pavé.

Quel est le volume du second pavé ?

**42** **Chute d'un caillou**

Le graphique donne la distance parcourue par un caillou qui tombe du haut d'une falaise en fonction de la durée de sa chute.

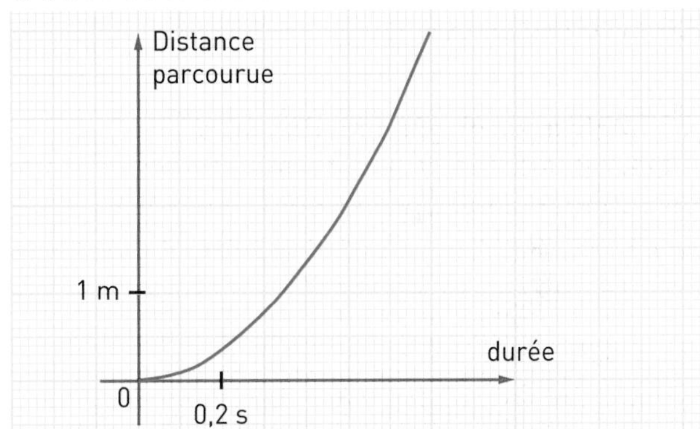


**1.** Utiliser le graphique pour remplir le tableau.

| Durée | | | 0,3 s | 0,7 s |
|---|---|---|---|---|
| Distance | 1 m | 3,5 m | | |

**2.** La distance parcourue par un caillou qui tombe est-elle proportionnelle à la durée de sa chute ?

**43** **Calculer et utiliser une échelle**

La statue « La Vénus de Milo » mesure 202 cm de hauteur.

**a.** L'échelle de cette statue est-elle plus petite ou plus grande que 1 ?

**b.** Calculer une valeur probable de cette échelle.

**c.** Quelle est approximativement la hauteur de la tête de cette statue ?

**44** **Enfant à l'échelle**

Voici les mesures en cm, prises sur un bébé de 2 mois et sur un adulte.

| | Taille tête | Taille | Pied | Avant-bras | Jambe |
|---|---|---|---|---|---|
| Enfant | 15 | 58 | 5 | 10 | 14 |
| Adulte | 24 | 165 | 22 | 28 | 40 |

On utilisera des valeurs arrondies au dixième.
L'enfant est-il approximativement une réduction à l'échelle d'un adulte ?

→ **Aide** : une autre formulation de cette question est « est-ce une situation de proportionnalité ? »

**45** **Diagramme circulaire**

**Répartition de la population par continent en 2003**

| Continents | Pourcentages |
|---|---|
| Afrique | 13,6 % |
| Amérique | 13,7 % |
| Asie | 60,7 % |
| Europe | 11,5 % |
| Océanie | 0,5 % |

Source : Nathan, Histoire/Géographie 5e.

**1.** Représenter par un diagramme circulaire la répartition de a population par continent en 2003.
**2.** Quelles données supplémentaires permettraient de compléter l'étude ?

| Questions | Réponse 1 | Réponse 2 | Réponse 3 |
|---|---|---|---|
| **46** « Le pavé *a*, est 3 fois plus grand que le pavé *b* ». De quelle grandeur parle-t-on ? Pavé *a* — Pavé *b* | Aire | Volume | Hauteur |
| **47** Comment écrire 145 min en heures et minutes ? | 2,25 h | 2 h 25 min | 2,4 h |
| **48** Comme écrire 6,2 h à l'aide de nombres entiers ? | 6 h 2 min | 6 h 20 min | 6 h 12 min |
| **49** Convertir 45600 cm$^3$ en dm$^3$ | $45600 \times 0{,}001$ dm$^3$ | $45\,600 \times$ dm$^3$ | 45,6 dm$^3$ |
| **50** Convertir 0,25 L en mm$^3$ | $0{,}25 \times 0{,}000001$ mm$^3$ | $0{,}25 \times 1\,000\,000$ mm$^3$ | 250 000 mm$^3$ |
| **51** Quels sont les tableaux de proportionnalité ? | 3 \| 0,175 / 8 \| 1 | 76 \| 36 / 12 \| 16,3 | 4 \| 5,44 / 5 \| 6,8 |
| **52** Un véhicule roule selon un mouvement uniforme. En 15 minutes, il parcourt 10 km. En 2 heures, il parcourt… | 80 km | 150 km | 20 km |
| **53** Un soldat de plomb est une représentation à l'échelle d'un soldat. Son pied mesure 5 mm. | L'échelle de ce soldat de plomb est plus petite que 1 | Le soldat de plomb est un agrandissement de la réalité | L'échelle est plus grande que 1 |
| **54** Quel est environ, le pourcentage représenté par un angle de 50° dans un diagramme circulaire ? | 50 % | 15 % | 30 % |
| **55** Quel est la mesure de l'angle qui représente 20 % dans un diagramme circulaire ? | 72° | 20° | 36° |

# À CHACUN SON PARCOURS

## 1 Grandeurs et mesures

**56 A** « La planète Saturne est 95 fois plus grosse que la Terre ». Réécrire la phrase en précisant de quelle grandeur il s'agit.

| | Diamètre[1] | Volume[2] | Masse[3] |
|---|---|---|---|
| Saturne | 120 660 | 80 534,5 | 567,720 |
| Terre | 12 756 | 108,1 | 5,976 |

1. en km - 2. en milliards de m$^3$ - 3. en milliers de milliards de milliards de tonnes

**56 B** Dans le livre « Géométrie » de Legendre de 1817, on trouve la propriété : « deux rectangles de même hauteur sont entre eux comme leurs bases »

**a.** Donner un exemple qui illustre cette propriété.

**b.** « Traduire » cette propriété en utilisant le vocabulaire actuel.

## 2 Proportionnalité

**57 A** L'angle parcourue par la petite aiguille d'une pendule est proportionnel à la durée écoulée. Sachant que lorsqu'il s'écoule 1heure, la petite aiguille parcourt un angle de 30°, calculer l'angle parcourue par la petite aiguille entre 4 h 20 et 7 h 35.

**57 B** **a.** Trouver une raison pour laquelle on peut penser qu'il y a proportionnalité entre la mesure de l'angle parcouru par la petite aiguille d'une pendule et la durée écoulée.

**b.** Trouver la mesure de l'angle parcouru par la petite aiguille pour une durée de 5 h 12 min

**c.** Quelle est la durée écoulée lorsque l'aiguille avance de 108° ?

**d.** Établir une formule qui permet de calculer la mesure de l'angle en fonction de la durée écoulée.

## 3 Applications de la proportionnalité

**58 A** Madame Sanzeau étudie sa facture.

| | Montant hors taxes | Mesures d'angles (°) |
|---|---|---|
| Distribution | 45,69 € | |
| Collecte et traitement des eaux usées | 30,03 € | |
| Taxes* | 13,84 € | |
| Total | | |

* Reversées aux organismes publics qui financent les actions d'aménagement et de protection des ressources en eau.

**1.** Expliquer ce que signifient les différents mots de la colonne de gauche.

**2.** On veut réaliser un diagramme semi-circulaire pour illustrer cette facture.

**a.** Compléter le tableau.

**b.** Réaliser le diagramme semi-circulaire.

**c.** Quel renseignement le diagramme permet-il de voir rapidement ?

**58 B** Prendre les mesures nécessaires pour réaliser un diagramme semi-circulaire représentant l'origine de la fabrication des ordinateurs portables.

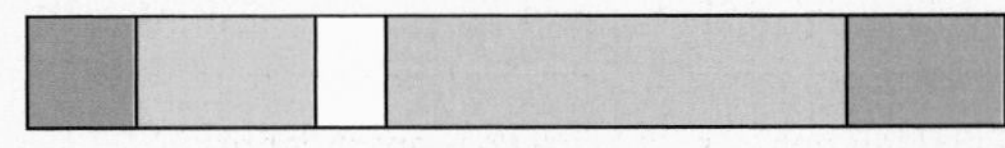

■ Chine □ Japon □ Corée □ Taïwan ■ Autres pays

Comment la France se situe-t-elle par rapport à la production des ordinateurs portables ?

## Utiliser la proportionnalité

### 59 Climatisation

Sur le site Internet de l'Ademe*, on trouve le schéma ci-contre.

**a.** Sachant qu'1 L d'essence produit environ 2,4 kg de $CO_2$**, calculer l'augmentation de la production de $CO_2$ émis en utilisant la climatisation.

**b.** Sachant que le nombre de voitures climatisées était d'environ 10 millions en France en 2005, et en estimant qu'une voiture parcourt environ en été 3 500 km, calculer la quantité de $CO_2$ qui provient de la climatisation des voitures durant l'été.

**c.** Quelle conclusion peut-on tirer de ce résultat ?

*Ademe : Agence gouvernementale De l'Environnement et de la Maîtrise de l'Énergie www.ademe.fr

** $CO_2$ : dioxyde de carbone

### 60 Prix de l'eau

Une campagne de publicité du syndicat des eaux d'Île-de-France affichait « libre à vous de payer 100 fois plus cher ».
À l'aide des données ci-dessous peut-on dire que ce slogan est réaliste ?

- *Sur une facture de consommation d'eau on trouve :*
  *Abonnement : 6,05 €*
  *Consommation pour 28 m³ : 88,20 €*
- *Eau de source pour 6 bouteilles de 1,5 L : 1,98 €*

### 61 Solidification de l'eau liquide

On a refroidi de l'eau et on a reporté les températures au cours du temps sur le graphique.

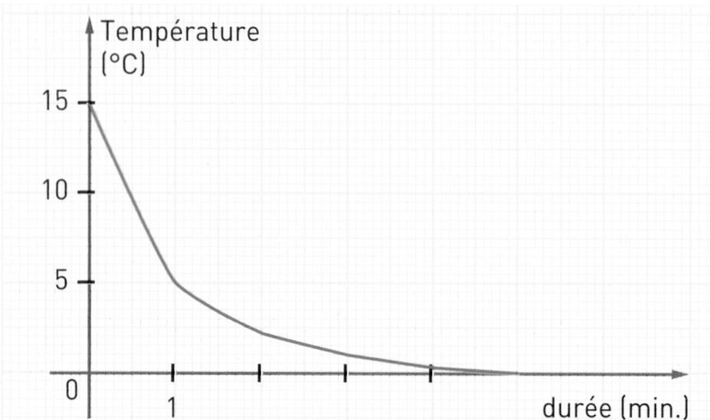


En relevant sur le graphique quelques données, dire si dans ce processus, la température est proportionnelle à la durée.

### 62 Recette du tiramisu

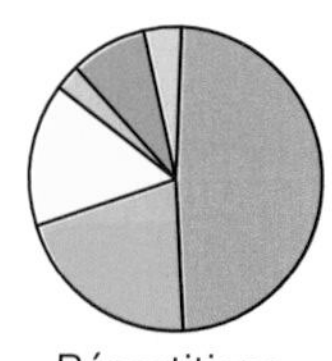

Répartitions des ingrédients pour 8 personnes

- Mascarpone
- Œufs
- Boudoirs
- Café froid
- Sucre
- Cacao amer

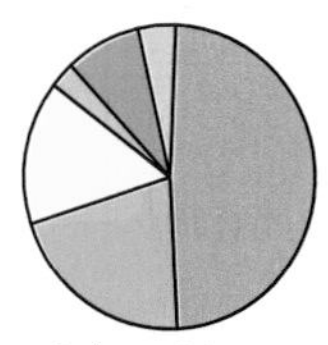

Répartitions des ingrédients pour 28 personnes

Devant ces diagrammes deux personnes s'interrogent :
Avenilde : « La proportion des ingrédients est donc la même quelque soit le nombre de personnes ? »
Elizabeth : « Non, il faut beaucoup plus d'ingrédients pour 28 que pour 8. »
Qui a raison ?

## Travailler avec des unités

### 63 Avec des lettres

Le degré Fahrenheit est une unité utilisée dans les pays anglo-saxons pour mesurer la température.
Le tableau suivant donne la conversion entre les degrés Celsius et les degrés Fahrenheit.

| Celsius | 4,4 | 23,9 | 48,9 | 82,2 | 93,3 |
|---|---|---|---|---|---|
| Fahrenheit | 40 | 75 | 120 | 180 | 200 |

**a.** Y a-t-il proportionnalité entre ces deux unités ?

**b.** La formule qui permet de calculer une température en degré Fahrenheit à partir d'une température en degré Celsius est la suivante : $t_F = \left(\frac{9}{5} \times t_C\right) + 32$

En utilisant cette formule, donner la température d'ébullition de l'eau en degré Fahrenheit, puis la température de solidification de l'eau.

### 64 Bord de mer

Pour les vacances Ludivine, se rend depuis Paris, chez son arrière grand-mère qui habite au Minihic sur Rance, petit village d'Ille et Villaine.
Pour s'y rendre elle prend le TGV de Paris à Rennes (durée : 2 h 15 min), puis elle attend 13 min à la gare de Rennes. Elle prend ensuite le TER de Rennes à Saint Malo (durée : 1 h 03 min). À la gare de Saint Malo, son arrière grand mère l'attend au volant de sa voiture. La durée du trajet en voiture est de 35 min, mais elles s'arrêtent 20 min au barrage de la Rance pour regarder les bateaux.
Calculer la durée totale du trajet de Paris au Minihic sur Rance. Exprimer cette durée en heures et minutes.

**65** **Qui a raison ?**

**66** **Fuite d'eau**

Un robinet qui fuit consomme de l'eau potable. Une goûte a un volume d'environ 250 mm$^3$.
En supposant qu'une goûte s'échappe toutes les 2 secondes, calculer la quantité d'eau, en litres, gaspillée en une journée.

**67** **Dé à coudre**

Comment peut-on trouver la contenance en cm$^3$ d'un dé à coudre en ne disposant que d'un dé et d'un pichet gradué ?

**68** **Déchets** 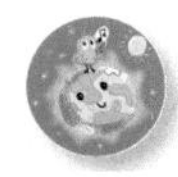

Chaque Français produit par jour en moyenne 1,5 kg de déchets ménagers, dont 140 g sont recyclés.
Quel pourcentage de la masse de déchets ménagers est recyclé en France ? Que peut-on conclure ?

**Pour les exercices 69 et 70**

On donne les correspondances suivantes concernant les unités anglo-saxonnes :
- Pour les longueurs :
  1 yard = 0,9144 m
  1 foot (*pied*) = 12 inches (*pouces*)
  1 yard = 3 feet (*pieds*)
  1 mile = 1 760 yard
- Pour les masses :
  1 pound (livre) = 16 ounces
  1 pound = 0,4536 kg

**69** Exprimer la taille et la masse des élèves de la classe dans ces unités anglo-saxonnes.

**70** Voici un QCM posé à des enfants américains pour apprendre à utiliser les conversions de mesures anglo-saxonnes :

| | A | B | C | D |
|---|---|---|---|---|
| 60 yards c'est | 300 feet | 15 feet | 180 feet | 36 inches |
| 2,5 feet c'est | 54 inches | 2 640 yards | 1 760 yards | 30 inches |
| 0,5 miles c'est | 21 feet | 880 yards | 1 760 yards | 24 inches |

Répondre à ce QCM.

## À CHACUN SON PARCOURS

**71** **A** On donne les dimensions en cm des formats de feuilles de papier plus petits que le format A4.

| | A4 | A6 | A8 |
|---|---|---|---|
| Longueur | 29,7 | 14,85 | 7,425 |
| Largeur | 21 | 10,5 | 5,25 |

**a.** La longueur et la largeur de ces formats sont-elles proportionnelles ?
**b.** Calculer une **valeur approchée*** des dimensions des formats A5 et A7, sachant que la longueur d'un format est la largeur du précédent.
**c.** La longueur et la largeur de ces 5 formats sont-elles proportionnelles ?

**71** **B** Les formats des feuilles de papier rectangulaires sont standardisés, ils sont notés A0, A1, etc.
- Chaque format a un côté qui a pour longueur la moitié de la longueur du plus grand côté du format précédent.
- Chaque format a une aire qui est la moitié de celle du format précédent.
- La feuille A4 a pour dimensions 210 mm et 297 mm.

Y a-t-il proportionnalité entre la longueur et la largeur des feuilles pour chacun de ces formats ? Expliquer.

## Grandeurs géométriques

**72** **Aire et périmètre d'un carré**

L'un des deux graphiques représente l'aire d'un carré en fonction de la longueur de son côté, et l'autre, le périmètre d'un carré en fonction de la longueur de son côté.

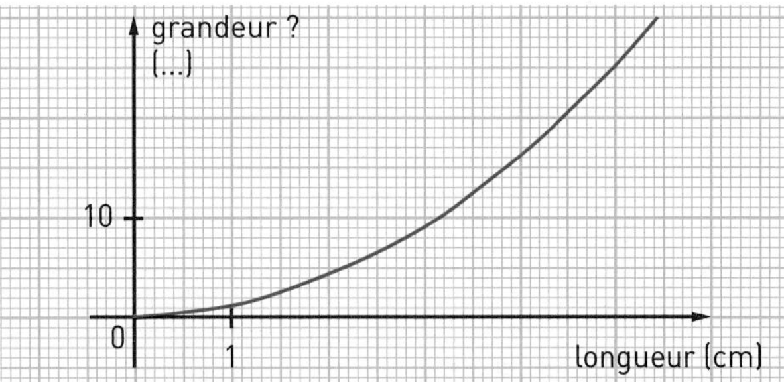


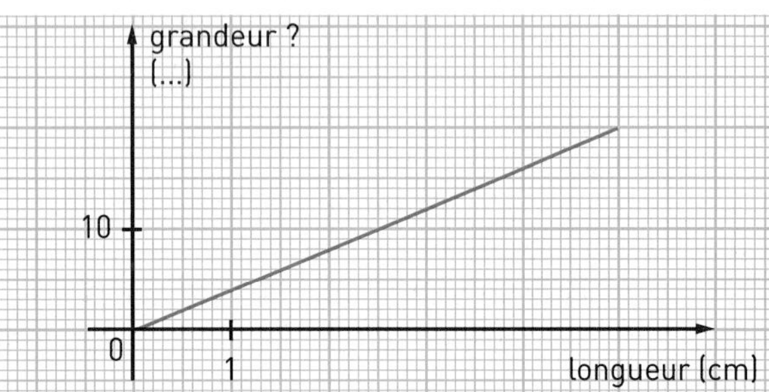


**a.** Déterminer quel graphique représente l'aire et quel graphique représente le périmètre.
**b.** Ces situations sont-elles des situations de proportionnalité ? expliquer et préciser quelles grandeurs sont proportionnelles.

**73** **Avec des lettres**

On appelle $r$ le rayon d'un cercle $C_1$, et $s$ le rayon d'un cercle $C_2$.
Le cercle $C_1$ a un rayon 4 fois plus petit que le cercle $C_2$.
**a.** Peut-on trouver une relation entre les rayons $r$ et $s$ ?
**b.** On note $p$ le périmètre du cercle $C_1$ et $q$ le périmètre du cercle $C_2$. Écrire avec les lettres $p$ et $q$ la relation qui existe entre les périmètres de ces cercles.

## Échelles

**74** **Hawaii**

Les îles Hawaii sont situées au milieu de l'océan Pacifique.
On dispose d'une carte à l'échelle $\frac{1}{10\,000\,000}$.
**a.** La plus grande de ces îles a pour longueur 150 km. Quelle sera la longueur de cette île sur la carte ?
**b.** La côte Ouest des États-Unis est située à 4 000 km de Hawaii et la côte japonaise à 6 000 km. Ces deux pays seront-ils visibles sur cette carte ?

**75** **Trajet**

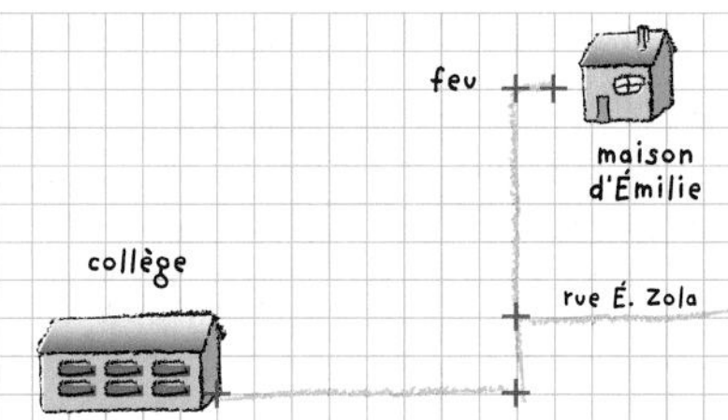


Émilie explique à Julie comment se rendre du collège jusqu'à chez elle :
« Prendre la rue Édouard Vaillant sur 200 m, tourner à gauche. À 50 m laisser la rue Émile Zola sur la droite, 150 m plus loin, tourner au feu à droite. La maison est à 25 m du feu. »
Julie réalise le plan suivant à partir de cette description.
Le schéma d'Émilie est-il réalisé à l'échelle ? Si oui, quelle échelle ? Sinon, refaire un schéma en choisissant une échelle convenable.

**76** **Dessin d'enfant**

Un enfant a réalisé le dessin ci-contre. Ce dessin respecte-t-il une échelle ? Quels éléments en particulier permettent de répondre ? Quelles grandeurs sont éventuellement à modifier ?

**77** **Soleil**

Dessiner un soleil sur le cahier.
Sachant que le diamètre du Soleil est de 1 392 530 km, quelle est l'échelle approximative de ce dessin ?

## Diagrammes circulaires

**78** **Animaux domestiques**

Les Français possèdent 36,6 millions de poissons rouges, 9,7 millions de chats, 8,6 millions de chiens, 6,7 millions d'oiseaux et 4,1 millions de rongeurs.
Réaliser un diagramme circulaire qui représente la répartition de ces animaux domestiques.
Comment peut-on expliquer cette répartition ?

**79** **Transports de voyageurs et de marchandises**

| | 1973 | 2000 |
|---|---|---|
| route | 69 % | 78 % |
| fer | 7 % | 4 % |
| air | 6 % | 12 % |
| mer et fluvial | 18 % | 6 % |

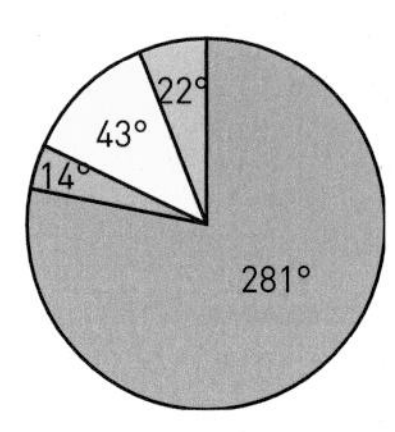

**a.** Quelle année est représentée sur le diagramme circulaire ?
**b.** Associer à chaque couleur, le moyen de transport qui correspond.
**c.** Représenter l'autre année dans un deuxième diagramme circulaire.
**d.** Commenter l'évolution de 1973 à 2000.

### 80 Production d'énergie renouvelable

Voici l'origine des énergies renouvelables produites en France en 2004 :

| | |
|---|---|
| Bois et déchets du bois | 9,2 millions de Tep* |
| Hydraulique | 5,6 millions de Tep |
| Déchets urbains | 2,1 millions de Tep |
| Autres | 1,4 millions de Tep |

* Tep : Tonne Équivalent Pétrole.

**a.** Représenter par un diagramme circulaire cette répartition de la production d'énergie renouvelable.
**b.** Les énergies qualifiées de « autres » dans le tableau ci-dessus se décomposent de la façon suivante :

| | |
|---|---|
| Solaire | 0,02 million de Tep |
| Éolien | 0,05 million de Tep |
| Résidus de récolte | 0,08 million de Tep |
| Géothermie | 0,13 million de Tep |
| Pompes à chaleur | 0,31 million de Tep |
| Biogaz | 0,37 million de Tep |
| Biocarburant | 0,45 million de Tep |

Représenter ces nouvelles données dans un diagramme à choisir.
**c.** Chercher les données pour l'année en cours et comparer.

## Mouvement uniforme

### 81 Temps de parcours en ville

On donne dans le tableau, les distances parcourues en 1 heure, en ville selon différents modes de transports et dans différentes conditions.

| | |
|---|---|
| À pied | 5 km |
| En vélo | 15 km |
| En voiture sans embouteillage | 26 km |
| En voiture avec embouteillage | 15 km |
| En bus sans embouteillage | 25 km |
| En bus avec embouteillage | 10 km |

En ville, un déplacement sur deux fait moins de 3 km. Calculer pour chaque situation le temps nécessaire pour parcourir 3 km. Exprimer les résultats en minutes et secondes.
Pourquoi incite-t-on à prendre le bus plutôt que la voiture même lorsqu'il y a des embouteillages ?

### 82 Navigation

En mer, les distances se comptent en miles marins. Un mille marin est égal à 1 852 mètres.
On suppose qu'un catamaran avance selon un mouvement uniforme en parcourant 22 milles en une heure.
Ce catamaran est-il plus ou moins rapide qu'une voiture parcourant 50 km en 1 heure ?

## À chacun son parcours

**83 A** Deux vélos roulent en sens inverse sur une même route, selon un mouvement uniforme. À un instant donné, ils sont distants de 15 km.
Les deux vélos se croisent 20 minutes après cet instant.
On sait que le vélo jaune parcourt 27 km en 1 heure.
**a.** Quelle distance a parcouru le vélo jaune avant de rencontrer le vélo rouge ?
**b.** Même question pour le vélo rouge ?
**c.** Combien de kilomètres, le vélo rouge parcourt-il en 1 heure ?

**83 B** Deux voitures roulent en sens inverse sur une même route, selon un mouvement uniforme. À un instant donné, elles sont distantes de 55 km. La voiture jaune parcourt 40 km en une heure et la voiture bleue parcourt 70 km en une heure.
Calculer au bout de combien de temps les deux voitures vont se croiser.

## Devoirs à la maison

### Pour prendre le temps de chercher

**84** Avec des lettres

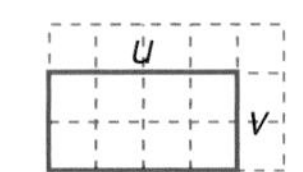


On note $u$ la longueur et $v$ la largeur d'un rectangle.

**a.** Trouver une formule permettant de calculer l'aire du rectangle représenté en fonction de $u$ et $v$.

**b.** Tracer une figure géométrique dont l'aire est 7 fois l'aire de ce rectangle. Trouver une formule permettant de calculer l'aire de cette figure en fonction de $u$ et $v$.

**c.** Tracer une figure géométrique dont le périmètre est égal à 4 fois la longueur $u$ augmenté de 10 fois la longueur $v$. Trouver une formule permettant de calculer le périmètre en fonction de $u$ et $v$.

**d.** Plus difficile : Peut-on trouver une figure géométrique répondant à la fois à la question **b.** et à la question **c.** ?

**85 Population par continent**

**a.** À partir du diagramme en tuyaux d'orgue, construire deux diagrammes circulaires représentant la population par continent en 1950 et en 2003.

**Répartition de la population mondiale par continent**

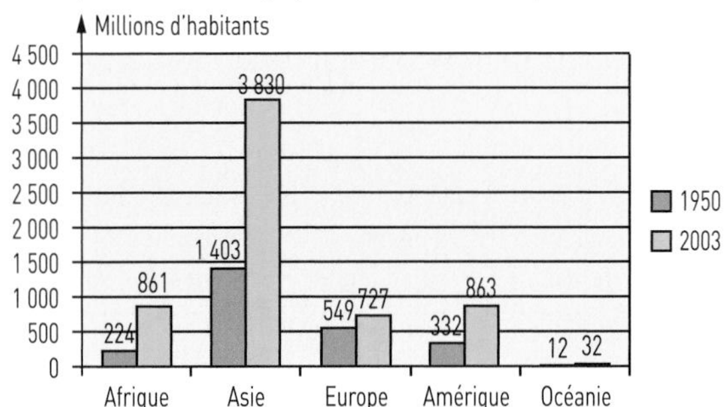


Source : Nathan histoire 5e.

**b.** La répartition de la population en 2003 est-elle proportionnelle à la répartition de la population en 1950 ?

**c.** Quel diagramme permet de répondre à la question : « quels sont les continents dont la population a plus que doublée ? »

**86 Le lièvre et la tortue**

Un lièvre et une tortue font la course sur 2 km 590 m. La tortue marche selon un mouvement uniforme en parcourant 370 m en 1 heure ; le lièvre quant à lui, se déplace de 70 km en 1 heure.

Selon la fable de la Fontaine, la tortue arrive en premier, car le lièvre est parti trop tard pour arriver en même temps que la tortue. Combien de temps au moins après la tortue le lièvre est-il donc parti ? Exprimer le résultat en heures, minutes et secondes.

**87 Promenade à vélo**

Le graphique illustre une promenade que la famille de Gabriel a effectuée à vélo durant l'été.

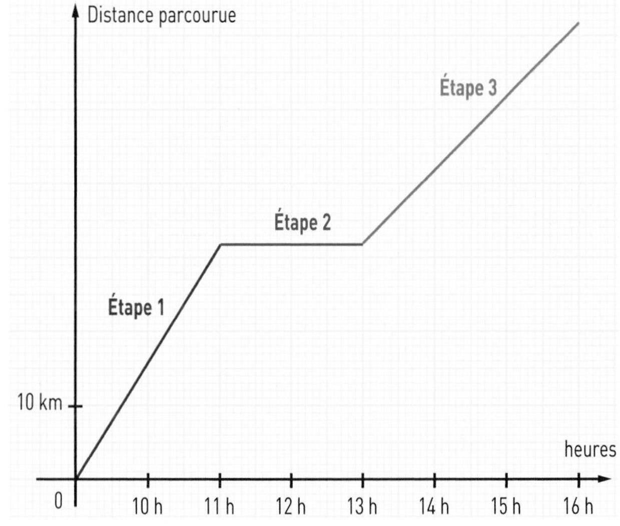


**a.** Pour chaque étape du parcours, recopier et compléter le tableau suivant :

| Distance parcourue* | | | | |
|---|---|---|---|---|
| Durée* | 30 min | 1 h | 1 h 15 min | 2 h |

*Depuis le début du trajet.

**b.** Comment expliquer ce qu'il s'est passé sur le morceau bleu ?

**c.** La promenade de la famille de Gabriel s'effectue-t-elle globalement selon un mouvement uniforme ? À quel moment ont-ils roulé le plus vite ?

**d.** La famille de Gabriel est-elle retournée à son point de départ ? Expliquer.

## Énigme du chapitre

Un nénuphar double sa surface chaque jour. Au bout de 100 jours il a recouvert tout l'étang.

Combien de jours sont nécessaires pour recouvrir la moitié de l'étang ?

# Suites d'opérations

## Les objectifs du programme

### Enchaînement d'opérations

- Effectuer une succession donnée d'opérations sous diverses formes (par calcul mental, posé ou instrumenté), uniquement sur des exemples numériques.
- Écrire une expression correspondant à une succession donnée d'opérations.

### Distributivité

Sur des exemples numériques ou littéraux, utiliser les égalités $k(a + b) = ka + kb$ et $k(a - b) = ka - kb$ dans les deux sens.

### Équation

Tester si une égalité comportant un ou deux nombres indéterminés est vraie lorsqu'on leur attribue des valeurs numériques.

## Sommaire

# D'un Siècle...

## Des lettres dans les calculs

François Viète (1540-1603) était le premier mathématicien français à avoir introduit les lettres dans les calculs.
Il explique sa méthode dans un ouvrage dont deux extraits sont traduits ci-après.

ALGEBRE NOVVELLE

Il faudra diftinguer les grandeurs donnees d'auec les incogneuës, par quelque figne arrefté perpetuel, & bien apparent ; Par exemple, defignant les grandeurs incogneuës par la lette A. ou autre des voyelles, E, I, O, V, Y, & les donnees par les lettres, B, C, D, ou autres confones.

Traduction

*« (...) il faudra distinguer les grandeurs connues de celles qui sont inconnues avec une règle astucieuse et claire. Par exemple en désignant les grandeurs inconnues par la lettre A, ou d'autres voyelles, E, I, O, V, Y et les grandeurs connues par les lettres B, C, D ou d'autres consonnes. »*

ZETETIQVE PREMIER

A difference des deux coftez eftant donnée, & l'aggregé d'iceux coftez, treuurer les coftez.

La difference donnee des deux coftez foit B, & l'aggregé d'iceux foit D, il faut trouuer les coftez. Que le plus petit cofté foit A, partant le plus grand fera A+B, & l'aggregé de coftez 2 A+B.

Traduction

*« La différence et la somme de deux nombres étant connue, trouver ces deux nombres.
La différence connue est appelée B et la somme est appelée D, il faut trouver les nombres. On appelle A le plus petit des deux nombres, le plus grand sera alors A + B et la somme des nombres 2A + B. »*

## Calendrier perpétuel

Vous pouvez trouver quel jour de la semaine vous êtes né en effectuant une suite d'opérations.
Ce calendrier détermine la date d'un **dimanche** d'un mois donné pour une année choisie.

Exemple
Quel jour de la semaine était le 14 juillet 1789 ?

Les tableaux ci-dessous permettent de trouver la date d'un dimanche de juillet 1789 en faisant correspondre le nombre :
- des centaines de 1789, 17 à la valeur C = 3 ;
- des années de 1789, 89 à valeur A = 1 ;
- le mois de juillet à la valeur M = 1

On calcule C + A + M = 3 + 1 + 1 = **5.**

Donc le **5 juillet 1789 était un dimanche.**

Le dimanche suivant était le 12.
Le 14 juillet 1789 était donc un mardi.

**Valeurs de C**

| centaine | C | centaine | C | centaine | C |
|---|---|---|---|---|---|
| 0 | 3 | 10 | 6 | 19 | 7 |
| 1 | 4 | 11 | 7 | 20 | 1 |
| 2 | 5 | 12 | 1 | 21 | 3 |
| 3 | 6 | 13 | 2 | 22 | 5 |
| 4 | 7 | 14 | 3 | 23 | 7 |
| 5 | 1 | 15 (j) | 4 | 24 | 1 |
| 6 | 2 | 15 (g) | 7 | 25 | 3 |
| 7 | 3 | 16 | 1 | 26 | 5 |
| 8 | 4 | 17 | 3 | 27 | 7 |
| 9 | 5 | 18 | 5 | 28 | 1 |

Les valeurs notées en violet sont valables pour les calendriers julien (j) et grégorien (g).

**Valeurs de A**

| année | 0 | 1 | 2 | 3 | 4 | 5 | 6 | 7 | 8 | 9 |
|---|---|---|---|---|---|---|---|---|---|---|
| 0 | 0 | 6 | 5 | 4 | 2 | 1 | 0 | 6 | 4 | 3 |
| 10 | 2 | 1 | 6 | 5 | 4 | 3 | 1 | 0 | 6 | 5 |
| 20 | 3 | 2 | 1 | 0 | 5 | 4 | 3 | 2 | 0 | 6 |
| 30 | 5 | 4 | 2 | 1 | 0 | 6 | 4 | 3 | 2 | 1 |
| 40 | 6 | 5 | 4 | 3 | 1 | 0 | 6 | 5 | 3 | 2 |
| 50 | 1 | 0 | 5 | 4 | 3 | 2 | 0 | 6 | 5 | 4 |
| 70 | 4 | 3 | 1 | 0 | 6 | 5 | 3 | 2 | 1 | 0 |
| 80 | 5 | 4 | 3 | 2 | 0 | 6 | 5 | 4 | 2 | 1 |
| 90 | 0 | 6 | 4 | 3 | 2 | 1 | 6 | 5 | 4 | 3 |

**Valeur de M**

| janvier | 0 (1) | juillet | 1 |
|---|---|---|---|
| février | 4 (5) | août | 5 |
| mars | 4 | septembre | 2 |
| avril | 1 | octobre | 0 |
| mai | 0 | novembre | 4 |
| juin | 3 | décembre | 2 |

En violet, les valeurs pour les années bissextiles.

# Lire et écrire des calculs complexes

## Ordre d'exécution des calculs

**1. a.** Calculer mentalement les six expressions :

$I = 20 - 5 \times 4$ $\quad J = 30 - 12 \div 2 + 1$ $\quad K = 15 - 9 + 1$

$L = 10 + 7 - 3 + 4$ $\quad M = 40 \div 8 \times 5$ $\quad N = 4 \times 9 \div 3 \times 2$

**b.** Comparer les différents résultats obtenus par les élèves de la classe.

**c.** Selon les différents résultats obtenus pour une même expression, dans quel ordre les calculs ont-ils été effectués par les élèves ?

**2. a.** Quels sont les résultats obtenus à l'aide d'une calculatrice scientifique ?

**b.** Dans quel ordre les calculs ont-ils été effectués par la calculatrice ?

**c.** Résumer le mode de fonctionnement d'une calculatrice scientifique en énonçant des règles de calcul d'expressions écrites sans parenthèses.

## Calculer avec ou sans parenthèses

**a.** Calculer mentalement et le plus rapidement possible l'aire du rectangle.

**b.** Parmi les trois expressions numériques, choisir celle qui semble convenir au calcul de l'aire du rectangle :

- $18 + 2 \times 11 + 4$
- $(18 + 2) \times (11 + 4)$
- $18 + 2 \times (11 + 4)$

**c.** **Effectuer*** le calcul de l'expression choisie à l'aide d'une calculatrice et vérifier que le résultat est bien identique à celui obtenu mentalement au **a.**.

**d.** Effectuer les deux autres calculs sans l'aide de la calculatrice et en indiquant les étapes.

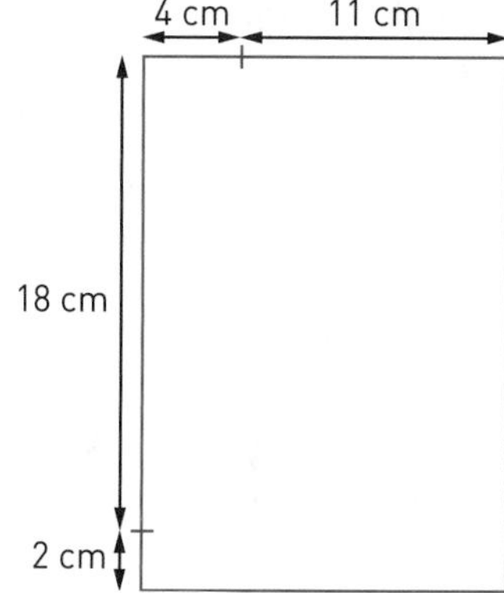


## 3 Quotients

**1. a.** Donner l'écriture décimale de $\frac{72}{8}$.

**b.** Quels calculs faut-il faire pour trouver l'écriture décimale du quotient $\frac{\frac{72}{8}}{2}$ ?

Rédiger le calcul de ce quotient en indiquant les étapes intermédiaires.

**2.** Quels calculs faut-il faire pour trouver l'écriture décimale du quotient de 60 par $\frac{10}{2}$ ?

Rédiger le calcul de ce quotient.

**3.** Prouver que les expressions $E_1 = \frac{7{,}5 \times 2}{1 + 1 + 1}$ et $E_2 = \frac{22 + 23}{\frac{27}{3}}$ sont égales.

## Distributivité

### Multiplier par une somme

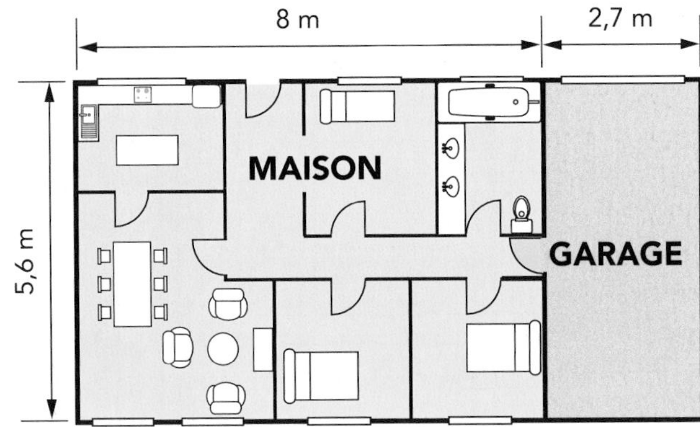


**1. a.** Sans effectuer aucun calcul, exprimer de deux manières différentes l'aire de la surface au sol de toute l'habitation : l'une contient des parenthèses, l'autre pas.

**b.** Calculer les deux expressions en respectant les priorités.

**2.** Le plan des habitations voisines est le même mais la largeur de leur garage n'est pas 2,7 m. Reprendre la question **1.** lorsque la largeur du garage est 3,65 m.

**3.** $a$ est un nombre dont la valeur n'est pas précisée, exprimer d'une autre manière le produit $5{,}6 \times (8 + a)$.

### Une preuve de la distributivité

Voici un tableau de proportionnalité dont le coefficient est 5 (les lettres $a$ et $b$ désignent des nombres) :

| | | | | | | | |
|---|---|---|---|---|---|---|---|
| ×5 | 1 | $a$ | 2,5 | 107 | $b$ | 109,5 | $a + b$ |
| | 5 | … | …. | … | … | … | … |

**a.** Compléter les cases blanches du tableau en effectuant uniquement des multiplications.

**b.** En utilisant uniquement des additions :

- calculer la valeur de la case bleue,
- donner une autre écriture de l'expression $5 \times (a + b)$.

### Écrire sous la forme d'un seul produit

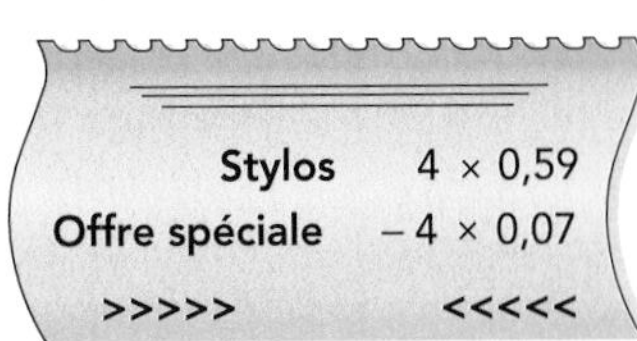


À la librairie, Idris a bénéficié d'une réduction pour les 4 stylos identiques qu'il a achetés. Sur son ticket de caisse (ci-contre), il lit les calculs correspondant à cette promotion.

**a.** Combien a finalement coûté chaque stylo acheté en lot de 4 ?

**b.** Trouver une autre expression égale à $4 \times 0{,}59 - 4 \times 0{,}07$.

## Tests d'égalités

### 7 Remplacer par une valeur

Karim choisit un nombre, il lui ajoute son carré (produit du nombre par lui-même).
Il trouve finalement 68,64.

**a.** Anaëlle applique mentalement le même procédé de calcul en prenant 5 pour nombre de départ, quel résultat obtient-elle ?

**b.** On note $a$ le nombre choisi par Karim.
Parmi les égalités suivantes, trouver celle qui traduit le calcul de Karim :

$a + 2 \times a = 68{,}64$ $\quad$ $a + a + a = 68{,}64$

$a + a \times a = 68{,}64$ $\quad$ $(a + a) \times a = 68{,}64$

**c.** Le nombre $a$ peut-il être égal à 7,2 ?
Justifier la réponse.

**d.** Trouver le nombre $a$ par des essais successifs de calculs.

### 8 Expressions à deux inconnues

**a.** Les deux expressions $a + 3b$ et $5 \times (a - b)$ sont-elles égales lorsque $a = 1$ et $b = 1$ ? Vérifier à l'aide de calculs.

**b.** Recopier et compléter le tableau ci-dessous :

| $a$ | $b$ | $a + 3b$ | $5 \times (a - b)$ |
|---|---|---|---|
| 0 | 0 | | |
| 1 | 1 | | |
| 1 | 0,524 | | |
| 1,5 | 0,75 | | |
| 2 | 1,8 | | |
| 4,1 | 2,05 | | |

**c.** Quelle relation doivent vérifier $a$ et $b$ pour que les deux expressions $a + 3b$ et $5 \times (a - b)$ soient égales ?

→ **Aide** : Ajouter des lignes et compléter le tableau en attribuant différentes valeurs à $a$ et à $b$.

**d.** À l'aide du tableur, vérifier (ou trouver) cette relation en donnant de nombreuses valeurs à $a$ et $b$.

# Lire et écrire des calculs complexes

## Calculs sans parenthèses – Priorité des opérations

**PROPRIÉTÉ 1**

En l'absence de parenthèses, on effectue les calculs progressivement de gauche à droite dans deux cas :
- quand le cacul ne contient que des additions et soustractions ;
- quand le cacul ne contient que des multiplications et divisions.

**PROPRIÉTÉ 2**

En l'absence de parenthèses, la multiplication et la division sont prioritaires sur l'addition et la soustraction.

**EXEMPLES**

$A = 100 - 30 \times 2 + 10$

La multiplication est prioritaire.

$A = 100 - 60 + 10$

On commence le calcul à gauche.

$A = 40 + 10 = \mathbf{50}$

$B = 50 + 150 \div 5 \times 2$

$\times$ et $\div$ sont prioritaires. On les effectue de gauche à droite.

$B = 50 + 30 \times 2$

$B = 50 + 60 = \mathbf{110}$

## Calculs avec parenthèses

### 1 Écriture d'un calcul avec des parenthèses

**PROPRIÉTÉ**

Un calcul entre parenthèses est prioritaire.

**EXEMPLES**

$C = (30 + 10) \times (4,5 - 3)$

Les calculs entre parenthèses sont prioritaires.

$C = 40 \times 1,5 = \mathbf{60}$

La multiplication est effectuée après.

$D = 2 \times (8 - (1,2 + 3))$

$D = 2 \times (8 - 4,2)$

$D = 2 \times 3,8 = \mathbf{7,6}$

On débute par le calcul entre parenthèses $(8 - (1,2 + 3))$ donc par $(1,2 + 3)$

### 2 Différentes écritures d'un quotient

**EXEMPLES**

| | Écriture fractionnaire | Écriture en ligne | Écriture décimale |
|---|---|---|---|
| Q *est le quotient de la somme de* 3 *et* 1 *par* 5 | $Q = \frac{3+1}{5}$ | $Q = (3 + 1) \div 5$ | $Q = 0,8$ |
| P *est quotient de* 50 *par* $\frac{100}{4}$ | $P = \frac{50}{\frac{100}{4}}$ | $P = 50 \div (100 \div 4)$ | $P = 2$ |

$\frac{3+1}{5} = \frac{4}{5} = 0,8$

$\frac{50}{\frac{100}{4}} = \frac{50}{25} = 2$

**REMARQUE :** L'écriture en ligne correspond à la séquence des touches tapées sur une calculatrice scientifique pour trouver l'écriture décimale du quotient.

EXERCICE RÉSOLU 1

## *Écrire une expression numérique*

**ÉNONCÉ**

**a.** **Écrire une expression numérique qui traduit la phrase suivante :**
**« le produit de la somme de 12 et 7 par le résultat de la soustraction de 9 à 20 ».**
**b.** **Effectuer le calcul de l'expression précédente.**

**RÉPONSES**

**a.** La somme de 12 et 7 est $12 + 7$.
La soustraction de 9 à 20 est $20 - 9$.
L'expression est donc $(12 + 7) \times (20 - 9)$.

**b.** $(12 + 7) \times (20 - 9) = 19 \times 11 = 209$

**COMMENTAIRES**

On peut colorier les groupes de mots qui correspondent à un calcul immédiat : « le produit de la somme de 12 et 7 par le résultat de la soustraction de 9 à 20 ».
On doit mettre des parenthèses autour de la somme $12 + 7$ ainsi qu'autour de la différence $20 - 9$.

Les deux paires de parenthèses ont une priorité identique : on peut faire les deux calculs simultanément.

Sur le même modèle
▸ exercice 9

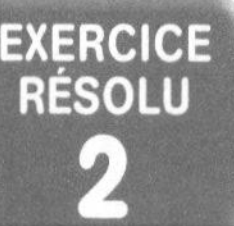

EXERCICE RÉSOLU 2

## *Calcul d'un quotient*

**ÉNONCÉ**

**a.** **Écrire la séquence des touches de la calculatrice permettant de calculer**
$E = 5 + \dfrac{10 + 2 \times 3}{1 + 7}$.

**b.** **Rédiger le calcul de l'expression E en conservant les écritures fractionnaires le plus longtemps possible.**

**RÉPONSES**

**a.** La séquence est la suivante :
5 + ( 10 + 2 × 3 ) ÷ ( 1 + 7 ) =

**COMMENTAIRES**

• La séquence des touches tapées sur la calculatrice correspond à l'écriture en ligne.
• Les parenthèses sont indispensables, sans elles le résultat est 28 et non 7.
• Certaines calculatrices permettent le calcul en écriture fractionnaire. Exemples pour $\dfrac{9}{5}$ :

Ti-Collège 9  5

Casio fx-92 Collège 2D      

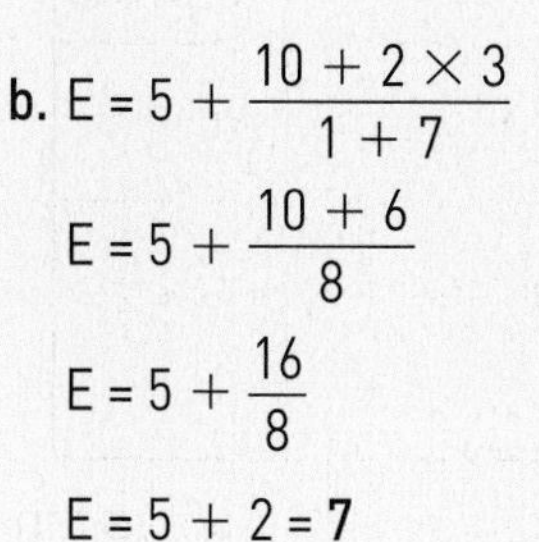

**b.** $E = 5 + \dfrac{10 + 2 \times 3}{1 + 7}$

$E = 5 + \dfrac{10 + 6}{8}$

$E = 5 + \dfrac{16}{8}$

$E = 5 + 2 = \mathbf{7}$

• Le calcul prioritaire au numérateur est le produit $2 \times 3$.
• Une fois le numérateur et le dénominateur déterminés, on simplifie le quotient $\dfrac{16}{8}$.

Sur le même modèle
▸ exercice 14

# Leçon 2

# Distributivité

## 1 Distributivité

**PROPRIÉTÉ**

**Distributivité :** $k$, $a$ et $b$ désignent des nombres,

$$k \times (a + b) = k \times a + k \times b$$
$$k \times (a - b) = k \times a - k \times b$$

**EXEMPLE :** On peut calculer $24 \times (5 + 0,3)$ de deux façons :

- en respectant la priorité des parenthèses : $24 \times (5 + 0,3) = 24 \times 5,3 = 127,2$ ;
- en utilisant la distributivité : $24 \times (5 + 0,3) = 24 \times 5 + 24 \times 0,3 = 120 + 7,2 = 127,2$.

## 2 Calcul littéral et simplification d'écritures

### 1 Utilisation des lettres

Dans certaines situations mathématiques, on utilise des lettres :

- pour écrire des formules générales ;
- pour utiliser des nombres dont on ne connaît pas la valeur.

**EXEMPLE :** La formule de l'aire du rectangle : $A = L \times \ell$

La lettre A désigne l'aire du rectangle. La lettre L désigne sa longueur. La lettre $\ell$ désigne sa largeur.

### 2 Simplifier une expression

**NOTATION**

$a$ et $b$ désignent des nombres,
l'écriture $ab$ est l'écriture simplifiée de $a \times b$ : $\boldsymbol{ab = a \times b}$.

**EXEMPLES**

| | Expression | Expression simplifiée |
|---|---|---|
| Produit de $a$ par $b$ | $a \times b$ | $ab$ |
| Triple de $a$ | $3 \times a$ (ou bien $a \times 3$) | $3a$ |
| Périmètre du cercle de rayon $r$ | $2 \times \pi \times r$ | $2\pi r$ |

$\pi$ est une lettre grecque.

**REMARQUES :**

- On utilise peu la notation $1a$ : $1 \times a = a$.
- On peut utiliser la distributivité pour **simplifier*** certaines expressions.

**EXEMPLE**

$a$ est un **facteur commun*** aux deux produits $5 \times a$ et $3 \times a$.

$$5 \times a + 3 \times a = (5 + 3) \times a = 8 \times a$$
$$7 \times b - 6 \times b = (7 - 6) \times b = 1 \times b$$

On reconnaît les formules d'application de la distributivité.

On peut résumer en notant : $5a + 3a = 8a$ et $7b - 6b = b$.

EXERCICE RÉSOLU 1

## Distributivité et calcul mental

**ÉNONCÉ**

a. En utilisant la distributivité, calculer $47 \times 21$ et $75 \times 3{,}8$ (indiquer les étapes).
b. En utilisant la distributivité, calculer $9 \times 57 + 9 \times 13$.

**RÉPONSES**

a. $47 \times 21 = 47 \times (20 + 1)$
$= 47 \times 20 + 47 \times 1$
$= 940 + 47$
Donc $47 \times 21 = 987$

$75 \times 3{,}8 = 75 \times (4 - 0{,}2)$
$= 75 \times 4 - 75 \times 0{,}2$
$= 300 - 15{,}0$
Donc $75 \times 3{,}8 = 285$

b. $9 \times 57 + 9 \times 13 = 9 \times (57 + 13)$
$= 9 \times 70$
Donc $9 \times 57 + 9 \times 13 = 630$

**COMMENTAIRES**

On remarque que 21 se décompose en $20 + 1$.
On peut alors appliquer la distributivité.
On effectue mentalement les deux multiplications.

On décompose 3,8 en $4 - 0{,}2$.
On applique la distributivité.
On effectue mentalement les deux multiplications.

On reconnaît une expression issue de la distributivité car 9 est un **facteur commun*** aux deux produits $9 \times 57$ et $9 \times 13$.

Sur le même modèle
▸ exercices 18 à 21

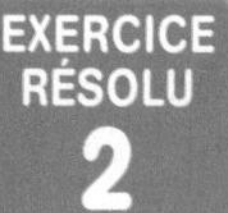
EXERCICE RÉSOLU 2

## Écrire et étudier une expression

**ÉNONCÉ**

*e* désigne un nombre.
a. Exprimer « la somme du double de *e* et du triple de *e* ».
b. Simplifier l'expression précédente.
c. Quelle est la valeur de *e* lorsque l'expression est égale à 45 ? Justifier la réponse.

**RÉPONSES**

a. Le double de *e* est $2 \times e$.
Le triple de *e* est $3 \times e$.
L'expression demandée est $\mathbf{2 \times e + 3 \times e}$.

b. $2 \times e + 3 \times e = (2 + 3) \times e = 5 \times e = 5e$.

c. D'après l'énoncé, on a $5e = 45$.
*e* est le nombre 9 car $9 \times 5 = 45$.

**COMMENTAIRES**

On peut colorier les groupes de mots qui correspondent à un calcul immédiat : « la somme du double de *e* et du triple de *e* ».

*e* est un facteur commun aux produits $2 \times e$ et $3 \times e$ : on reconnaît une expression issue de la distributivité.

$5e = 5 \times e$. On effectue mentalement une multiplication à trou : $5 \times ... = 45$.

Sur le même modèle
▸ exercice 26

# Leçon 3

# Tests d'égalités

## 1 Calculer une expression pour une valeur donnée

**Méthode sur deux exemples**

EXEMPLE 1
Pour calculer l'expression P = $4c$ lorsque $c = 5{,}2$ on remplace $c$ par la valeur 5,2 et on écrit la multiplication : P = $4 \times 5{,}2 = 20{,}8$.

APPLICATION

Le périmètre du carré est $4 \times c$.

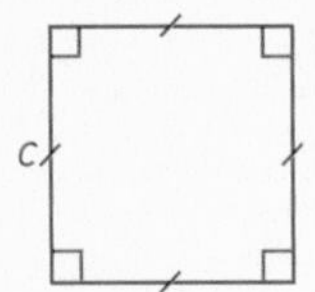


Le périmètre d'un carré de 5,2 cm de côté est 20,8 cm.

EXEMPLE 2
Le calcul de l'expression $A = a \times b \div 2$ lorsque $a = 3$ et $b = 8$ est le suivant :
$A = 3 \times 8 \div 2 = 24 \div 2 = 12$.

APPLICATION

L'aire du triangle est $a \times b \div 2$.

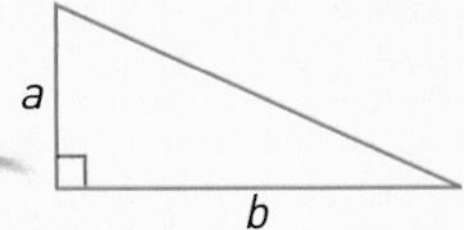


L'aire d'un triangle rectangle dont les côtés de l'angle droit mesurent 8 m et 3 m est 12 m$^2$.

## 2 Tester une égalité

### 1 Expression égale à un nombre

EXEMPLE : $x$ est un nombre inconnu qui vérifie l'égalité $3x - 4 = 11$. Pour tester cette égalité :

- on calcule l'expression $3x - 4$ en remplaçant x par une valeur,
- on observe si le résultat est 11.

**Pour $x = 6$**
$3x - 4 = 3 \times 6 - 4 = 18 - 4 = 14$.
L'égalité $3x - 4 = 11$ n'est pas vérifiée pour le nombre $x = 6$.

**Pour $x = 5$**
$3x - 4 = 3 \times 5 - 4 = 15 - 4 = 11$.
L'égalité $3x - 4 = 11$ est vérifiée pour le nombre $x = 5$.

REMARQUE : Quand il y a plusieurs nombres inconnus, on procède de la même façon.

### 2 Égalité de deux expressions

EXEMPLE : $x$ et $y$ sont deux nombres inconnus qui vérifient l'égalité $7x - y = y + 3$.
Pour tester si l'égalité est vraie pour des valeurs attribuées à $x$ et $y$ :

- on calcule séparément les deux expressions $7x - y$ et $y + 3$,
- on observe si les deux résultats sont égaux.

**Pour $x = 3$ et $y = 10$**

- $7x - y = 7 \times 3 - 10 = 21 - 10 = 11$.
- $y + 3 = 10 + 3 = 13$.

L'égalité $7x - y = y + 3$ n'est pas vérifiée pour $x = 3$ et $y = 10$.

**Pour $x = 1$ et $y = 2$**

- $7x - y = 7 \times 1 - 2 = \mathbf{5}$.
- $y + 3 = 2 + 3 = \mathbf{5}$.

L'égalité $7x - y = y + 3$ est vérifiée pour $x = 1$ et $y = 2$.

REMARQUE : L'égalité $7x - y = y + 3$ est aussi vérifiée pour d'autres valeurs de $x$ et de $y$ ($x = 1{,}5$ et $y = 3{,}75$ par exemple ; ou $x = 0$ et $y = -1{,}5$).

# Méthodes

EXERCICE RÉSOLU 1

## Test pour deux valeurs de x

ÉNONCÉ

L'égalité $4a - 3 = 6$ est-elle vraie pour $a = 1{,}5$ ? Pour $a = 2{,}25$ ?

**RÉPONSES**

- Si $a = 1{,}5$, alors :
  $4a - 3 = 4 \times 1{,}5 - 3$
  $= 6 - 3$
  $= 3.$
- Si $a = 2{,}25$, alors :
  $4a - 3 = 4 \times 2{,}25 - 3$
  $= 9 - 3$
  $= 6.$
- L'égalité $4a - 3 = 6$ est vérifiée pour $a = 2{,}25$.

**COMMENTAIRES**

- On calcule $4a - 3$ en attribuant la valeur 1,5 à $a$.
- $4a$ est l'expression simplifiée du produit $4 \times a$, le signe « × » étant indispensable au calcul numérique.

On effectue à nouveau un calcul en attribuant la valeur 2,25 au nombre $a$.

▸ exercices 31 et 35b

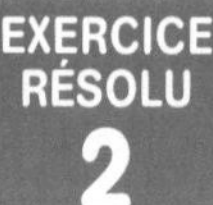


## Égalité entre deux expressions

ÉNONCÉ

Voici un triangle isocèle et un carré (l'unité de longueur n'est pas précisée) :

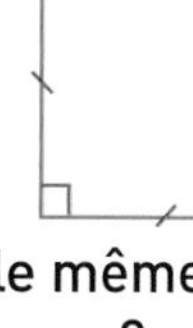


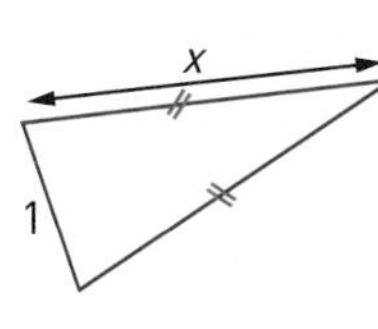


**a.** Exprimer le périmètre de chacune des figures en fonction de $x$ ou de $y$.

**b.** Écrire l'égalité qui traduit le fait que les figures ont le même périmètre.

**c.** Prouver que l'égalité est vérifiée pour $x = 5{,}5$ et $y = 3$.
Quelle est alors la valeur du périmètre de chacune des figures ?

**RÉPONSES**

**a.** Le périmètre du triangle est $x + x + 1$ ou $2 \times x + 1$.
Le périmètre du carré est $4 \times y$.

**b.** Les deux périmètres sont égaux lorsque $2 \times x + 1 = 4 \times y$.

**c.** Quand $x = 5{,}5$ et $y = 3$ :
- $2 \times x + 1 = 2 \times 5{,}5 + 1$
  $= 11 + 1$
  $= 12.$
- $4 \times y = 4 \times 3$
  $= 12.$

L'égalité est donc vraie pour $x = 5{,}5$ et $y = 3$ et le périmètre de chacune des figures est alors de 12 unités.

**COMMENTAIRES**

On exprime le périmètre à l'aide de $x$ ou de $y$. On peut donner aussi l'écriture simplifiée des expressions : $2x + 1$ et $4y$.

- On calcule $2 \times x + 1$ en remplaçant x par 5,5. Séparément, on calcule $4 \times y$ en remplaçant $y$ par 3.
- Les résultats du calcul des expressions sont tous les deux égaux à 12 : l'égalité est bien vérifiée.

Chacun de ces deux calculs exprime un périmètre : les deux périmètres sont donc égaux à 12 unités.

Sur le même modèle

▸ exercice 38

# Exercices d'application

## 1 Lire et écrire des calculs complexes

**1 Avec des parenthèses**

Effectuer les calculs en écrivant les étapes :

$A = 8 \times (26 - 14)$ $B = (7,5 - 2,5) \div (7,5 + 2,5)$

$C = (0,5 + 15 + 35 + 8,5 + 1,75) \times (55 + 45)$

$D = (1,2 + 3,8) \times (5,5 - 4) - (7,5 - 6)$

**2 Avec des parenthèses imbriquées**

Calculer les expressions en détaillant les calculs :

$E = 7 \times (16 - (2 + 9))$ $F = (9 - (9 - 8)) \times ((2 + 7) \div 3)$

$G = 4 \times (39,2 - (2,4 + 4,8) + 3)$

$H = 120 \div [(66 - (25 + 8 - 7)) \div 2]$

**3 À l'aide de la calculatrice**

Calculer les expressions des exercices **1** et **2** à l'aide de la calculatrice.

**4 Sans parenthèses**

**a.** Effectuer les calculs en écrivant les étapes :

$I = 17 \times 6 - 2$ $K = 5,5 + 4,5 \times 10 + 30$

$J = 37 - 16 \times 2$ $L = 10 \times 6,8 - 1,8 \times 2$

**b.** Vérifier les résultats obtenus au **a.** avec la calculatrice et corriger les éventuelles erreurs.

**5 De tête**

Calculer : $(18 - 6) \times (3 + 2)$ $10 \times (12,5 - 4)$

$18 - 6 \times 3 + 2$ $10 \times 12,5 - 4$ $8 + 5 \div 10$

**Pour les exercices 6, 7 et 8**

Détailler le calcul des expressions.

**6** $M = 10 \times 1,2 + 100 \times 2,3 + 1\,000 \times 3,4$

$N = 2 \times 4,5 + 3,5 \times 4 + 6 \times 2,5 + 1,5 \times 8$

**7** $P = 39 - 7 + 3$ $Q = 24 \div 8 \times 3$

$R = 48 - 23 - 2 + 6$ $S = 3 \times 21 \div 7 \times 5$

**8** $T = {}^-14 - (5 - 8)$ $U = (5 - 8) - ({}^-2 + 3 \times 4)$

$V = {}^-30 - 4 \times (5 + 2)$ $W = 3,5 \times ({}^-5 - (6 - 13))$

**9 Retrouver le calcul**

Traduire par une expression numérique :

**a.** « la somme de 7,5 et du produit de 3 par 1,5 » ;

**b.** « le produit de 7,5 par la somme de 3 et 1,5 » ;

**c.** « le quotient de la somme de 12 et 8 par 100 » ;

**d.** « la somme du produit de 3 par 6 et du résultat de la soustraction de 7 à 15 ».

**10 De l'expression numérique à la phrase**

**a.** Faire une phrase qui traduit chaque calcul :

$A = 10 \times (7,5 + 2)$ $B = (4 + 6) \times (5 - 3)$

$C = \dfrac{54}{2,5 + 3,5}$ $D = 13,5 + 3,5 \times 2$

**b.** Effectuer les calculs en respectant les priorités.

**11 Quotients**

$Q_1 = \dfrac{\frac{1}{4}}{\frac{10}{2}}$ $Q_2 = \dfrac{\frac{48}{6}}{2}$ $Q_3 = \dfrac{48}{\frac{6}{2}}$.

**a.** Écrire et compléter la phrase par des quotients ou des entiers : « $Q_1$ est le quotient de ... par ... ».

**b.** De même pour $Q_2$ puis pour $Q_3$.

**c.** Donner les écritures décimales des trois quotients en écrivant les calculs intermédiaires.

**12 De tête**

Calculer : $A = \dfrac{5 + 5}{1 + 2 + 1}$ $B = \dfrac{4}{5} + \dfrac{32}{3,5 + 6,5}$

**13 Donner une écriture fractionnaire**

**a.** Calculer $E_1 = 23 + 7 \div 2$ et $E_2 = (23 + 7) \div 2$.

**b.** Écrire $E_1$ et $E_2$ à l'aide d'une écriture fractionnaire.

**14 Transformer une écriture fractionnaire**

$X = \dfrac{5,5 - 4}{3}$ $Y = \dfrac{55}{5,5 + 5,5}$ $Z = \dfrac{20 + 10}{20 - 10}$

**a.** Calculer X, Y et Z en conservant les écritures fractionnaires le plus longtemps possible.

**b.** Sans effectuer aucun calcul, réécrire chaque expression X, Y et Z avec le signe « ÷ ».

**c.** Calculer les expressions trouvées au **b.**.

**15 Une dimension manquante**

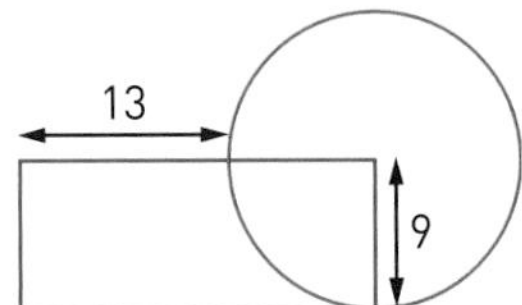


La figure est composée d'un cercle et d'un rectangle. Sans effectuer aucun calcul, écrire deux expressions : l'une qui donne l'aire du rectangle, l'autre qui donne le périmètre du rectangle.

# 2 Distributivité

**16 Appliquer la distributivité**
Appliquer la distributivité aux expressions suivantes puis calculer mentalement :
**a.** $1{,}3 \times (10 + 4)$ ; $8 \times (3 + 0{,}4)$ ; $75 \times (10 - 2)$
**b.** $0{,}5 \times (100 - 2)$ ; $1{,}2 \times (100 + 10)$ ; $(3{,}1 + 15) \times 5$

**17 Supprimer des parenthèses**
Sans en modifier la valeur, transformer l'écriture de chaque expression de façon à ne plus utiliser de parenthèses puis effectuer les calculs :
**a.** $150 \times (2 + 4 + 6)$ ; $10 \times (23{,}78 + 0{,}3)$
**b.** $(56{,}4 - 6{,}01) \times 100$ ; $24{,}3 \times (0{,}1 + 10 + 0{,}01)$

**18 Décomposer pour calculer**
Voici deux calculs qui utilisent la distributivité :

$2{,}1 \times 16 = 2{,}1 \times (10 + 6)$
$= 2{,}1 \times 10 + 2{,}1 \times 6$
$= 21 + 12{,}6 = 33{,}6$

$2{,}1 \times 38 = 2{,}1 \times (40 - 2)$
$= 2{,}1 \times 40 - 2{,}1 \times 2$
$= 84 - 4{,}2 = 79{,}8$

De même, calculer chacun les produits :
**a.** $1{,}3 \times 14$ ; $4{,}73 \times 102$ **b.** $75 \times 98$ ; $5{,}2 \times 29$

**Pour les exercices 20 et 21**
Calculer à l'aide du calcul mental et indiquer les étapes.

**19**
**a.** $2{,}7 \times 12$ $14 \times 125$ $25 \times 30{,}4$
**b.** $6{,}4 \times 19$ $11{,}1 \times 48$ $15{,}3 \times 29$
**c.** $55 \times 1{,}1$ $4{,}5 \times 2{,}1$ $212 \times 4{,}1$
**d.** $22 \times 4{,}9$ $64 \times 1{,}9$ $79{,}4 \times 99{,}9$

**20**
**a.** $52 \times 0{,}5$ $6{,}4 \times 100{,}5$ $436 \times 9{,}5$
**b.** $2{,}8 \times 20{,}5$ $2\,846 \times 1{,}5$ $72 \times 99{,}5$

→ **Aide :** Multiplier par 0,5 c'est aussi diviser par 2.

**21 Reconnaître la distributivité**
Calculer **astucieusement*** en indiquant les étapes :
**a.** $38 \times 45 + 38 \times 55$ ; $6{,}5 \times 15 - 3{,}5 \times 15$
**b.** $76 \times 68 - 66 \times 76$ ; $3{,}7 \times 221 + 221 \times 0{,}3$
**c.** $11 \times 1{,}7 + 1{,}7 \times 9$ ; $3{,}6 \times 25 + 25 \times 1{,}3 + 2{,}1 \times 25$

**22 De tête**
**1.** Compléter par le nombre qui convient :
$46 \times 12{,}5 + 46 \times 13{,}5 = 46 \times \ldots$
$46 \times 36 - 46 \times \ldots = 46 \times 26$
$46 \times 47 + 46 \times \ldots + 46 \times 43 = 4\,600$

**2.** Calculer astucieusement :
**a.** $35 \times 12$ ; $25 \times 98$ ; $8{,}5 \times 101$ ; $1{,}2 \times 99$
**b.** $33 \times 14 + 33 \times 16$ ; $23 \times 73 - 3 \times 73$
**c.** $7 \times 2{,}8 + 7 \times 3{,}2$ ; $65 \times 5{,}4 + 65 \times 2{,}6 - 65 \times 7$

**23 Expressions égales**
Recopier chacune des expressions de la colonne gauche et lui associer (sans calculer) l'expression de la colonne droite qui lui est égale :

| | |
|---|---|
| $29 \times (26 + 23)$ | $26 \times 29 - 23 \times 26$ |
| $(26 - 23) \times 29$ | $29 \times 26 + 29 \times 23$ |
| $26 \times (29 - 23)$ | $23 \times 29 - 26 \times 23$ |
| $23 \times (29 + 26)$ | $29 \times 26 - 29 \times 23$ |
| $(29 - 26) \times 23$ | $29 \times 23 + 23 \times 26$ |

**24 Simplifier des produits**
Les lettres désignent des nombres. Donner l'écriture simplifiée de chacune des expressions :
**a.** $7 \times a$ ; $y \times 13$ ; $1 \times r$ ; $6 \times z \times 5$ ; $3 \times 2t$
**b.** $4 \times u + 2$ ; $v \times 11 + 9$ ; $6 + 4 \times w$ ; $8 \times n - 5$

**25 Simplifier des expressions**
Les lettres désignent des nombres. Écrire les étapes qui permettent de simplifier les expressions :
**a.** $4 \times t + 2 \times t$ ; $9 \times y - 5 \times y$ ; $2 \times z + z$
**b.** $3 \times t + 6 \times t$ ; $11 \times y - y + 3 \times y$ ; $7{,}5z + 0{,}5z$
**c.** $8x + 3x$ ; $12y - 7y$ ; $10z + 2{,}5z - 1{,}5z$ ; $13t + t$

**26 Manipuler le calcul littéral**
Les lettres $x$ et $y$ désignent des nombres, on sait que :
- la somme de $5 \times x$ et de $15 \times x$ est égale à 180,
- le résultat de la soustraction de $8 \times y$ à $20 \times y$ est égal à 60.

**a.** Traduire ces informations par deux égalités les plus simples possible.
**b.** Trouver mentalement $x$ et $y$. Vérifier.

**27 Prouver**
Voici trois carrés. Sans donner de valeur numérique à $c$, prouver que le périmètre du grand carré est la somme des périmètres des deux autres carrés.

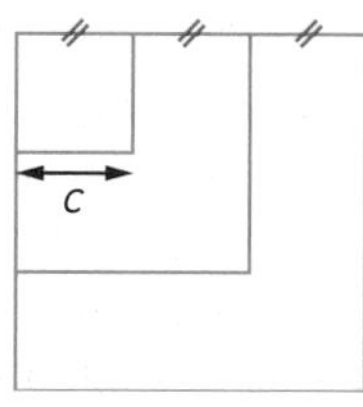

# Exercices d'application

## 3 Tests d'égalités

**28 Écrire le bon calcul**

Reconnaître et effectuer le calcul qui correspond à la consigne « *Calculer* $E = 2 + 3x$ *pour* $x = 5$ » :

$2 + 35$ ; $2 + 3 + 5$ ; $2 + 3 \times 5$ ; $(2 + 3) \times 5$

**29 Deux valeurs données à *a***

Calculer l'expression pour les valeurs de $a$ données :

**a.** $A = 5a$ pour $a = 1{,}6$ puis pour $a = 0$

**b.** $B = 2 \times (14 - a)$ pour $a = 3$ puis pour $a = -1$

**c.** $C = a \times 2a \times 10a$ pour $a = 4$ puis pour $a = 0{,}5$.

**30 Trois valeurs données à *x***

Écrire le détail des calculs des expressions pour chacune des valeurs $b = 1$, $b = 0$, et $b = 6$.

**a.** $D = 23 - 3 \times b$ **b.** $E = b \times (6 - b)$

**c.** $F = 9b + b - 1$ **d.** $G = 8b - 3 \times (b + 2)$

**31 De tête**

Les affirmations sont-elles vraies ? Justifier.

Si $a = 2$ alors $10a = 102$. Si $a = 0$ alors $10a = 0$.

Si $b = -5$ alors $b + 4 = -1$. Si $c = 3$ alors $c \times c = 6$.

Si $d = 2{,}5$ alors $4d - 3 = 7$. Si $d = 0$ alors $4d - 3 = -3$.

**32 Deux lettres**

Calculer l'expression et indiquer les étapes :

**a.** $H = 4 \times c + d$ pour $c = 5$ et $d = 10$.

**b.** $I = 5 \times (2d - c)$ pour $c = 2$ et $d = 4$.

**c.** $J = 8cd$ pour $c = 0{,}5$ et $d = 1{,}2$.

**33 Trois lettres**

Calculer les expressions pour $t = 8$, $y = 3$ et $z = 7$. Indiquer les étapes de calcul.

**a.** $K = 5t + 2y - z$ $L = (t + y) \times (z - y)$

**b.** $M = ty \times (z - 2)$ $N = y - t - z \div 2$

**34 Prouver**

Prouver que l'égalité est vraie pour la valeur de $x$ proposée.

**a.** $1{,}5x + 3 = 2x$ pour $x = 6$

**b.** $5 \times (x + 2) = 7x + 2$ pour $x = 3$

**c.** $8 + 5x = 10x - 4$ pour $x = 2$

**d.** $x + 6 = -1 - x$ pour $x = -3{,}5$

**35 Plusieurs solutions**

Parmi les trois valeurs de $d$ proposées, quelles sont celles qui vérifient l'égalité ? Justifier.

**a.** $d \times (d - 3) = 7d$ pour $d = 0$, $d = 5$ ou $d = 10$ ?

**b.** $d \times d - 6{,}8d = -9$ pour $d = 2$, $d = 5$ ou $d = 1{,}8$ ?

**36 Trouver l'égalité**

Parmi les trois égalités suivantes, trouver celles qui sont vraies pour $a = 5$ et justifier la réponse.

$9a + 3 = 12a$ ; $0{,}5a = a - 2{,}5$ ; $2 \times (a - 1) = 4 + a$

**37 Chercher la valeur solution ?**

**1.** On cherche un nombre $b$ qui vérifie l'égalité $5b + 0{,}9 = 10$.

**a.** À l'aide du tableur, calculer l'expression $5b + 0{,}9$ pour les valeurs de $b$ suivantes :

0 ; 0,1 ; 0,2 ; 0,3 ; 0,4 ; ... ; 2,3 ; 2,4 ; 2,5.

**b.** En observant les résultats obtenus au **a.**, organiser une autre série de calculs pour trouver la valeur de $b$.

**2.** Refaire **1.** avec l'égalité :

$$b \times \left(b + \frac{5}{100}\right) = 3{,}9.$$

**38 Périmètre commun**

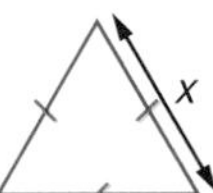


**a.** Exprimer le périmètre de chacune des deux figures le plus simplement possible.

**b.** Écrire l'égalité qui résulte du fait que les deux figures ont le même périmètre.

**c.** L'égalité est-elle vraie pour $x = 4$ ? Et pour $x = 5$ ?

**d.** Sans aucun autre calcul, indiquer une valeur du périmètre lorsqu'il y a égalité.

**39 Vrai ou faux ?**

L'égalité est-elle vraie ? Justifier par un calcul.

**a.** $xy = 5$ lorsque $x = 2$ et $y = 3$.

**b.** $10 + x = 7y$ lorsque $x = 8$ et $y = 4$.

**c.** $6x - y = 8$ lorsque $x = 1{,}5$ et $y = -1$.

**d.** $2 \times z + y = 5 \times (y - 6)$ lorsque $y = 10$ et $z = 5$.

**40 Une égalité, des solutions**

Lydia, possède des chats et des poissons. Aujourd'hui, elle est heureuse d'accueillir des chatons. Elle remarque qu'avec un chaton de plus, son nombre de chats et chatons aurait été égal à la moitié de son nombre de poissons.

**a.** On note $c$ le nombre total de chats et chatons de Lydia et $p$ le nombre de poissons. Parmi les égalités suivantes, trouver celle qui traduit les données :

$c + 1 = p$ • $c = p \div 2$ • $c + 1 = p \div 2$ • $c + 1 = p \times 2$.

**b.** Proposer une valeur pour $c$ et une valeur pour $p$ qui conviendraient. Justifier.

## 41 Petites calculatrices

**a.** Tony effectue le calcul $4,5 + 3 \times 4$ avec la nouvelle calculette de sa petite sœur, le résultat affiché est « 30 ». Pourquoi Tony annonce-t-il alors que la calculette ne fonctionne pas correctement ?
**b.** Quel est le mode de fonctionnement de la calculette ?
**c.** Quelle est la valeur de l'expression $10 - 7 \div 2$ ? Quel serait le résultat affiché par la calculette de la sœur de Tony ?

## 42 Avec ou sans parenthèses

Calculer les expressions en détaillant les calculs :

**1.** $A = 6 + (7 - 2) \times 3 + 4$ $B = 43,9 + 2,1 \times 10$
$C = 3 \times 5 + 6 - 2 \times 7$ $D = 12 + 6 \div (3 - 1)$

**2.** $E = 105 \div 5 \times 3$ $F = 105 \div (5 \times 3)$
$G = 14 \times 2 \div 4 \times 7$ $H = 35 - 5 - 10 + 8 - 1$

**3.** $I = 90 - 6 \times (15 - 11)$ $J = 90 - 6 \times 15 - 11$
$K = (45 - 1) \div (2 \times 5,5)$ $L = 45 - 1 \div 2 \times 5,5$

## 43 Dépense

Pour réaliser un déguisement, Amira a besoin de 0,6 m de tissu jaune, de 0,9 m de tissu orange et de 1,2 m de tissu rouge. Quelle que soit la couleur, le tissu est de même largeur et est vendu 5,90 € le mètre. Sans effectuer aucun calcul, écrire deux expressions différentes de la dépense d'Amira.
Quelle propriété mathématique lie ces expressions ?

## 44 Expressions deux à deux égales

Sans calculer sa valeur, associer chacune des expressions de la colonne gauche à une expression de la colonne droite qui lui est égale :

| | |
|---|---|
| $2 + 10 \times (6 + 8)$ | $20 + 16 + 6$ |
| $(2 + 6) \times (10 + 8)$ | $20 + 60 + 80$ |
| $2 \times (10 + 8) + 6$ | $2 + 60 + 80$ |
| $18 + 6 \times 18$ | $8 \times 18$ |
| $(2 + 6 + 8) \times 10$ | $7 \times 18$ |

## 45 Un facteur en commun

Écrire chaque expression sous la forme d'un seul produit de deux nombres puis calculer de tête.

**a.** $321 \times 7 + 321 \times 13$ ; $321 \times 13 - 321 \times 9$
**b.** $32 \times 8,1 + 33 \times 8,1 + 35 \times 8,1$ ; $63 \times 0,7 - 63 \times 0,6$
**c.** $0,9 \times (88,8 + 11) - 0,9 \times 88,8$ ; $0,79 \times 6 + 0,79 \times 4$

## Lire et écrire

## 46 Interpréter un calcul

Les jumeaux Yann et Manon mettent en commun une même somme d'argent afin d'acheter un cadeau. Pour vérifier la monnaie rendue, ils ont fait le calcul suivant : $C = 2 \times (10 + 3 \times 2) - (24 + 5)$

**1.** Effectuer le calcul de l'expression C.
**2.** Choisir une des trois propositions pour écrire la phrase décrivant la situation :
**a.** Yann et Manon possèdent…
… 26 € chacun.
… 2 billets de 10 € et 3 pièces de 2 € en tout.
… un billet de 10 € et 3 pièces de 2 € chacun.
**b.** Yann et Manon achètent…
… une boite composée de 24 chocolats et 5 bonbons.
… une boite de chocolats à 24 € et du thé pour 5 €.
… une boite de chocolats à 24 € bénéficiant d'une réduction de 5 €.

## 47 Quotients de deux expressions

**a.** Recopier et compléter mentalement par des nombres décimaux : « $\dfrac{5 + 15}{3,5 + 1,5}$ est le quotient de … par …, son écriture décimale est … »
**b.** Faire de même pour le quotient : $\dfrac{8 + 7 \times 4}{14 - 2}$

## 48 Enchaînement d'opérations

Pour calculer l'expression $4a + 7$ lorsque $a = 2$,
• Nedjma a écrit : $42 + 7 = 49$.
• Jimmy a écrit : $4 \times 2 = 8 + 7 = 15$.
Expliquer l'erreur commise par chacun des deux élèves puis rédiger correctement le calcul.

## 49 Rédaction d'un test d'égalité

Voici la réponse d'un élève à la consigne « **Tester*** si l'égalité $11 - a = 3a$ est vraie pour $a = 2$ » :

*Je calcule $11 - a = 3a$ pour $a = 2$ : $11 - 2 = 3 \times 2$*
*$9 = 6$*
*C'est impossible, donc l'égalité est fausse.*

Rédiger correctement les calculs et la conclusion.

## 50 De tête

Calculer : $2 \times 11 - 1$ ; $15 - 6 \div (2 \times 1,5)$
$46 \times 10,1$ ; $7 \times 103 - 7 \times 23 - 7 \times 30$

# Exercices d'application

## 51 Valeur décimale d'un quotient

Retrouver mentalement l'écriture décimale de chacun des six quotients :

| Quotients | $\dfrac{\frac{8}{4}}{2}$ | $\dfrac{8}{\frac{4}{2}}$ | $\dfrac{\frac{100}{20}}{4}$ | $\dfrac{100}{\frac{20}{4}}$ | $\dfrac{5+\frac{21}{3}}{3}$ | $\dfrac{\frac{39}{9}}{\frac{32}{8}}$ |
|---|---|---|---|---|---|---|
| Valeurs décimales | 1 | | 1,25 | 4 | | 20 |

## 52 Calculs fractionnaires complexes

Détailler le calcul des expressions :

$X = 4 - \frac{35}{7}$ $\quad Y = \frac{4 + 3 \times 5}{1,5 + 0,5}$ $\quad Z = \frac{48}{6} + \frac{5 + 2 + 2}{50 - 20 - 20}$

## 53 Pour plusieurs valeurs de *x*

Détailler le calcul des expressions pour chacune des valeurs suivantes : $e = 2$, $e = 3,6$ et $e = 8$.

**a.** $A = 6,5 + e \div 2$ **b.** $B = e \times (3 + 2e)$

**b.** $C = e \times e - 10e$ **d.** $D = 4e \times (e - 2)$

## 54 Simplifier une expression

**1.** Simplifier les produits :

**a.** $A = 13 \times a$ $\quad B = a \times 7$ $\quad C = 6 \times a \times b$.

**b.** $D = 4 \times b \times 2$ $\quad E = 2 \times a \times 3,5 \times b$ $\quad F = 3a \times 4a$.

**2.** Simplifier l'écriture des expressions suivantes :

**a.** $G = 7 \times a + 2 \times a$ $\quad H = 8 \times a + 6 \times b$ $\quad I = 9 \times a + 3$.

**b.** $J = 3,2a + 2,3a$ $\quad K = 2a + 3a - 4a$ $\quad L = a + 2 \times a$.

## 55 Reconnaître l'expression simplifiée

Recopier chacune des expressions de la colonne gauche et lui associer l'expression simplifiée de la colonne droite qui lui est égale :

| | |
|---|---|
| $5 \times (b - 3)$ | $8b$ |
| $5 \times b - 3 \times b$ | $2b$ |
| $b \times 5 + 3$ | $5b - 3$ |
| $5 \times b - 3$ | $5b - 15$ |
| $b \times (5 + 3)$ | $5b + 3$ |

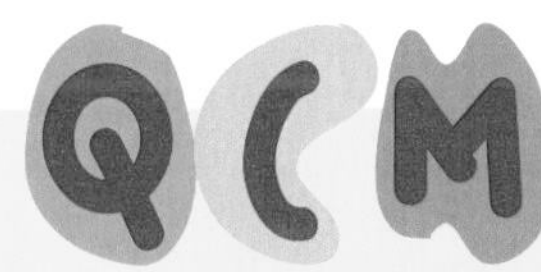


Choisir parmi les trois réponses proposées la (ou les) bonne(s) réponse(s).

| Questions | Réponse 1 | Réponse 2 | Réponse 3 |
|---|---|---|---|
| **56** $4 + 2 \times 8 - 6$ est égal à … | 14 | 12 | 42 |
| **57** La somme de 3 et du produit de 5 par 4 est … | $3 + 5 \times 4$ | $(3 + 5) \times 4$ | $3 + (5 \times 4)$ |
| **58** Le quotient de la somme de 9 et 6 par 3 est … | $\frac{1}{9 + 6 + 3}$ | $\frac{9 + 6}{3}$ | $9 + \frac{6}{3}$ |
| **59** $9 \times (28 - 5)$ est égal à … | $9 \times 28 - 9 \times 5$ | $9 \times 28 - 5$ | $9 \times 23$ |
| **60** $13 \times 31,4 + 7 \times 31,4$ est égal à … | 314 | 628 | $31,4 \times 20$ |
| **61** *c* Le périmètre du triangle équilatéral est égal à … | $c \div 3$ | $3c$ | $3 \times c$ |
| **62** Pour $x = 3$, l'expression $5x$ est égale à … | 53 | 15 | 8 |
| **63** Si $a = 2,5$ et $b = 3$, alors $4a - 2b$ est égal à … | 4 | 2 | $4 \times 2,5 - 2 \times 3$ |
| **64** $6c + c$ est égal à … | $6 \times c + 1 \times c$ | $c \times (6 + 1)$ | $7c$ |
| **65** L'égalité $5y - 9 = 2y$ est vraie pour … | $y = 2$ | $y = 3$ | $y = 9$ |

# À CHACUN SON PARCOURS

## 1 Lire et écrire des calculs complexes

**66 A** Calculer en respectant les priorités :

$I = 3 + 3 \times 3 + 3.$
$J = 3 \times [20 - (5 + 2) - 7].$

**67 A** Calculer le quotient de 42 par la somme de 2 et 4.

**68 A**

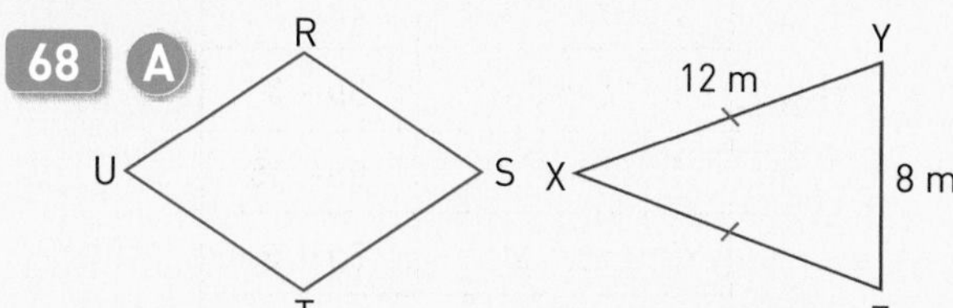


**a.** Sans faire aucun calcul, écrire une expression qui permet le calcul du périmètre du triangle XYZ.
**b.** RSTU est un **losange*** qui a le même périmètre que le triangle XYZ.
Sans faire aucun calcul, utiliser **a.** pour écrire une expression permettant de calculer directement la longueur RS.
**c.** Calculer RS.

**66 B** **a.** Calculer en respectant les priorités :

$I = 88 - 8 \times 8 + 88.$
$J = 2 \times [(50 - (5 + 2 \times 10) + 15) - 5].$

**b.** Sans modifier sa valeur et sans faire de calcul, réécrire l'expression J en supprimant une paire de parenthèses inutiles.

**67 B** Calculer le quotient de la somme de 42 et 18 par le quotient de 18 par 3.

**68 B** Les deux figures ont le même périmètre.

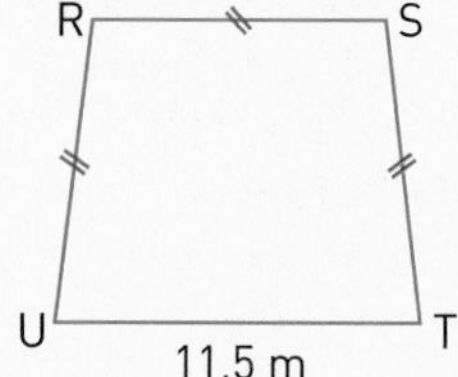


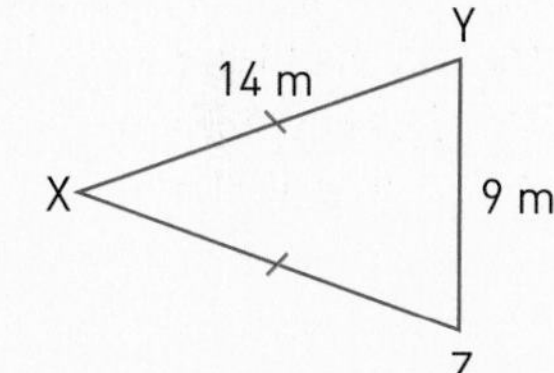


**a.** Sans faire aucun calcul au préalable, écrire une expression qui permet de calculer directement la longueur RS.
**b.** Calculer RS puis vérifier que les périmètres des deux figures sont bien égaux.

## 2 Distributivité

**69 A** Écrire sous la forme du produit de deux nombres puis calculer mentalement :
**a.** $9 \times 32 + 9 \times 18$
**b.** $1{,}6 \times 3{,}5 - 1{,}6 \times 1{,}5$

**70 A** Sans effectuer aucun calcul, écrire une expression sans parenthèses qui est égale à :
$K = 5 \times \left(1{,}4 + \frac{1}{2}\right)$ puis calculer.

**69 B** Écrire sous la forme du produit de deux nombres puis calculer mentalement :
**a.** $15 \times 2{,}4 + 15 \times 1{,}6$
**b.** $(3{,}5 + 5{,}5) \times 6{,}1 + (3{,}5 + 5{,}5) \times 1{,}9$

**70 B** Écrire, en fonction de $y$ et $z$, une expression sans parenthèses qui est égale à $K = 5z \times (y - 7)$ puis simplifier.

## 3 Tests d'égalités

**71 A** En calculant séparément les expressions situées de part et d'autre du signe « = », prouver que l'égalité $x + 4{,}5 = 10x$ est vraie lorsque $x = 0{,}5$.

**71 B** L'égalité $12a - 3 = 6 \times (a + 0{,}5)$ est-elle vérifiée :
- pour $a = 0{,}5$ ? Justifier.
- pour $a = 1$ ? Justifier.
- pour $a = 0$ ? Justifier.

## Lire et écrire

**72** **Dans un sens**

$A = 2 + 3 \times 4$ $\quad B = (2 + 3) \times 4$

$C = 1 + 2 \times 3 + 4$ $\quad D = (1 + 2) \times (3 + 4)$

Faire correspondre chaque expression à une phrase :

- « le produit de la somme de 1 et 2 par la somme de 3 et 4 »
- « le produit de la somme de 2 et 3 par 4 »
- « la somme de 2 et du produit de 3 par 4 »
- « la somme de 1, du produit de 2 par 3, et de 4 »

**73** **Dans l'autre sens**

Trouver les expressions correspondant à la phrase :

**a.** *« la somme de 6 et du produit de 7 par 8 » :*

$6 + 7 \times 8$ ; $(6 + 7) \times 8$ ; $6 + 7 + 8$ ; $6 + (7 \times 8)$

**b.** *« le quotient de la somme de 23 et 9 par le résultat de la soustraction de 4 à 15 » :*

$23 \div 9 + 15 - 4$ ; $23 + 9 \div 15 - 4$ ; $\dfrac{23 + 9}{15 - 4}$

$(23 + 9) \div (15 - 4)$ ; $(23 + 9) \times (15 - 4)$

**74** **Traduction**

Écrire une expression numérique qui traduit chacune des phrases puis effectuer le calcul :

**a.** *« le produit de la somme de 9 et 7 par le quotient de 8 par 4 »*
**b.** *« la somme de 65 et du quotient de 100 par 4 »*
**c.** *« le quotient de 36 par la somme de 6 et 3 »*
**d.** *« le quotient de un demi par cinq »*

**75** **Rédiger une preuve**

$x$ et $y$ désignent des nombres. Si on triple chacun des nombres $x$ et $y$, que peut-on dire de la somme des deux nouveaux nombres ? Prouver ce résultat.

**76** **Quel est ce nombre ?**

**a.** La somme du produit d'un certain nombre par 4 et du produit de ce même nombre par 6 est 310.
Quel est ce nombre ? Justifier la réponse.

**b.** La soustraction du produit d'un certain nombre par 3 au produit de ce même nombre par 8 est 350.
Quel est ce nombre ? Justifier la réponse.

**c.** On multiplie un nombre par 37, on trouve 518, on multiplie ce même nombre par 38, on trouve 532.
Trouver ce nombre. Justifier la réponse.

## Enchaînements d'opérations

**77** **Calculs simultanés**

Détailler le calcul des expressions :

$A = 24 - 4 \times 3 + 18 \div 2 + 1$ $\quad B = 3 \times 8 \times 3 - 3 \times (8 + 3)$

$C = 15 \times 3 - 11 \times 4 - 4 + 6$ $\quad D = 7 - 2 \times (9 - 3) - 4 \times 5$

$E = 32 - 2 \times (14{,}5 - 2{,}5) - (5{,}5 + 2 \times 3)$

**78** **Parenthèses imbriquées**

Calculer en indiquant les différentes étapes :

$F = 39 - 19 \times (23 - (5 - 2) \times 7)$

$G = (78 - 18 \div (2 \times 4{,}5)) \times (25 - (9 - 5))$

$H = 100 - (70 - ((50 - (30 + 10) + 20) + 10) + 20)$

$I = 2 \times ((50 - (5 + 2 \times 10) + 15) - 5) - 4 \times 5$

**79** **Trous**

Recopier et compléter pour que l'égalité soit vraie :

**a.** $4 \times (12 - \ldots) = 40$ ; $\quad 35 + 5 \times \ldots = 80$

**b.** $25 - \ldots \times 5 = 10$ ; $\quad \ldots \times (20 - (10 + 5)) = 30$

**c.** $36 - 6 \times \ldots = 0$ ; $\quad (8 - (\ldots + 1)) \times 4 = 24$

**80** **Trouver le calcul correct**

**a.** Une seule des quatre égalités est correcte, laquelle ?

$45 - 4 \times 7 + 3 = 410$ ; $\quad 45 - 4 \times 7 + 3 = 14$

$45 - 4 \times 7 + 3 = 20$ ; $\quad 45 - 4 \times 7 + 3 = 5$

**b.** Recopier les trois autres égalités en ajoutant les parenthèses qui manquent.

**81** **Parenthèses oubliées**

Recopier en ajoutant les parenthèses indispensables pour que les égalités soient vraies :

**a.** $18 - 8 \times 2 = 20$ ; $\quad 36 \div 4 + 8 = 3$

**b.** $10 - 2 \times 4 + 2 = 48$ ; $\quad 6 \times 7 - 4 + 3 = 21$

**82** **Parenthèses inutiles**

- Calculer l'expression à l'aide de la calculatrice.
- Recopier l'expression en supprimant les éventuelles parenthèses inutiles puis refaire le calcul.

**a.** $A = 22 - (5 \times 3)$ $\quad B = (14 \div 2) - (4 + 3)$

**b.** $C = 5 \times (10 + (2 \times 4))$ $\quad D = (8{,}5 + 7{,}5) \div (4 \times 2)$

**83** **Deux méthodes**

Calculer chaque expression de deux manières :

- en utilisant les règles de priorité,
- en utilisant la distributivité.

$E = 68 \times (34{,}5 + 7 - 41)$.

$F = (5 - 3{,}15) \times 6 + 7 \times (2{,}7 - 2{,}17)$.

$G = 7{,}2 \times (10{,}1 + 1{,}01) - 2 \times (146 \div 1\,000)$

$H = 3{,}7 \times 3{,}4 + 3{,}1 \times 3{,}4 + 3{,}2 \times 3{,}4$

**84** Avec des lettres

$x$ et $y$ désignent des nombres.
Écrire une expression sans parenthèses qui est égale à l'expression proposée puis simplifier.

**a.** $E_1 = 3 \times (x - 4)$ $E_2 = x \times (y + 1)$

**b.** $E_3 = (x - 2y) \times 10$ $E_4 = 8 \times (x - 1) + 2 \times (x + 1{,}5)$

**c.** $E_5 = 2 \times \left(\frac{x}{2} + 1{,}5\right)$ $E_6 = 2x \times (5 + y)$

**85** De tête

**1.** Calculer astucieusement :

**a.** $36 \times 11$ ; $0{,}074 \times 192\,939 + 0{,}026 \times 192\,939$

**b.** $39 \times 2{,}1$ ; $200 \times (12{,}34 + 5{,}5) - 2\,468$

**c.** $25 \times 3{,}2$ ; $4 \times (6 - 1{,}2) + 6 \times (0{,}8 - 4)$

**2.** Sachant que $19{,}5 \times 14{,}3 = 278{,}85$ et $19{,}5 \times 5{,}2 = 101{,}4$ donner le résultat de $19{,}5 \times 19{,}5$ et de $19{,}5 \times 9{,}1$.

**86** **Trouver des expressions égales**

Parmi les huit expressions suivantes, trouver celles qui sont égales :

$(7{,}8 + 13) \times 5$ ; $7{,}8 + 5 \times 13$ ; $5 \times (7{,}8 + 13)$

$5 \times 7 + 5 \times 0{,}8 + 5 \times 13$ ; $5 \times 7 + 5 \times 0{,}8 + 13$

$7{,}8 \times 5 + 5 \times 13$ ; $5 \times 7{,}8 + 13$ ; $7{,}8 + 5 \times 10 + 5 \times 3$

**87** **Des parenthèses pour un quotient**

Associer mentalement chaque expression de la première ligne à une expression de la deuxième ligne qui lui est égale :

| $9 + \frac{10}{4+1}$ | $9 + \frac{10}{4} + 1$ | $\frac{9+10}{4} + 1$ | $\frac{9+10}{4+1}$ |
|---|---|---|---|
| $9 + 10 \div 4 + 1$ | $(9 + 10) \div 4 + 1$ | $(9 + 10) \div (4 + 1)$ | $9 + 10 \div (4 + 1)$ |

**88** De tête

Calculer :

$A = \frac{42}{3{,}5 \times 2}$ $B = \frac{45}{10 - 1} + \frac{100 + 10}{55}$ $C = \frac{63}{\frac{21}{3}}$

**89** **Trois expressions égales**

Prouver que les trois expressions sont égales :

$I = 11 - \frac{120 + 5}{\frac{50}{2}}$ $J = \frac{5 + \frac{65}{5}}{3}$ $K = \frac{5 \times (9 + 3)}{2 + 2 \times 2 \times 2}$

**90** **Calculs fractionnaires complexes**

Détailler les calculs permettant de donner l'écriture décimale des expressions :

**a.** $U = \frac{3}{5} + \frac{4 + 4 + 4 + 4}{2 \times 2 \times 2}$ $V = 50 - \frac{200}{20 + 15 \times 2}$

**b.** $X = 17 + \frac{36}{8 - 2 \times 3}$ $Y = 1\,000 + 25 \times 4 + \frac{1\,000}{15 + 25}$

## Expression pour un problème

**Pour les exercices 91, 92 et 94 à 96**

**a.** À l'aide des données de l'énoncé, sans faire aucun calcul, écrire une expression permettant de calculer directement le nombre demandé.
**b.** Effectuer le calcul pour répondre à la question.

**91** Pour décorer les murs d'une pièce, on dispose de 2 rouleaux de frise d'une longueur de 5 m chacun.
On a découpé 3 morceaux de 2,4 m chacun, un autre de 1,1 m et 2 morceaux de 55 cm chacun.
Calculer la longueur de frise restante.

**92** Un triangle équilatéral a le même périmètre que le trapèze ci-contre.
Calculer la longueur d'un côté du triangle.

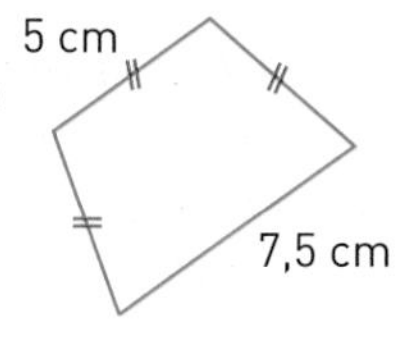

## À chacun son parcours

**93 A** $I = 2{,}1 + \frac{11{,}6}{4}$ $J = \frac{4{,}4 - 2}{2 + 6}$

**1.** Écrire une **séquence*** des touches de la calculatrice qui permet de donner le résultat sous la forme décimale.
**2.** Retrouver le résultat précédent en gardant les écritures fractionnaires pendant le calcul.

**93 B** $K = \frac{17 + 5 \times 3{,}8}{2{,}7 + 6{,}3}$ $L = \frac{2 \times 5}{8} + \frac{14 - 11}{3 \times 4}$

**1.** Écrire une séquence des touches de la calculatrice qui permet de donner le résultat sous la forme décimale.
**2.** Retrouver le résultat précédent en gardant les écritures fractionnaires pendant le calcul.

**94**

Voici un ticket de caisse taché de café. Calculer le prix d'une bouteille d'eau (caché par la plus grande tache).

SUPERMARCHÉ À TOUT IX
4 ×1,5 jus d'orange 6,00 €
6 × eau
aisin 2,03 €
aourts 3,27 €
TOTAL 13,76 €


**95**

30 personnes sont invitées à une fête. On réalise un cocktail nommé « incorruptible » avec 6 bouteilles de 1,5 L de limonade, 4 L de jus de pamplemousse, 2 L de jus d'orange. Calculer la quantité de cocktail disponible par personne.

**96**

Manon découpe des cartons d'invitation rectangulaires tous identiques dans une feuille de papier cartonné de dimensions 25 cm et 35 cm. Calculer $L$ la longueur d'un carton d'invitation.

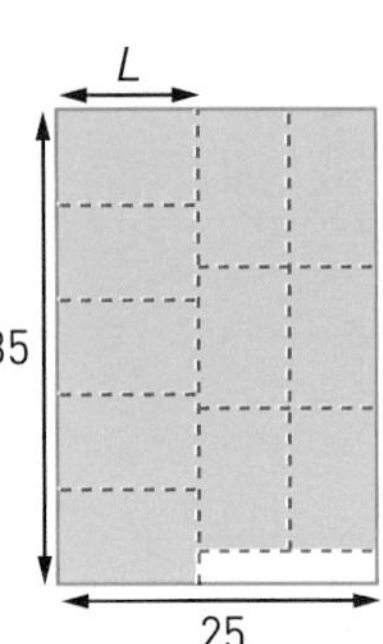


## Formules littérales

**97** **Longueur en fonction de *u***

**a.** Exprimer la longueur de la ligne brisée bleue en fonction de l'unité $u$ (simplifier l'expression si possible).
**b.** Calculer l'expression pour $u = 0{,}8$ cm.

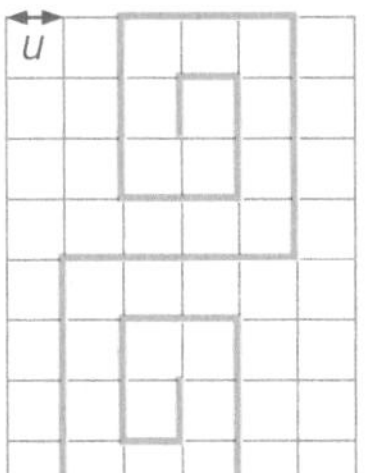


**98** **Périmètres en fonction de *x***

L'unité de longueur n'est pas précisée.
Pour chacune des figures, exprimer le périmètre en fonction de $x$ puis simplifier si nécessaire.

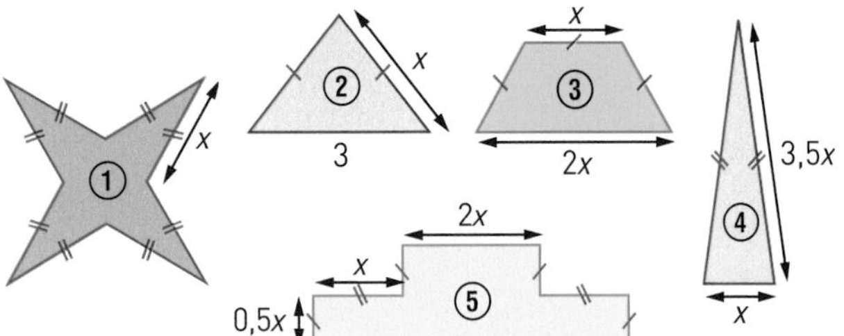


**99** De tête

**a.** On sait que $4a$ est égal à 6,6. Sans calculer $a$, donner la valeur de $4 \times (a + 1)$, de $20a$, de $6a$.
**b.** Calculer $5 \times (1\,001 + x) - 5x$ lorsque $x = 789{,}987$.
**c.** Simplifier l'expression $251 \times (a + 2) - 25{,}1 \times 10a$.
**d.** Calculer $xy$ et $5x - 10y$ lorsque $x = 3$ et $y = 1{,}5$.

**100** **Calculer avec plusieurs lettres**

Calculer les expressions pour $x = 8$, $y = 2{,}5$ et $z = 7$ :
$A = x - z + 3y$ $B = 2y - z$ $C = (z + y) \times x - xyz$
$D = x - z \div 2$ $E = x - \dfrac{x + z}{2y}$ $F = 10 \times (y + 1) \div z$

**Pour les exercices 101 et 102**
Simplifier les expressions (indiquer les étapes).

**101** **a.** $9{,}5x - 8{,}5x$ **b.** $8 \times y - y \times 6$ **c.** $7 + 3 \times z$
**d.** $8x - 6x + 4x - 6x$ **e.** $4 \times y - y$ **f.** $0{,}1 \times z \times 2{,}8$
**g.** $1\,000x - 999x$ **h.** $y + y + y + y - 6 \times 0{,}5y$

**102** **a.** $3 \times u + 4 \times v$ **b.** $x \times 6y$ **c.** $2a \times 2b$
**d.** $(2 \times x + 5 \times y) \times 8$ **e.** $3 \times a \times (7 \times b - 3 \times b)$
**f.** $x \times y \times 4z$ **g.** $(2{,}5 \times u + 3{,}5 \times u) \times (6v - v)$

**103** **Des expressions égales**

Pour chaque colonne, recopier la 1re expression puis uniquement celles qui lui sont égales dans la colonne :

**a.**

| $7 \times a - 2$ |
|---|
| $7a - 2a$ |
| $7 \times (a - 2)$ |
| $7a - 2$ |
| $5a$ |

**b.**

| $2 \times b + 4 \times b$ |
|---|
| $2b + 4b$ |
| $2 \times (b + 2b)$ |
| $6b$ |
| $8b$ |

**c.**

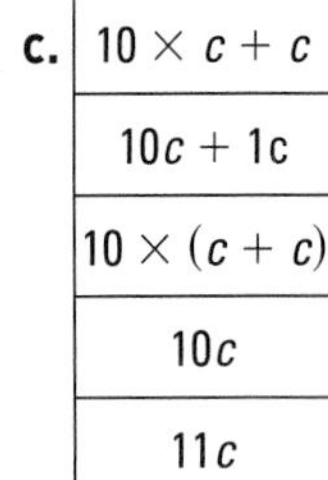

| $10 \times c + c$ |
|---|
| $10c + 1c$ |
| $10 \times (c + c)$ |
| $10c$ |
| $11c$ |

**104** Proportionnalité

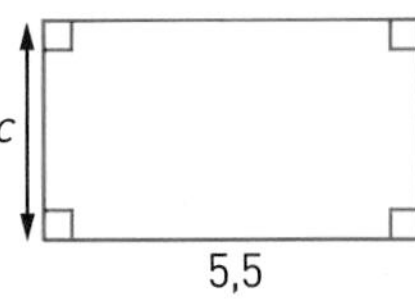


**a.** Exprimer le périmètre ainsi que l'aire du rectangle en fonction de $c$. Simplifier les expressions si nécessaire.
**b.** On double uniquement la largeur $c$ du rectangle, exprimer le périmètre ainsi que l'aire du nouveau rectangle en fonction de $c$.
**c.** En déduire que le périmètre du rectangle n'est pas proportionnel à sa largeur.

**105** **Exprimer une somme**

$x$, $y$, $z$, $a$ et $b$ sont des nombres.
**a.** La somme du double de $z$ et du triple de $z$ est égale à 25,5. Trouver $z$ et justifier la réponse.
**b.** La somme de $x$ et $y$ est 13,4. On multiplie par 100 chacun des nombres $x$ et $y$, quelle est la somme des deux nouveaux nombres ? Justifier la réponse.
**c.** On multiplie par 8 chacun des nombres $a$ et $b$, on obtient deux nouveaux nombres dont la somme est 400 et la différence est 48.
Traduire ces informations par deux égalités.
Calculer $a + b$, $a - b$ puis rechercher les nombres $a$ et $b$.

## 106 Distances en fonction de $x$

$x$ désigne un nombre. L'unité est le centimètre, exprimer la distance AB en fonction de $x$ :

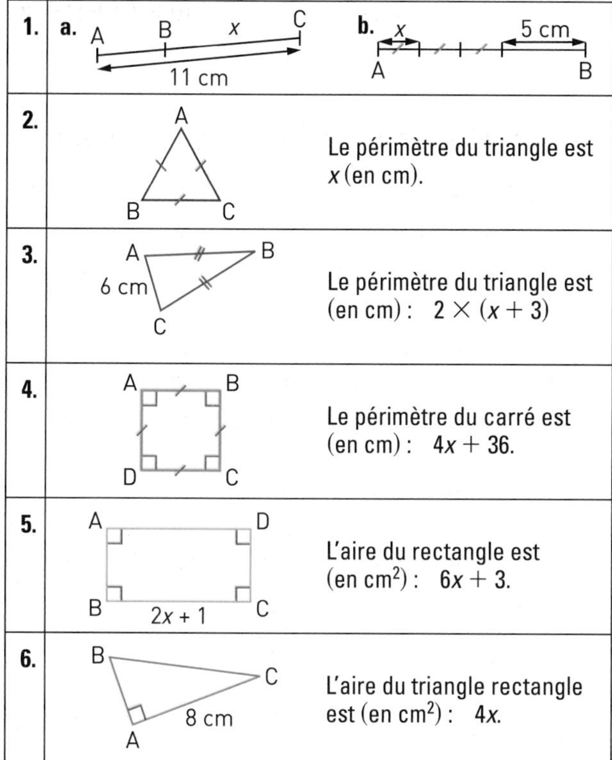

| | | |
|---|---|---|
| **1.** | **a.** A, B, $x$, C ; 11 cm | **b.** $x$ ; 5 cm ; A, B |
| **2.** | Triangle ABC | Le périmètre du triangle est $x$ (en cm). |
| **3.** | Triangle ABC ; 6 cm | Le périmètre du triangle est (en cm) : $2 \times (x + 3)$ |
| **4.** | Carré ABCD | Le périmètre du carré est (en cm) : $4x + 36$. |
| **5.** | Rectangle ADCB ; $2x + 1$ | L'aire du rectangle est (en cm²) : $6x + 3$. |
| **6.** | Triangle BAC rectangle en A ; 8 cm | L'aire du triangle rectangle est (en cm²) : $4x$. |

## 107 Contour

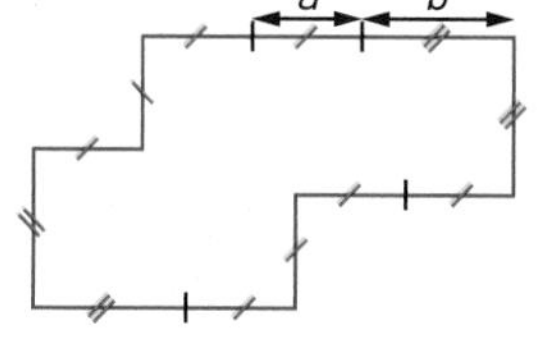


**a.** Observer la figure et trouver parmi les quatre formules suivantes celles qui expriment le périmètre :

$E_1 = a + a + b + b + a + a + a + a + b + b + a + a$

$E_2 = (2a + b) + b + 2a + a + (a + b) + b + a + a$

$E_3 = 8a + 4b$ $\quad E_4 = 4 \times (2a + b)$

**b.** Prouver par calcul l'égalité des quatre expressions.

**c.** Calculer le périmètre pour $a = 1{,}3$ cm et $b = 2{,}1$ cm.

## 108 Un périmètre, une aire

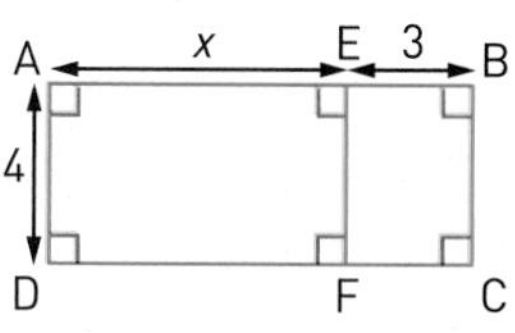


L'unité est le centimètre.

**a.** Indiquer si les quatre écritures suivantes expriment le périmètre ou l'aire du rectangle ABCD ou du rectangle AEFD :

$4 \times (x + 3)$ ; $\quad 4x$ ; $\quad 2x + 8$ ; $\quad 2 \times ((x + 3) + 4)$

**b.** Écrire l'expression de l'aire du triangle ADE.

**c.** Calculer les cinq expressions pour $x = 7$ cm.

## 109 Un hexagone et un octogone

$x$ désigne un nombre. L'unité n'est pas précisée.

**a.** Un **hexagone régulier*** a le même périmètre qu'un triangle dont les trois dimensions sont $3x$, $4x$ et $5x$. Exprimer la dimension d'un côté de l'hexagone en fonction de $x$ et simplifier si nécessaire.

**b.** Prouver qu'un **octogone régulier*** dont la mesure de chaque côté est $2x + 3$ a le même périmètre qu'un rectangle de dimensions $5x + 7$ et $3x + 5$.

## 110 L'aire d'un cerf-volant

Calculer l'aire du cerf-volant en fonction de $x$.

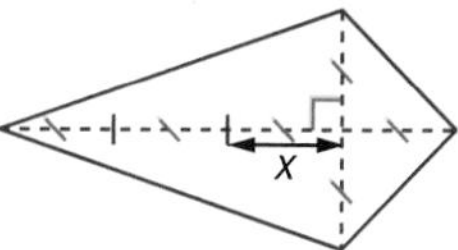


## 111 Proportionnalité

**a.** Compléter le tableau par des expressions écrites en fonction de $\pi$ et de $r$ :

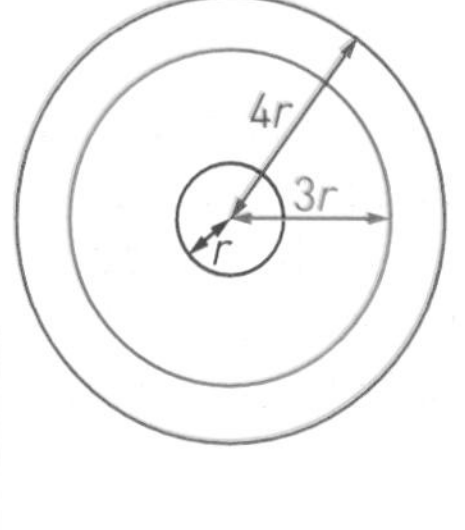


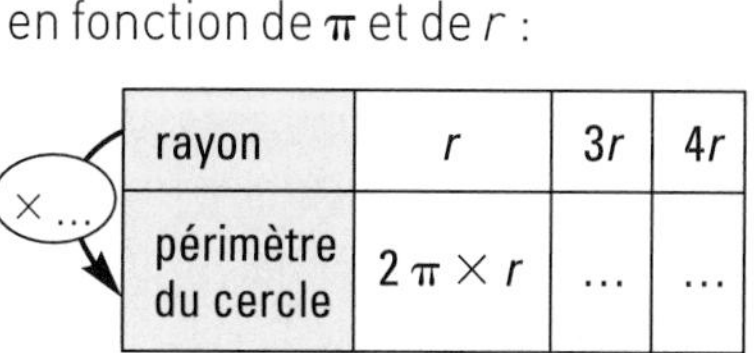

| rayon | $r$ | $3r$ | $4r$ |
|---|---|---|---|
| périmètre du cercle | $2\pi \times r$ | ... | ... |



**b.** Prouver que le périmètre du cercle de rayon $3r$ est 3 fois plus grand que le périmètre du cercle de rayon $r$.

**c.** Prouver que le périmètre du grand cercle est égal à la somme des périmètres des deux autres cercles.

# À CHACUN SON PARCOURS

## 112 A

Le périmètre de la figure orange est 31 cm. Sans faire aucun calcul, écrire une expression permettant de calculer directement la dimension manquante. Effectuer le calcul.

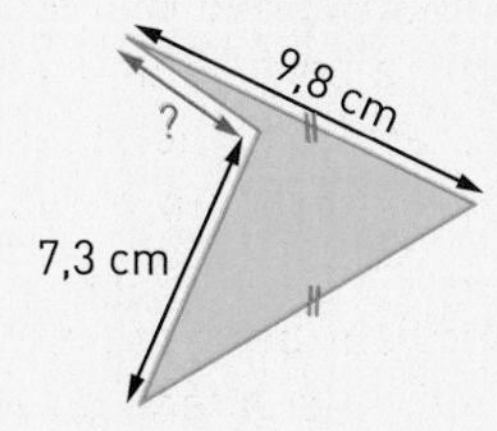


## 112 B

Le périmètre de la figure verte est 28 cm. Sans faire aucun calcul, écrire une expression permettant de calculer directement la longueur d'un côté du carré RSUV. Effectuer le calcul.

V U 8,5 cm T R S 7,5 cm

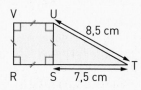

# Exercices d'approfondissement

## Égalités d'expressions littérales

**113 Égalité pour une valeur particulière**

**a.** Calculer les expressions $A = 7x + 2$ et $B = 9x$ pour pour $x = 0$, pour $x = 3$, puis pour $x = 6{,}5$.
**b.** Trouver mentalement une valeur de $x$ pour laquelle les expressions A et B sont égales.

**114 Qui a raison ?**

**115 Égalité de longueurs**

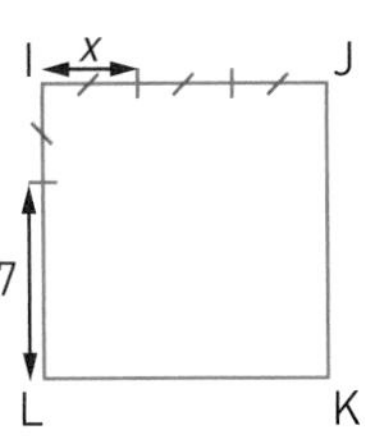


**a.** Sachant que IJKL est un carré, écrire une égalité en fonction de $x$.
**b.** L'égalité précédente est-elle vraie pour $x = 2$ ? pour $x = 3$ ? pour $x = 3{,}5$ ? Justifier. Que signifient ces résultats pour la figure ?

**116 Tester une égalité**

**1.** L'égalité est-elle vérifiée pour $x = 2{,}5$ ? pour $x = 10$ ?
**a.** $x - 2 = \frac{1}{2}$ **b.** $6x = 8 \times (x - 1)$ **c.** $2x - 4 = x + 6$

**2.** L'égalité est-elle vérifiée pour $x = -3$ et $y = -5$ ?
**a.** $2 - x = y$ **b.** $x + 0{,}5 = 2{,}5 + y$ **c.** $x + y = -11 - x$

**117 Bibliothèques**

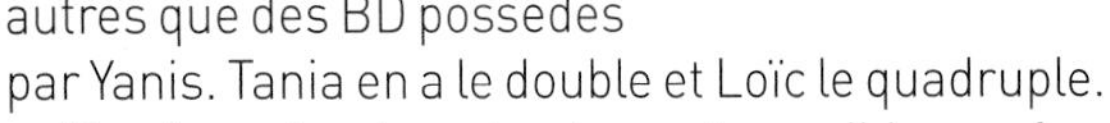


$x$ est le nombre de BD que possède Loïc. Tania en possède le double et Yanis le triple.
$y$ est le nombre de livres autres que des BD possédés par Yanis. Tania en a le double et Loïc le quadruple.
**a.** Exprimer le plus simplement possible, en fonction de $x$ et de $y$, le nombre total de livres possédé par chacun des enfants.
**b.** Prouver que $3x + y = x + 4y$ pour $x = 15$ et $y = 10$. Que signifie ce résultat pour Loïc et Yanis ?
Tania possède-t-elle autant de livres que ses amis ?

## Devoirs à la maison

### POUR PRENDRE LE TEMPS DE CHERCHER

**118 Enchaînements d'opérations**

Calculer les expressions en indiquant les étapes :
$E_1 = 12 \div 3 \times 2 - 11$

$$E_2 = \frac{15}{\frac{2 + 4 \times 7}{6}}$$

$E_3 = 1{,}4 \times [9 - (7 - 6 \div 2)]$

**119 Une dimension manquante**

**a.** Les deux quadrilatères ont le même périmètre. Sans faire aucun calcul, écrire une expression permettant de calculer directement la dimension inconnue d.

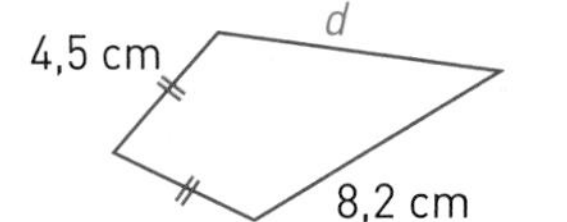


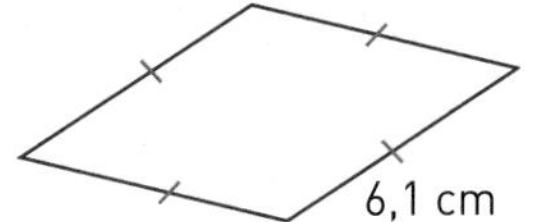


**b.** Le quadrilatère bleu est-il un **cerf-volant*** ? Justifier.

**120 Un cube et un pavé droit**

**1.** On note $x$ la longueur d'une arête d'un cube. Exprimer, en fonction de $x$, la somme des longueurs de toutes les arêtes de ce cube.
**2. a.** Prouver que la somme des longueurs de toutes les arêtes du pavé droit ci-contre est le double de celle du cube de côté $x$.

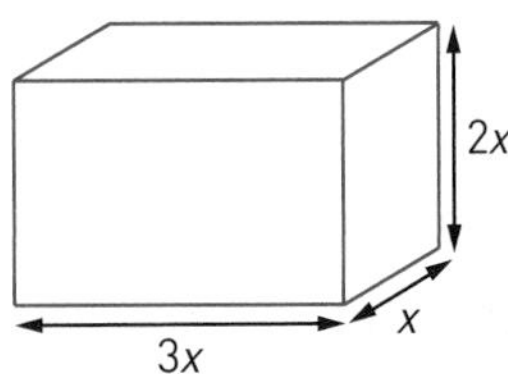


**b.** Calculer le volume du pavé droit lorsque $x = 7$ cm.

## ÉNIGME DU CHAPITRE

Hakim a deux filles : Amira et Safia qui est de 4 ans l'ainée d'Amira. Hakim constate que son âge est le quadruple de l'âge d'Amira et le triple de l'âge de Safia. Quel est l'âge d'Amira ?

# 5 Écritures fractionnaires

## Les objectifs du programme

### Sens de l'écriture fractionnaire

- Utiliser l'écriture fractionnaire comme expression d'une proportion.
- Utiliser sur des exemples numériques des égalités du type $\frac{ac}{bc} = \frac{a}{b}$.

### Ordre et opérations

- Comparer, additionner et soustraire deux nombres en écriture fractionnaire dans le cas où les dénominateurs sont les mêmes et dans le cas où le dénominateur de l'un est multiple du dénominateur de l'autre.
- Effectuer le produit de deux nombres écrits sous forme fractionnaire ou décimale, le cas d'entiers étant inclus.

### Division par un décimal

- Ramener une division dont le diviseur est décimal à une division dont le diviseur est entier et savoir l'effectuer.

## Sommaire

## D'un siècle...

# L'œil d'Horus

Les Égyptiens de l'Antiquité manipulaient déjà les fractions.
La mythologie égyptienne raconte que Horus, le dieu faucon s'est battu contre son oncle Seth. Ce dernier a arraché un œil à Horus et l'a découpé en morceaux.
Le dieu comptable Thot a eu pour mission de reconstituer l'œil d'Horus. Il attribua une valeur à chaque morceau : le sourcil, les deux morceaux de cornée, l'iris et les deux marques colorées du faucon (dessin ci-dessous).

Il a obtenu un total de 63/64. Mais le dieu Thot fournissait gracieusement le 1/64$^{e}$ manquant aux comptables qui se plaçaient sous sa protection.

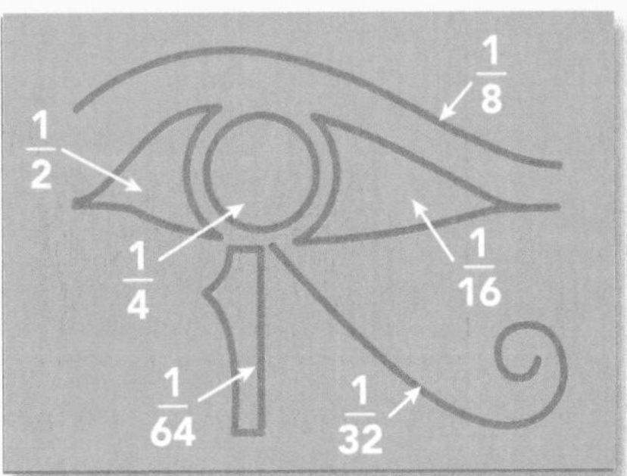

# Le vernier

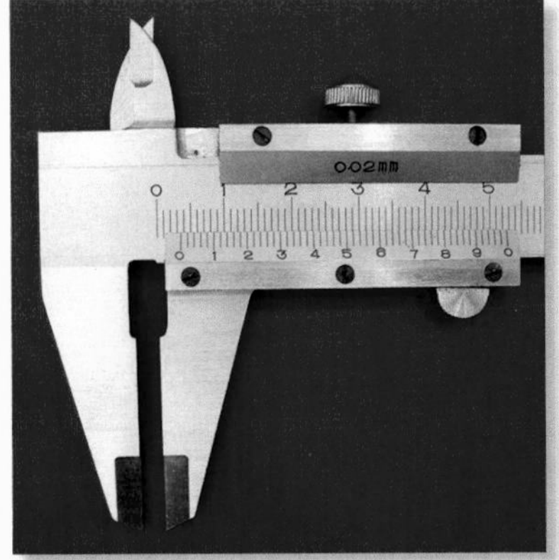

▲ Pied à coulisse

On utilise le vernier dans différents appareils de mesure : pied à coulisse, jauge de profondeur, théodolite (voir page 160), etc.

Le système est formé de deux règles : la plus grande est fixe et divisée en millimètres, la plus petite (le vernier) est mobile et glisse sur l'autre. Le vernier permet la mesure précise d'une longueur. Lors d'une mesure **au** dixième de millimètre **près***, 10 divisions du vernier correspondent à 9 divisions de la grande règle ; dans ce cas, chaque division du vernier mesure 0,9 mm.

### Un métier

**→ Tourneur**

À l'atelier, le tourneur utilise une machine appelée « tour » pour usiner des pièces (des **cylindres*** métalliques par exemple...). Il utilise différents instruments de mesures (réglet, pied à coulisse, micromètre...) avant l'usinage de la pièce pour régler le tour et après l'usinage pour vérifier les dimensions de la pièce réalisée.

# Les écritures des nombres

## 1 Partage

**Méthode de partage d'un segment en trois parties égales à l'aide d'un guide-âne**

| Reproduire le segment sur du papier calque : | Poser le calque sur le guide-âne : | Faire pivoter le calque : |
| --- | --- | --- |
|  |   | 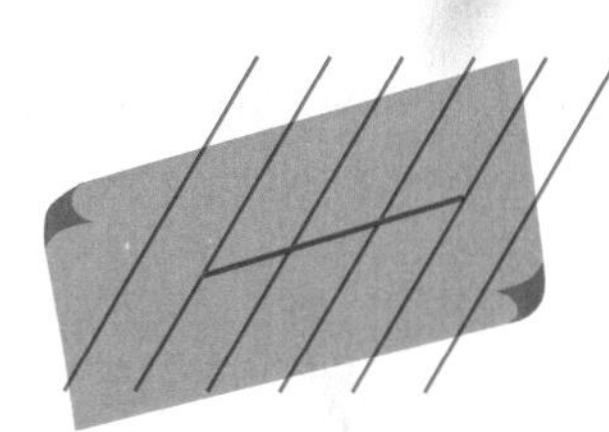  |

1. L'unité choisie est le segment rouge suivant : $u$

Utiliser le guide-âne ci-contre pour tracer au crayon, sur le papier calque, un segment de longueur $\frac{9}{7}$ de cette unité.

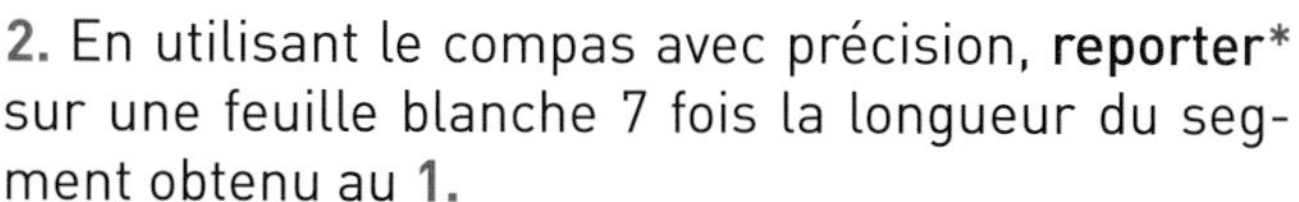

2. En utilisant le compas avec précision, **reporter*** sur une feuille blanche 7 fois la longueur du segment obtenu au **1.**
Trouver le nombre d'unités que représente la longueur totale du segment obtenu.
Quels résultats retrouve-t-on ?

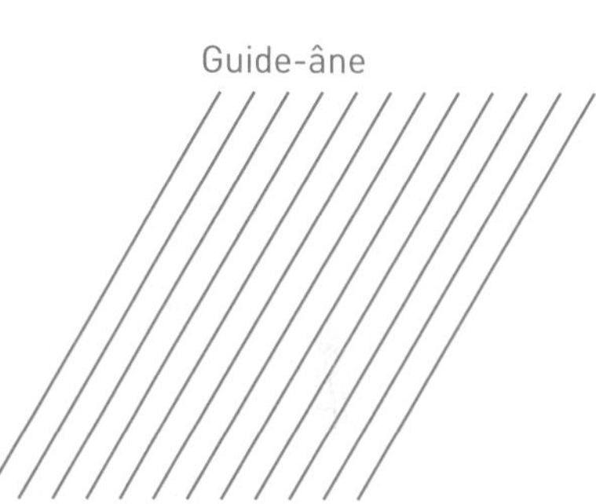

## 2 Rapports d'aires

1. Dans chacune des figures ①, ②, ③ et ④, colorier un rectangle qui représente la **fraction*** de la surface indiquée : ① : $\frac{20}{60}$ ② : $\frac{4}{12}$ ③ : $\frac{2}{6}$ et ④ : $\frac{8}{24}$.

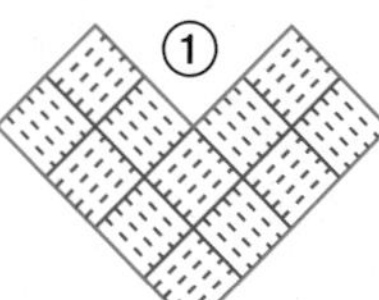


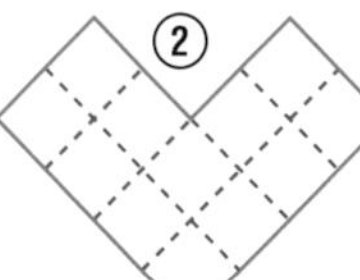


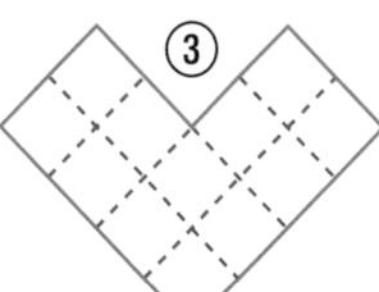


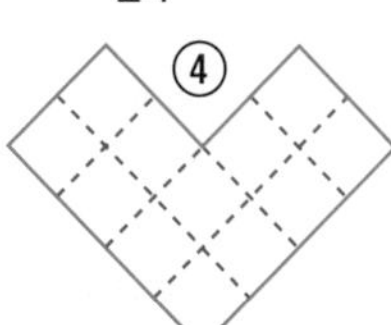


2. Colorier la figure ⑤ de façon à ce que le rapport entre l'aire de la partie coloriée et l'aire totale soit un tiers.
Quelle fraction de la figure ⑤ a ainsi été coloriée ? Rédiger la réponse.

3. Que constate-t-on au sujet des surfaces coloriées dans les cinq figures ? Que peut-on en **déduire*** au sujet des cinq fractions ?

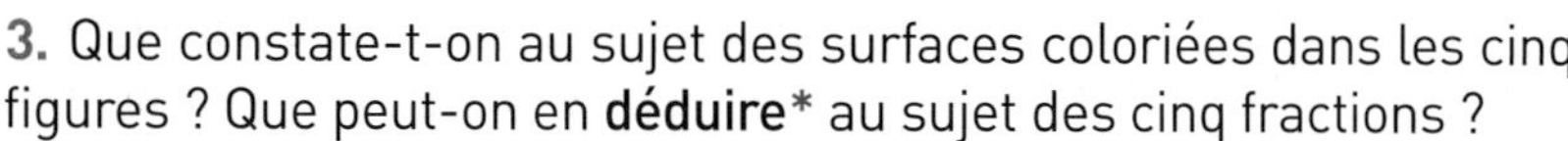

4. Pouvait-on prévoir le résultat précédent en étudiant les **numérateurs*** et **dénominateurs*** des cinq fractions ? Préciser.

# Comparaison – Addition – Soustraction

## Comparaison

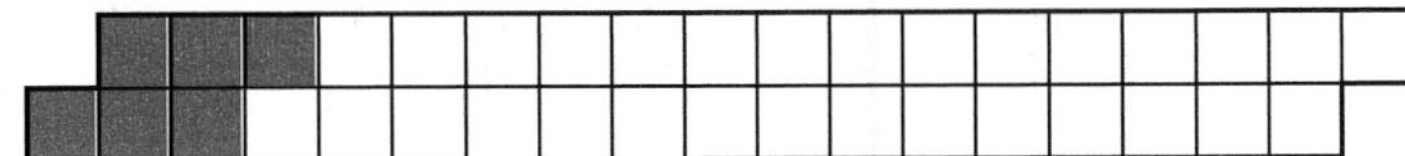

**1.** L'unité d'aire est donnée par la figure rouge.

**a.** Reproduire cette frise.

**b.** Colorier trois parties de la frise :

- la première en noir et qui représente $\frac{1}{6}$ de l'unité,
- la seconde en vert et qui représente $\frac{11}{6}$ de l'unité,
- la troisième en bleu et qui représente $\frac{3,5}{6}$ de l'unité.

**c.** En observant le coloriage, ranger les quotients $\frac{1}{6}$, $\frac{11}{6}$ et $\frac{3,5}{6}$ du plus petit au plus grand.

Quelle relation peut-on trouver entre l'écriture fractionnaire des quotients et leur ordre ?

**2. a.** Placer les quotients $\frac{3}{2}$, $\frac{1}{3}$ et $\frac{10}{12}$ dans la liste obtenue à la question **1.c.**

**b.** Comment peut-on obtenir le classement des six quotients précédents sans chercher leur valeur décimale et sans faire de dessin ?

## Addition

**1.** Sur une feuille quadrillée à petits carreaux, reproduire la figure suivante :

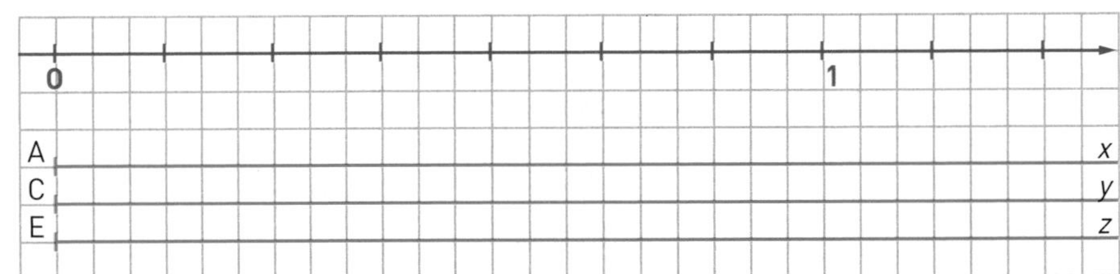


**a.** L'unité de longueur est donnée sur la droite graduée bleue.

Placer les nombres $\frac{1}{7}$, $\frac{2}{7}$, $\frac{4}{7}$, $\frac{8}{7}$ et $\frac{11}{21}$ sur la droite graduée bleue.

**b.**

- Placer un point B sur la demi-droite [A$x$) **tel que*** AB = $1 + \frac{1}{7}$
- Placer un point D sur la demi-droite [C$y$) tel que CD = $\frac{1}{7} + \frac{2}{7} + \frac{4}{7}$
- Placer un point F sur la demi-droite [E$z$) tel que EF = $\frac{4}{7} + \frac{11}{21}$

**2. a.** À l'aide du graphique, écrire chacune des trois longueurs précédentes sous une forme fractionnaire.

**b.** Quels calculs permettent d'arriver à ces résultats sans graphique ?

**3.** En s'inspirant de la réponse à la question **2.b.**, calculer $1 + \frac{7}{6}$ ainsi que $\frac{2}{3} + \frac{7}{12}$.

# Produit de fractions – Division de décimaux

## 5 Produit de deux fractions : nombres décimaux

**1.** Compléter en utilisant l'écriture décimale des quotients : $\frac{7}{5} \times \frac{3}{2} = ... \times ... = ...$

En **déduire*** une écriture fractionnaire du produit $\frac{7}{5} \times \frac{3}{2}$.

**2. a.** Répéter les étapes de la question **1.** en remplaçant $\frac{3}{2}$ par $\frac{3}{8}$.

**b.** Écrire le quotient obtenu sous la forme la plus simple possible.

## 6 Produit de deux fractions : géométrie

**1.** L'unité de longueur est donnée par le côté du grand carré bleu ci-dessous.

Sur le document distribué par le professeur, hachurer à l'intérieur du grand carré un rectangle dont les dimensions sont les suivantes : la longueur est égale à $\frac{5}{7}$, la largeur est égale à $\frac{2}{3}$.

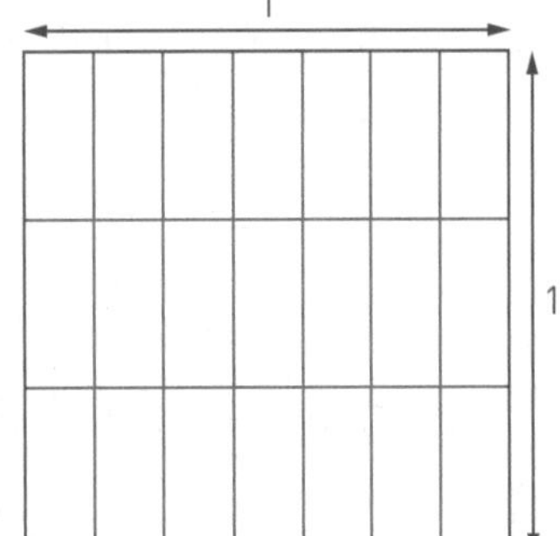


**2. a.** Sans effectuer aucun calcul, donner l'aire du rectangle hachuré sous la forme d'une **fraction***.

**b.** De quelle opération vient-on de trouver le résultat ? Expliquer.

**3.** Écrire le produit $\frac{5}{6} \times \frac{1}{4}$ sous la forme d'un quotient.

Vérifier le résultat par un dessin à main levée (comme au **1.**).

## 7 Division de deux décimaux

Répondre aux questions de cette approche sans l'aide de la calculatrice.

**1. a.** Trouver dix quotients égaux à $\frac{5,6}{2,4}$.

**b.** Prouver que les quotients $\frac{5,6}{2,4}$ et $\frac{7}{3}$ sont égaux.

**2.** En s'inspirant de la question **1.** prouver que $\frac{0,18}{0,24} = 0,75$.

**3.** Donner l'écriture décimale du quotient : $45 \div 3,6$.

# Leçon 1

# Les écritures des nombres

## 1 Différentes interprétations du quotient

### 1 Partage d'une unité

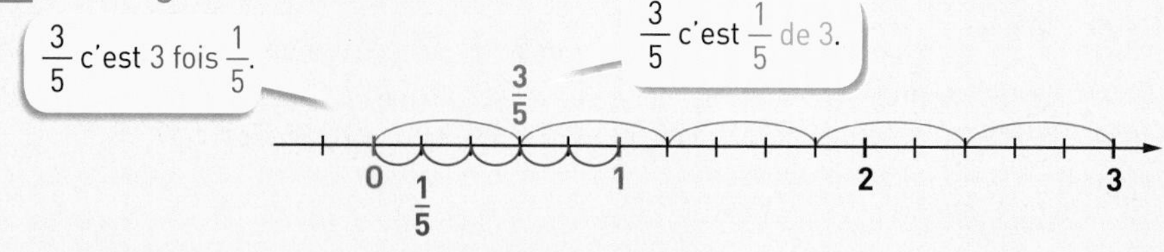


### 2 Différentes écritures d'un même nombre

**ÉCRITURES**

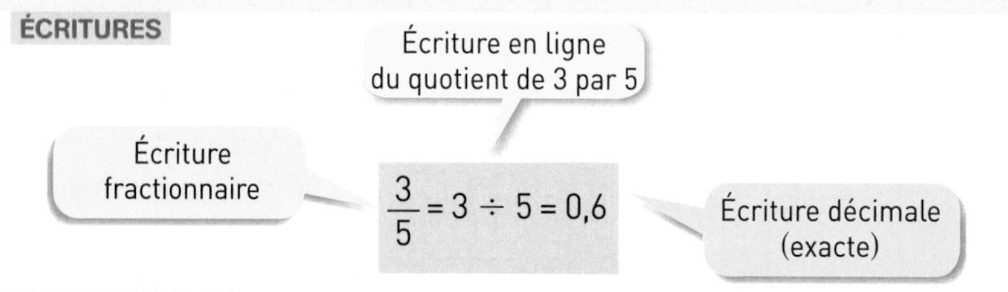


RAPPEL
Le quotient de $a$ par $b$ est le nombre qui, multiplié par $b$, donne $a$.
$\frac{a}{b} \times b = a \quad (b \neq 0)$

**REMARQUE :** On peut aussi donner une **valeur approchée*** d'un quotient : $\frac{2}{7} \approx 0,29$ (au centième).

### 3 Proportion

**EXEMPLE :** « Dans la population mondiale, la proportion des femmes est $\frac{1}{2}$ ».

**REMARQUE :** L'emploi du mot proportion fait toujours référence à un rapport de deux **grandeurs***.

## 2 Écritures fractionnaires d'un nombre

**PROPRIÉTÉ**

On ne modifie pas la valeur d'une fraction si on multiplie son numérateur et son dénominateur par un même nombre.

$a$, $b$ et $k$ sont des nombres, $b \neq 0$, $k \neq 0$ : $\frac{a}{b} = \frac{a \times \mathbf{k}}{b \times \mathbf{k}}$.

**EXEMPLE :** $\frac{3}{5} = \frac{3 \times \mathbf{20}}{5 \times \mathbf{20}} = \frac{60}{100}$ ; on peut aussi écrire $\frac{3}{5} = 60\ \%$.

**REMARQUE :** La propriété s'applique également à la division.

**DÉFINITIONS**

- **Simplifier une fraction** c'est écrire une fraction qui a la même valeur mais dont le numérateur et le dénominateur sont des entiers plus petits.
- Lorsqu'on ne peut pas simplifier une fraction on dit que c'est une **fraction irréductible**.

**EXEMPLES :**

- $\frac{21}{35} = \frac{21 \div \mathbf{7}}{35 \div \mathbf{7}} = \frac{3}{5}$ ; on a simplifié par 7.
- $\frac{3}{5}$, $\frac{2}{7}$ et $\frac{1}{2}$ sont des fractions irréductibles.

EXERCICE RÉSOLU 1

## *Simplifier une fraction*

**ÉNONCÉ**

Simplifier les fractions : $\frac{14}{21}$ et $\frac{75}{60}$

**RÉPONSES**

$\frac{14}{21} = \frac{14 \div 7}{21 \div 7}$

Donc $\frac{14}{21} = \mathbf{\frac{2}{3}}$

$\frac{75}{60} = \frac{75 \div 5}{60 \div 5}$

$= \frac{15}{12}$

$= \frac{15 \div 3}{12 \div 3}$

Donc $\frac{75}{60} = \mathbf{\frac{5}{4}}$

**COMMENTAIRES**

On recherche un nombre qui divise à la fois 14 et 21 : 7 convient car 14 et 21 sont dans la table de multiplication de 7.

- Il faut savoir reconnaître que 75 et 60 sont **divisibles*** par 5 et par 3 (se rappeler des critères de divisibilité).
- 75 et 60 sont divisibles par 5 et par 3 donc aussi par 15 : on aurait pu simplifier directement par 15.
- Le quotient $\frac{15}{12}$ est une écriture simplifiée de $\frac{75}{60}$ mais on préfère donner l'écriture simplifiée $\frac{5}{4}$ car c'est l'écriture fractionnaire irréductible.

Sur le même modèle
▸ exercice 11

EXERCICE RÉSOLU 2

## *Proportions*

**ÉNONCÉ**

**Suite à un sondage réalisé dans un collège, on a établi que 20 % des élèves viennent au collège le matin en voiture accompagnés par un de leurs parents et qu'un élève sur cinq vient à vélo.**

**a. Prouver que la proportion d'élèves venant en voiture et la proportion d'élèves venant à vélo sont les mêmes.**

**b. Il y a 635 élèves au collège, combien d'entre eux se déplacent à vélo jusqu'au collège ?**

**RÉPONSES**

**a.** $20\,\% = \frac{20}{100}$

Or $\frac{20}{100} = \frac{20 \div 20}{100 \div 20}$

Donc $\frac{20}{100} = \mathbf{\frac{1}{5}}$

Les proportions 20 % et « un sur cinq » sont donc les mêmes.

**b.** 635 ÷ 5 = 127.

127 élèves se déplacent à vélo.

**COMMENTAIRES**

- Un pourcentage peut s'exprimer sous forme fractionnaire. La proportion « un sur cinq » se traduit par la fraction $\frac{1}{5}$.
- Les deux proportions sont les mêmes car les deux fractions associées ont la même valeur.

On calcule $\frac{1}{5}$ de 635.

Sur le même modèle
▸ exercice 12

# Leçon 2

# Comparaison – Addition – Soustraction

## 1 Comparaison de nombres en écriture fractionnaire

### 1 Fractions de même dénominateur

**MÉTHODE**

On sait comparer deux nombres en écriture fractionnaire qui ont le même dénominateur : ils sont rangés dans l'ordre de leurs numérateurs.

EXEMPLES : $\frac{8}{15}$, $\frac{14}{15}$ et $\frac{2}{15}$ sont rangés dans le même ordre que 8, 14 et 2 : $\frac{2}{15} < \frac{8}{15} < \frac{14}{15}$

### 2 Autres méthodes de comparaison

**• Comparer avec l'unité**

$a$ et $b$ sont des nombres, $b \neq 0$ :

si $a < b$, alors $\frac{a}{b} < 1$

si $a = b$, alors $\frac{a}{b} = 1$

si $a > b$, alors $\frac{a}{b} > 1$

EXEMPLES : $\frac{9}{9} = 1$ ; $\frac{72,5}{100} < 1$ ; $\frac{5}{3} > 1$.

**• Fractions de même numérateur**

On sait comparer deux nombres en écriture fractionnaire qui ont le même numérateur : ils sont rangés dans l'ordre inverse de leurs dénominateurs.

EXEMPLE : $\frac{11}{7}$ et $\frac{11}{10}$ sont rangés dans l'ordre inverse de 7 et 10 : $\frac{11}{10} < \frac{11}{7}$.

## 2 Sommes et différences

### 1 Fractions de même dénominateur

**MÉTHODE**

On sait additionner (ou soustraire) deux nombres en écriture fractionnaire qui ont le même dénominateur :
- on additionne (ou on soustrait) les numérateurs,
- on garde le dénominateur **commun***.

$a$, $b$ et $d$ sont des nombres, $d \neq 0$ :

$\frac{a}{d} + \frac{b}{d} = \frac{a+b}{d}$ et $\frac{a}{d} - \frac{b}{d} = \frac{a-b}{d}$.

### 2 Autres méthodes

Pour additionner ou soustraire des nombres en écriture fractionnaire qui ont des dénominateurs différents, on réduit au même dénominateur.

EXEMPLES :

$A = \frac{11}{20} + \frac{3}{5}$

Les dénominateurs sont différents.

$A = \frac{11}{20} + \frac{3 \times 4}{5 \times 4}$

20 est **multiple*** de 5

$A = \frac{11}{20} + \frac{12}{20} = \frac{23}{20}$

$B = 3 - \frac{7}{4}$

On écrit l'entier 3 sous une forme fractionnaire de dénominateur 4.

$B = \frac{12}{4} - \frac{7}{4}$

$B = \frac{12-7}{4} = \frac{5}{4}$

EXERCICE RÉSOLU 1

## *Calculer une différence*

**ÉNONCÉ**

**Sans utiliser la calculatrice, exprimer $X = \frac{5}{6} - \frac{7}{18}$ sous forme fractionnaire.**

**RÉPONSES**

$X = \frac{5}{6} - \frac{7}{18}$

$X = \frac{5 \times 3}{6 \times 3} - \frac{7}{18}$

$X = \frac{15}{18} - \frac{7}{18}$

$X = \mathbf{\frac{8}{18}}$

**COMMENTAIRES**

• 18 est multiple de 6 donc on peut écrire $\frac{5}{6}$ sous la forme d'une fraction de dénominateur 18.

• Il peut être intéressant de simplifier le résultat : $\frac{8}{18} = \frac{8 \div 2}{18 \div 2} = \frac{4}{9}$.

Sur le même modèle
▸ exercice 22

EXERCICE RÉSOLU 2

## *Ordonner des nombres*

**ÉNONCÉ**

**Ranger dans l'ordre croissant les nombres suivants : $\frac{5}{3}, \frac{16}{9}, \frac{2}{9}$**

**RÉPONSES**

• $\frac{2}{9}$ est inférieur à 1,

$\frac{5}{3}$ et $\frac{16}{9}$ sont supérieurs à 1.

• $\frac{5}{3} = \frac{5 \times 3}{3 \times 3} = \frac{15}{9}$ et $\frac{15}{9} < \frac{16}{9}$

Conclusion : $\mathbf{\frac{2}{9} < \frac{15}{9} < \frac{16}{9}}$

**COMMENTAIRES**

• On peut commencer par classer les quotients en les comparant à l'unité. Mais en général, cela ne suffit pas pour répondre.

• On sait ranger des quotients dont les écritures fractionnaires ont le même dénominateur.

Ici on réduit $\frac{5}{3}$ et $\frac{16}{9}$ au même dénominateur.

Sur le même modèle
▸ exercices 15 16

EXERCICE RÉSOLU 3

## *Comparer avec différentes écritures*

**ÉNONCÉ**

**Comparer les nombres 35 % et $\frac{2}{5}$.**

**RÉPONSES**

$35\,\% = \frac{35}{100}$ et $\frac{2}{5} = \frac{2 \times 20}{5 \times 20} = \frac{40}{100}$

Or $\frac{35}{100} < \frac{40}{100}$, ainsi **35 % $< \frac{2}{5}$**

**COMMENTAIRES**

• On peut exprimer les deux nombres sous la forme d'un quotient de dénominateur 100.
• On compare alors des quotients dont les écritures fractionnaires ont le même dénominateur.

Sur le même modèle
▸ exercice 14

# Produit de fractions Division de décimaux

## 1 Produits

### 1 Produit de fractions

**MÉTHODE**

Pour multiplier deux nombres en écriture fractionnaire, il suffit :
- de multiplier les numérateurs entre eux,
- et de multiplier les dénominateurs entre eux.

$a$, $b$, $c$ et $d$ sont des nombres, $c \neq 0$, $d \neq 0$ : $\frac{a}{c} \times \frac{b}{d} = \frac{a \times b}{c \times d}$

**EXEMPLES :** $A = \frac{4}{7} \times \frac{3}{7}$

$A = \frac{4 \times 3}{7 \times 7} = \mathbf{\frac{12}{49}}$

$B = \frac{11}{20} \times \frac{3}{5}$

$B = \frac{11 \times 3}{20 \times 5} = \mathbf{\frac{33}{100}}$

$C = 3 \times \frac{7}{4}$

On peut écrire l'entier 3 sous une forme fractionnaire.

$C = \frac{3}{1} \times \frac{7}{4} = \mathbf{\frac{21}{4}}$

### 2 Fraction d'un nombre

**MÉTHODE**

$a$ est un nombre. « Deux cinquièmes de $a$ » se calcule en effectuant le produit $\frac{2}{5} \times a$.

La moitié de $a$ c'est $\frac{1}{2} \times a$

Le tiers de $a$ c'est $\frac{1}{3} \times a$

Le quart de $a$ c'est $\frac{1}{4} \times a$

**EXEMPLE :** Léo a dépensé les $\frac{2}{5}$ de 9,75 €.

« $\frac{2}{5}$ de 9,75 € » se calcule par le produit $\frac{2}{5} \times 9{,}75$ € qui peut s'effectuer de 3 façons :

$(2 \div 5) \times 9{,}75$ € ou $(9{,}75 \text{ €} \div 5) \times 2$ ou $(2 \times 9{,}75 \text{ €}) \div 5$.

On trouve que Léo a dépensé 3,90 €.

## 2 Division de deux décimaux

**MÉTHODE**

Pour diviser deux nombres décimaux (sans l'aide de la calculatrice), il suffit :
- de multiplier chacun d'entre eux par un <u>même nombre</u> parmi 10, 100, 1 000... de manière à obtenir deux nombres entiers,
- puis d'effectuer la division des nombres entiers.

**EXEMPLE :** $3{,}6 \div 2{,}25 = \frac{3{,}6}{2{,}25} = \frac{3{,}6}{2{,}25} \times \frac{100}{100} = \frac{360}{225} = 1{,}6$

Quotient égal à 1

On pose la division 360 ÷ 225

```
  3 6 0  | 225
- 2 2 5  |-----
  1 3 5 0| 1,6
- 1 3 5 0|
        0|
```

EXERCICE RÉSOLU 1

## *Multiplier deux nombres*

**ÉNONCÉ**

**Trouver une écriture fractionnaire simplifiée du nombre $A = \frac{11}{7} \times \frac{8}{11}$.**

**RÉPONSES**

$A = \frac{11}{7} \times \frac{8}{11} = \frac{11 \times 8}{7 \times 11}$

$A = \frac{\cancel{11} \times 8}{7 \times \cancel{11}} = \frac{8}{7}$

**COMMENTAIRES**

Le numérateur $11 \times 8$ et le dénominateur $7 \times 11$ sont tous les deux multiples de 11.
Sans effectuer aucun calcul on les divise par 11.

Sur le même modèle
▸ exercice **27**

EXERCICE RÉSOLU 2

## *Un problème*

**ÉNONCÉ**

**$\frac{3}{5}$ des animaux d'Adèle sont des oiseaux et $\frac{3}{4}$ de ses oiseaux sont des perruches.**
**Calculer la fraction du nombre total d'animaux d'Adèle que représentent les perruches.**

**RÉPONSES**

$\frac{3}{4} \times \frac{3}{5} = \frac{3 \times 3}{4 \times 5} = \frac{9}{20}$

Les perruches représentent les $\frac{9}{20}$ du nombre total d'animaux.

**COMMENTAIRES**

Calculer les « $\frac{3}{4}$ de ses oiseaux » c'est calculer les $\frac{3}{4}$ de $\frac{3}{5}$ des animaux d'Adèle, c'est-à-dire : $\frac{3}{4} \times \frac{3}{5}$.

Sur le même modèle
▸ exercice **32**

EXERCICE RÉSOLU 3

## *Diviser deux décimaux sans calculatrice*

**ÉNONCÉ**

**Donner l'écriture fractionnaire simplifiée puis l'écriture décimale du quotient $\frac{6,3}{2,8}$**

**RÉPONSES**

$\frac{6,3}{2,8} = \frac{6,3}{2,8} \times \frac{10}{10} = \frac{6,3 \times 10}{2,8 \times 10} = \frac{63}{28}$

Je simplifie le quotient :

$\frac{63}{28} = \frac{63 \div 7}{28 \div 7} = \frac{9}{4}$

Conclusion : $\frac{6,3}{2,8} = \frac{9}{4} = 2,25$

**COMMENTAIRES**

- On multiplie $\frac{6,3}{2,8}$ par un quotient égal à 1 et qui permet d'obtenir un numérateur et un dénominateur entiers.
- On calcule $\frac{9}{4}$ en posant la division ou en utilisant le calcul mental : $9 \div 4 = 9 \div 2 \div 2 = 4,5 \div 2$.

Sur le même modèle
▸ exercice **34**

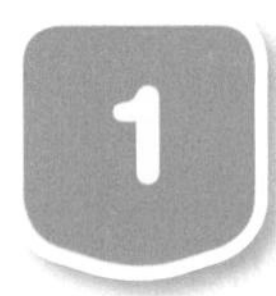

# Les écritures des nombres

### 1 Fractions de surfaces

Indiquer quelle fraction de la surface totale est bleue :

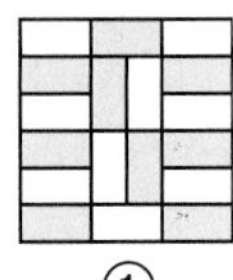

①

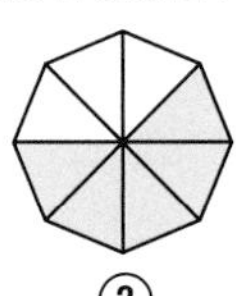

②

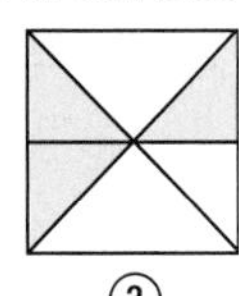

③

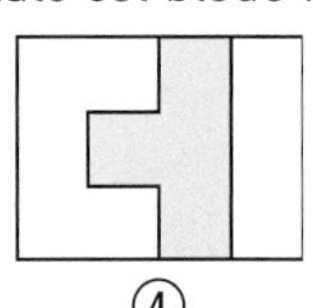

④

### 2 Colorier

Dans chaque cas, colorier la fraction de surface indiquée :

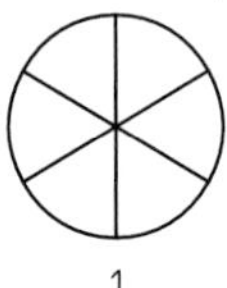

$\frac{1}{2}$

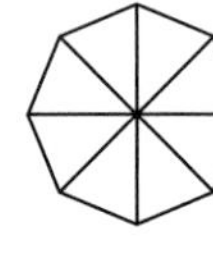

2,5 huitièmes

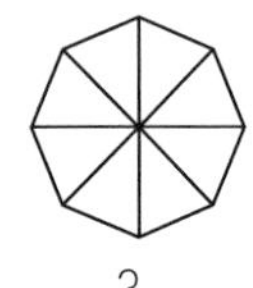

$\frac{3}{4}$

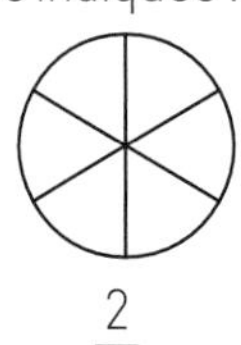

$\frac{2}{3}$

### 3 Droite graduée

Reproduire la droite graduée puis placer les six nombres suivants : $2$ ; $\frac{5}{6}$ ; $\frac{1,5}{6}$ ; $\frac{1}{2}$ ; $\frac{2}{3}$ ; $\frac{17}{12}$

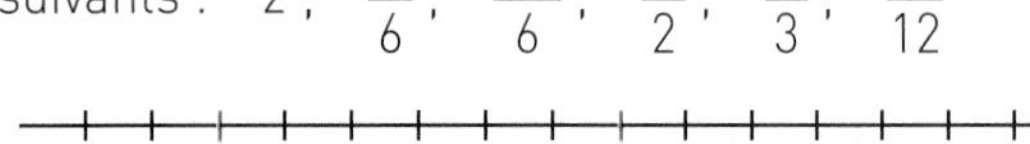

### 4 De tête

**1.** Écrire sous la forme la plus simple possible :

**a.** $4 \times \frac{1}{3}$ ; $6 \times \frac{5}{6}$ ; $\frac{28}{7}$ **b.** $\frac{2}{7} \times 7$ ; $100 \times \frac{7}{100} \times 3$.

**2.** Donner l'écriture décimale exacte de chacun des quotients suivants :

**a.** $\frac{1}{2}$ ; $\frac{9}{10}$ ; $\frac{274}{100}$ ; $\frac{8}{4}$ **b.** $\frac{4\,356}{1\,000}$ ; $\frac{35}{5}$ ; $\frac{1}{5}$ ; $\frac{41}{4}$

### 5 Un résultat entier

Ecrire sous la forme d'un entier en donnant les étapes intermédiaires :

**a.** $14 \times \frac{1}{7}$ ; $3 \times \frac{1}{13} \times 13$ **b.** $\frac{1}{6} \times 18$ ; $7 \times \frac{6}{7} \times \frac{1}{3}$

### 6 Huitièmes

Sachant que $\frac{1}{8} = 0,125$, donner l'écriture décimale de :

$\frac{10}{8}$ ; $5 \div 40$ ; $8 \times 0,125$. Justifier les réponses.

### 7 Écriture décimale approchée

À l'aide de la calculatrice, donner une écriture décimale arrondie de chacun des quotients :

**a.** au dixième : $\frac{16}{3}$ ; $\frac{13}{27}$ ; $\frac{4}{19}$ ; $\frac{52}{53}$ ; $\frac{12,5}{6}$

**b.** au centième : $\frac{5}{6}$ ; $\frac{57}{47}$ ; $\frac{14}{13}$ ; $\frac{28,6}{81}$ ; $\frac{38}{256}$

### 8 Classer des quotients

Sans utiliser la calculatrice, placer chacun de ces nombres dans la colonne qui convient (écrire les calculs effectués) : $\frac{20}{70}$, $\frac{1,5}{5}$, $\frac{15}{35}$, 30 %, $\frac{10}{35}$, $\frac{60}{200}$, $\frac{12}{28}$

| Nombres égaux à $\frac{3}{7}$ | Nombres égaux à $\frac{2}{7}$ | Nombres égaux à $\frac{3}{10}$ |
|---|---|---|
| ... | ... | ... |

### 9 Quotients deux à deux égaux

**1.** Sans utiliser la calculatrice, trouver les quotients égaux et écrire les calculs qui justifient les réponses :

$\frac{20}{30}$, $\frac{3}{4}$, $\frac{2}{3}$, $\frac{300}{400}$, $\frac{4}{5}$, $\frac{10}{15}$, $\frac{6}{9}$, $\frac{30}{45}$, $\frac{12}{16}$

### 10 Fractions non irréductibles

Prouver que les fractions ne sont pas irréductibles :

**a.** $\frac{30}{70}$, $\frac{22}{12}$, $\frac{21}{14}$ **b.** $\frac{44}{55}$, $\frac{135}{145}$, $\frac{36}{9}$

### 11 Simplifier une fraction

Simplifier chaque fraction en détaillant les calculs:

**a.** $\frac{24}{14}$ ; $\frac{70}{77}$ ; **b.** $\frac{15}{21}$ ; $\frac{110}{130}$ ; **c.** $\frac{40}{75}$ ; $\frac{36}{20}$ ;

**d.** $\frac{45}{60}$ ; $\frac{18}{42}$ ; **e.** $\frac{60}{48}$ ; $\frac{140}{210}$ ; **f.** $\frac{42}{63}$ ; $\frac{76}{190}$.

→ **Aide** : Plusieurs étapes peuvent être nécessaires.

### 12 Pourcentage ou fraction

Dans la classe de 3e A, 21 élèves sur 25 ont été reçus au brevet des collèges, dans la classe de 3e B, le pourcentage de réussite est de 84 %. Prouver que la proportion d'élèves reçus au brevet des collèges est la même dans les deux classes.

## 2 Comparaison – Addition – Soustraction

### 13 Comparer deux quotients

Recopier et compléter par l'un des signes <, > ou = :

**a.** $\frac{7}{8} \ldots \frac{3}{8}$ ; $\frac{12}{5} \ldots \frac{12}{7}$ ; $\frac{6}{8} \ldots \frac{30}{40}$ ; $\frac{13}{15} \ldots \frac{4}{5}$

**b.** $\frac{11}{4} \ldots \frac{11}{5}$ ; $\frac{50}{100} \ldots \frac{1}{2}$ ; $\frac{12{,}1}{14} \ldots \frac{10{,}8}{14}$ ; $\frac{3{,}4}{4} \ldots \frac{17}{20}$

### 14 Comparer des nombres

Recopier et compléter par l'un des signes <, > ou = :

**a.** $\frac{1}{4} \ldots 20\ \%$ **b.** $\frac{1}{2} \ldots 60\ \%$ **c.** $\frac{4}{5} \ldots 80\ \%$

### 15 Ordonner une liste

**1.** Ranger dans l'ordre croissant les nombres :

**a.** $\frac{7}{6}, \frac{7}{4}, \frac{7}{9}, \frac{7}{11}, 1$ **b.** $\frac{8}{13}, \frac{14}{13}, \frac{30}{13}, \frac{230}{130}, 2$

**2.** Ranger dans l'ordre décroissant les nombres :

**a.** $\frac{6}{5}, \frac{6}{13}, \frac{6}{7}, \frac{3}{2}, 1$ **b.** $\frac{7}{8}, \frac{3}{4}, \frac{10}{16}, \frac{100}{80}, \frac{0{,}5}{2}$

### 16 Utiliser le cours et le calcul mental

Ranger dans l'ordre croissant les nombres suivants :

**a.** $\frac{20}{13}, \frac{20}{7}, \frac{20}{19}, \frac{60}{33}$ **b.** $\frac{1{,}5}{6}, \frac{7}{24}, \frac{3{,}5}{12}, \frac{34}{48}, \frac{2{,}1}{3}$

### 17 Organiser un classement

**a.** Classer mentalement les quotients :

$\frac{7}{10}, \frac{4}{3}, \frac{7}{6}, \frac{7}{12}, \frac{14}{16}, \frac{9}{4}$ en trois catégories :

- les nombres plus petits que 1,
- les nombres plus grands que 2,
- les nombres **compris entre*** 1 et 2.

**b.** Ordonner les six quotients précédents.

### 18 Écriture décimale

À l'aide de la calculatrice, comparer les quotients suivants et indiquer le rang des chiffres (dixièmes, centièmes, ...) qui permet la comparaison :

**a.** $\frac{6}{7}$ et $\frac{5\,612}{6\,723}$ **b.** $\frac{415}{328}$ et $\frac{256}{203}$ **c.** $\frac{3\,719}{1\,667}$ et $\frac{29}{13}$

### 19 De tête

Calculer : $\frac{4}{11} + \frac{3}{11}$ ; $\frac{15}{37} + \frac{13}{37}$ ; $\frac{10}{23} + \frac{10}{23}$ ; $\frac{2{,}5}{4} - \frac{1{,}5}{4}$

### 20 Fractions de même dénominateur

Recopier et compléter :

$\frac{4}{7} + \frac{\ldots}{7} = \frac{10}{7}$ ; $\frac{1}{\ldots} + \frac{6}{\ldots} = \frac{7}{4}$ ; $\frac{5}{3} - \frac{\ldots}{3} = \frac{3}{\ldots} = \ldots$

### 21 Résultat entier

Exprimer A, B, C et D sous la forme d'un entier (écrire une étape intermédiaire) :

$A = \frac{1}{2} + \frac{1}{2}$ $B = \frac{16}{7} - \frac{2}{7}$ $C = \frac{7}{8} + \frac{9}{8}$ $D = \frac{7}{3} + \frac{5}{3}$

### 22 Dénominateurs différents

Calculer et donner une écriture fractionnaire simplifiée du résultat :

$A = \frac{1}{6} + \frac{5}{3}$ $B = \frac{10}{11} + \frac{5}{33}$ $C = \frac{7}{12} - \frac{1}{3}$

$D = \frac{1}{14} + \frac{3}{7}$ $E = \frac{5}{4} - \frac{5}{12}$ $F = \frac{1}{4} - \frac{3}{28}$

$G = \frac{77}{75} - \frac{4}{25}$ $H = \frac{25}{21} + \frac{8}{7} + \frac{4}{3}$ $I = \frac{1}{20} + \frac{2}{5} + \frac{3}{10}$

### 23 Seconde langue vivante

**a.** Il y a 144 élèves de 4^e^ dans un collège, $\frac{2}{3}$ des élèves ont choisi l'espagnol pour leur seconde langue vivante, $\frac{1}{6}$ des élèves étudient l'allemand et les autres l'italien.

Quelle fraction du nombre total des élèves représentent ceux qui étudient l'italien ?

**b.** Combien d'élèves étudient l'espagnol ?

### 24 Quotients et entiers

Donner une écriture fractionnaire du résultat (détailler les calculs) :

$A = \frac{1}{5} + 1$ $B = 1 + \frac{1}{3} - \frac{1}{9}$ $C = 2 - \frac{3}{7}$ $D = 4{,}5 - \frac{1}{3}$

### 25 Ranger des sommes et différences

Sans utiliser la calculatrice, ranger les trois nombres dans l'ordre décroissant :

**a.** $I = \frac{1}{12} + \frac{5}{6}$ $J = 2 + \frac{1}{5}$ $K = \frac{17}{21} - \frac{2}{7}$

**b.** $X = \frac{5}{7} - \frac{1}{21}$ $Y = 1 - \frac{1}{9}$ $Z = \frac{2}{3} + \frac{1}{9}$

## 3 Produit de fractions – Division de décimaux

**26** De tête

**a.** Donner une écriture fractionnaire des produits :

$A = \frac{1}{2} \times \frac{3}{4}$ $B = \frac{5}{7} \times \frac{3}{2}$ $C = \frac{11}{25} \times \frac{9}{4}$

$D = \frac{2{,}5}{2} \times \frac{3}{3{,}5}$ $E = \frac{2}{7} \times \frac{4}{5} \times \frac{8}{3}$ $F = \frac{1}{2} \times \frac{3}{2{,}5} \times \frac{7}{2}$

**b.** Donner l'écriture décimale des produits :

$A = \frac{10}{1{,}5} \times \frac{0{,}6}{4}$ $B = \frac{3}{2{,}5} \times \frac{1{,}5}{4}$ $C = \frac{9}{12{,}5} \times \frac{3}{2} \times \frac{0{,}1}{4}$

**27 Simplifier un produit**

Calculer une écriture fractionnaire simplifiée des nombres suivants (écrire les étapes intermédiaires) :

$A = \frac{1}{6} \times \frac{6}{5}$ $B = \frac{10}{11} \times \frac{5}{10}$ $C = \frac{5}{9} \times \frac{7}{5} \times \frac{9}{7}$

$D = \frac{9}{5} \times \frac{10}{9}$ $E = \frac{14}{19} \times \frac{19}{12}$ $F = \frac{17}{13} \times \frac{13}{15} \times \frac{8}{17}$

$G = 10 \times \frac{3{,}5}{20}$ $H = \frac{1{,}25}{9{,}6} \times \frac{16}{5}$ $I = \frac{8}{0{,}42} \times \frac{6{,}125}{50}$

**28 Trouver le facteur manquant**

Recopier et compléter par une fraction :

**a.** $\frac{4}{7} \times \ldots = \frac{8}{21}$ **b.** $\ldots \times \frac{5}{4} = \frac{35}{32}$ **c.** $\frac{5}{3} \times \ldots \times \frac{5}{3} = \frac{50}{27}$

**29 Décomposer pour simplifier**

**Décomposer*** certains numérateurs et dénominateurs en produit de 2 nombres afin de trouver rapidement l'écriture fractionnaire simplifiée du résultat :

*Exemple :* *sans écrire les divisions, on divise par 11 et on divise par 4.*

$$\frac{33}{8} \times \frac{4}{55} = \frac{3 \times 11}{2 \times 4} \times \frac{4}{5 \times 11} = \frac{3 \times \cancel{11} \times \cancel{4}}{2 \times \cancel{4} \times 5 \times \cancel{11}} = \frac{3}{10}$$

$A = \frac{33}{25} \times \frac{5}{22}$ $B = \frac{14}{15} \times \frac{10}{7}$ $C = \frac{3}{4} \times \frac{16}{15}$

$D = \frac{6}{13} \times \frac{26}{9}$ $E = \frac{28}{15} \times \frac{20}{21}$ $F = \frac{15}{16} \times \frac{8}{9}$

$G = \frac{10}{9} \times \frac{27}{30}$ $H = \frac{15}{14} \times \frac{7}{9} \times \frac{3}{5}$ $I = \frac{26}{35} \times \frac{11}{13} \times \frac{14}{22}$

**30 Entiers**

Calculer et donner le résultat sous la forme d'un entier (détailler les calculs) :

$A = \frac{15}{2} \times \frac{4}{3}$ $B = \frac{14}{5} \times \frac{10}{7}$ $C = \frac{5}{2} \times \frac{15}{12{,}5}$

**31 Quantité**

Exprimer chaque quantité sous la forme d'un produit. Effectuer les calculs puis comparer les résultats.

- le double de un tiers
- la moitié de quatre tiers
- le quart de huit tiers
- les deux cinquièmes de cinq tiers.

**32 Fraction d'une fraction**

$\frac{5}{8}$ des élèves d'un collège mangent à la cantine le midi et le tiers des demi-pensionnaires participent parfois à un club après le repas.

**a.** Calculer la fraction du nombre total d'élèves que représentent les demi-pensionnaires qui participent à un club.

**b.** Il y a 648 élèves au collège. Calculer de deux manières le nombre de demi-pensionnaires participant à un club.

**33 Quotients**

Les nombres $a$, $b$, $c$ et $d$ sont des quotients, en donner l'écriture décimale à l'aide de la calculatrice :

$25{,}25 \times a = 404$ $b \times 31{,}7 = 1902$

$47{,}3 \times c = 2{,}365$ $d \times 9{,}76 = 346{,}48$

Donner une écriture fractionnaire de $a$, $b$, $c$ et $d$.

**34 Écriture fractionnaire et décimale**

- Donner une écriture fractionnaire simplifiée des quotients (écrire les étapes intermédiaires).
- En déduire l'écriture décimale des quotients à l'aide d'un calcul mental.

**a.** $\frac{2{,}24}{1{,}6}$ ; $\frac{0{,}06}{1{,}2}$ **b.** $\frac{1{,}35}{0{,}3}$ ; $\frac{28{,}7}{0{,}07}$ **c.** $\frac{252}{4{,}5}$ ; $\frac{84}{0{,}21}$

**d.** $48{,}15 \div 1{,}5$ **e.** $77 \div 2{,}8$ **f.** $35{,}15 \div 140{,}6$

**g.** $\frac{0{,}7}{3{,}5}$ ; $\frac{2{,}15}{4{,}3}$ **h.** $\frac{1{,}234}{24{,}68}$ ; $\frac{75}{0{,}25}$ **i.** $\frac{3{,}07}{15{,}35}$ ; $\frac{8{,}48}{0{,}004}$

**35 Multiplier puis diviser**

Sans utiliser la calculatrice, exprimer le produit sous la forme d'un quotient de deux nombres décimaux puis trouver l'écriture décimale de ce quotient :

$A = \frac{1}{2} \times \frac{14{,}28}{0{,}35}$ $B = \frac{5}{3{,}6} \times 0{,}9$

$C = \frac{3{,}15}{5} \times \frac{2}{2{,}15}$ $D = 6{,}12 \times \frac{5}{0{,}2} \times \frac{1}{9}$

## Lire et écrire

**36** **En ville**

*« On estime qu'en 2030, dans le Monde, deux habitants sur trois vivront en zone urbaine. »*

Reformuler la phrase précédente sans utiliser l'expression « deux habitants sur trois ».

**37** **Chocolat**

Une tablette de chocolat pèse 200 g et se compose de 8 barres.

**a.** Vincent mange 3 barres, écrire une phrase dont le sujet est « Vincent » et qui indique la fraction de tablette mangée.

**b.** Omar mange la moitié de la tablette, quelle fraction de la tablette a-t-il mangé ? Donner deux écritures fractionnaires possibles de la réponse et rédiger.

**c.** Donner l'écriture décimale de la quantité de chocolat mangée par chacun. Rédiger la réponse.

**38** **Rapports égaux**

Trouver les figures pour lesquelles les rapports entre l'aire coloriée et l'aire totale sont les mêmes. Justifier les réponses.

① 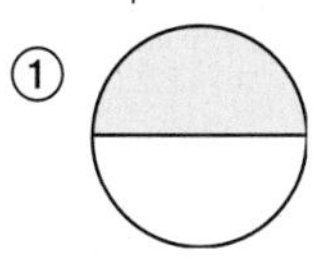

② 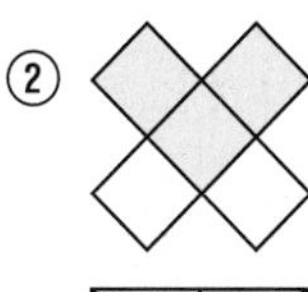

③ 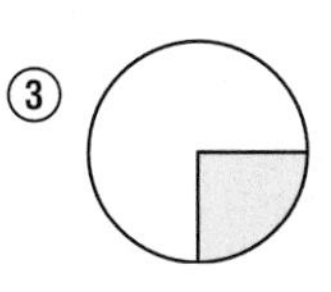

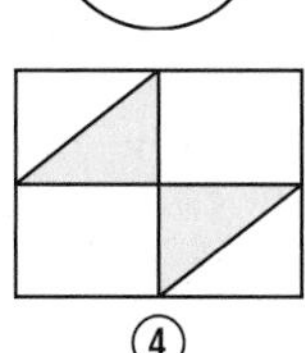
④

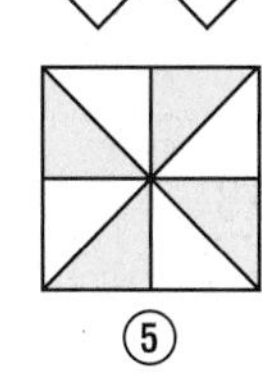
⑤

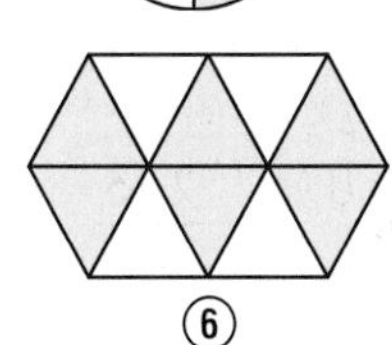
⑥

**39** **De tête**

Associer chaque nombre de la 1re ligne à un autre de la 2e ligne qui lui est égal :

- $7 \times \frac{2}{7}$ ; $9 \div 12$ ; $\frac{40}{140}$ ; $13 \times \frac{1}{26}$ ; $\frac{12}{8}$ ; $\frac{0,6}{0,8}$
- $\frac{3}{4}$ ; $\frac{1}{2}$ ; 1,5 ; $\frac{2}{7}$ ; 2

**40** **Simplifier des fractions**

Simplifier les fractions (écrire les calculs) :

**a.** $\frac{28}{21}$ ; $\frac{45}{90}$ **b.** $\frac{55}{44}$ ; $\frac{63}{70}$ **c.** $\frac{26}{39}$ ; $\frac{34}{85}$ **d.** $\frac{60}{45}$ ; $\frac{72}{96}$

**41** **Calculer la fraction d'une quantité**

Calculer en donnant les étapes intermédiaires :

**a.** $\frac{1}{5}$ de 360° **b.** 14 % de 41 €

**c.** $\frac{7}{10}$ de 98 cm **d.** Deux tiers de deux heures et demie.

**42** **Le fruit du jour**

**a.** Ce midi à la cantine, $\frac{1}{4}$ des élèves ont choisi une pomme en dessert et $\frac{3}{20}$ des élèves ont pris une orange.

Les autres élèves ont mangé un kiwi, quelle fraction du nombre total d'élèves représentent-ils ? Rédiger une phrase complète et justifier.

**b.** Quel fruit a été préféré ? Justifier.

**43** **Somme, différence et produit**

Calculer et simplifier :

| | $x$ | $y$ | $x+y$ | $x-y$ | $x \times y$ |
|---|---|---|---|---|---|
| **a.** | $\frac{9}{10}$ | $\frac{3}{10}$ | … | … | … |
| **b.** | $\frac{23}{24}$ | $\frac{3}{8}$ | … | … | … |
| **c.** | … | $\frac{3}{7}$ | $\frac{10}{7}$ | … | … |
| **d.** | … | $\frac{3}{4}$ | … | … | $\frac{15}{8}$ |

**44** **De tête**

**a.** Simplifier : $\frac{768}{768}$ ; $\frac{123}{369}$ ; $\frac{1}{6}+\frac{1}{6}+\frac{1}{6}+\frac{1}{6}+\frac{1}{6}+\frac{1}{6}$

**b.** Calculer : « $\frac{3}{7}$ de $\frac{5}{6}$ » ; « la moitié de $\frac{4}{9}$ ».

**c.** Comparer : $\frac{4}{5}$ et $\frac{34}{45}$ ; $\frac{3}{4}$ et 80 % ; $\frac{1}{5}$ et 20 %.

**45 Consommation d'eau**

En 2005, l'agriculture mondiale a consommé approximativement 2 400 km$^3$ d'eau sur un total de 3 600 km$^3$ prélevés. Quelle part du volume total d'eau prélevé représente la consommation agricole en eau ? Donner un résultat simplifié.

*Science et Vie Junior - UNESCO*

**46 Gaspillage**

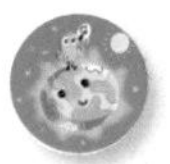

Sur les 3 600 km$^3$ d'eau pompés dans le monde par an en 2005, on estime qu'approximativement 2 160 km$^3$ sont perdus en fuites dans les tuyaux et réservoirs. Exprimer en pourcentage ce que représentent les fuites d'eau par rapport à la quantité totale d'eau pompée.

*Science et Vie Junior - UNESCO*

**47 Carré magique**

Calculer les nombres manquants sachant que les sommes des trois quotients situés sur une même ligne, sur une même colonne ou même diagonale sont toutes égales.

| | | |
|---|---|---|
| $\frac{1}{4}$ | ... | $\frac{10}{60}$ |
| ... | $\frac{25}{100}$ | ... |
| ... | ... | $\frac{5}{20}$ |

→ **Aide :** – 60 est un multiple de 4.
– Simplifier les fractions de dénominateur 100.

**48 Avec ou sans priorités**

Calculer et donner une écriture fractionnaire simplifiée des nombres suivants :

$A = \frac{1}{5} \times \frac{5}{6} \times \frac{2}{7}$ $\quad B = \frac{4}{5} + \frac{7}{15} - \frac{22}{45}$ $\quad C = 4 - \frac{2}{5}$

$D = \frac{1}{2} \times \left(\frac{5}{6} - \frac{1}{2}\right)$ $\quad E = \left(\frac{1}{6} + \frac{5}{6}\right) \times \frac{1}{2}$ $\quad F = 8 - 2 \times \frac{3}{2}$

Choisir parmi les trois réponses proposées la ou les bonne(s) réponse(s).

| Questions | Réponse 1 | Réponse 2 | Réponse 3 |
|---|---|---|---|
| **49** $\frac{6}{4{,}5}$ est égal à ... | $\frac{20}{15}$ | $\frac{4}{3}$ | $\frac{12}{9}$ |
| **50** La fraction irréductible égale à $\frac{18}{12}$ est ... | $\frac{9}{6}$ | $\frac{3}{2}$ | $\frac{6}{4}$ |
| **51** Certains de ces tableaux sont des tableaux de proportionnalité, lesquels ? | $\begin{array}{\|c\|c\|} \hline 3 & 16 \\ \hline 5 & 20 \\ \hline \end{array}$ | $\begin{array}{\|c\|c\|} \hline 24 & 18 \\ \hline 28 & 21 \\ \hline \end{array}$ | $\begin{array}{\|c\|c\|} \hline 1{,}2 & 2 \\ \hline 1{,}8 & 3 \\ \hline \end{array}$ |
| **52** L'angle $\widehat{AOC}$ du pentagone régulier ABCDE mesure ... | $\frac{2}{5}$ | $\frac{2}{5} \times 360°$ | $360° \div 5 \times 2$ |
| **53** $\frac{1}{3} + \frac{1}{3} + \frac{1}{3}$ est égal à ... | 1 | $\frac{3}{3}$ | $\frac{3}{9}$ |
| **54** $\frac{9}{4} - \frac{3}{2}$ est égal à ... | $\frac{3}{4}$ | $\frac{6}{2}$ | $\frac{6}{4}$ |
| **55** $\frac{5}{6} \times \frac{2}{3}$ est égal à ... | $\frac{10}{18}$ | $\frac{5}{9}$ | $\frac{20}{6}$ |
| **56** « $\frac{3}{4}$ de $\frac{6}{5}$ » se traduit par le calcul ... | $\frac{3}{4} + \frac{6}{5}$ | $\frac{6}{5} - \frac{3}{4}$ | $\frac{3}{4} \times \frac{6}{5}$ |
| **57** $\frac{6}{5}$ est supérieur à ... | 1 | $\frac{6}{7}$ | $\frac{3}{5}$ |

# À CHACUN SON PARCOURS

## 1 Les écritures des nombres

**58** **A** Quelle fraction du grand rectangle noir est coloriée en violet ? Simplifier la fraction si possible.

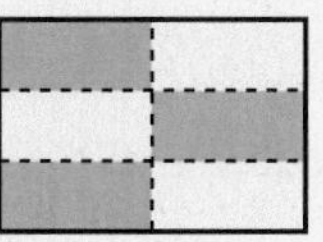

**58** **B** Quelle fraction du grand rectangle noir est coloriée en orange ? Simplifier la fraction si possible.

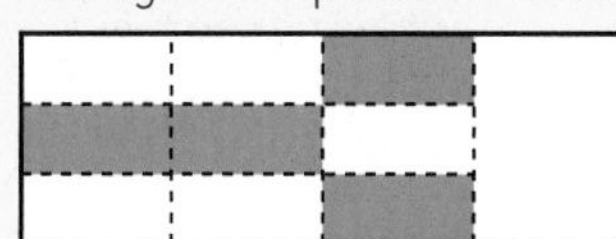

**59** **A** Simplifier les fractions : $\frac{48}{72}$ et $\frac{51}{69}$.

**59** **B** Simplifier les fractions : $\frac{65}{52}$ et $\frac{1\,650}{1\,550}$

## 2 Comparaison – Addition – Soustraction

**60** **A** **a.** Sans utiliser la calculatrice, trouver :
- un nombre entier proche du quotient $\frac{16}{17}$,
- un nombre entier proche du quotient $\frac{55}{27}$

Expliquer les deux réponses.
**b.** Ranger les nombres précédents (entiers et quotients) dans l'ordre croissant.

**60** **B** **a.** Sans utiliser la calculatrice, trouver :
- un nombre entier proche du quotient $\frac{2\,374}{2\,375}$
- un nombre entier proche du quotient $\frac{453}{150}$

Expliquer les deux réponses.
**b.** Ranger les nombres précédents (entiers et quotients) dans l'ordre décroissant.

**61** **A** Prouver que les nombres $N_1$ et $N_2$ des entiers :

$$N_1 = \frac{3}{20} + \frac{3}{4} + \frac{1}{10}\,; \qquad N_2 = \frac{3}{2} + \frac{2}{3} - \frac{1}{6}.$$

**61** **B** Prouver l'égalité :

$$\frac{4}{5} + \frac{5}{4} - \frac{1}{20} = 2 \times \left(\frac{1}{4} + \frac{5}{12} + \frac{1}{3}\right)$$

**62** **A** Sans calculer X et Y, trouver **astucieusement*** et rapidement leur somme :

$$X = \frac{1}{2} + \frac{1}{3} + \frac{1}{4} + \frac{1}{5} + \frac{1}{6} + \frac{1}{7} + \frac{1}{8} + \frac{1}{9} + \frac{1}{10}\,;$$
$$Y = \frac{1}{2} + \frac{2}{3} + \frac{3}{4} + \frac{4}{5} + \frac{5}{6} + \frac{6}{7} + \frac{7}{8} + \frac{8}{9} + \frac{9}{10}.$$

**62** **B** Sans calculer X et Y, trouver astucieusement et rapidement leur somme :

$$X = \frac{1}{2} + \frac{1}{3} + \frac{1}{4} + \ldots + \frac{1}{100}$$
$$Y = \frac{1}{2} + \frac{2}{3} + \frac{3}{4} + \ldots + \frac{99}{100}.$$

## 3 Produit de fractions – Division de décimaux

**63** **A** Donner une écriture simplifiée de $F_1$ et $F_2$ :

$$F_1 = \frac{55}{3} \times \frac{6}{11}\,; \quad F_2 = 4 \times \frac{2}{3} \times \frac{3}{2}.$$

**63** **B** Donner une écriture simplifiée de $F_1$ et $F_2$ :

$$F_1 = \frac{34}{5} \times \frac{25}{17}\,; \quad F_2 = 7 \times \frac{2}{3} \times \frac{3}{2} \times \frac{4}{5} \times \frac{5}{4} \times 6.$$

**64** **A** Sachant que $374 = 22 \times 17$ et que $68 = 4 \times 17$, donner, sans l'aide d'une calculatrice, la valeur décimale exacte du quotient $\frac{3{,}74}{0{,}68}$.

**64** **B** Sachant que $1\,520 = 5 \times 19 \times 16$ et que $475 = 5 \times 5 \times 19$, donner sans l'aide d'une calculatrice, la valeur exacte du quotient $15{,}2 \div 4{,}75$. Justifier.

## Lire et écrire

**65 Fraction de Domino 6e**

*« Le manuel "Domino 6e" contient 272 pages.*
*Le chapitre 5 de ce manuel est composé de 22 pages consacrées aux nombres à écriture fractionnaire.*
*Le dictionnaire représente les $\frac{5}{136}$ du manuel. »*

Indiquer les informations dont on se sert pour répondre aux questions suivantes puis en rédiger la réponse :
« Quelle fraction du manuel représente le chapitre 5 ? »
« Qui, du dictionnaire ou du chapitre 5, occupe le plus de place dans le manuel ? »

**66 Chaussures noires**

Voici un énoncé et la réponse d'un élève :

*« $\frac{7}{12}$ des chaussures de Nora ont des lacets et un tiers de ces chaussures à lacets sont noires. Calculer la fraction du nombre total des chaussures de Nora que représentent les chaussures noires à lacets. »*

$\frac{1}{3}+\frac{7}{12}=\frac{1\times 4}{3\times 4}+\frac{7}{12}=\frac{4}{12}+\frac{7}{12}=\frac{11}{12}$.

Les chaussures noires à lacets représentent $\frac{11}{12}$.

Corriger le calcul et la rédaction de l'élève.

**67 Le plaisir de lire**

**a.** *« En 2005, parmi les enfants de 6 à 14 ans, environ 2 sur 5 pratiquaient la lecture pour le plaisir tous les jours ».* À quel pourcentage cela correspond-il ? Reformuler la phrase à l'aide de ce résultat.

**b.** *« En CM2, 47 % des enfants pratiquent chaque jour la lecture pour le plaisir, en 4e la part des lecteurs quotidiens est $\frac{7}{20}$, en 3e elle est $\frac{7}{25}$ ».*

Parmi les enfants de classes de CM2, 4e et 3e, quels sont ceux qui lisent le plus pour le plaisir ? Justifier la réponse en effectuant un seul calcul.

**c.** Quelles sont les trois écritures utilisées dans les questions **a.** et **b.** pour exprimer un rapport ?

**68 Le temps perdu**

Vaut-il mieux perdre la moitié de son temps ou bien s'ennuyer les trois quarts des deux tiers du temps ? Justifier par un calcul.

**69 Le tabac et les ados**

Selon l'Observatoire des drogues et toxicomanies en mai 2002 : à 14 ans, 13 % des collégiens fumaient occasionnellement et 10 % fumaient quotidiennement.

**a.** Pourquoi est-il grave de fumer ?

**b.** Peut-on dire que « en 2002, près d'un collégien sur quatre fumait à l'âge de 14 ans » ? Justifier.

## Différentes écritures

**70 Proportions « un sur deux, un sur trois »**

Reproduire les figures suivantes et colorier chacune d'entre elles dans le rapport indiqué :

**a.** « un sur deux ».

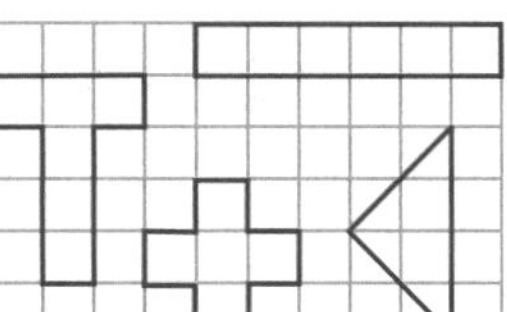

**b.** « un tiers ».

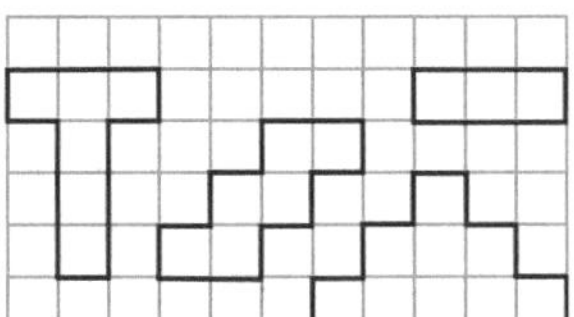

**71 Droite graduée**

Sur du papier millimétré, reproduire la droite graduée en prenant 1 cm comme longueur du segment vert. Puis placer les cinq nombres sur la droite. Justifier.

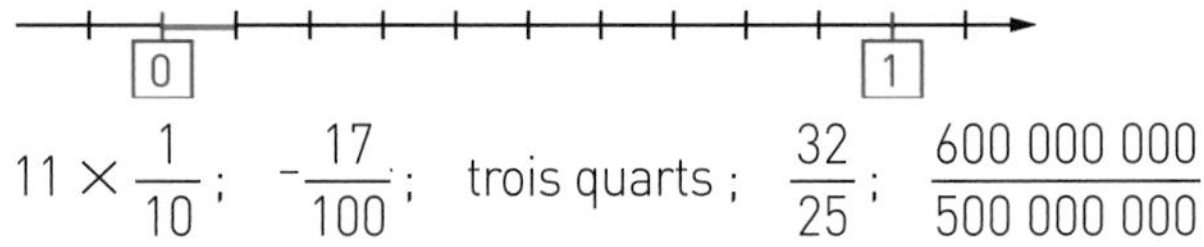



$11\times\frac{1}{10}$ ; $-\frac{17}{100}$ ; trois quarts ; $\frac{32}{25}$ ; $\frac{600\,000\,000}{500\,000\,000}$

**72 Du quotient au pourcentage**

Écrire les quotients sous la forme de pourcentages puis les **ordonner*** : $\frac{7}{10}$ ; $\frac{3}{5}$ ; $\frac{1}{2}$ ; $\frac{1}{8}$

**73 Soif**

Des verres ont une contenance de $\frac{1}{5}$, $\frac{1}{4}$ et $\frac{1}{3}$ de litres.

On remplit 6 verres de chacune des trois catégories avec de l'eau. Calculer la quantité totale d'eau utilisée (donner une réponse en écriture décimale).

**74 Quotient de deux décimaux**

Sans utiliser la calculatrice, trouver l'écriture décimale des quotients (détailler les calculs) :

**a.** $\frac{4{,}5}{0{,}3}$ ; $\frac{50}{2{,}5}$ **b.** $\frac{6{,}3}{0{,}09}$ ; $\frac{11}{5{,}5}$ **c.** $\frac{3{,}5}{7}$ ; $\frac{48}{0{,}24}$

**75 Du pourcentage au quotient**

Donner une écriture fractionnaire des pourcentages :

**a.** 75 % **b.** 30 % **c.** 45 % **d.** 80 %

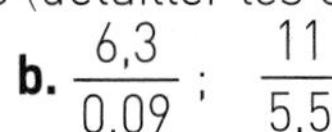

→ **Aide** : Penser à simplifier le résultat.

**76** **Recyclage**

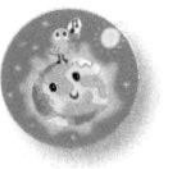

En 2005, chaque Français a produit environ 360 kg d'ordures ménagères dont 288 kg ont fini à la décharge ou dans un incinérateur, le reste ayant été recyclé. Calculer en pourcentage la part des déchets ménagers recyclés.

**77** **Internet à la maison**

Un sondage de juin 2005 a établi que 30 % des enfants de 8 ans et 4 adolescents sur 5 âgés de 13-14 ans utilisent Internet à la maison.
La part des utilisateurs d'Internet est-elle plus grande chez les enfants ou les adolescents ? Justifier.

## Quotients égaux

**78** **Quotients égaux**

Sans utiliser la calculatrice, détailler les étapes qui permettent de trouver :

**1.** les quotients de la liste qui sont égaux entre eux :
$\frac{7\times4}{5\times4}$ ; $\frac{7}{4}$ ; $\frac{70\div5}{50\div5}$ ; $\frac{7}{5}$ ; $\frac{32\times7}{32\times5}$ ; $\frac{7\times6}{6\times4}$ ; $\frac{140\div10}{100\div10}$.

**2.** le quotient qui n'est pas égal aux autres :
$\frac{90\div4}{110\div4}$ ; $\frac{9}{11}$ ; $\frac{72}{88}$ ; $\frac{36\times28}{28\times44}$ ; $\frac{18\times a}{22\times a}$ ; $\frac{2{,}5}{3{,}5}$.
($a$ est un nombre différent de zéro).

**79** **Même arrondi**

**a.** Donner l'arrondi au dixième de $\frac{13}{33}$ et de $\frac{40}{99}$.

**b.** Peut-on en déduire que ces quotients sont égaux ? Justifier la réponse sans utiliser la calculatrice.

**80** **De tête**

Simplifier les fractions :

**a.** $\frac{42}{49}$ ; $\frac{12}{100}$ ; $\frac{99}{110}$ **b.** $\frac{8\times6}{6\times7}$ ; $\frac{10\times4\times3}{10\times3\times5}$ ; $\frac{2\times9}{9\times2}$

**81** **Bloody orange**

Un verre de cocktail « Bloody orange » se compose de 5 cl de jus de betterave, 5 cl de jus d'orange et 5 cl de jus de pomme. Quelle fraction (simplifiée) du mélange représente chacun des jus qui le compose ?

**82** **Écrire sous la forme irréductible**

Simplifier le plus possible chacun des quotients (détailler les calculs) :

**a.** $\frac{60}{54}$ ; $\frac{21}{84}$ ; $\frac{126}{147}$ **b.** $\frac{1\,500}{2\,250}$ ; $\frac{240}{288}$ **c.** $\frac{216}{540}$ ; $\frac{96\,000}{160\,000}$

**83** **Avec des additions et soustractions**

Simplifier les fractions suivantes :

**a.** $\frac{6+3}{3}$ ; $\frac{2\times5\times5}{5+5+5}$ **b.** $\frac{5\times8}{5+3}$ ; $\frac{38-6}{2\times6}$ ; $\frac{10+10}{10\times10}$

**84** **Avec des lettres**

$a$ est un nombre différent de zéro, simplifier les expressions suivantes :

**a.** $\frac{2\times a}{5\times a}$ ; $\frac{7\times a}{4\times7}$ ; $\frac{3\times a\times a}{a\times a\times3}$ **b.** $\frac{1{,}5\times a\times4}{6a}$ ; $\frac{8a}{2}$

## À CHACUN SON PARCOURS

**85** **A** **a.** Calculer $\frac{1}{2}+\frac{2}{3}+\frac{5}{6}$.

**b.** L'unité de longueur est donnée par la droite graduée. Sans construire le dessin, déterminer parmi les points A, B, ..., P, celui dont la distance au point O est égale au périmètre du triangle bleu. Justifier.

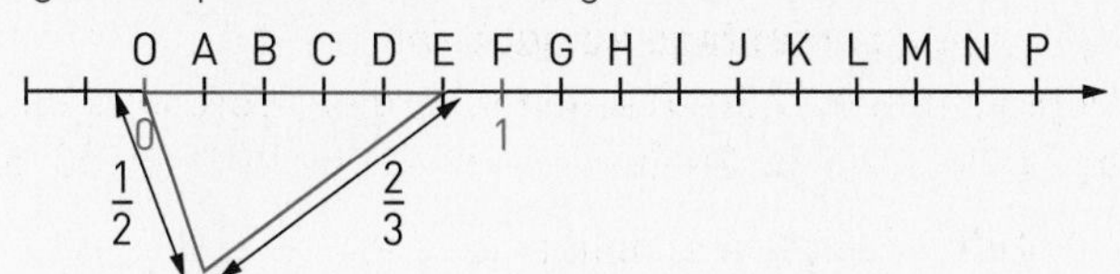


**85** **B** L'unité de longueur est donnée par la droite graduée. Sans construire le dessin, déterminer parmi les points A, B, ..., P, celui dont la distance au point O est égale au périmètre de l'hexagone bleu. Justifier.

**86** Proportionnalité

Sans utiliser la calculatrice, prouver que ces tableaux sont des tableaux de proportionnalité :

**a.**

| 35 | 0,7 |
|---|---|
| 15 | 0,3 |

**b.**

| 30 | 18 |
|---|---|
| 25 | 15 |

**c.**

| 3,6 | 5 |
|---|---|
| 7,92 | 11 |

## Opérations

**87** **Calculer pour comparer**

Comparer les trois nombres sans la calculatrice :

$I = 1 - \frac{1}{12}$ $\quad J = \frac{7}{24} + \frac{5}{8}$ $\quad K = \frac{1}{12} + \frac{1}{6} + \frac{2}{3}$

**88** **Figures de même périmètre**

Les dimensions des côtés des figures sont exprimées en fraction de mètre.

Prouver que les deux figures ont le même périmètre :

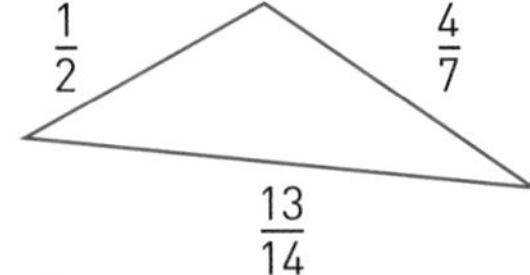


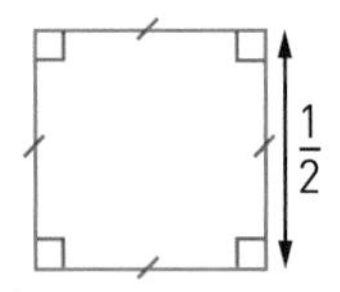


**89** **Trois termes**

**a.** Calculer le résultat et le simplifier :

$A = \frac{25}{48} + \frac{1}{6} + \frac{11}{16}$ $\quad B = \frac{6}{7} + \frac{20}{21} - \frac{2}{3}$

**b.** Prouver que C et D sont égaux :

$C = \frac{1}{2} + \frac{1}{3} + \frac{1}{6}$ $\quad D = \frac{5}{18} + \frac{5}{6} - \frac{1}{9}$

**c.** Prouver que F est le double de E :

$E = \frac{10}{21} + \frac{6}{7} + \frac{2}{3}$ $\quad F = \frac{5}{3} + \frac{8}{15} + \frac{9}{5}$

**90** **Sommes égales ?**

**a.** Les flèches indiquent les sommes à effectuer, compléter cette grille comme indiqué dans l'exemple.

*Exemple : on place ici la somme de $\frac{4}{75}$, $\frac{2}{75}$ et $\frac{1}{75}$.*

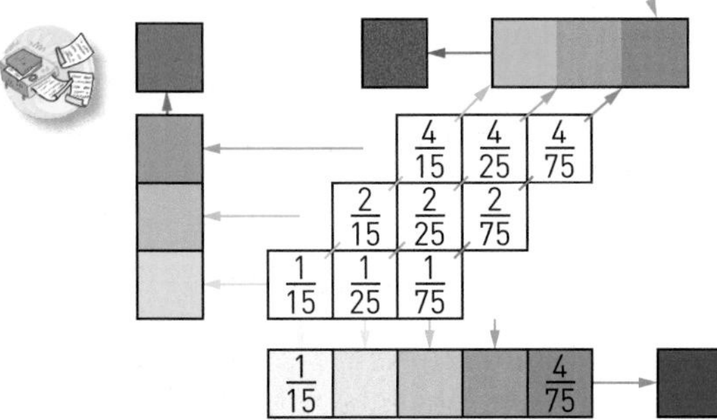


**b.** Que constate-t-on ? Pouvait-on le prévoir ?

**91** **Différences égales**

Prouver l'égalité : $\frac{5}{6} - \frac{1}{2} = \frac{1}{2} - \frac{1}{6}$.

**92** **Des résultats entiers**

Sans calculatrice, trouver rapidement le résultat simplifié (écrire les étapes intermédiaires) :

$A = \frac{2}{7} + \frac{2}{5} + \frac{2}{3} + \frac{3}{4} + \frac{3}{5} + \frac{5}{7} + \frac{1}{3} + \frac{1}{4}$

$B = \frac{3}{4} + \left(\frac{5}{8} - \frac{1}{8}\right) - \frac{1}{4}$ $\quad C = \frac{2}{3} + \frac{5}{6} - \frac{1}{3} - \frac{1}{6}$

$D = \frac{1}{3} \times \frac{1}{2} \times 2 \times 9 \times 2 \times \frac{1}{2} \times \frac{1}{3}$

$E = 5 \times \frac{1}{7} \times 2 \times \frac{1}{5} \times 3 \times \frac{1}{2} \times 7 \times \frac{1}{3} \times 5$

**93** **Écrire une somme**

Décomposer chaque quotient sous la forme d'une somme de 2 ou 3 termes permettant un calcul mental et rapide de l'écriture décimale du quotient :

*Exemple :* $\frac{93}{4} = \frac{80}{4} + \frac{12}{4} + \frac{1}{4} = 20 + 3 + 0,25 = 23,25$

**a.** $\frac{24}{5}$ ; $\frac{117}{4}$ $\quad$ **b.** $\frac{84}{7}$ ; $\frac{132}{11}$ $\quad$ **c.** $\frac{102}{3}$ ; $\frac{164}{8}$ ; $\frac{363}{6}$

**94** **Numérateurs inconnus**

Recopier et compléter :

**a.** $\frac{5}{3} - \frac{\dots}{3} = 1$ $\quad \frac{4}{7} + \frac{\dots}{7} = 2$ $\quad \frac{\dots}{5} + \frac{4}{5} + \frac{1}{5} = 2$

**b.** $\frac{2}{3} \times \frac{\dots}{5} = \frac{2}{5}$ $\quad \frac{8}{7} \times \frac{\dots}{2} = 4$ $\quad \frac{1}{2} \times \frac{\dots}{2} = 1$

**95** **Facteurs inconnus**

Recopier et compléter par une fraction simplifiée :

$\frac{4}{7} \times \dots = \frac{5}{7}$ $\quad \dots \times \frac{5}{3} \times \frac{6}{10} = \frac{8}{9}$ $\quad \dots \times \frac{11}{4} = \frac{5}{8}$

**96** **Qui a raison ?**

**97 Proportionnalité**

Voici trois tableaux de proportionnalité, déterminer le coefficient de chacun (expliquer la recherche et effectuer une vérification) :

**a.** (×…)

| 3 | 7,5 |
|---|---|
| 2 | 5 |

**b.** (×…)

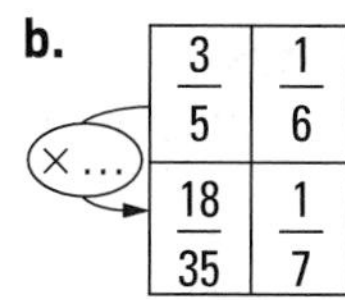

| $\frac{3}{5}$ | $\frac{1}{6}$ |
|---|---|
| $\frac{18}{35}$ | $\frac{1}{7}$ |

**c.** (×…)

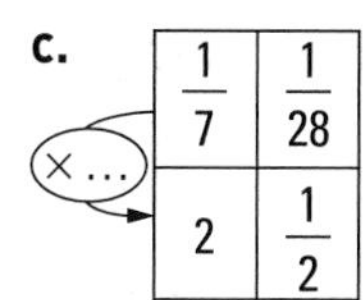

| $\frac{1}{7}$ | $\frac{1}{28}$ |
|---|---|
| 2 | $\frac{1}{2}$ |

## Calculs à l'aide des quotients

**98 De tête**

En France en 2003, environ $\frac{2}{3}$ des 15 milliards de sacs plastiques distribués aux caisses des supermarchés ont été réutilisés comme sacs à déchets.
Quelle est la quantité de sacs non réutilisés ?

**99 Dimension manquante**

Un rectangle a une longueur de 4,4 dm et une aire de 15,4 dm$^2$. Trouver l'écriture décimale de sa largeur sans l'aide de la calculatrice.

**100 Cocktail**

**a.** Un cocktail « Port au Prince » est constitué de cinq ingrédients : $\frac{1}{8}$ de jus de citron vert, autant de jus d'orange, autant de sirop de fraise, $\frac{1}{4}$ de jus de mangue et le reste de jus d'ananas. Quelle part du cocktail le jus d'ananas représente-t-il ?
**b.** Prouver qu'il y a deux fois plus de jus de mangue que de jus de citron dans ce cocktail.
**c.** Quelle quantité de jus de citron (en cL) contient un verre de 24 cL de cocktail ?

**101 Avec des lettres**

$x$ est un nombre entier différent de zéro. Donner une écriture fractionnaire du résultat et simplifier si possible :
**a.** $\frac{5}{x} + \frac{3}{x}$ **b.** $\frac{3x}{5} + \frac{2x}{5}$ **c.** $\frac{3}{2} \times \frac{x}{3} \times \frac{2}{5}$

**102 Calculs prioritaires**

Calculer en indiquant les étapes :

$A = \frac{6}{5} \times \left(\frac{3}{8} + \frac{1}{4}\right)$ $B = \frac{3}{7} \times \left(\frac{13}{9} - \frac{11}{27}\right)$

$C = \left(\frac{3}{5} - \frac{1}{5}\right) \times \left(\frac{1}{2} + \frac{3}{4}\right)$ $D = \left(\frac{11}{15} + \frac{1}{3}\right) \times \left(\frac{2}{3} + \frac{7}{12}\right)$

$E = \frac{5}{6} \times \frac{1}{3} + \frac{4}{3} \times \frac{1}{2}$ $F = 3 \times \frac{7}{10} - \frac{2}{5} \times \frac{3}{4}$

$G = \frac{4}{7} + \frac{2}{7} \times \frac{2}{3}$ $H = \frac{7}{8} - \frac{5}{8} \times \frac{3}{4} + \frac{1}{16}$

**103 Sommes de produits**

Sans calculatrice, trouver rapidement le résultat simplifié (écrire les étapes intermédiaires) :

**a.** $A = 3 \times \frac{1}{3} + 5 \times \frac{2}{5} + 7 \times \frac{3}{7} + 9 \times \frac{4}{9}$

**b.** $B = 3 \times \frac{2}{9} \times 3 + 2 \times \frac{1}{4} \times 2 + 10 \times \frac{3}{100} \times 10$

**104 Entiers et fractions**

Calculer en respectant les priorités puis simplifier le résultat :

$I = 3 \times \frac{5}{2} - \frac{3}{2}$ ; $J = 3 + 7 \times \frac{8}{7}$ ; $K = 6 - \frac{3}{2} \times \frac{5}{2}$

**105 De tête**

Calculer et simplifier :

$M = \left(\frac{3}{2} - \frac{1}{2}\right) \times \left(\frac{3}{4} + \frac{1}{4}\right)$ ; $N = \frac{1}{3} \times 9 \times \frac{4}{3}$

## À CHACUN SON PARCOURS

**106 A** $\frac{2}{3}$ des élèves d'une classe ont un animal domestique et $\frac{3}{5}$ de ces élèves qui ont un animal possèdent un chat. Quelle fraction du nombre total des élèves représentent ceux qui ont un chat ?

**106 B** $\frac{1}{4}$ des cartes postales reçues par Clara pendant les grandes vacances ont été envoyées d'un pays étranger et les $\frac{2}{5}$ de ces cartes venaient d'un pays européen. Quel pourcentage des cartes de Clara représentent celles qui ont été envoyées d'Europe ?

# Exercices d'approfondissement

**107** Avec des lettres

Calculer le résultat simplifié des expressions $A = 2x + y$ et $B = 5y - (4 - x)$ pour $x = \frac{5}{9}$ et $y = \frac{31}{45}$.

**108** **Le volley**

$\frac{5}{8}$ des élèves d'une classe sont des filles, $\frac{1}{3}$ de ces filles jouent le samedi au volley dans le club de la ville et $\frac{2}{5}$ d'entre elles jouent également au volley dans le cadre de l'UNSS du mercredi après midi. Quelle fraction du groupe des filles de cette classe représentent celles qui jouent au volley le mercredi et le samedi ?

**109** **Dépense**

Sami a 35 € en poche, il en dépense les $\frac{6}{7}$ pour acheter un DVD, puis les trois quart du reste pour l'achat d'un magazine.

**a.** Calculer le prix du DVD.

**b.** Quelle fraction de l'argent de Sami représente le prix du magazine ? Y a-t-il plusieurs manières d'effectuer ce calcul ?

**110** **Collection de BD**

La bibliothèque personnelle de Valentin est composée aux deux tiers de BD, son copain Tony possède 54 livres dont 35 BD.

**a.** Lequel des deux copains a la proportion de BD la plus grande dans sa bibliothèque ? Justifier.

**b.** Pendant les vacances, Valentin a relu $\frac{3}{5}$ de ses BD. Quelle part de sa bibliothèque représentent les BD qu'il a lues ?

**c.** Valentin possède 30 BD. À l'aide d'un dessin, trouver le nombre total de livres qu'il possède.

## ÉNIGME DU CHAPITRE

Tic a ramassé des noisettes et des noix. Le quart de cette récolte est composé de noix. Il mange les deux tiers des noisettes soit 26 noisettes. Quel est le nombre total de fruits à coque récoltés par Tic ?

## Devoirs à la maison

### POUR PRENDRE LE TEMPS DE CHERCHER

**111** **Écritures fractionnaires**

**1. a.** Sans les calculer, prouver que ces fractions sont des écritures du même quotient : $\frac{60}{45}, \frac{48}{36}, \frac{220}{165}$

**b.** En déduire une écriture simplifiée de la somme : $\frac{60}{45} + \frac{48}{36} + \frac{220}{165}$.

**2.** Sans utiliser la calculatrice, trouver l'écriture décimale du quotient $\frac{10{,}5}{14}$ et détailler les calculs.

**112** **Sommes et produits**

Calculer et simplifier le résultat :

$A = \frac{11}{2} \times \frac{3}{7} \times \frac{14}{11}$ $\quad B = \left(\frac{24}{25} - \frac{4}{5}\right) \times \left(\frac{1}{2} + \frac{1}{8}\right)$

$C = 5 \times \frac{2}{7} + \frac{12}{21}$ $\quad D = \frac{3}{4} + \frac{5}{4} \times \frac{7}{11}$

**113** **Dimensions fractionnaires**

**1.** Constructions et longueurs

**a.** Tracer une droite graduée en prenant une unité de six carreaux. Placer les nombres $\frac{5}{6}$ ; $\frac{1}{2}$ ; $\frac{5}{4}$ et $\frac{2}{3}$.

**b.** L'unité de longueur est donnée par la droite graduée du **a.**, construire les deux figures ci-dessous à la règle et au compas :

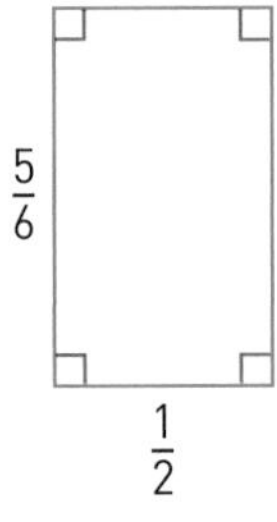


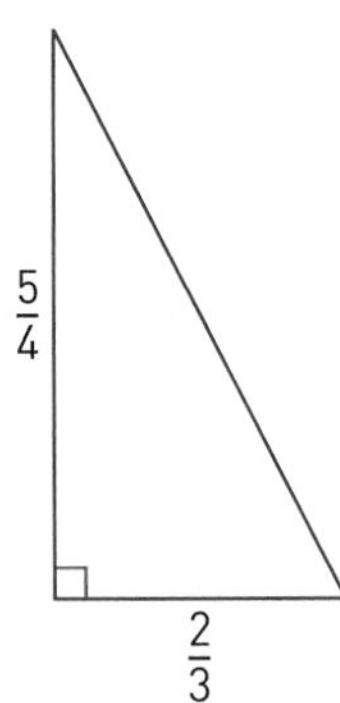


**c.** Calculer le périmètre du rectangle.

**2.** Aires

**a.** Construire un carré qui représente l'unité d'aire : un carré de une unité de longueur de côté.

**b.** Prouver que les deux figures ont la même aire.

**c.** Prouver que cette aire est plus petite qu'une demi unité d'aire.

# 6 Symétrie centrale

## Les objectifs du programme

### Symétrie centrale

- Construire le symétrique d'un point, d'un segment, d'une droite, d'une demi-droite, d'un cercle.
- Construire ou compléter la figure symétrique d'une figure donnée ou de figures possédant un centre de symétrie à l'aide de la règle (graduée ou non), de l'équerre, du compas, du rapporteur.
- Étudier des figures ayant un centre de symétrie ou des axes de symétrie.

## Sommaire

# D'un siècle...

## La France dans un hexagone ?

Lorsque l'on observe la forme de la France métropolitaine, on remarque que ses contours peuvent s'inscrire dans un **hexagone***. Ainsi, autrefois, pour trouver approximativement le centre géographique de la France, il s'agissait de tracer un hexagone régulier semblable à celui de la photo 1 ci-contre.

Après avoir repéré la position du centre de l'hexagone on en avait déduit que le centre géographique de la France « hexagonale » se situe approximativement dans la région du canton d'Huriel (département de l'Allier).

Aujourd'hui l'IGN a calculé que le centre géographique de la France métropolitaine se situait dans la commune de Vesdun (voir photo 2) ; en incluant la Corse, il se situe dans la commune de Nassigny (Allier).

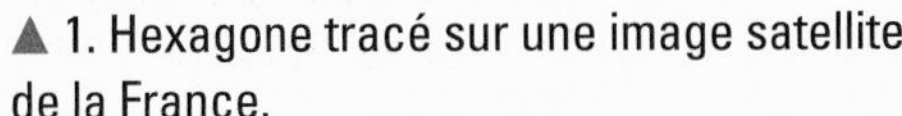
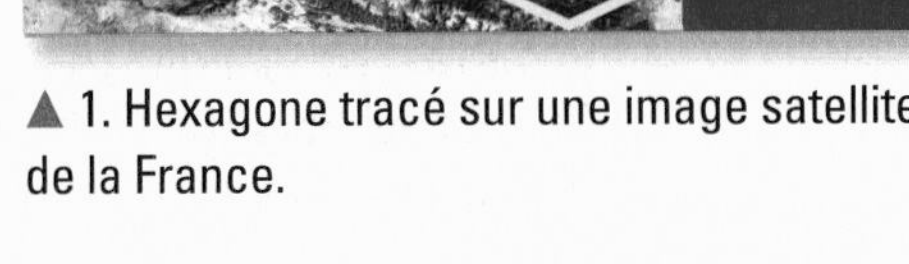

▲ 1. Hexagone tracé sur une image satellite de la France.

◄ 2. À Vesdun (Cher).

# ...à l'autre

## Neige et prévention des avalanches

Il existe de nombreuses catégories de formes de cristaux de neige, en voici quelques-unes.

▲ Quelques cristaux de neige

Dans la réalité, il est probable qu'il n'y ait jamais deux cristaux de forme parfaitement identique. Cependant, nombreux sont ceux qui possèdent approximativement un centre de symétrie et six axes de symétrie.

### Un métier

**→ Nivologue**

L'étude scientifique des cristaux de neige a notamment pour objectif d'expliquer comment les transformations des cristaux peuvent aboutir au phénomène d'avalanche. Les informations qui sont recueillies par les nivologues sont très utiles aux pisteurs secouristes qui interviennent dans la préparation et l'entretien des pistes.

*http://www.anena.org*

# Notion de symétrie centrale

## En utilisant un milieu

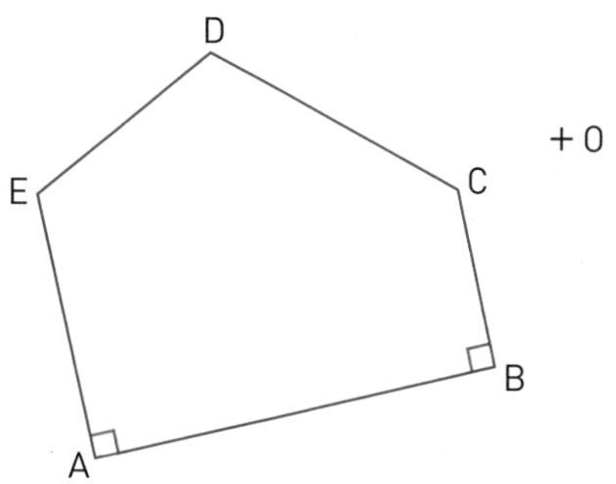


**a.** Construire le point A′ **tel que*** le point O soit le milieu du segment [AA′].
**b.** Construire également les points B′, C′, D′ et E′ tels que le point O soit le milieu des segments [BB′], [CC′], [DD′] et [EE′].
**c.** Tracer le **polygone*** A′B′C′D′E′.
**d.** Comparer les propriétés des deux polygones ABCDE et A′B′C′D′E′.

## Avec du papier calque

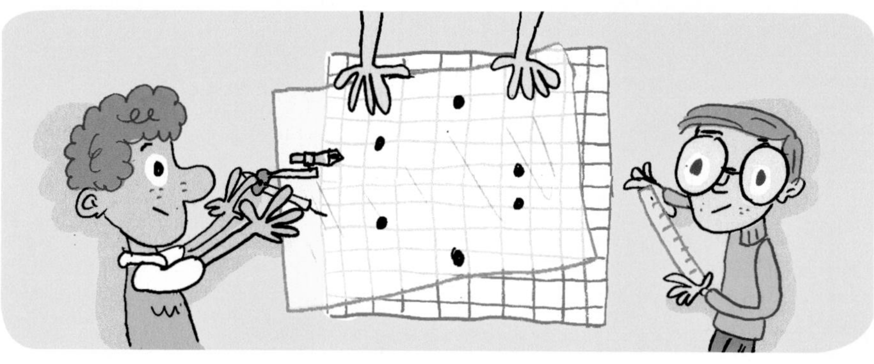

**a.** Décalquer le polygone ABCDE de l'approche 1 ainsi que le point O.
**b.** Comment, à l'aide du calque, obtenir le polygone A′B′C′D′E′ de l'approche 1 ?

## En utilisant les symétries axiales*

**a.** Sur une nouvelle figure représentant le polygone ABCDE et le point O de l'approche 1, tracer deux droites *d* et *d′* perpendiculaires et **sécantes*** en O.
**b.** Construire le symétrique du polygone ABCDE par rapport à la droite *d*. On le nomme $A_1B_1C_1D_1E_1$. Construire ensuite le symétrique du polygone $A_1B_1C_1D_1E_1$ par rapport à la droite *d′*. On le nomme $A_2B_2C_2D_2E_2$.
**c.** Comparer le polygone $A_2B_2C_2D_2E_2$ avec le polygone A′B′C′D′E′ obtenu dans l'approche 1.

# Propriétés de la symétrie centrale

## 4 Points communs

Clément a commencé à tracer le symétrique du triangle ABC par rapport au point O en utilisant les symétries axiales. Pour cela, il a tracé deux axes perpendiculaires en O qu'il a nommés *d* et *d'*. Puis il a construit le point A', symétrique du point A par rapport à la droite *d*.

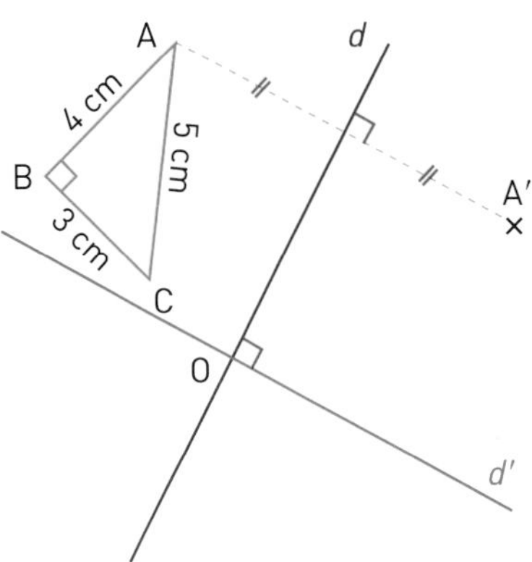


**a.** Compléter la construction de Clément pour obtenir le symétrique du triangle ABC par rapport au point O.
**b.** Combien mesure le périmètre du triangle A'B'C' symétrie du triangle ABC par rapport à la droite *d* ? En utilisant une propriété des symétries axiales, calculer le périmètre du triangle A"B"C" symétrique du triangle A'B'C' par rapport à la droite *d'*.
**c.** Pourquoi peut-on être sûr que l'angle $\widehat{B''A''C''}$ a bien la même mesure que l'angle $\widehat{BAC}$ ?
**d.** Calculer l'aire du triangle A"B"C". Expliquer.

## 5 Vous avez dit parallèles ?

Le professeur Matsym a dit à ses élèves : « Vous allez devoir **prouver*** que le symétrique d'un segment [AB] par rapport à un point O est parallèle au segment [AB]. Pour cela, je vous demande de tracer deux droites perpendiculaires en O. Mais attention, l'une des deux droites doit être parallèle au segment [AB] ».
Voici le début du dessin effectué par le groupe de Yaëlle.

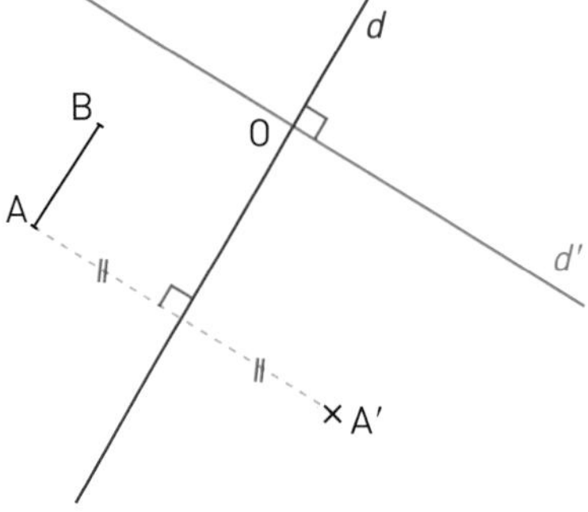


**a.** Reproduire et achever la construction pour obtenir le symétrique [A"B"] du segment [AB] par rapport à O en utilisant les symétries par rapport aux droites *d* et *d'*.
**b.** Pourquoi peut-on être sûr que [A'B'] est bien parallèle à [AB] ?
**c.** Quelle conclusion peut-on en tirer pour le segment [A"B"] ?

# Figures simples et éléments de symétrie

## 6 Reconnaître

Voici six points symétriques **deux à deux*** par rapport à un même point O. Ce point O n'est pas placé.

Décalquer ces points et retrouver la position du point O en expliquant la démarche.

## 7 Centre de symétrie d'une figure

**1. a.** Charger la figure indiquée par le professeur.
**b.** Construire la figure symétrique du **parallélogramme*** par rapport au point O.
**c.** Déplacer le point O jusqu'à ce que le symétrique du parallélogramme ABCD soit lui-même. Décrire alors précisément la position du point O.

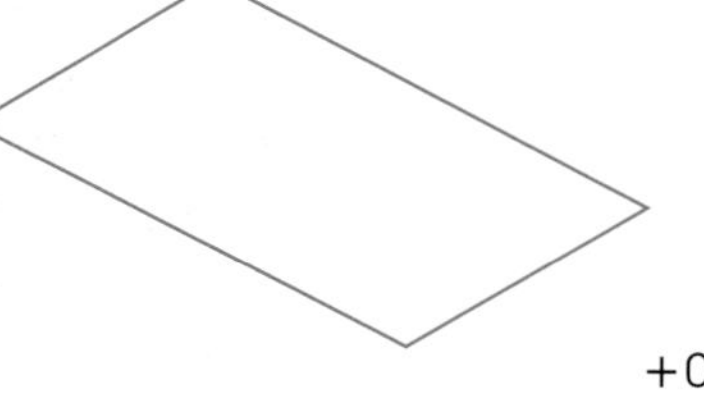


**2.** Répondre, lorsque cela est possible, à la question **1.** :

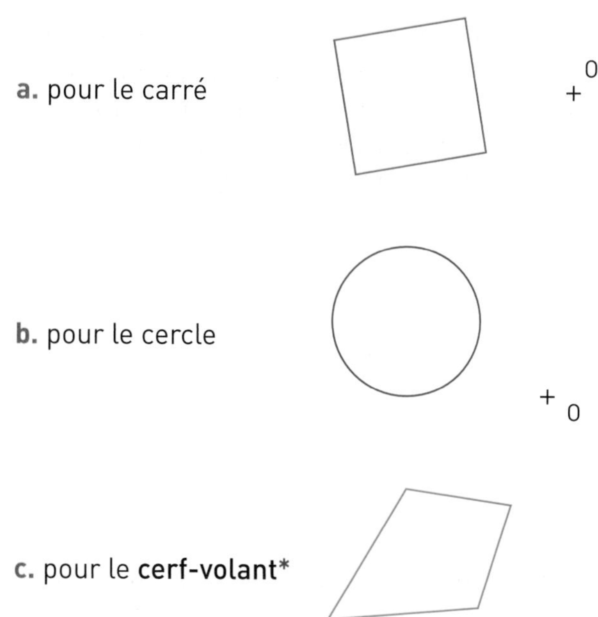


**a.** pour le carré

**b.** pour le cercle

**c.** pour le **cerf-volant***

# Leçon 1

# Notion de symétrie centrale

## 1 Symétrie centrale : deux points symétriques

**DÉFINITION**

Dire que les points A et B sont symétriques par rapport au point O signifie que le point O est le milieu du segment [AB].

Le point B est le symétrique du point A par rapport au point O.

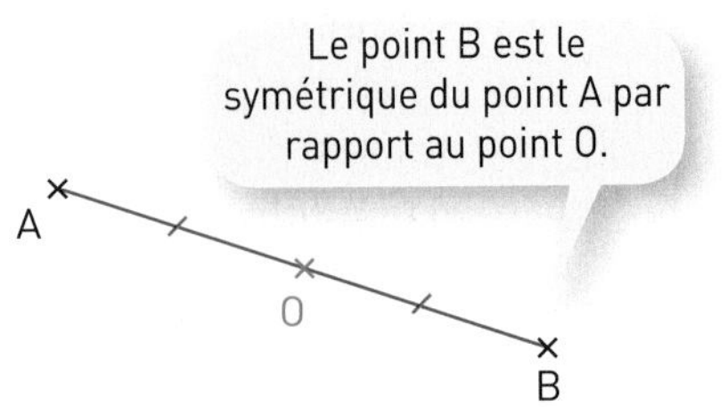


**CONSTRUCTION**

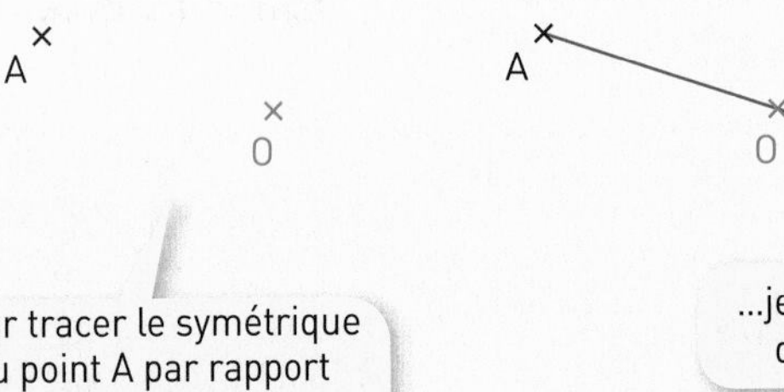

Pour tracer le symétrique du point A par rapport au point O...

...je trace la demi-droite [AO), ...

...puis je **reporte*** la longueur AO sur la demi-droite [AO) à partir du point O.

## 2 Symétrie centrale : deux figures symétriques

**DÉFINITION**

Deux figures sont symétriques par rapport à un point O si chaque point de l'une est le symétrique d'un point de l'autre par rapport au point O.

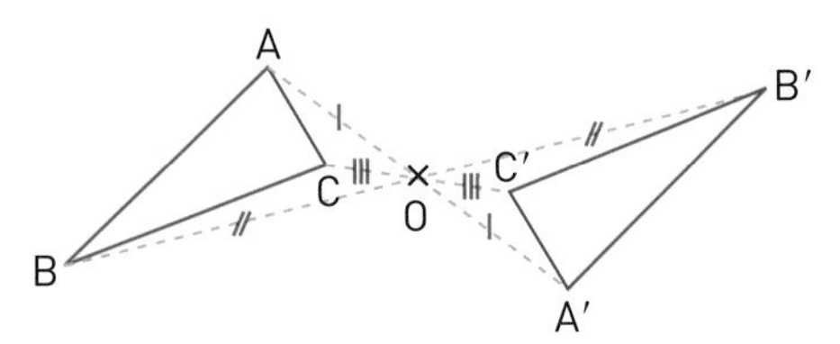


**REMARQUE**

On passe d'une figure à l'autre par demi-tour autour du point O.

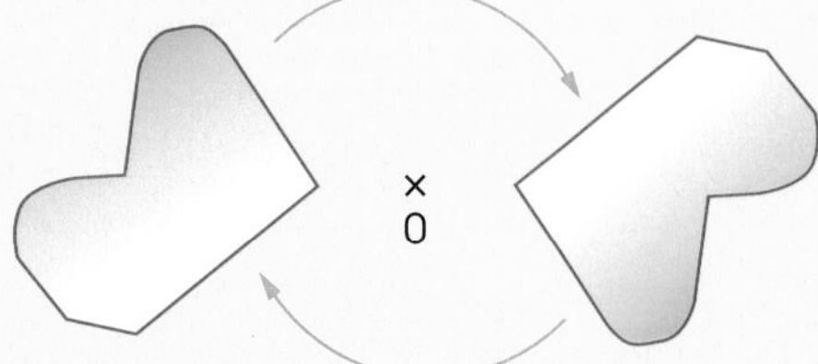


**CONSTRUCTION**

Pour construire le symétrique d'un polygone par rapport à un point, il suffit de tracer le symétrique de chaque sommet.

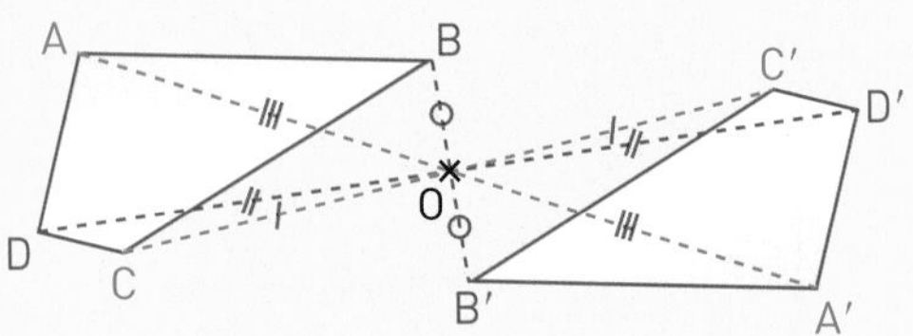


**PROPRIÉTÉ**

En utilisant **successivement*** deux symétries axiales d'axes perpendiculaires en O, on peut construire le symétrique d'une figure par rapport au point O.

## Reconnaître

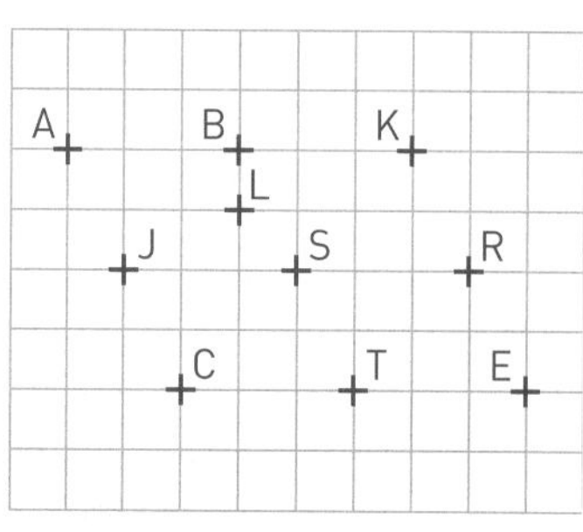


**ÉNONCÉ**

**En s'aidant du quadrillage, répondre aux questions suivantes :**

**a. Quel est le symétrique du point K par rapport au point B ?**
**Et par rapport au point S ?**

**b. Par rapport à quel point le point C est-il le symétrique du point E ?**

**c. Quel est le symétrique du quadrilatère KESB par rapport au point S ?**

**RÉPONSES**

**a.** Le symétrique du point K par rapport au point B est le point A. Par rapport au point S, c'est le point C.

**b.** Les points C et E sont symétriques par rapport au point T.

**c.** Le symétrique du quadrilatère KESB par rapport au point S est le quadrilatère CAST.

**COMMENTAIRES**

Quand on parle de symétrie centrale, il ne faut jamais oublier de dire par rapport à quel point on travaille.

On doit chercher le milieu du segment [CE].

Le symétrique du point K par rapport au point S est le point C. Et les points E, S et B ont **respectivement*** pour symétriques les points A, S et T.

Sur le même modèle
▸ exercice 1

EXERCICE
RÉSOLU
2

## Construire

**ÉNONCÉ**

**Construire le symétrique du polygone ABCDE par rapport au point O.**

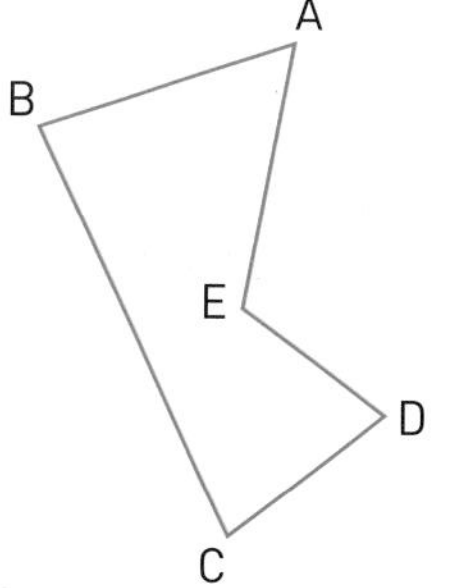


**RÉPONSE**

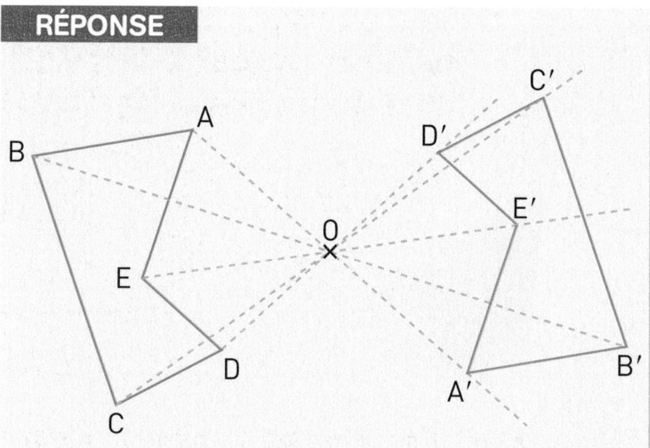


**COMMENTAIRES**

- On a tracé cinq demi-droites : [AO), [BO), [CO), [DO) et [EO).
- On a reporté cinq longueurs : OA = OA' ; OB = OB' ; OC = OC' ; OD = OD' et OE = OE'.

Sur le même modèle
▸ exercices 4 5

# Leçon 2

# Propriétés de la symétrie centrale

## 1 Droites et segments : parallélisme

### 1 Droites

**PROPRIÉTÉ**

Le symétrique d'une droite par rapport à un point est une droite parallèle.

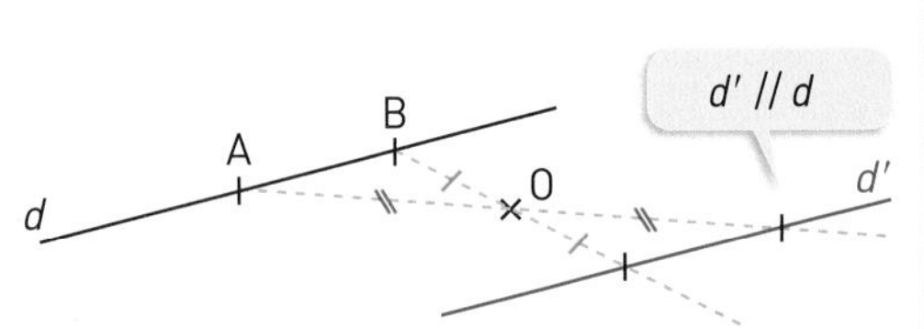


### 2 Segments

**PROPRIÉTÉ**

Le symétrique d'un segment par rapport à un point est un segment parallèle et de même longueur.

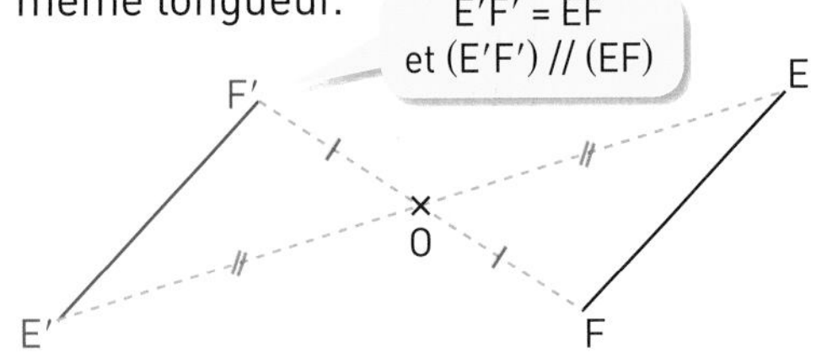


## 2 Longueurs, mesures d'angles et aires

### 1 Cercles

**PROPRIÉTÉ**

Le symétrique d'un cercle par rapport à un point O est un cercle de même rayon. Les centres des deux cercles sont symétriques par rapport au point O.

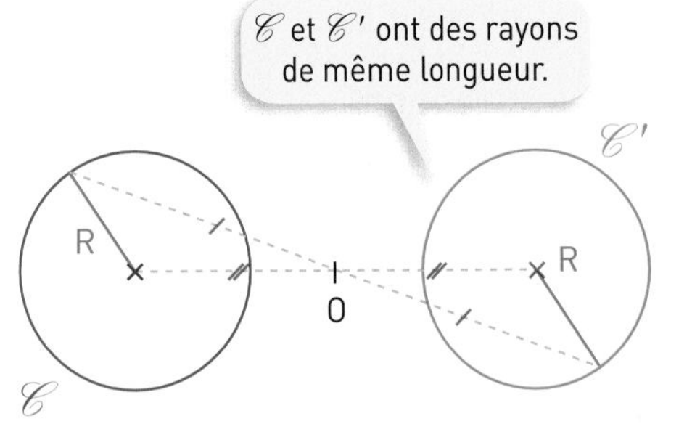


### 2 Angles

**PROPRIÉTÉ**

Le symétrique d'un angle est un angle de même mesure.

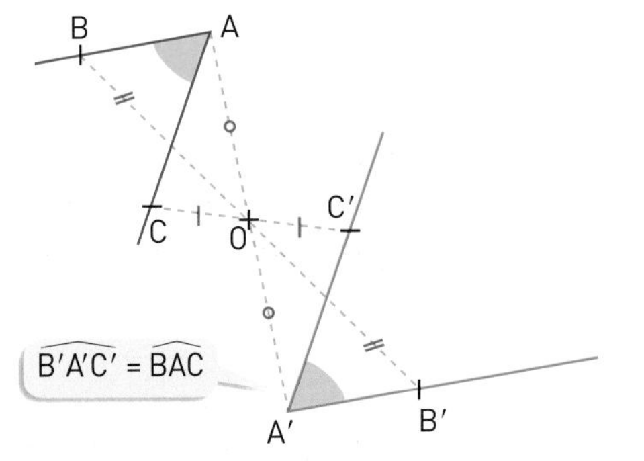


### 3 Aires et périmètres

**PROPRIÉTÉ**

Deux figures symétriques par rapport à un point ont le même périmètre et la même aire.

Les deux triangles orange ont la même aire.

O

Les deux polygones représentant les coques ont le même périmètre.

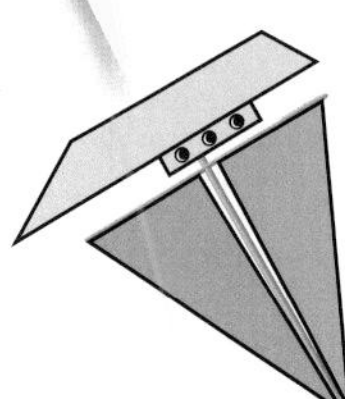

EXERCICE RÉSOLU 1

## Compléter une figure

ÉNONCÉ

**Alice doit compléter la fiche d'exercice donnée par le professeur, malheureusement une partie de la feuille s'est déchirée.**
**Après avoir bien réfléchi, elle pense pouvoir répondre à la question posée. Comment va-t-elle faire ?**

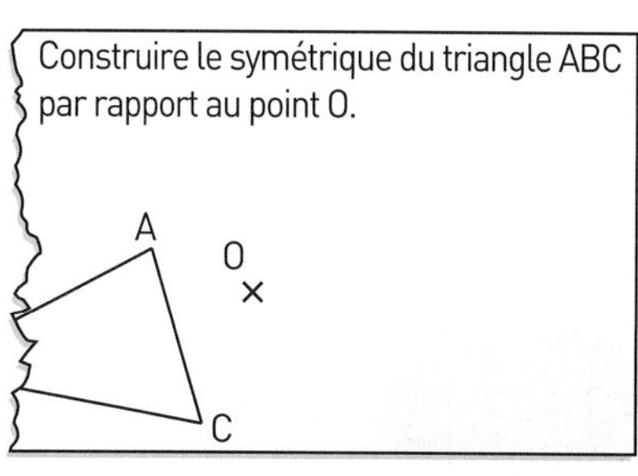


RÉPONSE

Elle construit les points A′ et C′, symétriques des points A et C par rapport au point O.
Elle trace la droite parallèle à la droite (AB) passant par le point A′. Et la parallèle à la droite (CB) passant par le point C′.

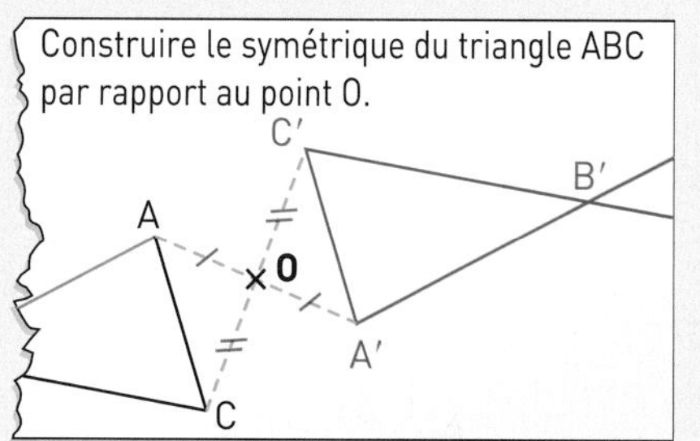


COMMENTAIRES

Le point B n'est pas sur la figure mais une partie de la droite (AB) est tracée (en orange).

Le point B′ est à l'intersection des deux droites tracées.

**Deux méthodes pour construire le symétrique d'une droite :**
- tracer les symétriques de deux de ses points ;
- tracer le symétrique d'un de ses points puis tracer la parallèle à la droite passant par ce point.

Sur le même modèle
▸ exercice 13

EXERCICE RÉSOLU 2

## Résoudre un problème

ÉNONCÉ

**Les deux rectangles sont symétriques par rapport au point O. À partir des indications portées sur la figure calculer le périmètre du rectangle ABCD.**

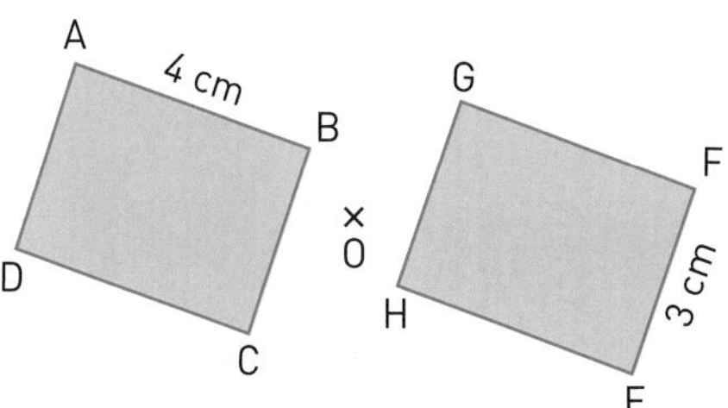


RÉPONSE

Les points E et A sont symétriques par rapport au point O. De même les points F et D.
Le segment [EF] est **donc*** le symétrique du segment [AD] par rapport au point O.
Deux segments symétriques par rapport à un point ont la même longueur.
Donc AD = EF = 3 cm.

Le périmètre du rectangle ABCD est donc $2 \times 4$ cm + $2 \times 3$ cm = 14 cm.

COMMENTAIRES

Il ne faut pas se contenter de dire qu'on voit que la distance AD est égale à 3 cm, mais il faut en donner une **justification***.

Sur le même modèle
▸ exercice 14

# Leçon 3

# Figures simples et éléments de symétrie

## 1 Figures symétriques et centre de symétrie d'une figure

**DÉFINITION**

Une figure qui a un centre de symétrie O est une figure dont le symétrique par rapport à ce point O est elle-même.

**REMARQUE :** Après un demi-tour autour de son centre de symétrie, une figure symétrique se superpose à elle-même.

## 2 Éléments de symétrie de quelques figures simples

| Noms | Centre de symétrie | Axes de symétrie |
|---|---|---|
| **Segment** | Un centre de symétrie : le milieu du segment 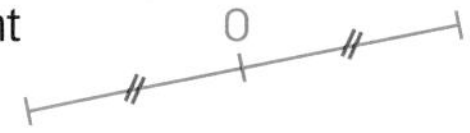 | Deux axes de symétrie : – la droite (AB) – la médiatrice* du segment [AB] 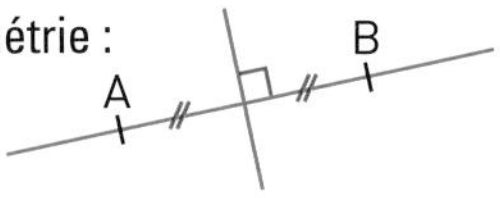 |
| **Cercle** | Un centre de symétrie : le centre du cercle 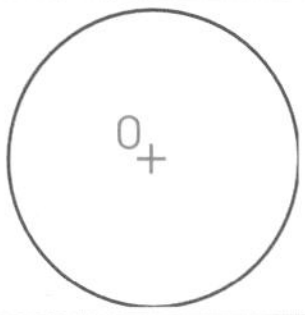 | Tous les diamètres du cercle sont des axes de symétrie 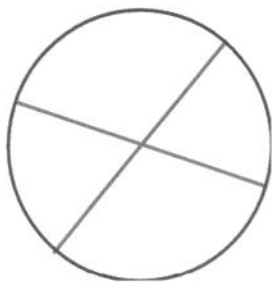 |
| **Cerf-volant** | *Pas de centre de symétrie* | Un seul axe de symétrie en général 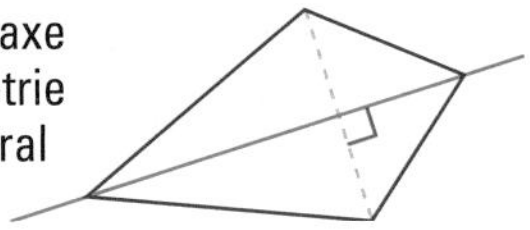 |
| **Parallélogramme** | Un centre de symétrie : le point d'intersection des diagonales. 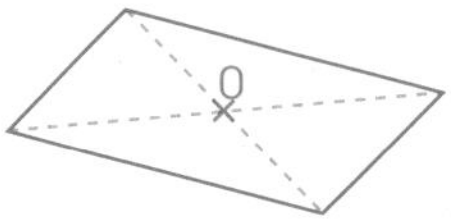 | *Pas d'axe de symétrie en général* |
| **Rectangle** | 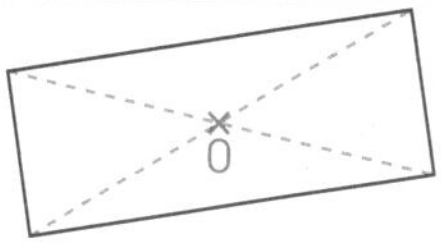 | Deux axes de symétrie en général 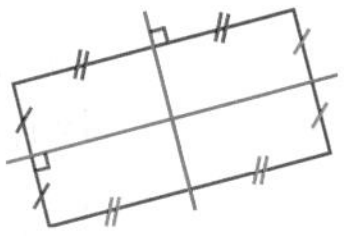 |
| **Losange** | 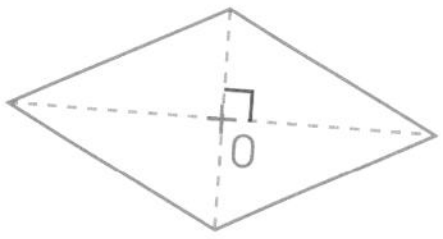 | Deux axes de symétrie en général : ses diagonales 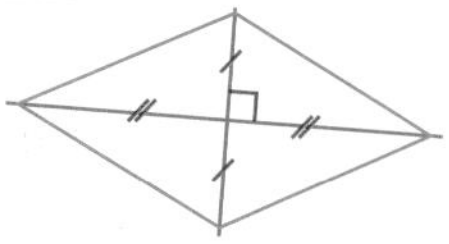 |
| **Carré** | 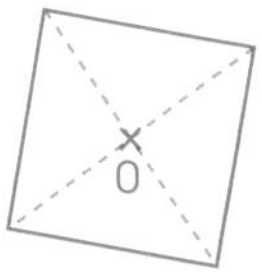 | Quatre axes de symétrie 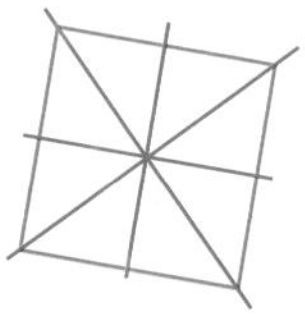 |

## Construire

**ÉNONCÉ**

**Voici une figure incomplète, on veut que le point O soit son centre de symétrie.**
**Reproduire et compléter le dessin.**

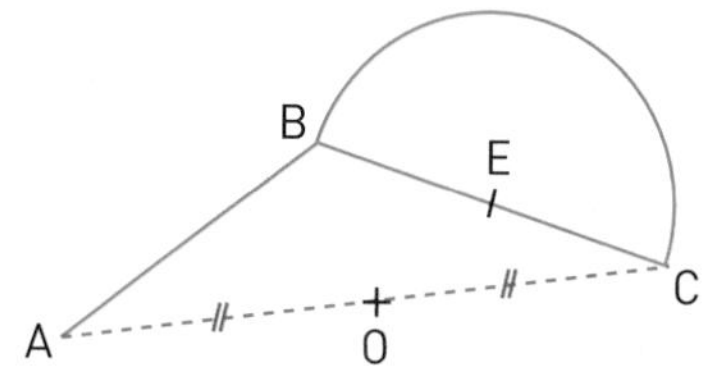


**RÉPONSE**

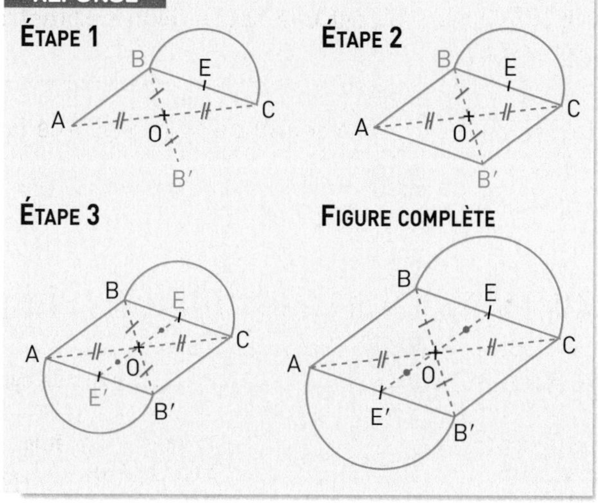


**COMMENTAIRES**

- **ÉTAPE 1 :** Construction du point B′ symétrique du point B par rapport au point O.
- **ÉTAPE 2 :** Tracé du quadrilatère ABCB′.
- **ÉTAPE 3 :** Construction du point E′ symétrique du point E par rapport au point O puis tracé du demi-cercle de centre E′ passant par le point A.

On peut vérifier à l'aide d'un calque en faisant un demi-tour autour du point O.

▸ exercices 23 et 24

EXERCICE RÉSOLU 2

## Argumenter

**ÉNONCÉ**

**La figure ci-contre est composée d'un losange ABCD de centre O et d'un rectangle ADEF. Calculer, en expliquant, la mesure de l'angle $\widehat{ODE}$.**

D E C O 27° A F B

**RÉPONSES**

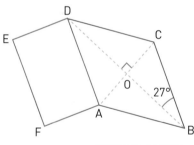

Dans le losange ABCD, le point O est le centre de symétrie **donc*** l'angle $\widehat{ADO}$ est le symétrique de l'angle $\widehat{CBO}$ par rapport au point O.

Deux angles symétriques par rapport à un point ont la même mesure donc l'angle $\widehat{ADO}$ mesure 27°.

Dans le rectangle ADEF, l'angle $\widehat{ADE}$ est droit, il mesure donc 90°.

L'angle $\widehat{ODE}$ mesure donc 27° + 90° = 117°.

**COMMENTAIRES**

Propriété du losange.

Propriété de deux angles symétriques *(voir Leçon 2)*.

Propriété du rectangle.

Sur le même modèle

▸ exercice 27

## 1 Notion de symétrie centrale

### 1 Points sur un quadrillage

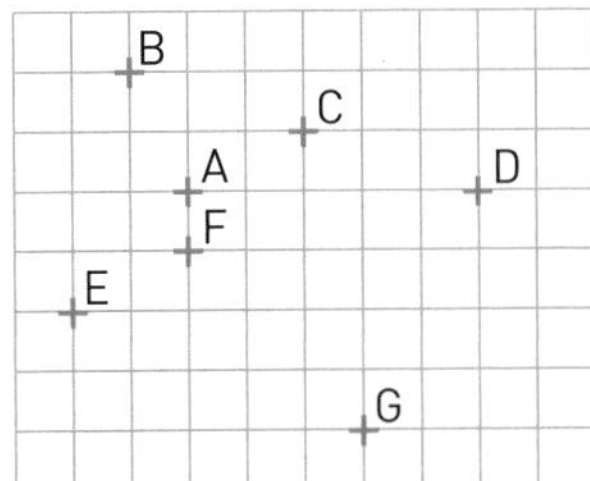


**a.** Reproduire ces points sur une feuille quadrillée.
**b.** Placer les symétriques de chacun de ces points par rapport au point A.
**c.** Que dire du symétrique du point A par rapport au point A ?

### 2 Figure sur un quadrillage

**a.** Reproduire cette figure sur une feuille quadrillée.
**b.** Construire le symétrique du polygone par rapport au point O.

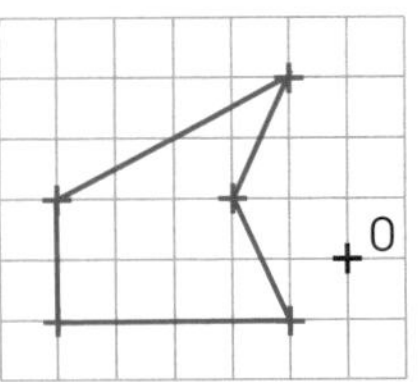


### 3 Rectangle

**a.** Construire un rectangle ABCD de longueur 5 cm et de largeur 3 cm.
**b.** Placer un point S à l'extérieur du rectangle. Construire le symétrique du rectangle par rapport au point S.

### 4 Trapèze

**a.** Reproduire cette figure à main levée.
**b.** Tracer à main levée le symétrique de ce trapèze par rapport au point P.

### 5 Carré

**a.** Tracer un carré PMLO de côté 4,5 cm.
**b.** Placer un point K à l'intérieur du carré. Construire le symétrique du carré par rapport au point K.

### 6 Un sommet

Tracer un triangle TGB rectangle en G. Construire son symétrique par rapport au point T.

**Pour les exercices 7 et 8**

Travailler sur la figure suivante.

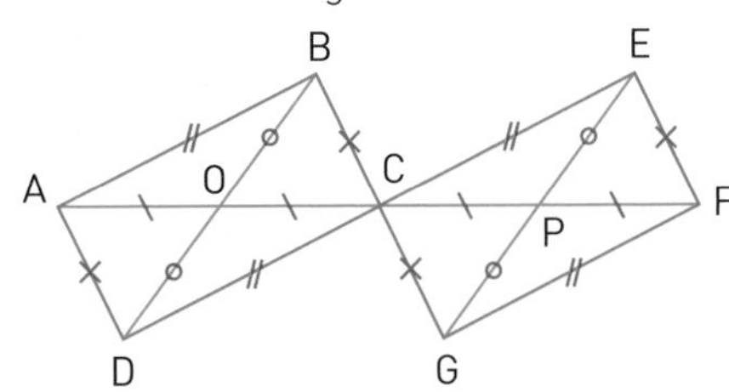


### 7

**a.** Quel est le symétrique du point D par rapport au point C ? Du point A par rapport au point O ?
**b.** Par rapport à quel point peut-on dire que le point E est le symétrique du point G ?

### 8

Répondre aux questions et justifier.
**a.** Quel est le symétrique du triangle EFG par rapport au point C ? Et par rapport au point P ?
**b.** Quel est le symétrique du triangle DCB par rapport au point C ? Et du quadrilatère ABCD ?

### 9 Vocabulaire

**1.** Reformuler les phrases suivantes en utilisant le mot « milieu ».
**a.** *« Le point B est le symétrique du point G par rapport au point C. »*
**b.** *« Les points B et D sont symétriques par rapport au point O. »*
**2.** Reformuler les phrases suivantes en utilisant le mot « symétrique ».
**a.** *« Le milieu du segment [EG] est le point P. »*
**b.** *« Le point O est sur le segment [AC] et AO = OC. »*

### 10 Qui a raison ?

## Propriétés de la symétrie centrale

**11 Triangles symétriques**

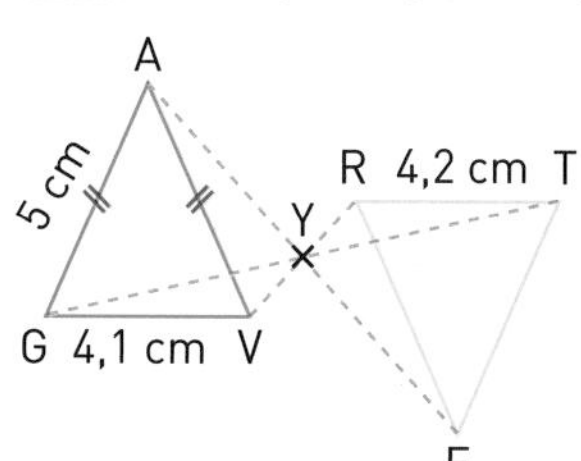


Peut-on dire que les deux triangles AGV et TRE sont symétriques par rapport au point Y ? Pourquoi ?

**12 Points alignés**

Les points E, Z et A sont sur la droite *d*. Stacy veut tracer les symétriques de ces points par rapport au point K, elle les nomme **respectivement*** P, O et I. Elle affirme que les points P, O et I sont alignés. Peut-on en être sûr ? Pourquoi ?

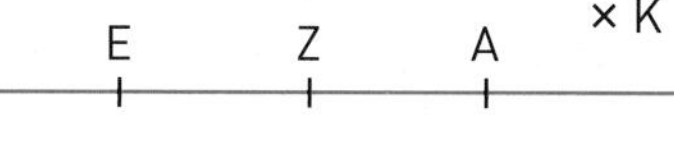


**13 Figure à compléter**

Sur cette figure, le point C a disparu sous une tache d'encre.
Construire le symétrique de ce triangle ABC par rapport au point O uniquement à l'aide de la règle graduée et du rapporteur (sans écrire sur la tache).

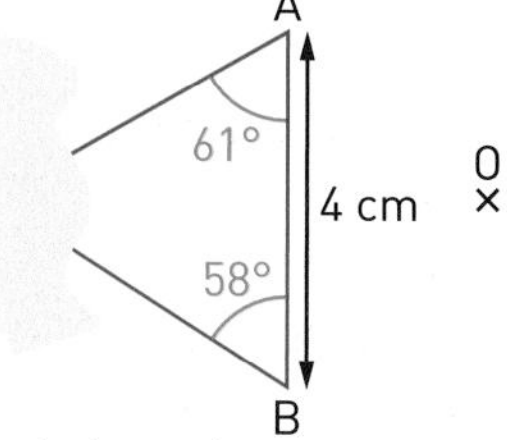


**14 Périmètre**

Ces deux demi **couronnes*** sont symétriques par rapport au point O.

**a.** Calculer le périmètre de demi couronne rouge.

**b.** Calculer le périmètre de la figure entière.

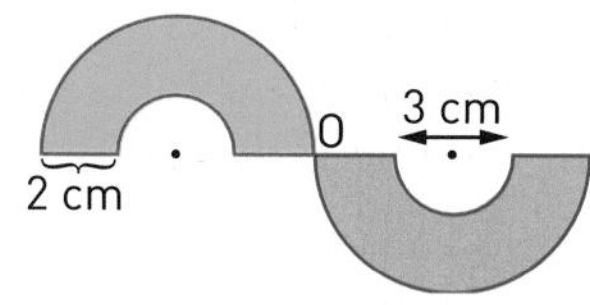


**15 Avec des lettres**

**a.** Reproduire le rectangle ci-contre pour $a = 5$ cm. Tracer le symétrique de ce rectangle par rapport au point S.

**b.** Calculer l'aire de la figure composée de deux rectangles. Justifier.

**c.** Quelle serait l'aire de cette figure pour $a = 1$ cm ? Pour $a = 6,3$ cm ?

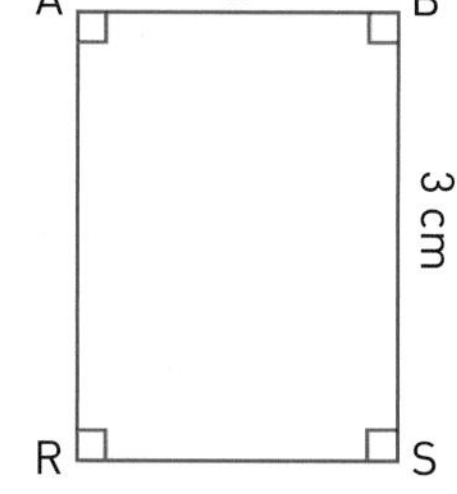


**16 Vrai ou faux ?**

Les affirmations suivantes sont-elles vraies ? Expliquer.

**a.** *« Les segments sont symétriques par rapport au point A. »*

**b.** *« Ces angles sont symétriques par rapport au point B. »*

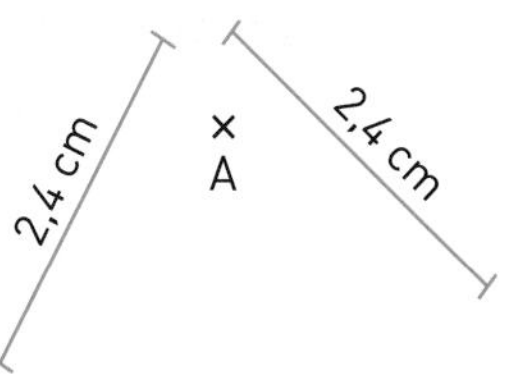


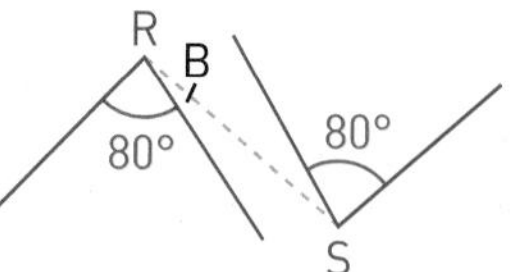


**17 Coder**

Ces deux figures à main levée sont symétriques par rapport au point O. Nommer et donner la mesure de chaque angle du quadrilatère EFGH.

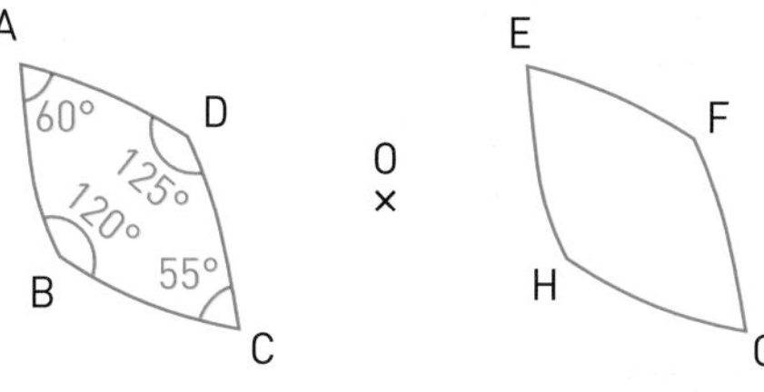


**18 Figure connue**

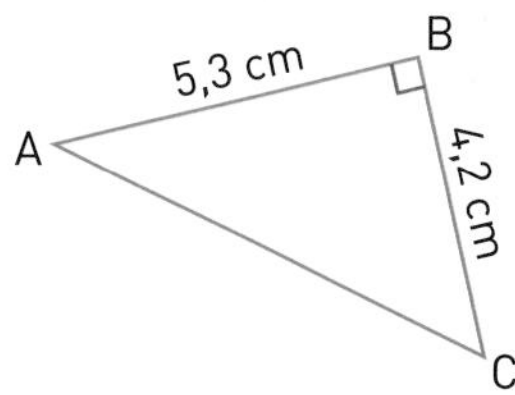


**a.** Reproduire ce triangle rectangle en **vraie grandeur***.

**b.** Placer un point D au milieu du segment [AC].

**c.** Construire uniquement à l'aide du compas le symétrique B′ du point B par rapport au point D.

**d.** Que peut-on dire de l'angle $\widehat{CB'A}$ ? Justifier

**19 Points, droites et cercles**

Placer cinq points A, B, C, D et O.

**a.** Construire le symétrique du point A par rapport au point O en utilisant le menu « Symétrie centrale ».

**b.** Construire le symétrique du point B par rapport au point O sans utiliser le menu « Symétrie centrale ». Expliquer cette construction.

**c.** Décrire trois méthodes pour construire la droite symétrique de la droite (CD) par rapport au point O.

# Figures simples et éléments de symétrie

**20** **Chercher l'erreur**

Pourquoi peut-on affirmer que Léo s'est trompé en notant la mesure des angles sur ce parallélogramme ? Justifier avec une propriété.

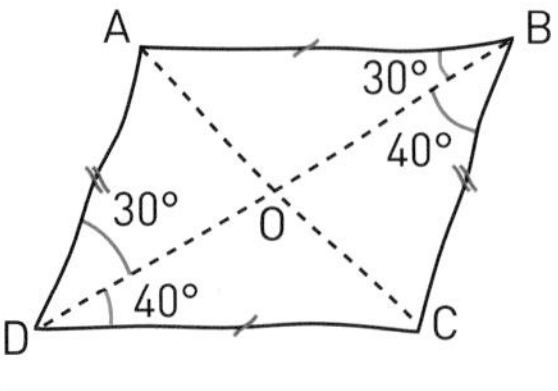


**21** **Angles et parallélogramme**

MLKJ est un parallélogramme. Donner la mesure des angles $\widehat{OJM}$, $\widehat{KML}$ et $\widehat{KMJ}$.

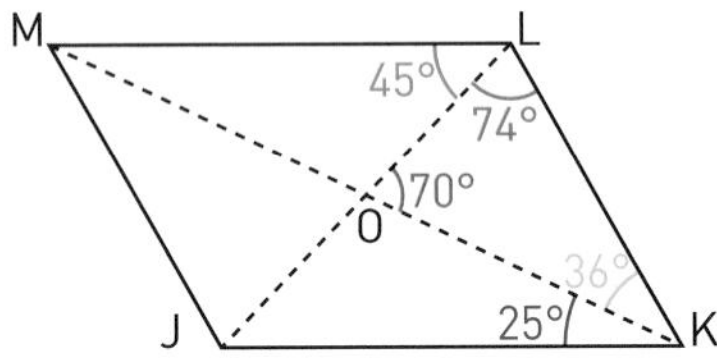


**Expliquer*** à chaque fois le résultat obtenu.

**22** **Propriétés du rectangle**

Le point O est le centre de symétrie du rectangle WQAZ. Les droites *d* et *d'* sont ses axes de symétrie. Prouver que les angles $\widehat{OAQ}$, $\widehat{AQO}$ et $\widehat{QZW}$ mesurent 60°.

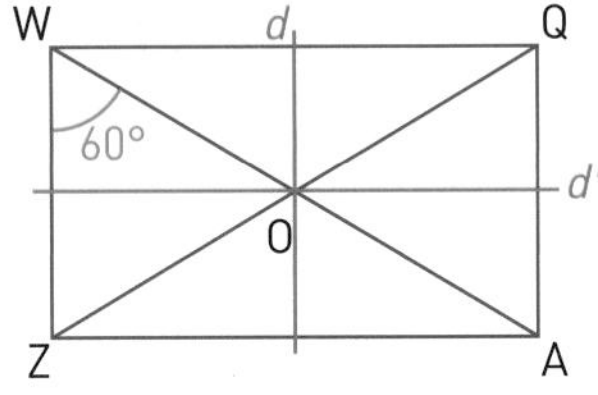


**Pour les exercices 23 et 24.**

Décalquer et compléter la figure pour que le point A soit son centre de symétrie.

**23**

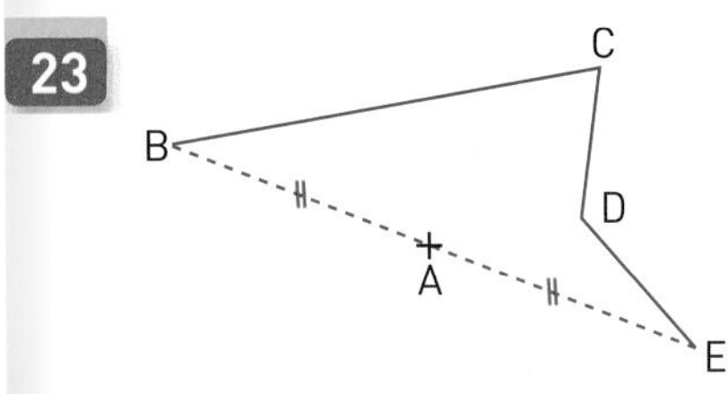


**24**

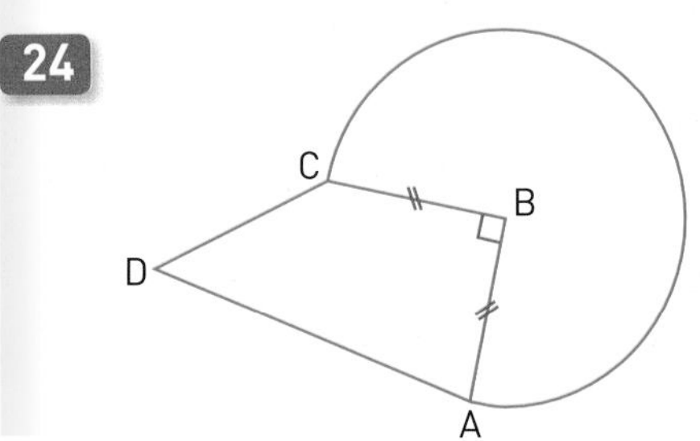


**25** **Centre perdu**

Chacune des deux figures a un centre de symétrie, mais on a oublié de le placer. Décalquer ces figures et placer les centres de symétrie.

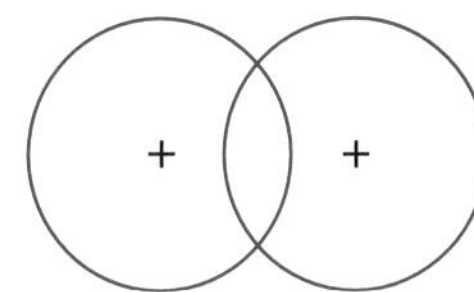

**26** **Centre de symétrie**

Dans chaque cas expliquer pourquoi le point O n'est pas un centre de symétrie de la figure.

**a.**

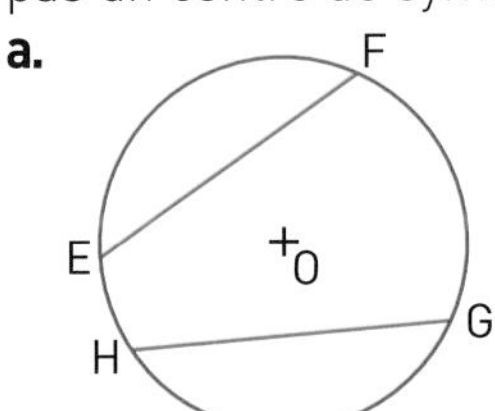


**b.**

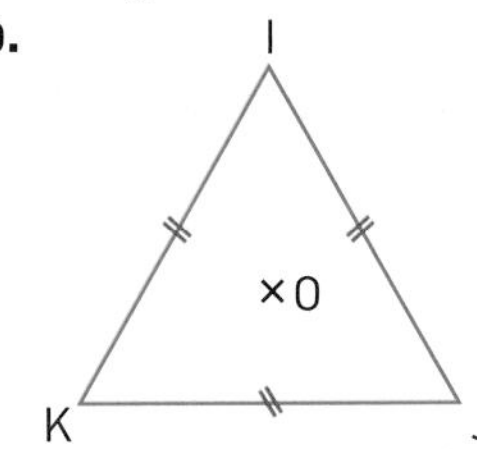


**27** **Propriété du parallélogramme**

La figure ci-dessous est formée d'un parallélogramme LMNP et d'un triangle MNS rectangle en N. Calculer la mesure de l'angle $\widehat{LNS}$ en expliquant la démarche.

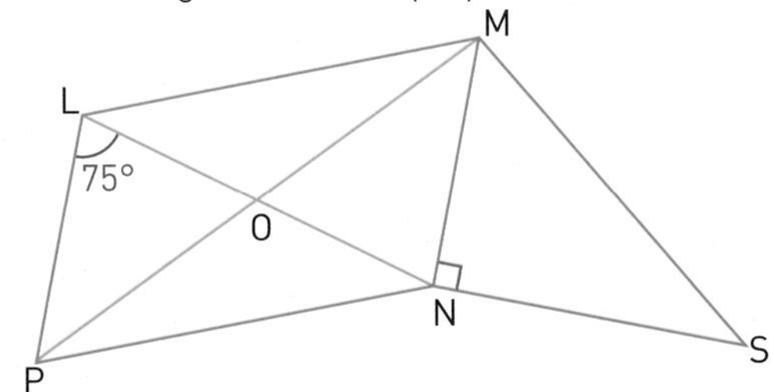


**28** **Aires**

La figure ci-contre a un centre de symétrie O et un axe de symétrie *d*. Calculer l'aire de la surface colorée en violet. Justifier.

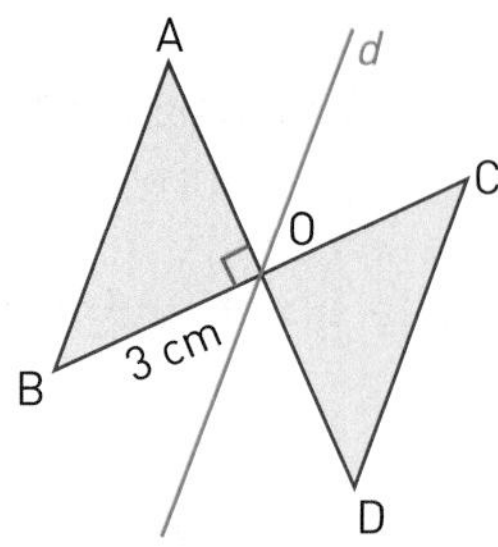


**29** **Aire**

La surface en bleu ci-contre est construite dans un carré de côté 6 cm ; calculer l'aire de la surface bleue.

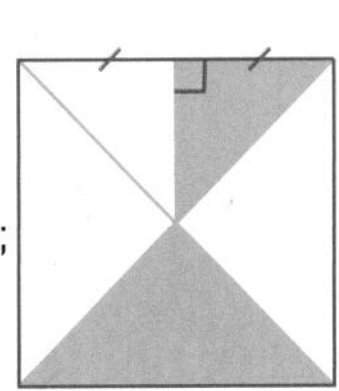

## 30 Constructions

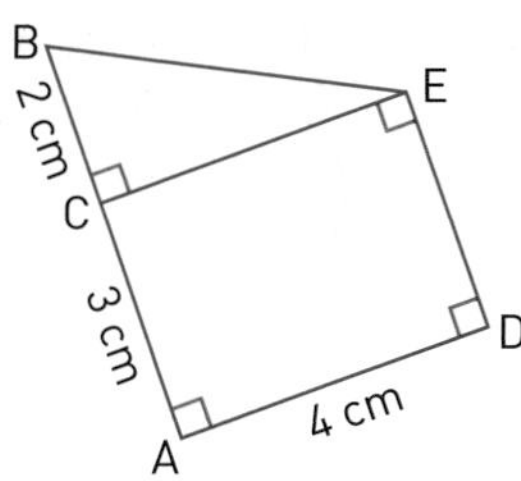


**a.** Reproduire la figure ci-dessus **en vraie grandeur*** et construire son symétrique par rapport au point A.
**b.** Reproduire à nouveau la figure de départ et construire son symétrique par rapport à la droite (AB).

## 31 Reconnaître

À partir de la figure suivante, recopier et compléter le tableau ci-dessous.

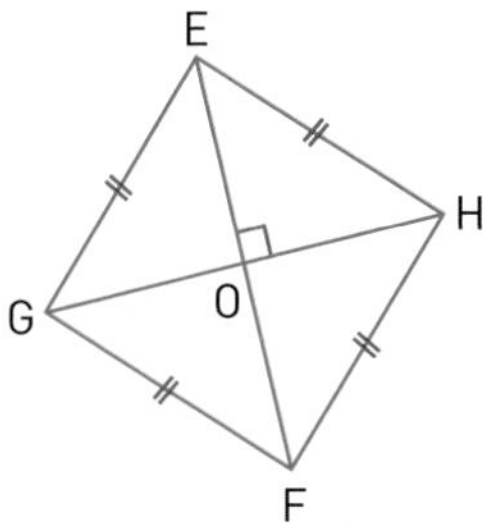


| Le point... | ...est le symétrique du point... | ...par rapport... |
|---|---|---|
| G | | au point O |
| F | E | |
| E | | à la droite (GH) |
| O | | à la droite (EF) |

## 32 Construction 2

Voici une figure incomplète, on veut que le point O soit son centre de symétrie et que la droite *d* soit un axe de symétrie. Reproduire et compléter le dessin.

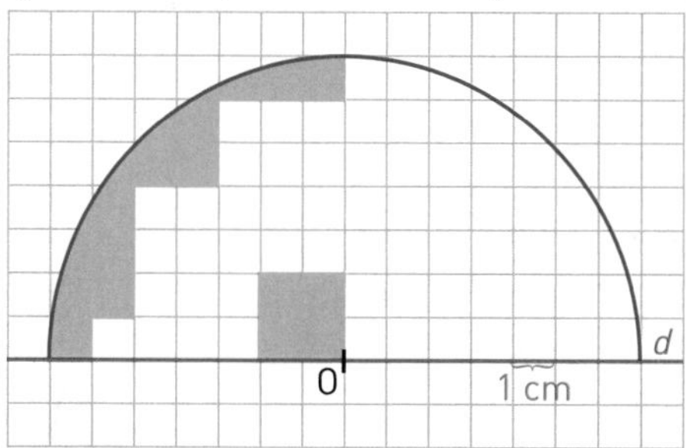


## Lire et écrire

## 33 Formuler

RSTK est un parallélogramme. Écrire trois phrases contenant chacune le mot « symétrique ».

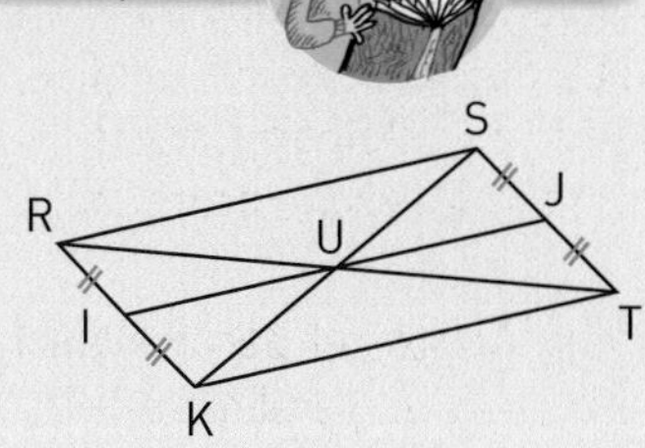


## 34 Programme

Corriger le **programme de construction*** pour qu'il représente vraiment la figure.

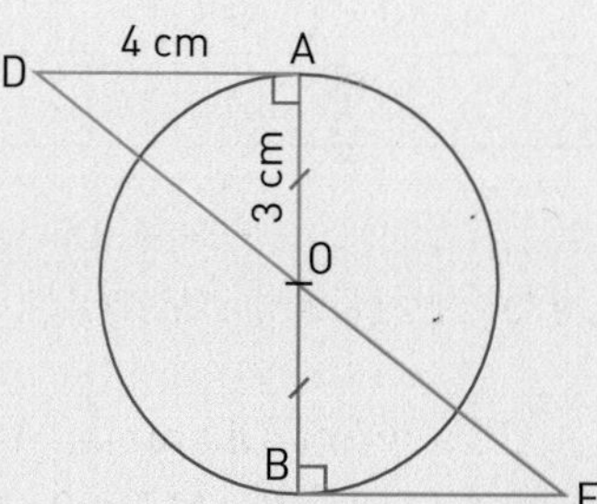


*« Tu traces un cercle ce centre O et de rayon 3 cm. Tu places ensuite un point A sur ce cercle et tu construis le triangle OAD avec AD = 4 cm. Après tu traces un triangle de l'autre côté de O de mêmes dimensions que OAD. Tu l'appelles OBE. »*

## 35 Lire une consigne

ABCD est un rectangle de centre O tel que AB = 4 cm et AD = 2 cm.
*Le rectangle BEFC est le symétrique du rectangle ABCD par rapport à la droite (BC). Le centre de symétrie du rectangle BEFC est le point P.*
*De plus le point S est le point de la demi-droite [BC) tel que CS = 5 cm.*

**a.** Faire un schéma à main levée de cette figure.
**b.** Quelles phrases du texte permettent de répondre à la question : « Calculer la longueur BS » ?
**c.** Quelle phrase du texte permet de répondre à la question : « Quel est le symétrique du point A par rapport au point B ? » ? Pourquoi ?
**d.** Quelle phrase du texte permet de répondre à la question : « Quel est le symétrique du point C par rapport au point O ? » ?

# Exercices d'application

**36** **Éléments de symétrie**

Après avoir décalqué chaque figure, repérer le centre et le (ou les axes) de symétrie.

**a.**

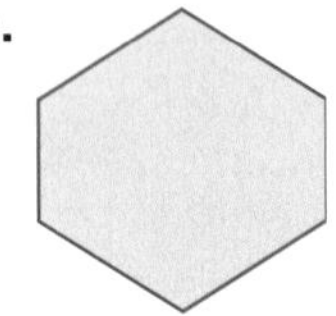

**b.**

**37** **À main levée**

Le triangle ABC est un triangle **isocèle*** en A. Le point O est un point **quelconque***. Les points P, L et M sont les symétriques **respectifs*** des points A, B et C par rapport au point O.

**a.** Faire un schéma à main levée.

**b.** Écrire la liste des longueurs égales à la longueur AB. Expliquer.

**c.** Quelle est la **nature*** du triangle PLM ?

Choisir parmi les trois réponses proposées la (ou les) bonne(s) réponse(s).

| Question | Réponse 1 | Réponse 2 | Réponse 3 |
|---|---|---|---|
| **38** Dans ce rectangle, quel est le symétrique du point A par rapport au point O ? | Le point B | Le point C | Le point D |
| **39** Quelle propriété est utile pour prouver que la longueur AC vaut 3 cm ? | Le symétrique d'un segment par rapport à un point est un segment. | Le symétrique d'un segment par rapport à un point est un segment parallèle. | Le symétrique d'un segment par rapport à un point est un segment de même longueur. |
| **40** Trois élèves ont tracé le symétrique de cette figure par rapport au point O. Lequel a réalisé une construction correcte ? | | | |
| **41** Quelle figure a exactement un centre de symétrie et deux axes de symétrie ? | Un carré | Un losange | Un rectangle |
| **42** Un cercle a… | Un centre de symétrie et deux axes de symétrie. | Un centre de symétrie et pas d'axe de symétrie. | Un centre de symétrie et une infinité d'axes de symétrie. |

# À CHACUN SON PARCOURS

## 1 Notion de symétrie centrale

**43 A** Décalquer et construire le symétrique de la figure par rapport au point O.

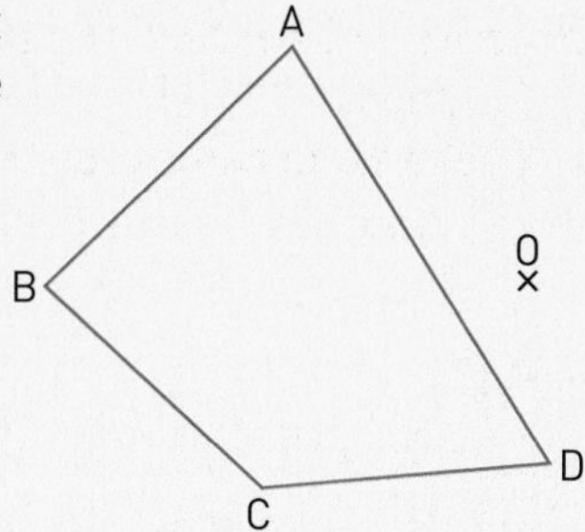


**43 B** Décalquer et construire le symétrique de la figure par rapport au point O.

Ce point O a disparu. Mais le symétrique du point A est placé, c'est le point A′.

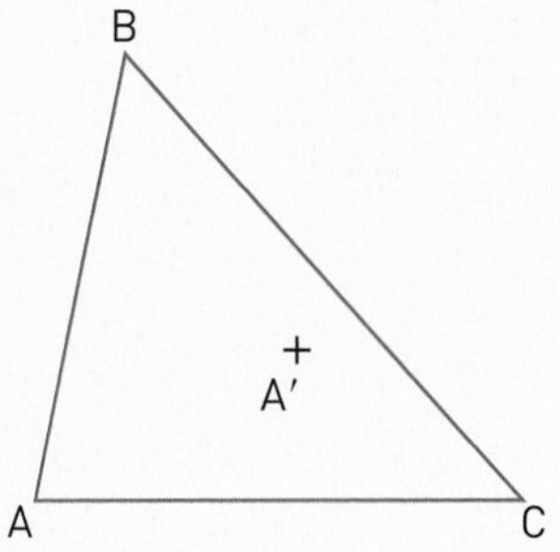


## 2 Propriétés de la symétrie centrale

**44 A** Cette figure a un centre de symétrie, le point O.

**a.** Calculer le périmètre de la figure.

**b.** Quelle propriété du cours est utilisée ?

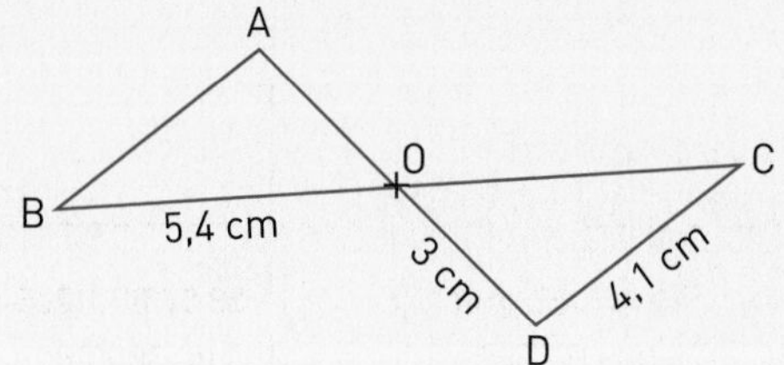


**44 B** Voici une figure incomplète. On veut que le point O soit son centre de symétrie et que la droite (BO) soit un axe de symétrie.

**a.** Reproduire et compléter ce dessin.

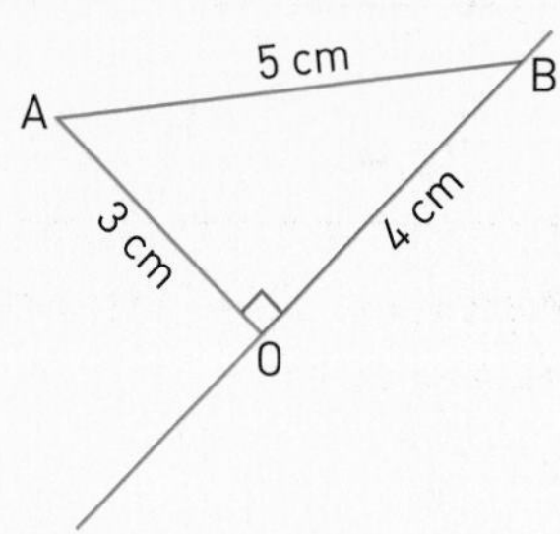


**b.** Calculer l'aire de la figure complète. Justifier le calcul effectué.

## 3 Figures simples et éléments de symétrie

**45 A** Décalquer et retrouver le centre de symétrie de la figure ci-dessous uniquement à l'aide de la règle non **graduée***.

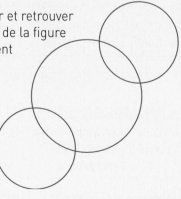

**45 B** Décalquer et retrouver le centre de symétrie de ce cercle uniquement à l'aide de la règle non graduée et du compas.

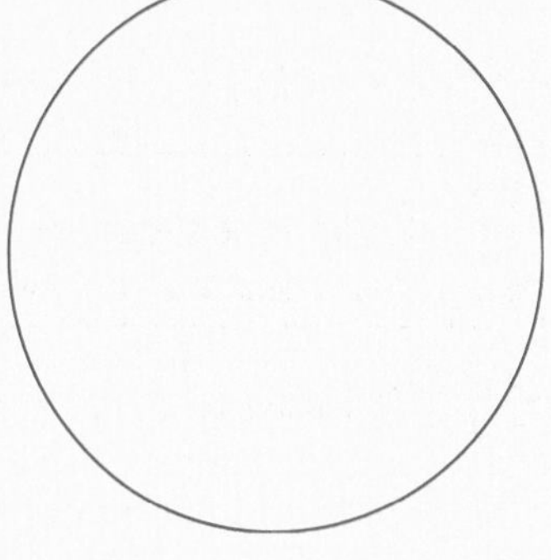

## Reconnaître des figures symétriques

**46 Reconnaître**
Recopier et compléter ce tableau sachant que ABCD est un rectangle.

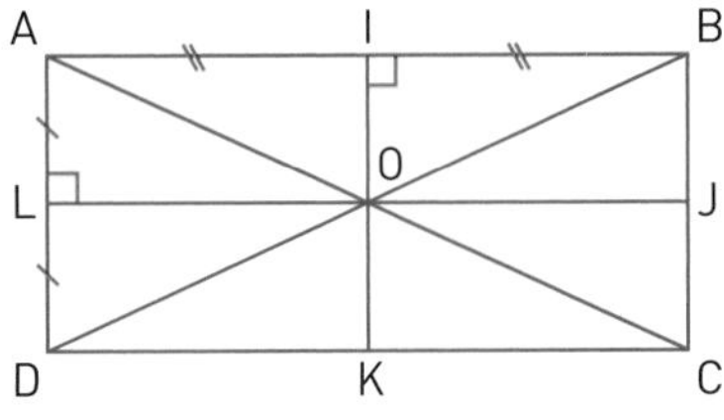


| Le triangle… | …est le symétrique du triangle… | …par rapport… |
|---|---|---|
| AOI | | au point O |
| AOI | BOI | |
| | AOD | au point O |
| ABD | | à la droite (LJ) |

**47 Repérer les points symétriques**
En utilisant uniquement les carreaux, reconnaître les couples de points symétriques par rapport au point O.

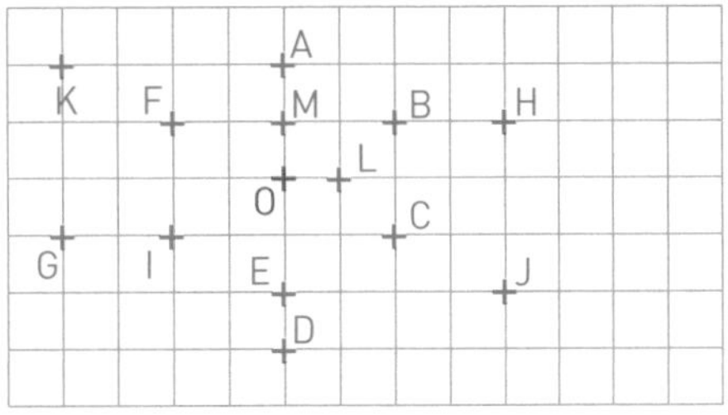


**48 Le bon chemin**

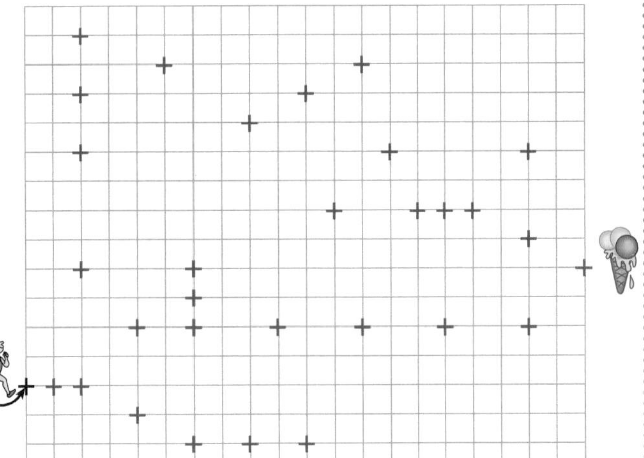

En utilisant les points marqués d'une croix sur cette grille, trouver un chemin pour rejoindre le cornet de glace. Pour passer d'un point au suivant il faut qu'ils soient symétriques par rapport à un point marqué.

**49 Code de la route**

**a.** Donner la signification de chacun de ces panneaux.
**b.** Décrire leurs **éléments de symétrie*** quand ils existent.

**50 Avec des figures géométriques**
Décalquer chaque dessin et repérer les axes et centre de symétrie.

**a.**

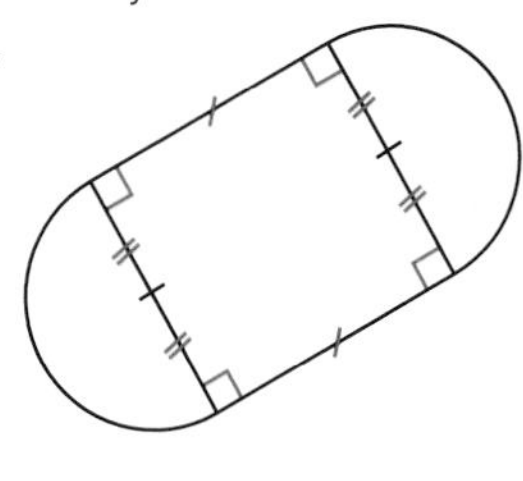

**b.**

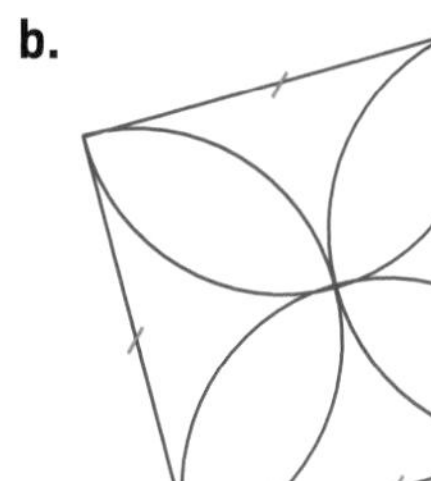

**c.**

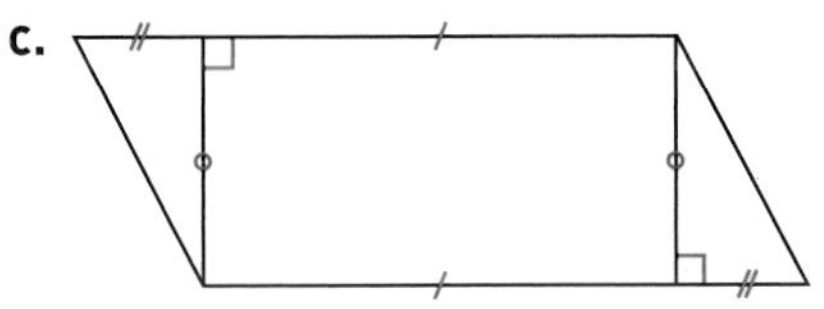

**51 Les drapeaux**

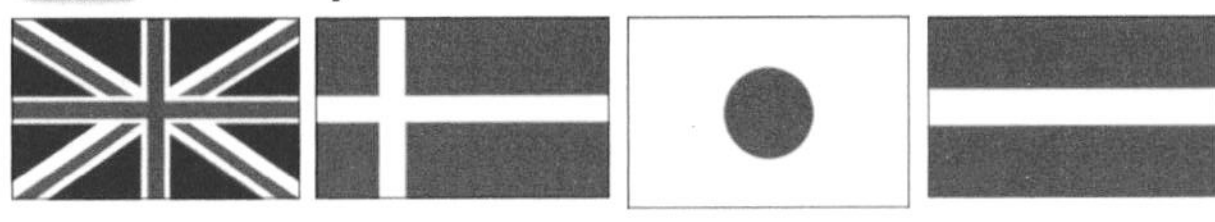

**a.** Trouver, à l'aide d'un dictionnaire le pays correspondant à chaque drapeau.
**b.** Quels sont les **éléments de symétrie*** de chacun de ces drapeaux ?

## Construire

**52 Construire**
**a.** Construire un rectangle NBHJ de dimensions 5 cm et 2 cm. Placer son centre S.
**b.** Construire les points A, Z, E et R symétriques **respectifs*** du point S par rapport aux points N, B, H et J.
**c.** Tracer le quadrilatère AZER.

**53 Demi-cercles**
Voici une figure incomplète, on veut que le point O soit son centre de symétrie.
Reproduire ce dessin en vraie grandeur et le compléter.

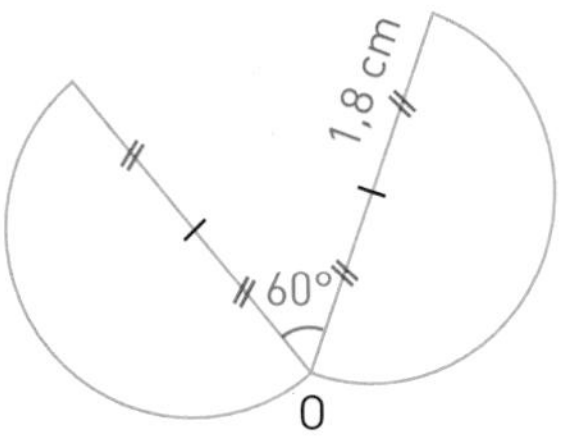

## 54 Programme de construction

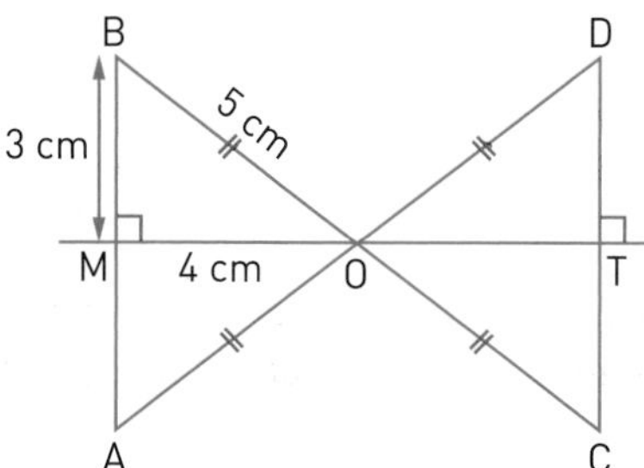


**a.** Écrire un **programme de construction*** pour la figure ci-dessus en utilisant une symétrie centrale.
**b.** Écrire un programme de construction sans utiliser de symétrie.

## 55 Constructions et logiciel

**a.** Construire à l'aide du logiciel de géométrie la figure demandée à l'exercice n° 53.
**b.** De même construire une figure pour chaque programme de construction de l'exercice précédent.

## 56 Utiliser le compas

**a.** Reproduire la figure suivante.

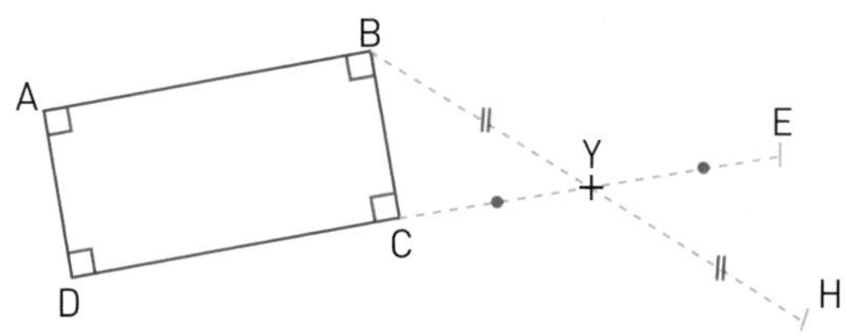


**b.** Les deux rectangles ABCD et EFGH sont symétriques par rapport au point Y.
Placer les points G et H uniquement à l'aide du compas.
Expliquer la construction.

## 57 Pied de la hauteur

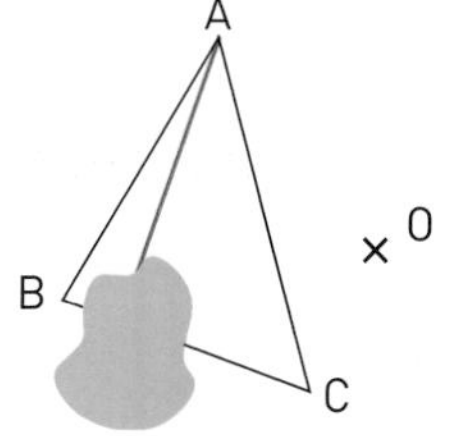


Sur la figure ci-dessous le point H est masqué par une tache.
Il appartient au segment [BC] et la droite (AH) est perpendiculaire à la droite (BC).
**a.** Construire le point H′, symétrique du point H par rapport au point O sans écrire dans la zone colorée.
**b.** Expliquer.

## 58 Quadrillage et symétries

**a.** Reproduire, à la règle, sur une feuille quadrillée le dessin suivant.

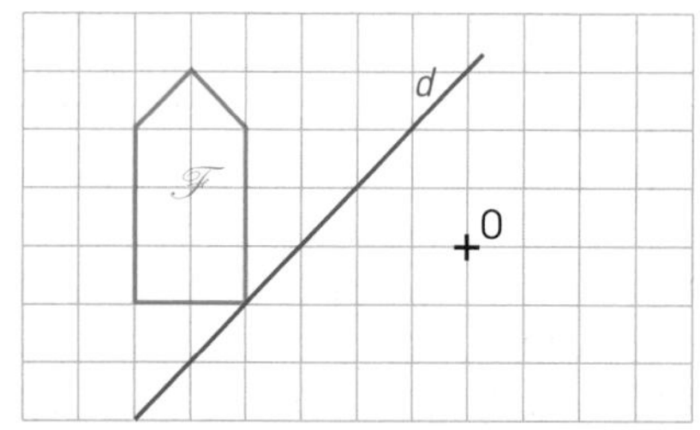


**b.** Construire en rouge le symétrique $\mathscr{F}'$ de la figure $\mathscr{F}$ par rapport à la droite *d* et en vert le symétrique $\mathscr{F}''$ de la figure $\mathscr{F}'$ par rapport au point O.

## 59 Axe gradué

**a.** Quelles sont les **abscisses*** des points A, B, C et D.
**b.** Placer les points symétriques des points B, C et D par rapport au point A. Donner leur abscisse.

## À CHACUN SON PARCOURS

**60 A** Voici une figure incomplète.
On veut que le point O soit son centre de symétrie et que la droite *d* soit un axe de symétrie.
Reproduire et compléter ce dessin.

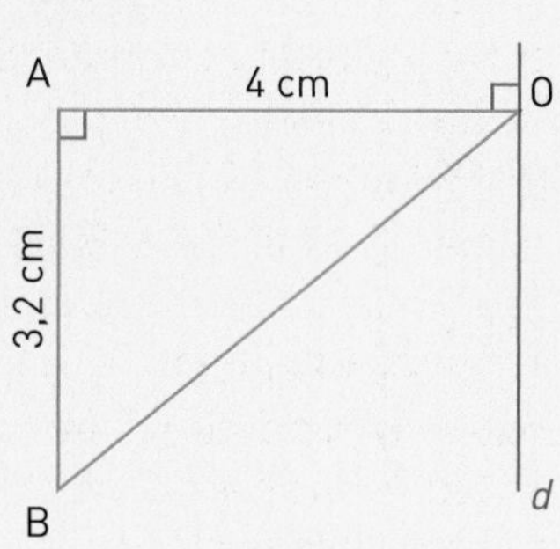


**60 B** Voici une figure incomplète.

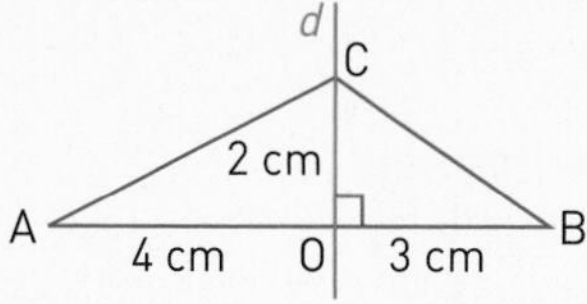


On veut que le point O soit son centre de symétrie et que la droite *d* soit un axe de symétrie.
Reproduire et compléter ce dessin.

**61** **Avec un repère**

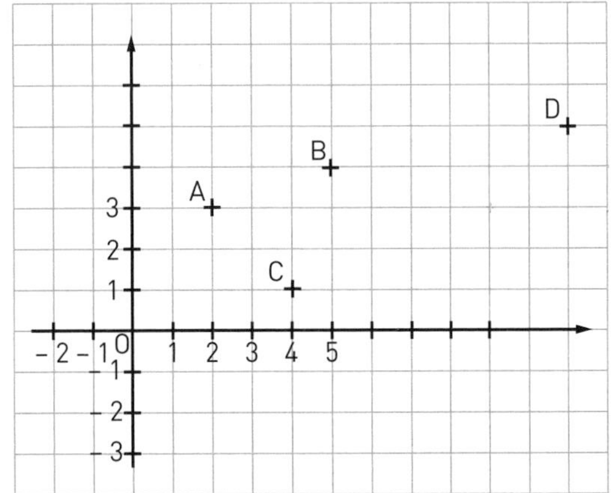


**a.** Quelles sont les coordonnées des points B, C et D ?
**b.** Placer les symétriques des points A, C et D par rapport au point B. Quelles sont leurs coordonnées ?

## Longueurs et figures symétriques

**62** **Périmètre**
**a.** Reproduire la figure.
**b.** Construire le symétrique de la figure par rapport à la droite *d*.
Calculer le périmètre de la figure totale.

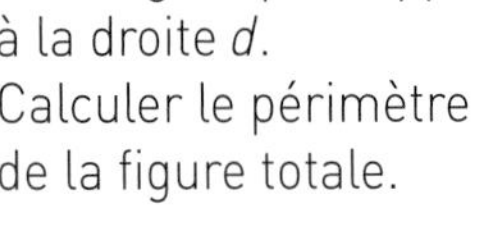

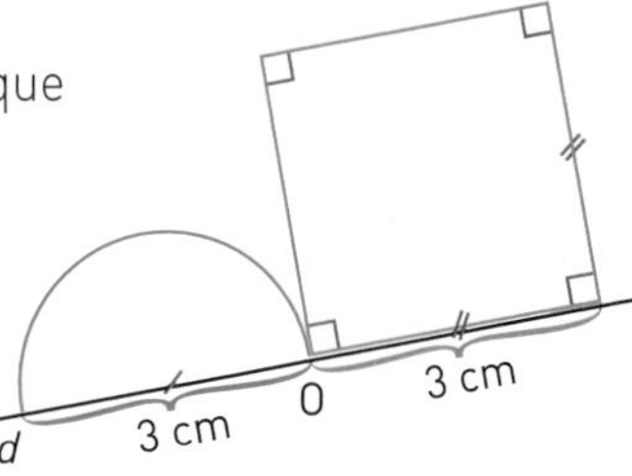


**63** **Périmètre (bis)**
**a.** Reproduire la figure de l'exercice précédent.
**b.** Construire le symétrique de la figure par rapport au point O.
**c.** Calculer le périmètre de la figure totale.

**64** **Périmètre (ter)**

On veut réaliser les figures des exercices n° 62 et n° 63 à l'aide du logiciel de géométrie.
**a.** Expliquer pourquoi une des deux figures est plus difficile à réaliser.
**b.** Construire une des deux figures.

**65** **Obtenir un losange**
Reproduire la figure ci-contre en **vraie grandeur***.
**a.** Tracer le cercle $\mathscr{C}'$ symétrique du cercle $\mathscr{C}$ par rapport au point I.

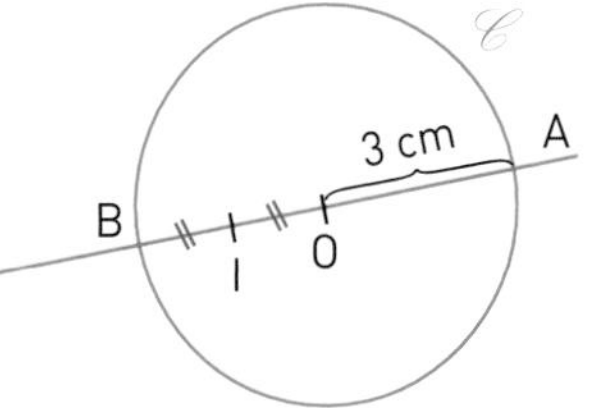


**b.** Pourquoi pouvait-on être sûr que le cercle $\mathscr{C}'$ passerait par le point O ?
**c.** Les deux cercles se coupent en T et R. Prouver que OTBR est un **losange***.
**d.** Calculer le périmètre du losange OTBR.

**66** **De tête**
Le centre de symétrie de la figure suivante est le point P. Calculer son périmètre.

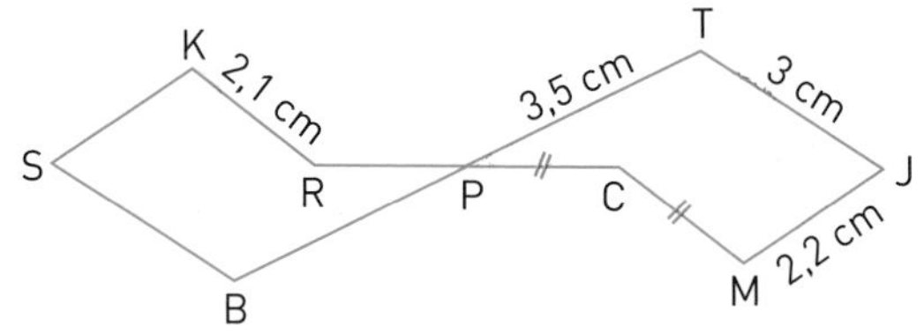


**67** **Triangle**
**a.** Reproduire ce triangle en **vraie grandeur***.

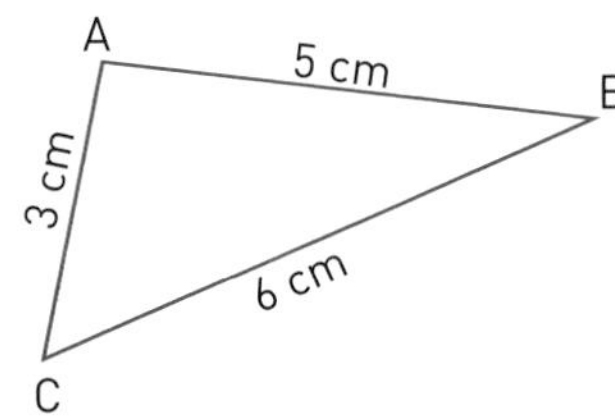


→ **Aide** : Commencer par tracer le côté [CB] à la règle, puis utiliser le compas pour placer le point A.

**b.** Placer le point F symétrique du point C par rapport au point B, le point E symétrique du point A par rapport au point B et le point G symétrique du point F par rapport au point E.
**c.** Calculer la longueur EG. Expliquer.
**d.** Calculer la longueur de la ligne brisée CBEG.

**68** **Cercle**
**a.** Reproduire la figure ci-dessous.

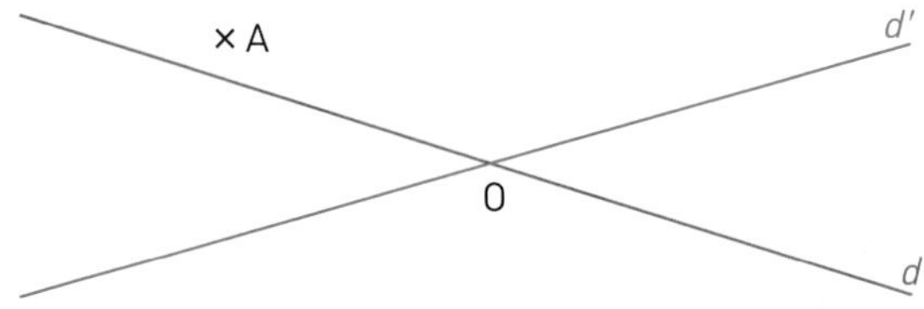


**b.** Construire le point B symétrique du point A par rapport à la droite *d*, puis le point C symétrique du point B par rapport à la droite *d'*.
**c.** Construire le point D symétrique du point C par rapport au point O.
**d.** Expliquer pourquoi OA = OB, puis pourquoi OB = OC et enfin pourquoi OC = OD.
**e.** Pourquoi peut-on être sûr que les points A, B, C et D sont sur un même cercle ? Tracer ce cercle.

**69** Avec des lettres

**a.** Reproduire cette figure pour $a$ = 4 cm.
**b.** Compléter ce dessin pour que la figure obtenue ait pour centre de symétrie le point I.
**c.** Calculer le périmètre de la figure complète (donner une **valeur approchée à** 0,1 cm **près***).
**d.** Quel serait le périmètre de la figure pour $a$ = 5 cm ? pour $a$ = 6 cm ?

**70** **Cercle**

**a.** Construire un triangle ABC isocèle en C tel que BC = 5 cm et AB = 3 cm.
**b.** Construire le point D symétrique du point B par rapport à la droite (AC) et les points A′, B′ et D′ symétriques des points A, B et D par rapport au point C.
**c.** Pourquoi peut-on être sûr que le cercle de centre C passant par le point A passe aussi par les points B, D, A′, B′ et D′ ?

## Autres propriétés

**71** **Aire du parallélogramme**

ABCD est un parallélogramme et le triangle IAD est rectangle en I.

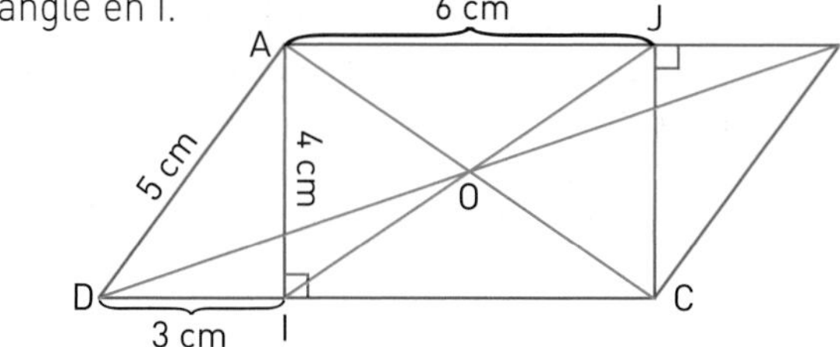


**a.** Calculer l'aire du triangle IAD.
**b.** En **déduire***, sans faire de calcul, l'aire du triangle JBC. Expliquer.
**c.** Calculer l'aire du parallélogramme ABCD.

**72** **Dans un rectangle**

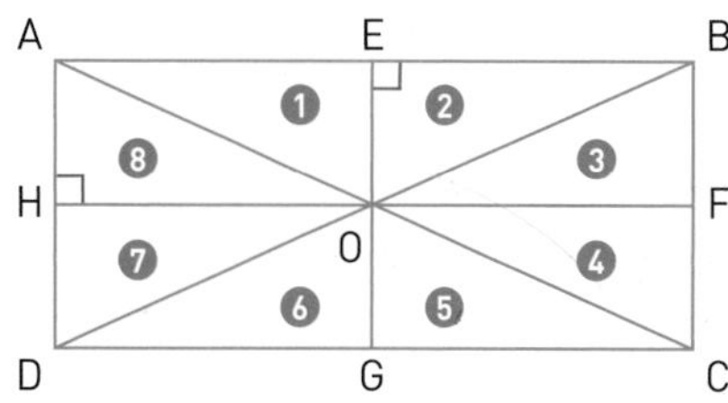


Le point O est le centre de symétrie du rectangle ABCD, les droites (EG) et (HF) sont ses axes de symétrie. **Prouver*** que :
**a.** Les aires des triangles ③ et ⑦ sont égales.
**b.** L'aire du triangle OBC vaut deux fois celle du triangle ③.
**c.** L'aire du triangle AOB est égale à celle du triangle COD.

**73** **Repérage**

**a.** Placer les points suivants sur une feuille quadrillée et tracer le quadrilatère ABCD.

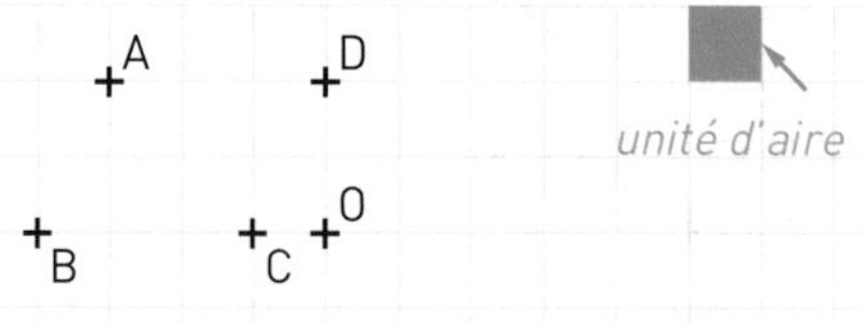


**b.** Tracer le symétrique du quadrilatère ABCD par rapport au point O.
**c.** Calculer l'aire du quadrilatère ABCD. Combien vaut l'aire de son symétrique ?

## À CHACUN SON PARCOURS

**74 A**

Dans chaque cas, retrouver et tracer, lorsque c'est possible, les **éléments de symétrie*** de la figure en partie cachée (il est interdit d'écrire dans la partie cachée).

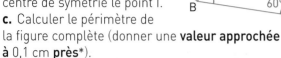

**74 B**

Dans chaque cas, retrouver et tracer, lorsque c'est possible, les éléments de symétrie de la figure en partie cachée (il est interdit d'écrire dans la partie cachée).

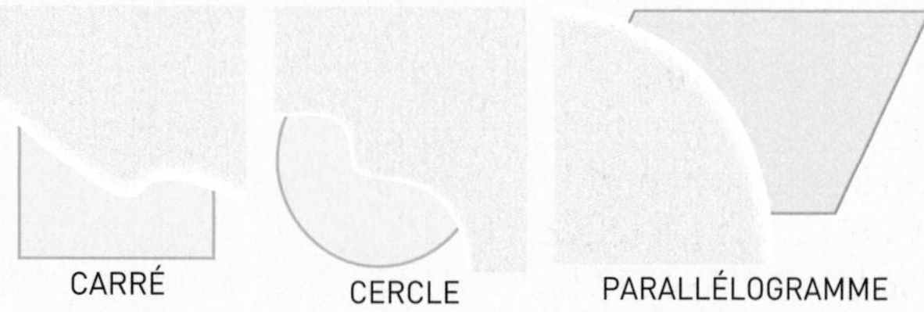

**75 Angles**

Les deux pentagones sont symétriques par rapport au point O.

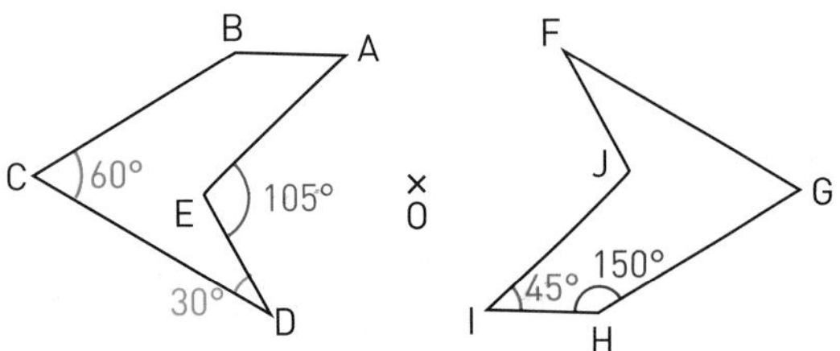

Donner la mesure des angles manquants de chaque polygone en justifiant à l'aide d'une propriété.

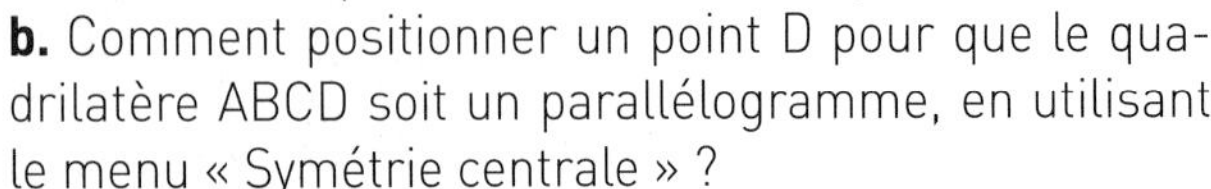

**76 Parallélogramme**

**a.** Placer trois points A, B et C non alignés.

**b.** Comment positionner un point D pour que le quadrilatère ABCD soit un parallélogramme, en utilisant le menu « Symétrie centrale » ?

**c.** Construire tous les parallélogrammes possibles à partir des points A, B et C.

**77 Devinette n° 1**

Construire une figure composée de deux carrés de tailles différentes et ayant les mêmes axes de symétrie et le même centre de symétrie.

**78 Devinette n° 2**

Tracer deux cercles de rayons différents ayant un axe de symétrie commun et pas le même centre de symétrie.

## ÉNIGME DU CHAPITRE

Placer tous les centres de symétrie possibles pour que le point A soit un sommet de la figure symétrique de celle du polygone tracé.

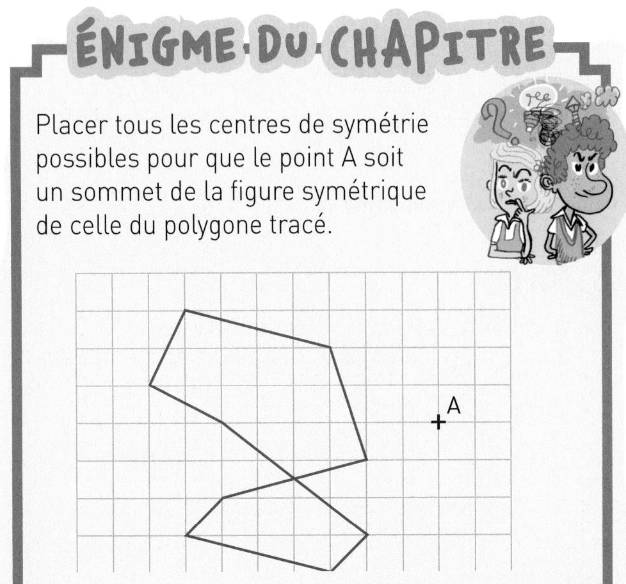

## Devoirs à la maison

### POUR PRENDRE LE TEMPS DE CHERCHER

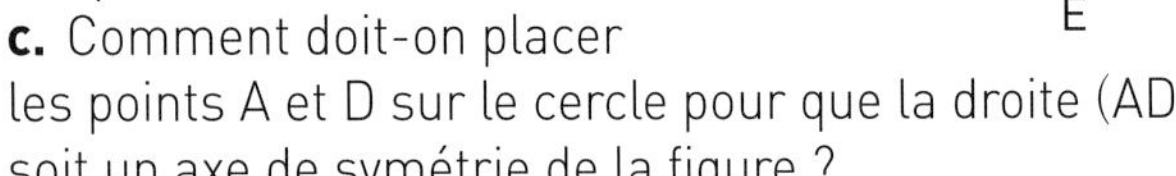

**79 Aires**

Le point O est le centre du cercle.

**a.** Prouver que la mesure de l'angle $\widehat{FDB}$ est égale à celle de l'angle $\widehat{CAE}$.

**b.** Prouver que l'aire du quadrilatère DEFB est égale à celle du quadrilatère ABCE.

**c.** Comment doit-on placer les points A et D sur le cercle pour que la droite (AD) soit un axe de symétrie de la figure ?

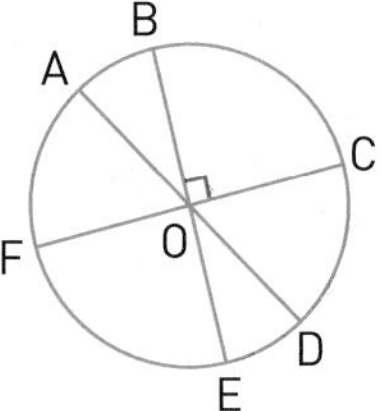


**80 La chasse au trésor**

Voici une carte laissée par un pirate.

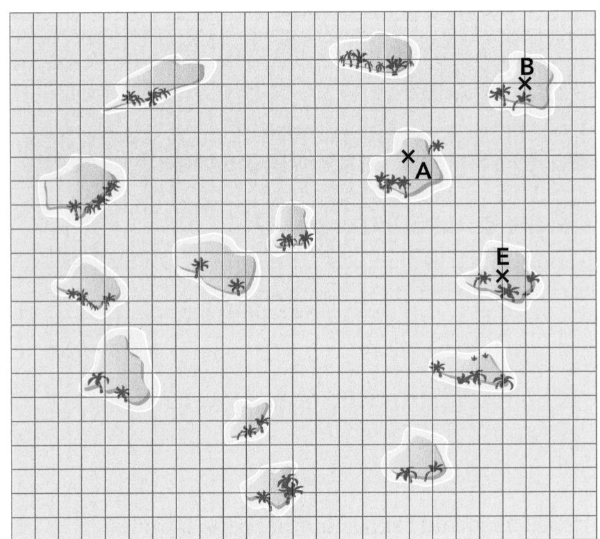


Sur un vieux parchemin il a écrit :

« Pour trouver le mon trésor, il te faut :

- Construire le point C symétrique du point B par rapport au point A.
- Construire le point D symétrique du point E par rapport au point C.
- Construire le point F symétrique du point B par rapport à la droite (EC).
- Construire le point G tel que le quadrilatère CEFG soit un parallélogramme.

Mon trésor est enterré à l'intersection de la **bissectrice*** de l'angle $\widehat{CGD}$ et de la **médiatrice*** du segment [DG] ».

Trouver l'emplacement du trésor sur la carte.

# 7 Angles et parallélogrammes

## Les objectifs du programme

### Angles

Maîtriser l'usage du rapporteur pour mesurer ou construire un angle.

### Angles et parallélismes

Connaître et utiliser les propriétés relatives aux angles formés par deux parallèles et une sécante, et leurs réciproques.

### Parallélogramme et figures symétriques

- → Connaître et utiliser une définition et les propriétés du parallélogramme et des cas particuliers du carré, du rectangle, du losange.
- → Construire, sur papier uni, un parallélogramme donné (et notamment dans les cas particuliers) en utilisant ses propriétés.

## Sommaire

# D'un siècle...

▲ Cadran solaire

## Le cadran solaire...

L'utilisation des cadrans solaires pour mesurer le temps date d'au moins 2000 avant J.-C.

Plus de 3000 ans plus tard, au 18e siècle, les horloges mécaniques sont apparues. La première horloge à quartz date du milieu du 20e siècle !

Le cadran solaire ci-contre est formé d'une tige fixée sur une surface plane graduée. L'angle entre la tige et la surface plane dépend de la latitude du lieu où le cadran solaire est utilisé.
La position de l'ombre de la tige change au long de la journée. Pour lire l'heure solaire, on repère sur quelle graduation l'ombre se projette.

# ...à l'autre

## La boussole

Eh oui, une boussole n'indique pas précisément le Nord géographique !
Il y a une correction d'angle à faire sur la direction indiquée par l'aiguille de la boussole pour obtenir le Nord géographique.
Cette correction s'appelle la déclinaison magnétique. Comme l'indiquent les cartes marines ci-dessous, elle dépend du lieu où l'on se situe.

▲ Boussole

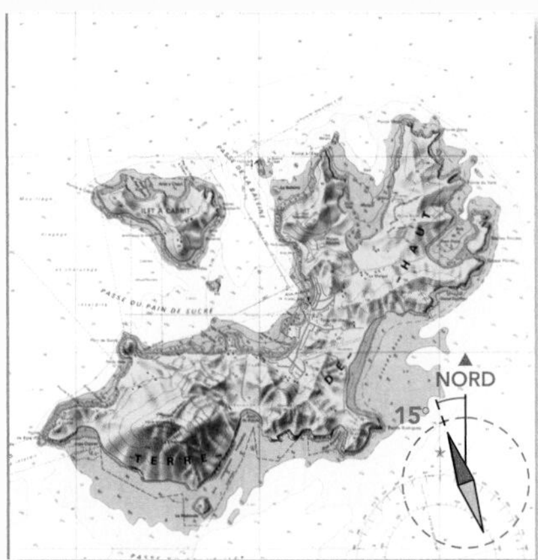


▲ Terre-de-Haut, Les Saintes (Guadeloupe)
La déclinaison est d'environ 15°Ouest.

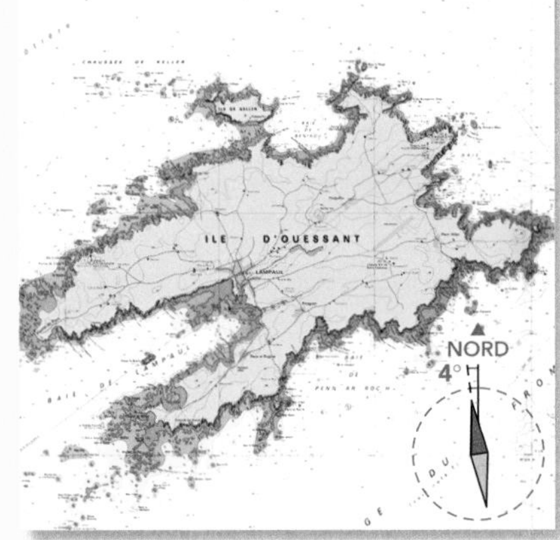


▲ Ouessant (Finistère)
La déclinaison est d'environ 4° Ouest.

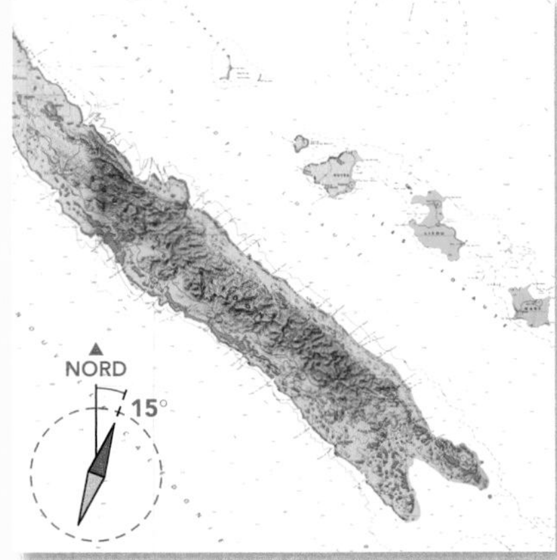


▲ Îles Loyauté (Nouvelle-Calédonie)
La déclinaison est d'environ 15° Est.

## Angles, parallélisme

### Mesurer avec des angles adjacents

**a.** Décalquer et découper ces trois **gabarits***.

Angle de 10° :

Angle de 30° : 

Angle de 45° : 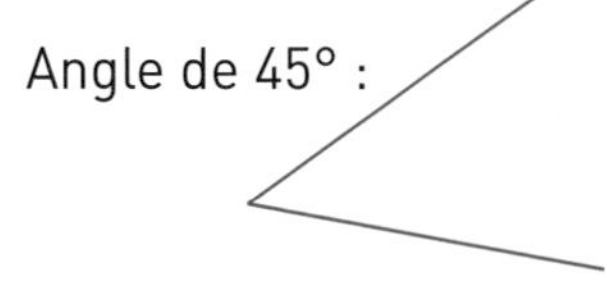

**b.** Trouver les mesures des angles suivants en utilisant un ou plusieurs gabarits.

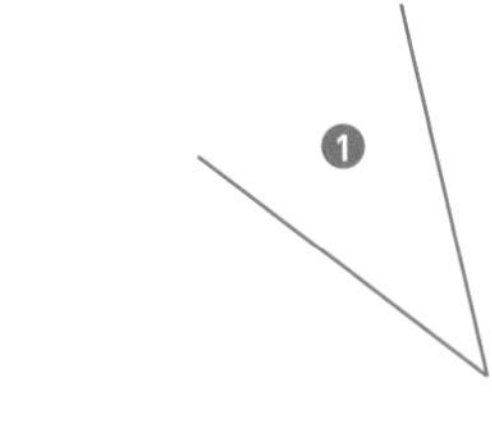

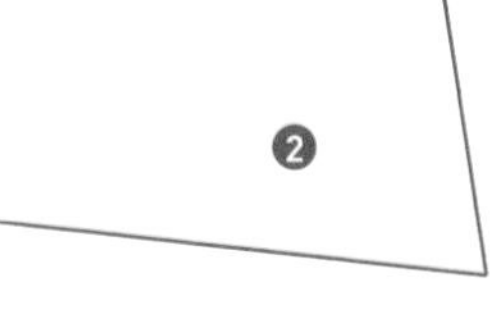

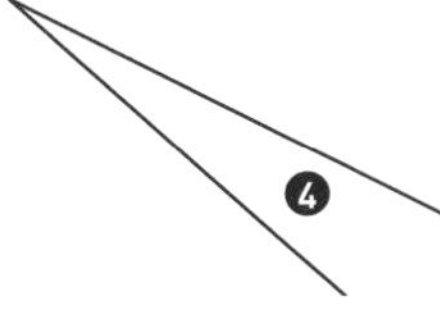

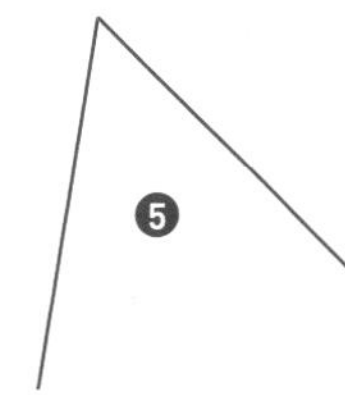

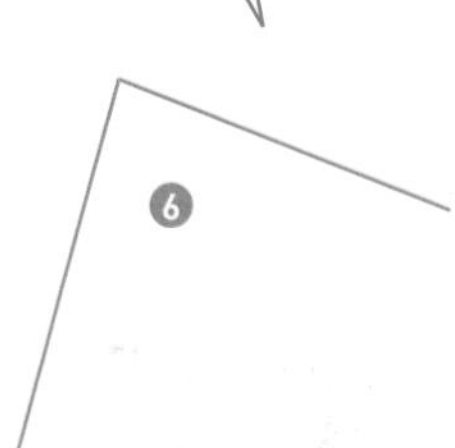

**c.** Pour chaque angle, expliquer la méthode utilisée.

### Comparer des angles

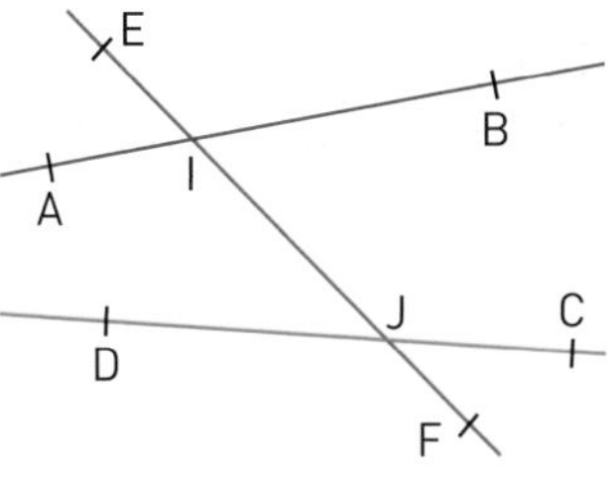


**1.** Ouvrir la figure indiquée par le professeur.
Afficher les mesures des angles $\widehat{BIJ}$ et $\widehat{DJI}$.
Faire varier la position des points de manière à ce que les deux angles aient même mesure. Quelle semble être alors la position des droites ?

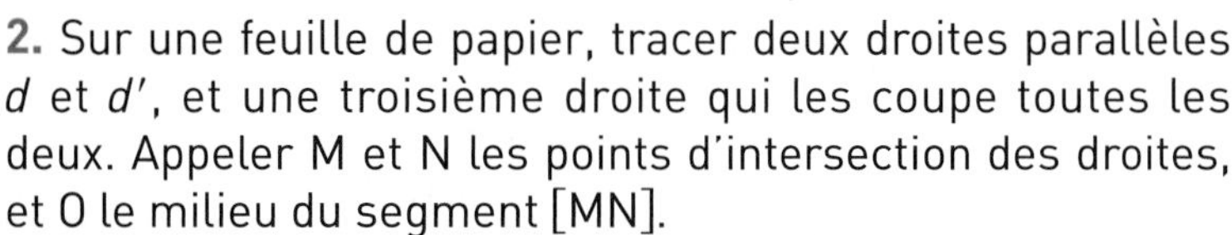

**2.** Sur une feuille de papier, tracer deux droites parallèles $d$ et $d'$, et une troisième droite qui les coupe toutes les deux. Appeler M et N les points d'intersection des droites, et O le milieu du segment [MN].

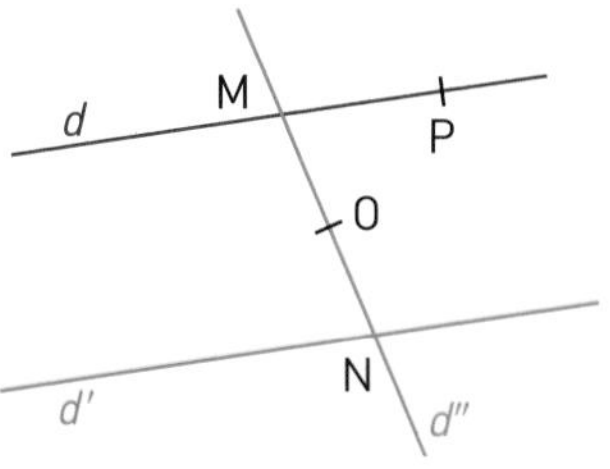


**a.** Prouver que le point N est le symétrique du point M par rapport au point O.

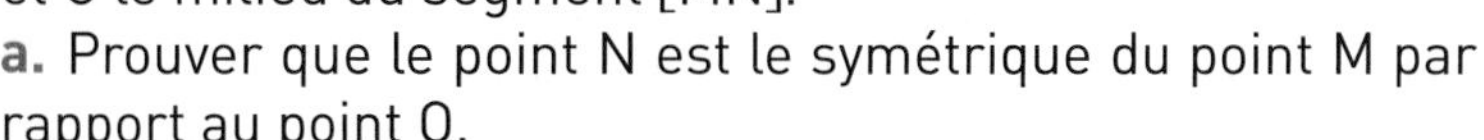

**b.** Placer le point P sur la droite $d$, et Q le point symétrique du point P par rapport au point O. Prouver que le point Q est sur la droite $d'$.

**c.** Prouver que les angles $\widehat{PMN}$ et $\widehat{QNM}$ ont la même mesure.

# Propriétés des parallélogrammes

## 3 Propriétés des parallélogrammes

À l'aide de cette définition uniquement, **prouver*** les propriétés suivantes des parallélogrammes :

a. deux côtés opposés d'un parallélogramme sont parallèles,

→ **Aide** : On peut faire un schéma et nommer les sommets.

b. deux côtés opposés d'un parallélogramme sont de même longueur,
c. les diagonales d'un parallélogramme se coupent en leur milieu,
d. deux angles opposés d'un parallélogramme ont même mesure,
e. deux angles **consécutifs*** d'un parallélogramme sont supplémentaires.

## 4 Propriétés des losanges

On veut prouver, à l'aide de cette définition qu'un losange est un parallélogramme.

a. Tracer un losange ABCD à main levée, tracer aussi ses diagonales et leur point d'intersection O.
b. Expliquer à l'aide de la définition du losange et en utilisant les propriétés des médiatrices pourquoi on peut être sûr que le point A est sur la **médiatrice*** du segment [BD]. Expliquer pourquoi le point C est lui aussi sur cette médiatrice.
c. À l'aide de la question précédente, expliquer pourquoi on peut être sûr que le point O est le milieu du segment [BD].
d. Prouver que le point O est aussi le milieu du segment [AC].
e. Prouver que le point O est le centre de **symétrie*** du losange ABCD.
f. À l'aide de la définition de l'approche 3, prouver que le quadrilatère ABCD est un parallélogramme.

# Nature d'un quadrilatère

## 5 Diagonales des quadrilatères

a. Pour chaque colonne du tableau, construire un quadrilatère qui vérifie les propriétés indiquées :

| Propriétés | 1 | 2 | 3 | 4 | 5 | 6 | 7 | 8 |
|---|---|---|---|---|---|---|---|---|
| Les diagonales ont la même longueur | oui | non | non | oui | oui | non | oui | non |
| Les diagonales se coupent en leur milieu | non | oui | non | oui | non | oui | oui | non |
| Les diagonales sont perpendiculaires | non | non | oui | non | oui | oui | oui | non |

*EXEMPLE DE LECTURE DU TABLEAU*
*Pour la colonne 1, le quadrilatère a ses diagonales de même longueur, elles ne se coupent pas en leur milieu, et ne sont pas perpendiculaires.*

b. Peut-on donner la **nature*** des quadrilatères dans chacun des cas ?

## 6 Côtés opposés et côtés consécutifs

a. Dessiner un quadrilatère qui a deux côtés **opposés*** de même longueur mais qui n'est pas un parallélogramme.
b. Dessiner un quadrilatère qui a deux côtés opposés parallèles, mais qui n'est pas un parallélogramme.
c. Dessiner un quadrilatère qui a deux côtés opposés parallèles, les deux autres côtés étant de même longueur, mais qui n'est pas un parallélogramme.
d. Dessiner un quadrilatère qui a deux côtés **consécutifs*** égaux, mais qui n'est pas un losange.
e. Dessiner un quadrilatère qui a deux côtés **consécutifs*** perpendiculaires, mais qui n'est pas un rectangle.
f. Dessiner un quadrilatère qui a trois côtés consécutifs égaux, mais qui n'est pas un parallélogramme.

# Angles, parallélisme

## 1 Vocabulaire

### 1 Mesures d'angles et vocabulaire

**DÉFINITION**

- Deux angles sont **complémentaires** si la somme de leurs mesures vaut 90°.
- Deux angles sont **supplémentaires** si la somme de leurs mesures vaut 180°.

### 2 Angles de même sommet

**DÉFINITION**

Sur cette figure, les angles $\widehat{xAy}$ et $\widehat{yAz}$ sont **adjacents**.

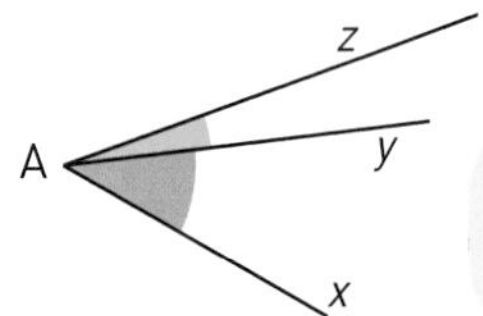


La demi-droite [Ay) se situe entre les demi-droites [Ax) et [Az).

**PROPRIÉTÉ**

La mesure de l'angle $\widehat{xAz}$ est égale à la somme des mesures des deux angles adjacents : $\widehat{xAy} + \widehat{yAz} = \widehat{xAz}$.

**DÉFINITION**

Sur cette figure, les angles $\widehat{AIB}$ et $\widehat{CID}$ sont **opposés par le sommet**.

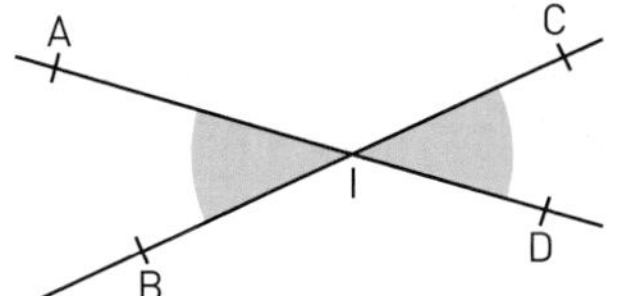


Les droites (AD) et (BC) se coupent en I.

**PROPRIÉTÉ**

Deux angles opposés par le sommet sont toujours de même mesure :

$\widehat{AIB} = \widehat{CID}$.

## 2 Angles et parallélisme

**DÉFINITION**

Les deux angles colorés définis par ces trois droites sont des angles **alternes internes***.

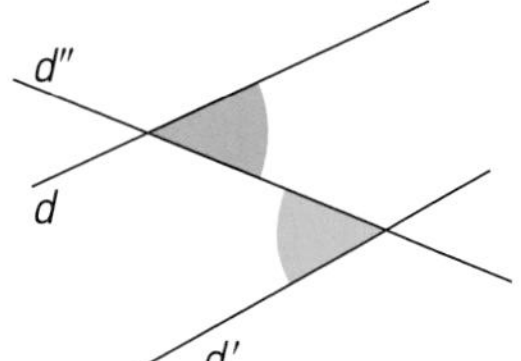


Les deux droites *d* et d' sont coupées par une droite *d''*.

**PROPRIÉTÉ**

Si les droites *d* et *d'* sont parallèles, alors les angles alternes-internes sont de même mesure.

**RÉCIPROQUE**

Si les angles alternes-internes sont de même mesure, alors les droites *d* et *d'* sont parallèles.

**DÉFINITION**

Les deux angles colorés définis par ces trois droites sont des angles **correspondants**.

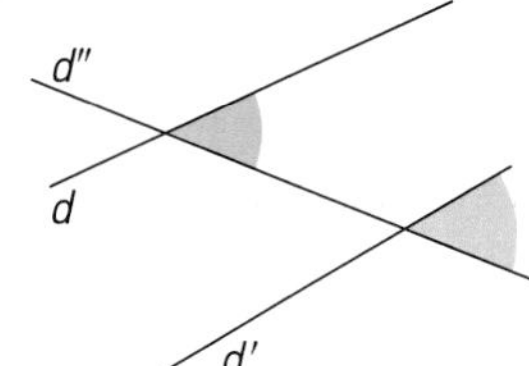


Les deux droites *d* et d' sont coupées par une droite *d''*.

**PROPRIÉTÉ**

Si les droites *d* et *d'* sont parallèles, alors les angles correspondants sont de même mesure.

**RÉCIPROQUE**

Si les angles correspondants sont de même mesure, alors les droites *d* et *d'* sont parallèles.

EXERCICE RÉSOLU 1

## *Calculer la mesure d'un angle*

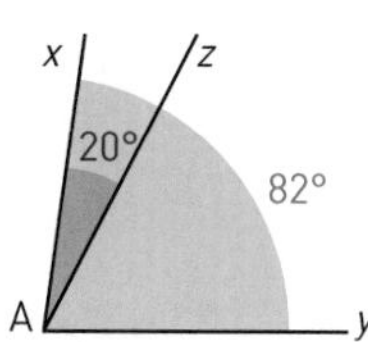


**ÉNONCÉ**

**Trouver la mesure de l'angle $\widehat{yAz}$ sans utiliser le rapporteur.**

**RÉPONSE**

L'angle $\widehat{zAy}$ mesure 62°.

**COMMENTAIRES**

- Les angles $\widehat{xAz}$ et $\widehat{zAy}$ sont adjacents, la somme de leur mesures vaut 82°.
- L'angle $\widehat{yAz}$ a donc pour mesure 62°, car 20° + **62°** = 82°.

Sur le même modèle
▸ exercice 5

EXERCICE RÉSOLU 2

## *Utiliser le vocabulaire sur les angles*

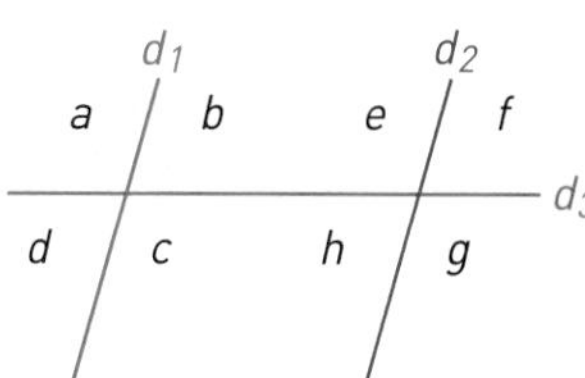


**ÉNONCÉ**

**Les droites $d_1$ et $d_2$ sont parallèles.**
**Pourquoi les angles *a* et *g* sont-ils égaux ?**
**Justifier avec le vocabulaire du cours.**

**RÉPONSES**

– Les angles *e* et *a* sont correspondants, ils ont donc même mesure car les droites $d_1$ et $d_2$ sont parallèles.
– Les angles *e* et *g* sont opposés par le sommet, ils ont donc même mesure.

**Donc*** les angles *a* et *g* ont même mesure.

**COMMENTAIRES**

On peut s'aider en coloriant au fur et à mesure les angles égaux de la figure d'une même couleur.

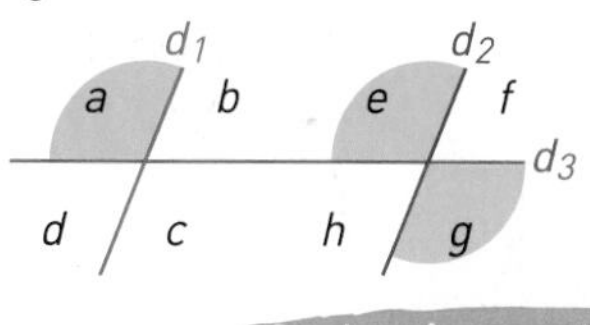


Sur le même modèle
▸ exercice 6

EXERCICE RÉSOLU 3

## *Démontrer le parallélisme à l'aide des angles*

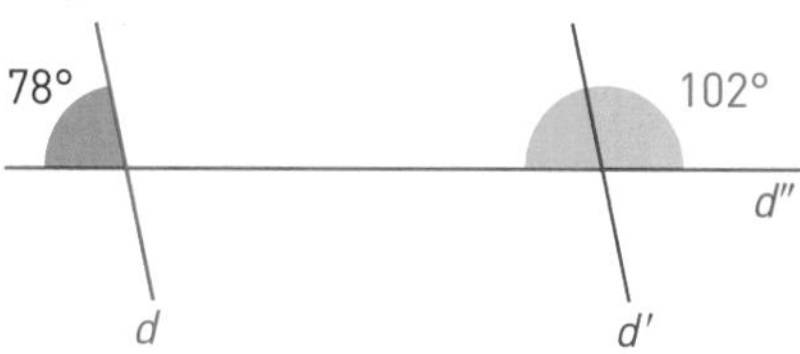


**ÉNONCÉ**

**Prouver que les droites *d* et *d'* sont parallèles.**

**RÉPONSE**

– Les angles orange et vert sont supplémentaires. L'angle orange mesure 78°, car 102° + **78°** = 180°.
– Les angles orange et violet sont correspondants et comme ils ont même mesure, les droites *d* et *d'* sont donc parallèles.

**COMMENTAIRES**

Les angles orange et vert sont supplémentaires car ils sont adjacents et forment un **angle plat***.

On utilise ici la réciproque de la propriété.

Sur le même modèle
▸ exercice 8

# Propriétés des parallélogrammes

## 1 Propriétés des parallélogrammes

**DÉFINITION**

Un **parallélogramme** est un quadrilatère qui a un **centre de symétrie***.

**PROPRIÉTÉ**

Si un quadrilatère est un parallélogramme, alors il a toutes les propriétés suivantes :
- les côtés opposés sont parallèles ;
- les côtés opposés sont de même longueur ;
- les diagonales se coupent en leur milieu ;
- les angles opposés sont de même mesure.

*On peut coder certaines de ces propriétés sur une figure :*

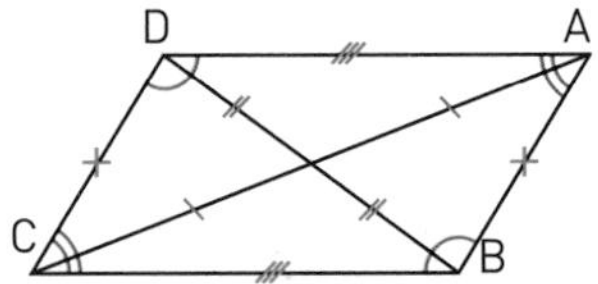


PREUVE : voir approche 3

## 2 Propriétés des parallélogrammes particuliers

### Le losange

**DÉFINITION**

Un **losange** est un quadrilatère qui a ses quatre côtés de même longueur.

**PROPRIÉTÉ**

Un losange est un parallélogramme qui a :
- ses diagonales perpendiculaires ;
- ses côtés **consécutifs*** de même longueur.

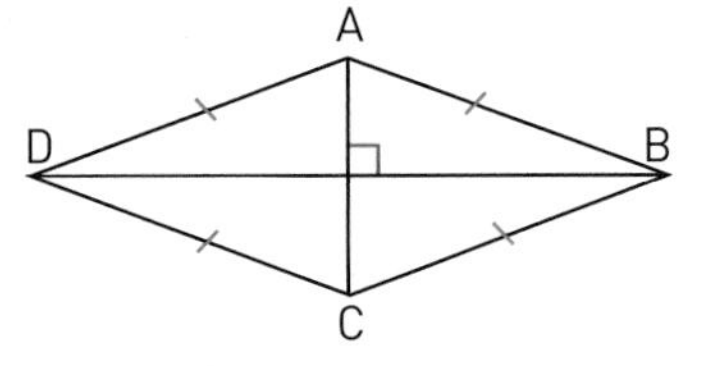


PREUVE : voir approche 4

### Le rectangle

**DÉFINITION**

Un **rectangle** est un quadrilatère qui a quatre angles droits.

**PROPRIÉTÉ**

Un rectangle est un parallélogramme qui a :
- ses diagonales de même longueur ;
- ses côtés consécutifs perpendiculaires.

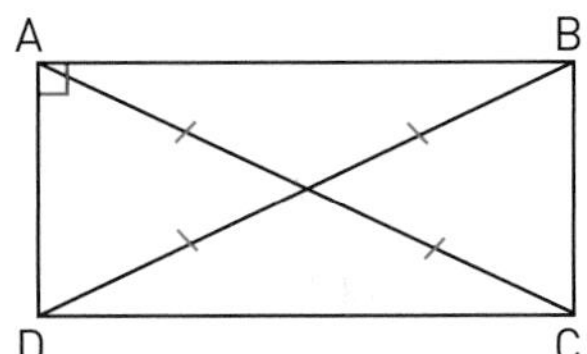


PREUVE : en classe de quatrième

### Le carré

**DÉFINITION**

Un **carré** est un quadrilatère qui a quatre angles droits et quatre côtés de même longueur.

**PROPRIÉTÉ**

Un carré est à la fois
- un parallélogramme,
- un losange,
- un rectangle.

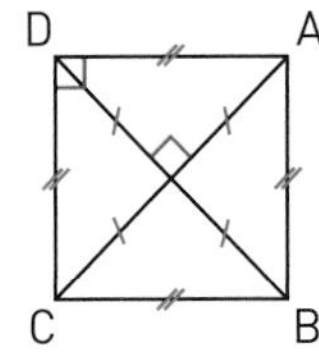

## *Déduire les propriétés de la figure*

ÉNONCÉ

**Le quadrilatère ABCD est un rectangle, le quadrilatère DBCE est un parallélogramme.**

**a. Faire une figure.**

**b. Prouver que la droite (DC) est la médiatrice* du segment [AE].**

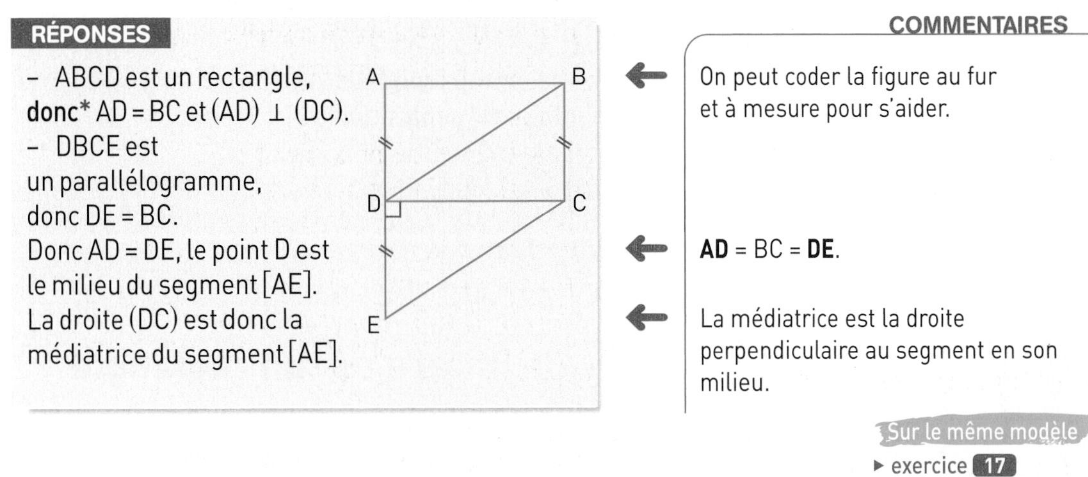

RÉPONSES

- ABCD est un rectangle, **donc*** AD = BC et (AD) ⊥ (DC).
- DBCE est un parallélogramme, donc DE = BC.

Donc AD = DE, le point D est le milieu du segment [AE].
La droite (DC) est donc la médiatrice du segment [AE].



COMMENTAIRES

On peut coder la figure au fur et à mesure pour s'aider.

**AD** = BC = **DE**.

La médiatrice est la droite perpendiculaire au segment en son milieu.

Sur le même modèle
▸ exercice 17

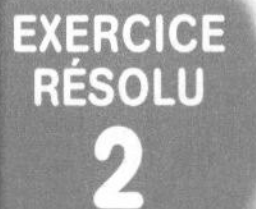



## *Prouver à l'aide des propriétés de la figure*

ÉNONCÉ

**Le quadrilatère ABCD est un losange de centre O, les quadrilatères AOBE et COBF sont des rectangles. Prouver que le triangle FOE est isocèle* en O.**

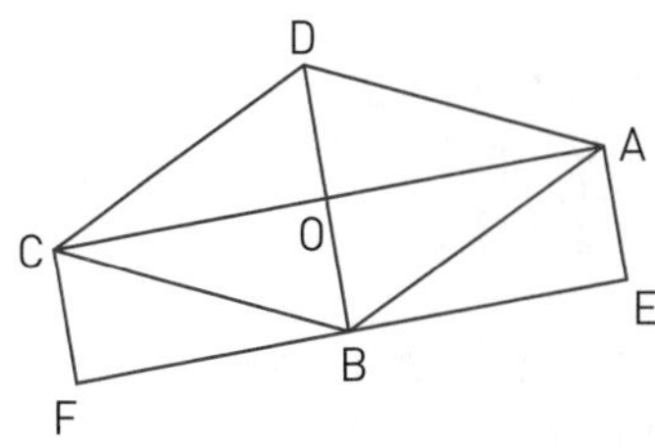



RÉPONSE

- Les diagonales du rectangle AEBO sont de même longueur donc OE = BA.
- Les diagonales du rectangle COBF sont de même longueur donc OF = BC.
- Les côtés du losange ont même longueur donc BC = BA.

Donc OE = OF.

COMMENTAIRES

On peut coder la figure au fur et à mesure pour s'aider.

On rappelle les propriétés du cours utilisées.

**Attention :** le codage ne dispense pas de rédiger !

Sur le même modèle
▸ exercice 13

# Nature d'un quadrilatère

## 1 Prouver qu'un quadrilatère est un parallélogramme

Pour prouver qu'un quadrilatère est un parallélogramme, il suffit de vérifier une seule des propriétés suivantes :

- les côtés **opposés*** sont parallèles **2 à 2*** ;
- les côtés opposés sont de même longueur 2 à 2 ;
- deux côtés opposés sont égaux et parallèles ;
- les angles opposés sont de même mesure 2 à 2 ;
- les diagonales se coupent en leur milieu.

EXEMPLE

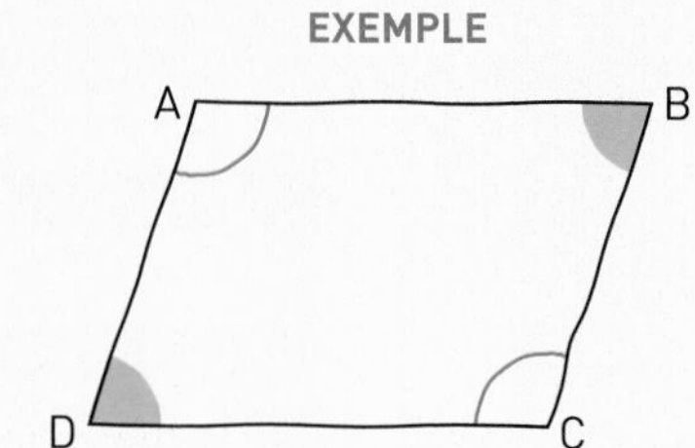


*D'après le codage, on est sûr que ABCD est un parallélogramme.*

## 2 Prouver qu'un quadrilatère est un rectangle

Pour prouver qu'un quadrilatère est un rectangle, il suffit de :

- vérifier que c'est un parallélogramme (voir 1) ;
- puis de vérifier une seule des propriétés suivantes :
  - deux côtés **consécutifs*** sont perpendiculaires ;
  - les diagonales sont de même longueur.

## 3 Prouver qu'un quadrilatère est un losange

Pour prouver qu'un quadrilatère est un losange, il suffit de :

- vérifier que c'est un parallélogramme (voir 1) ;
- puis de vérifier une seule des propriétés suivantes
  - deux côtés consécutifs sont de même longueur ;
  - les diagonales sont perpendiclaires.

EXEMPLE

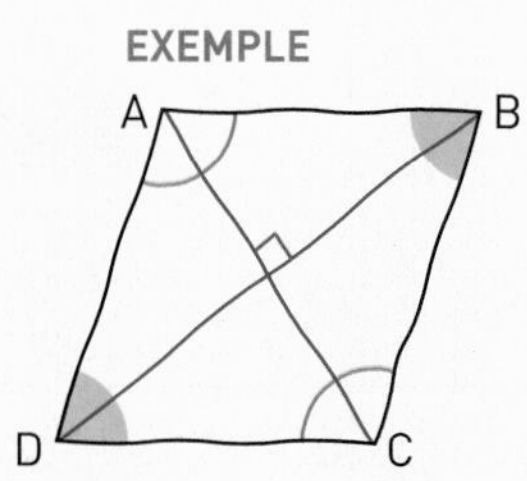


*D'après le codage, on est sûr que ABCD est un losange.*

## 4 Prouver qu'un quadrilatère est un carré

Pour prouver qu'un quadrilatère est un carré il suffit de vérifier que c'est à la fois :

- un parallélogramme,
- un rectangle,
- un losange.

EXERCICE RÉSOLU 1

## *Prouver qu'un quadrilatère est un rectangle*

**ÉNONCÉ**

**Prouver que le quadrilatère ABCD est un rectangle.**

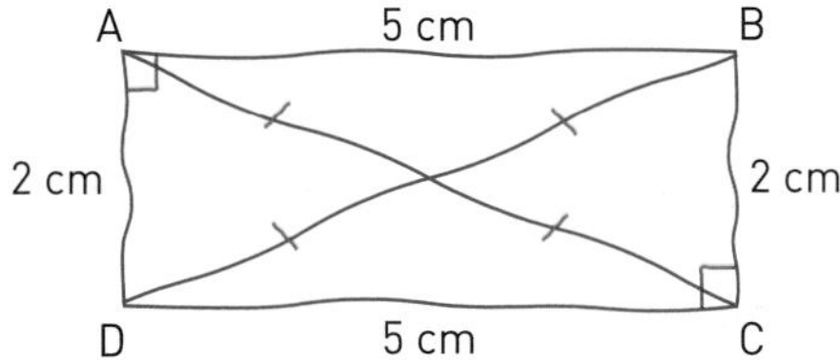

**RÉPONSE**

Le quadrilatère ABCD a ses diagonales qui se coupent en leur milieu, **donc*** c'est un parallélogramme. Il a aussi ses diagonales de même longueur donc c'est un rectangle.

**COMMENTAIRES**

Il y a d'autres méthodes possibles : le quadrilatère ABCD a ses côtés opposés de même longueur 2 à 2, donc c'est un parallélogramme. Il a aussi deux côtés consécutifs perpendiculaires, donc c'est un rectangle.

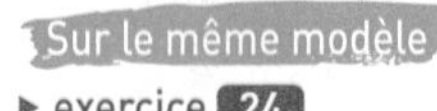

Sur le même modèle
▸ exercice 24

EXERCICE RÉSOLU 2

## *Prouver qu'un quadrilatère est un carré*

**ÉNONCÉ**

**$\mathscr{C}$ est un cercle de centre O, les segments [AC] et [BD] sont deux diamètres perpendiculaires du cercle $\mathscr{C}$.
Prouver que le quadrilatère ABCD est un carré.**

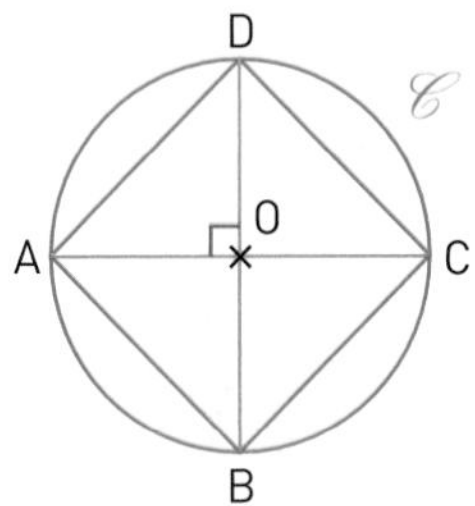


**RÉPONSE**

- Les diagonales du quadrilatère ABCD se coupent en leur milieu, car ce sont deux diamètres du cercle (OA = OB = OC = OD = rayon du cercle $\mathscr{C}$).
- Les diagonales du quadrilatère ABCD sont de même longueur car les diamètres ont tous la même longueur.
- Les diagonales du quadrilatère ABCD sont perpendiculaires (d'après l'énoncé).

Donc ABCD est un carré.

**COMMENTAIRES**

Donc ABCD est un parallélogramme.

Donc ABCD est un rectangle.

Donc ABCD est un losange.

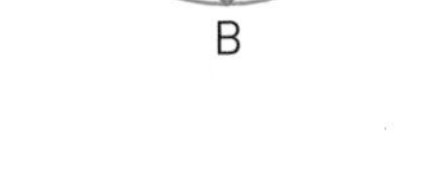

Sur le même modèle
▸ exercice 23

# 1 Angles, parallélisme

### 1 Dresser une liste

Les droites (AB) et (CD) sont parallèles.

**a.** Dresser la liste de toutes les paires d'angles alternes internes de la figure.

**b.** Même chose pour les angles correspondants.

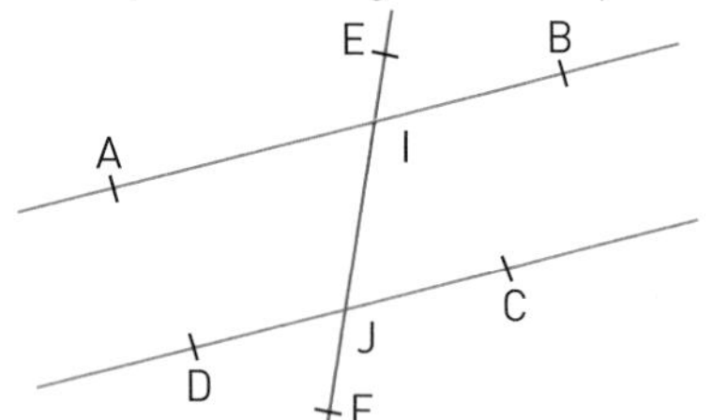


### 2 Dessin et vocabulaire

**a.** Dessiner deux angles correspondants de 56°.

**b.** Dessiner deux angles supplémentaires, dont l'un mesure 50°.

**c.** Dessiner deux angles **obtus*** opposés par le sommets.

**d.** Dessiner deux angles **aigus*** alternes internes.

### 3 Partager un angle

Reproduire l'angle suivant et le partager en trois angles de même mesure à l'aide du rapporteur.

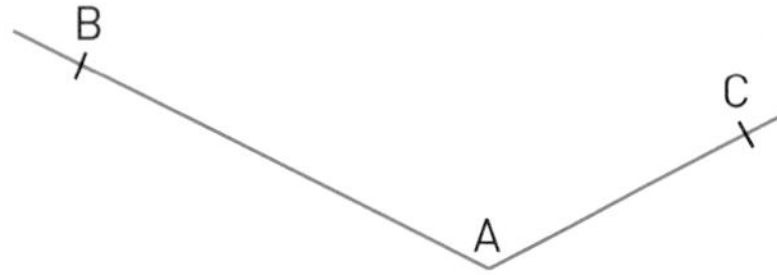


### 4 Classer

Classer les angles de la figure en trois catégories : **obtus***, **aigus*** et droits.

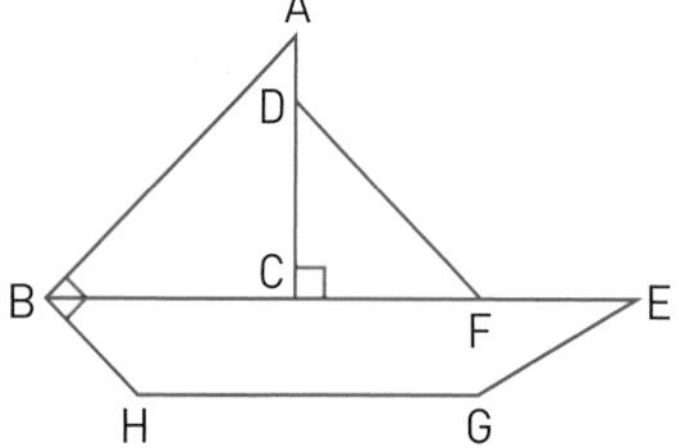


### 5 Angles d'un triangle

Déterminer la mesure des angles du triangle ABC.

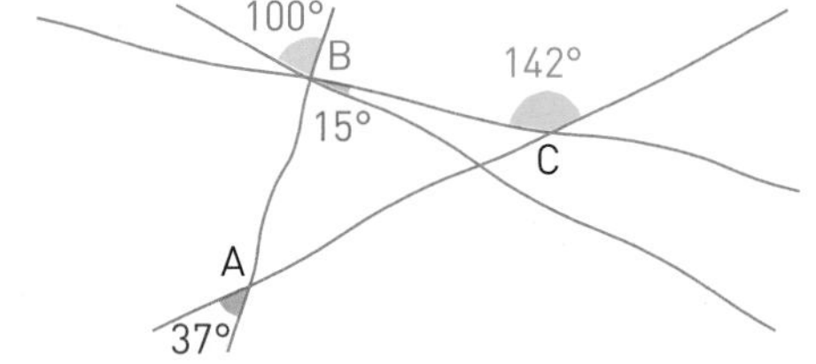


### 6 L'angle inconnu

Calculer la mesure de l'angle rouge inconnu.

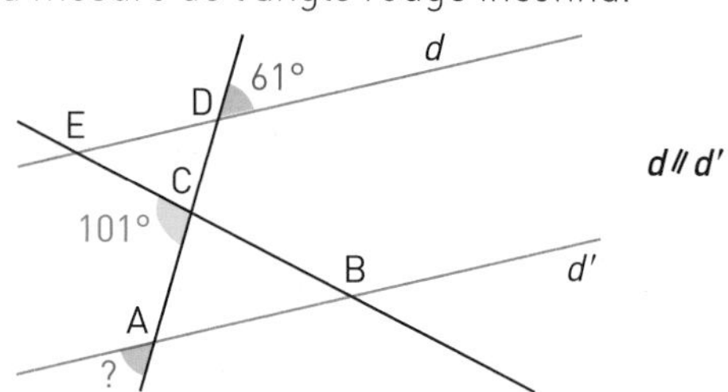


Expliquer les calculs.

### 7 Codage des angles égaux

Reproduire la figure à main levée puis **coder*** d'une même couleur les angles de même mesure.

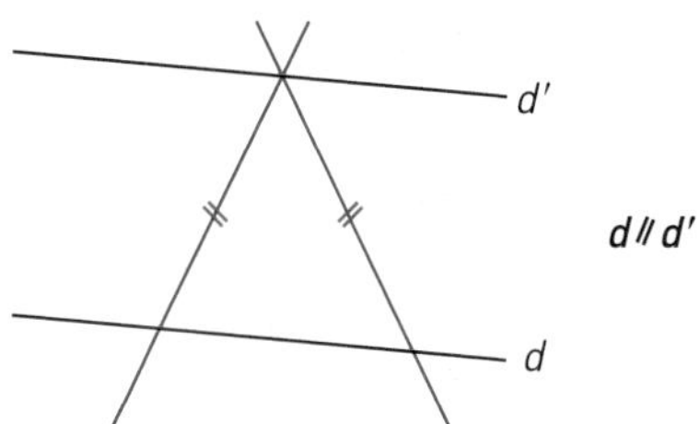


### 8 Perpendiculaires... ou pas

Déterminer si le droites $d$ et $d'$ sont perpendiculaires. Justifier.

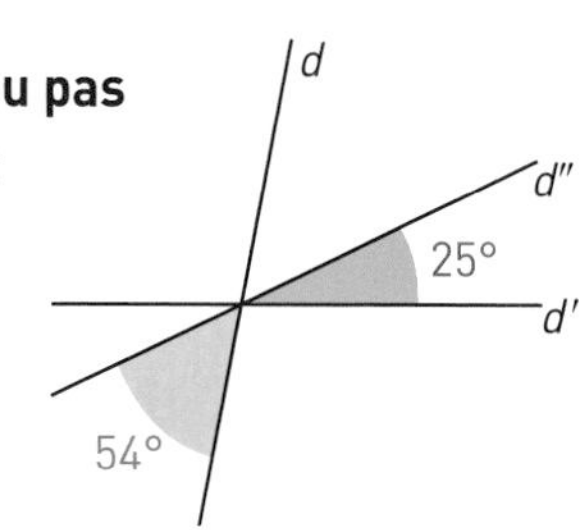


### 9 Codage et calculs

**a**. **Coder*** la figure avec des couleurs différentes de manière à faire apparaître les angles de même mesure.

**b**. Déterminer la mesure des angles ainsi codés et justifier.

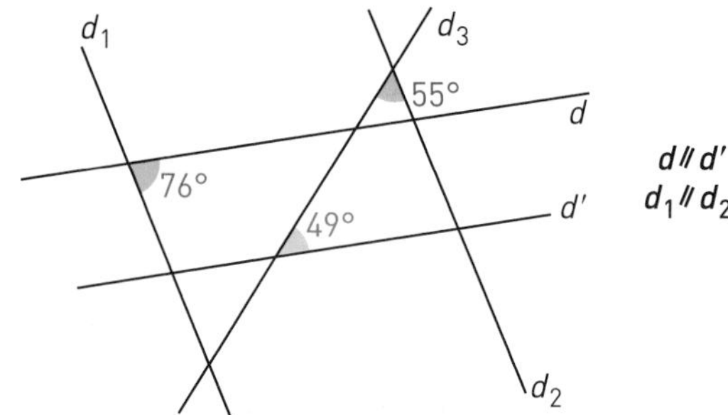

## Propriétés des parallélogrammes

**10 Revoir la leçon**

Compléter le tableau à l'aide des propriétés des quadrilatères.

| Dans un : | parallélogramme | rectangle | losange | carré |
|---|---|---|---|---|
| Les diagonales… | | | | |
| Les côtés consécutifs… | | | | |
| Les côtés opposés… | | | | |

**11 Dénicher les triangles**

Tracer un losange ABCD et ses diagonales qui se coupent en O. Nommer tous les triangles isocèles et tous les triangles rectangles de la figure. Justifier.

**12 Longueurs égales**

Le quadrilatère ABCD est un rectangle, les quadrilatères DCEF et ADFG sont des parallélogrammes.
Donner toutes les longueurs égales de la figure et justifier.

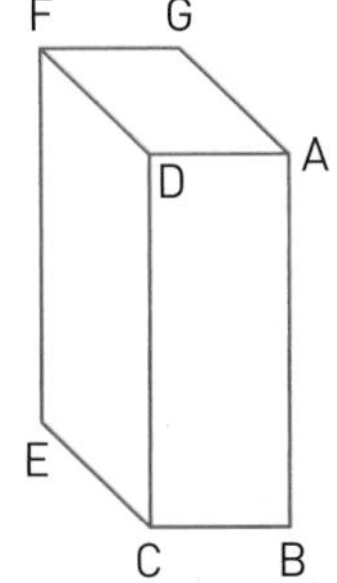


**13 Déduire les propriétés**

Le quadrilatère ABCD est un rectangle.
Quelles propriétés permettent de prouver que :

**a.** le triangle DEC est isocèle ?
**b.** le triangle ADC est rectangle ?

**14 Prouver à l'aide des propriétés**

Les quadrilatères AIJD et IBCJ sont des carrés.

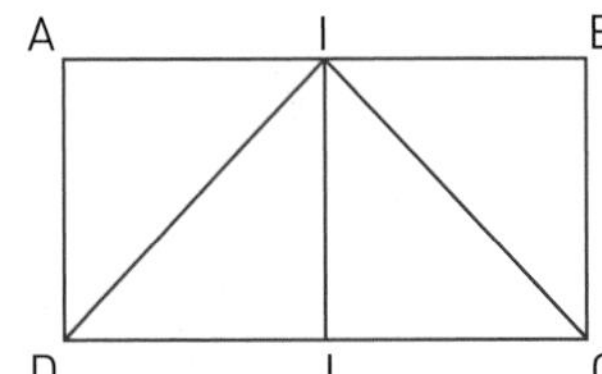


**a.** Prouver que la droite (IJ) est la **médiatrice*** du segment [DC].
**b.** Prouver que le triangle DIC est isocèle.

**15 Propriétés des parallélogrammes**

Le quadrilatère ABCD est un parallélogramme, le quadrilatère AECF est un rectangle tel que le point E appartient au segment [AB] et le point F appartient au segment [DC].

**a.** Faire une figure.
**b.** Prouver que les droites (EF), (BD) et (AC) se coupent en un même point. Quel est ce point ?

**16 Milieux**

Les quadrilatères ABDE et ABCD sont des parallélogrammes.

**a.** Prouver que le point D est le milieu du segment [EC].
**b.** Prouver que le point P est le milieu du segment [EB].
**c.** Prouver que le point Q est le milieu du segment [AC].

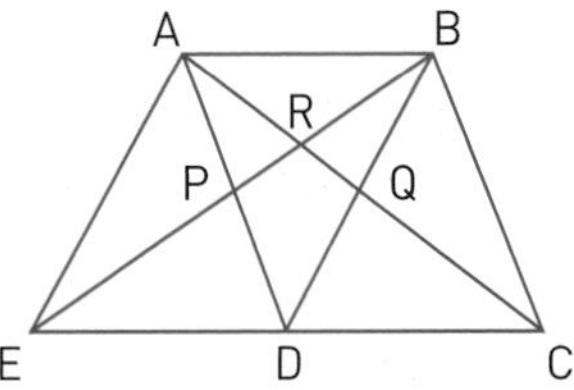


**17 Bissectrice**

Le quadrilatère ABCD est un parallélogramme et les angles $\widehat{EAD}$ et $\widehat{DCB}$ ont même mesure. Prouver que la droite (AD) est la **bissectrice*** de l'angle $\widehat{EAB}$.

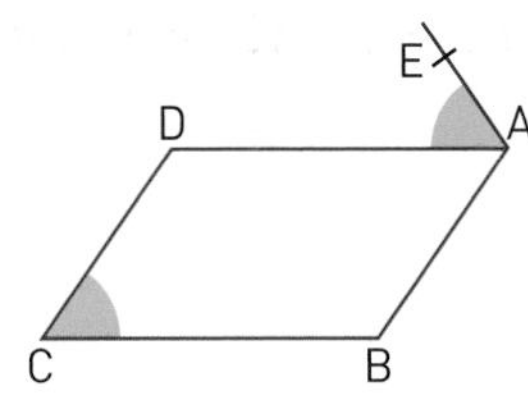


**18 Centre de symétrie**

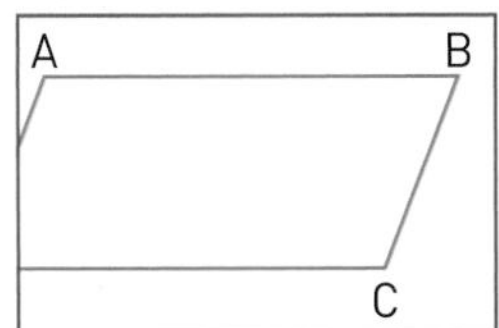


Comment placer le centre de symétrie du parallélogramme ABCD sans sortir du cadre ?

**19 De tête**

Les longueurs sont données en cm.
Quelle est la longueur des diagonales du parallélogramme ?

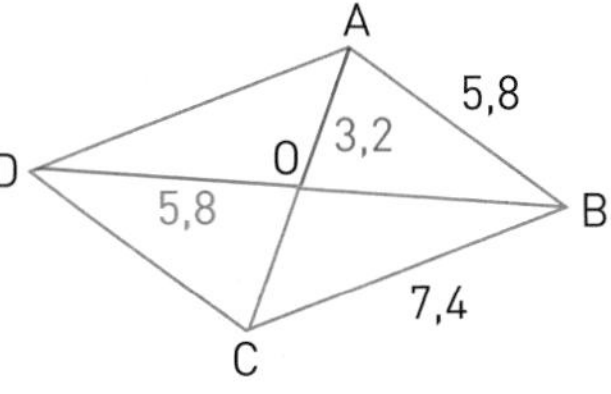

## Nature d'un quadrilatère

### 20 Retrouver les définitions de 6ᵉ

En sixième on a vu le rectangle comme un quadrilatère ayant quatre angles droits.
**a.** Prouver qu'un tel quadrilatère a bien ses côtés opposés parallèles deux à deux.
**b.** Que dire si un quadrilatère n'a que trois angles droits ?

### 21 Contre-exemples

**a.** Dessiner un quadrilatère dont les diagonales sont perpendiculaires mais qui n'est pas un losange.
**b.** Dessiner un quadrilatère dont les cotés consécutifs sont égaux mais qui n'est pas un carré.

### 22 À l'aide d'un logiciel

Charger la figure fournie par le professeur.
**a.** En déplaçant les points un par un, déterminer les propriétés de la figure qui semblent ne pas changer.
**b.** Quelle peut être la **nature*** du quadrilatère ? Pourquoi ?

### 23 Prouver à l'aide des propriétés

Soit un parallélogramme ABCD.
On place un point E sur [AB] et F sur [DC], tels que AE = AD = DF, comme sur la figure. Prouver que le quadrilatère ADFE est un parallélogramme.
Peut-on être plus précis ?

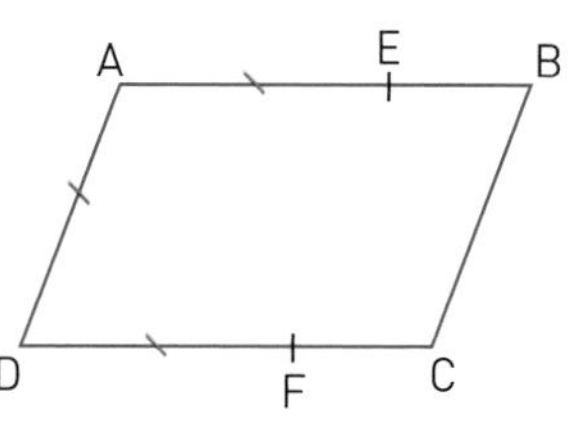


### 24 Prouver à l'aide des propriétés

Tracer les carrés ABEF et BCDE.
**a.** Prouver que ces deux carrés ont les mêmes dimensions.
**b.** Prouver que les quadrilatères ABDE et BCEF sont des parallélogrammes.

### 25 Deux ou trois parallélogrammes

Les quadrilatères ABCD et DCEF sont des parallélogrammes.
**a.** Prouver que les droites (AB) et (EF) sont parallèles.
**b.** Prouver que le quadrilatère ABEF est un parallélogramme.

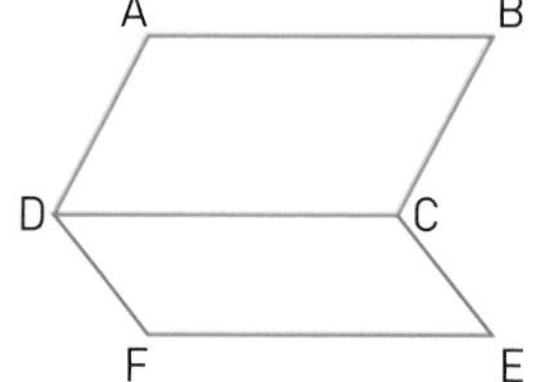


### 26 Avec des milieux

FLOP est un losange, ses diagonales se coupent en U, soit A le milieu de [FL] et B le milieu de [OP]. Prouver que le quadrilatère AOBP est un parallélogramme.

### 27 Qui a raison ?

### 28 Cercle

Tracer un cercle de centre O et de rayon 6 cm et placer deux diamètres [AC] et [BD].
Quelle est la nature du triangle ABC ?

→ **Aide** : Chercher d'abord la **nature*** du quadrilatère ABCD.

### 29 En passant d'une propriété à une autre

Un quadrilatère a ses diagonales et qui se coupent en leur milieu. Prouver à l'aide d'une symétrie que ses côtés opposés sont parallèles et de même longueur.

### 30 Prouver en utilisant le codage

À l'aide du codage, que peut-on affirmer pour le quadrilatère ABCD ? Justifier.

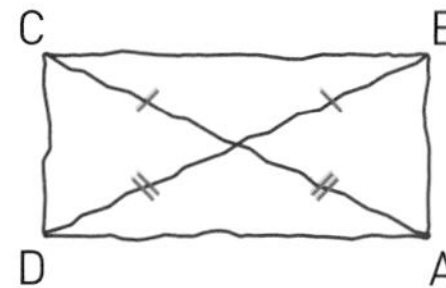


### 31 L'un dans l'autre

Le quadrilatère ABCD est un parallélogramme.
Prouver que le quadrilatère BEDF est un parallélogramme.

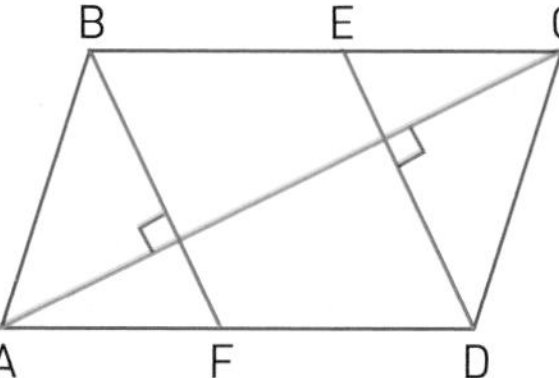

**32 Prouver**

Prouver que ABCD est un parallélogramme.

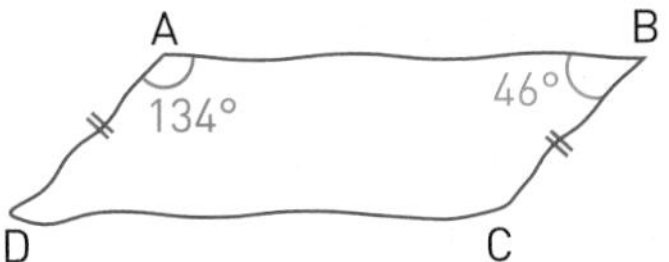


**33 Calculer**

Combien mesure l'angle BAC ?

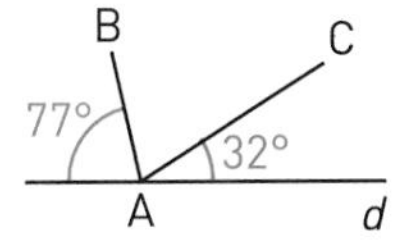


**34 Avec des symétries**

Le quadrilatère ABCD est un losange de centre O et le point I est le milieu du segment [AB]. Le point E est le symétrique du point O par rapport au point I.
Prouver que le quadrilatère AEBO est un rectangle.

**35 Rectangle… ou pas**

Le triangle ABC est-il rectangle ? Justifier.

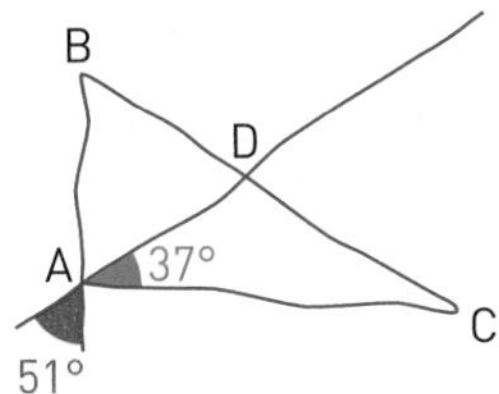


**36 Parallélogramme… ou pas**

Le quadrilatère ABCD est-il un parallélogramme ? Justifier.

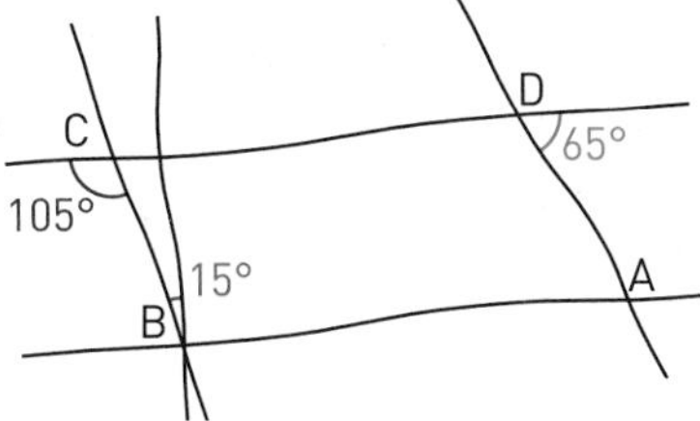


**37 Isocèle… ou pas**

Le triangle ABC est-il isocèle ? Justifier.

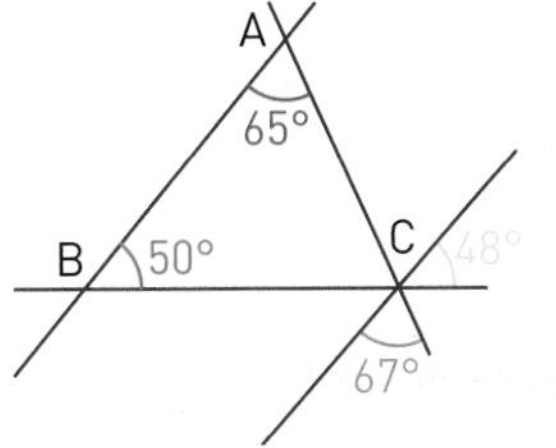


**38 Preuve et symétrie**

Tracer un triangle ABC et le point O milieu du segment [BC]. Placer le point A' symétrique de A par rapport à O.
**a.** Prouver que le quadrilatère ABDC est un parallélogramme.
**b.** Quelles particularités doit avoir le triangle ABC pour que le quadrilatère obtenu soit un rectangle ? Un carré ?

## Lire et écrire

**39 Information inutile**

*« ABC est un triangle rectangle en A, le point H appartient à la droite (BC) tel que les droites (AH) et (BC) sont perpendiculaires et l'angle $\widehat{BAH}$ mesure 34°. Combien mesure l'angle $\widehat{CAH}$ ? Justifier. »*

**a.** Faire un dessin à main levée et répondre à la question.
**b.** Une information de l'énoncé n'est pas utile, laquelle ?

**40 En corrigeant la copie de Margot**

Sur la copie de Margot, on peut lire la **démonstration*** suivante :

*« Le quadrilatère ABCD est un carré car il a ses côtés consécutifs égaux et perpendiculaires »*

Peut-on reformuler cette idée avec les propriétés du cours ?

**41 En forme de cerf-volant**

La figure codée pourrait-elle être un losange ? Argumenter.

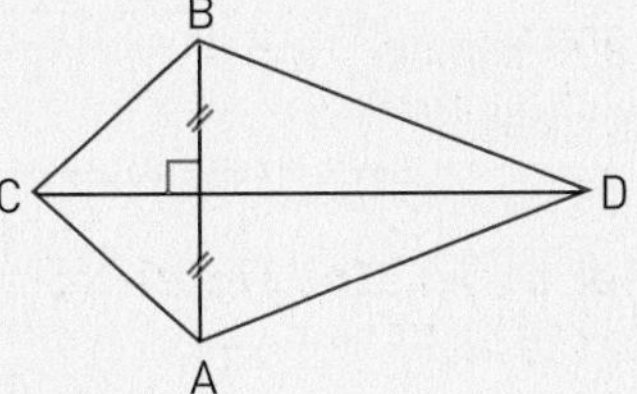


**42 Discussion**

Sur le cahier de Lola, il y a écrit :

*« Pour démontrer qu'un quadrilatère est un losange, il faut prouver qu'il a des diagonales perpendiculaires et qu'il a deux côtés consécutifs égaux. »*

Mamadou, son voisin de table, pense qu'elle s'est trompée. Commenter les deux avis en argumentant.

**43** **Prouver à l'aide des propriétés**

Le quadrilatère ABCD est un parallélogramme et le point I est le milieu du segment [DC]. On place le point F sur la droite (BC) tel que BC = CF.

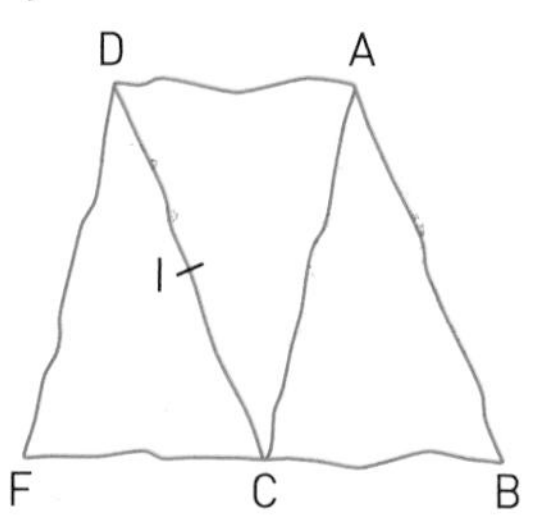


**a.** Prouver que le quadrilatère ACFD est un parallélogramme.

**b.** En **déduire*** que la droite (AF) passe par le point I.

**44** **Propriétés du rectangle et du carré**

Le quadrilatère ABCD est un rectangle de centre O et le quadrilatère BFED est un parallélogramme. La longueur AO vaut 4,5 cm.
Calculer la longueur EF en expliquant la démarche.

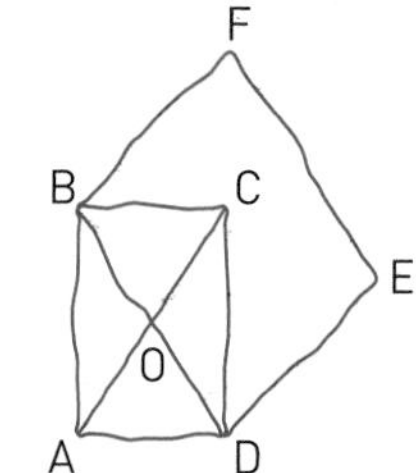

Choisir parmi les trois réponses proposées la ou les bonne(s) réponse(s).

| Questions | Réponse 1 | Réponse 2 | Réponse 3 |
|---|---|---|---|
| **45** L'angle $\widehat{BAC}$ mesure… 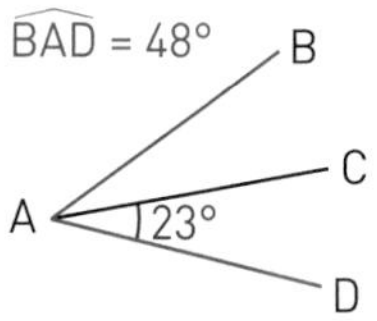 ($\widehat{BAD} = 48°$ ; angle $\widehat{CAD}$ = 23°) | 71° | 23° | 25° |
| **46** parce que… | La droite (AC) est la **bissectrice*** de l'angle $\widehat{BAD}$. | Les angles $\widehat{BAC}$ et $\widehat{CAD}$ sont adjacents. | Les angles $\widehat{BAC}$ et $\widehat{BAD}$ sont adjacents. |
| **47** L'angle $\widehat{DBA}$ mesure… 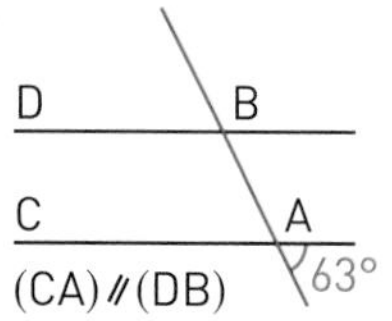 ((CA) // (DB) ; 63°) | 63° | 117° | 27° |
| **48** (AB) // (CD) et (BD) // (AC) Parmi les angles suivants, lesquels sont égaux ? 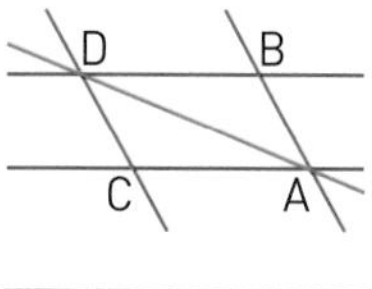 | Les angles $\widehat{BCA}$ et $\widehat{BAC}$. | Les angles $\widehat{BCA}$ et $\widehat{ACD}$. | Les angles $\widehat{BAC}$ et $\widehat{ACD}$. |
| **49** À l'aide du codage, on peut affirmer que ABCD est un… 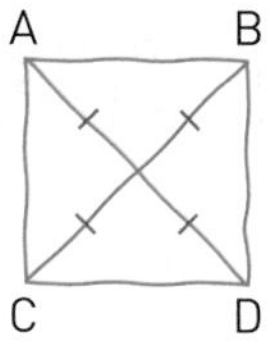 | Carré | Rectangle | Parallélogramme |
| **50** Quel(s) codage(s) correspond(ent) à la phrase : « Le quadrilatère ABCD est un rectangle » ? | 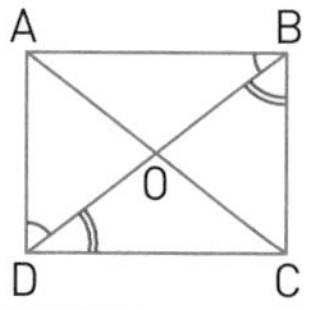 (figure ABCD, centre O) | 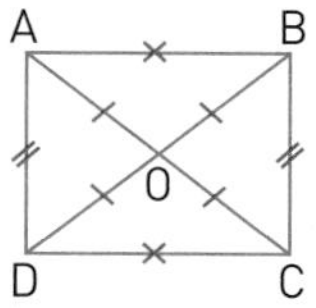 (figure ABCD, centre O) | 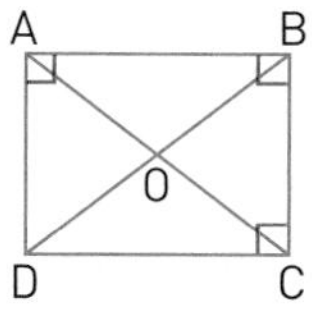 (figure ABCD, centre O) |
| **51** Le quadrilatère ABCD est un losange de centre O. On peut en déduire que… | Les segments [AC] et [BD] sont de même longueur. | Les droites (AB) et (CD) sont perpendiculaires. | Les segments [AB] et [CD] sont de même longueur. |

# À CHACUN SON PARCOURS

## 1 Angles, parallélisme

**52 A** Construire un segment [AB] de longueur 6 cm.
**a.** À l'aide du rapporteur et de la règle, construire un point C tel que l'angle $\widehat{BAC}$ ait pour mesure 67°, et tel que le segment [AC] mesure 7 cm.
**b.** Placer un point D tel que les angles $\widehat{BAC}$ et $\widehat{CAD}$ soient supplémentaires.

**53 A** Les droites (CD) et (EF) sont parallèles.
L'angle $\widehat{FO'B}$ mesure 105°.
Calculer la mesure de l'angle $\widehat{AOD}$. Justifier.

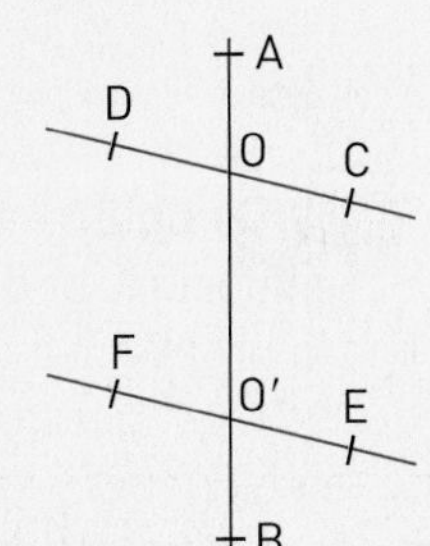


**52 B** Tracer un segment [AB] de longueur 2 cm.
**a.** Construire point C tel que l'angle $\widehat{BAC}$ ait pour mesure 85° et tel que le segment [CB] ait pour mesure 3 cm.
**b.** Placer un point D tel que les angles $\widehat{BAC}$ et $\widehat{CAD}$ soient complémentaires.

**53 B** Les droites (RN) et (TS) sont parallèles.
L'angle $\widehat{MAN}$ mesure 85°,
l'angle $\widehat{VBT}$ mesure 70°.
Calculer la mesure de l'angle $\widehat{VBP}$.
Justifier.

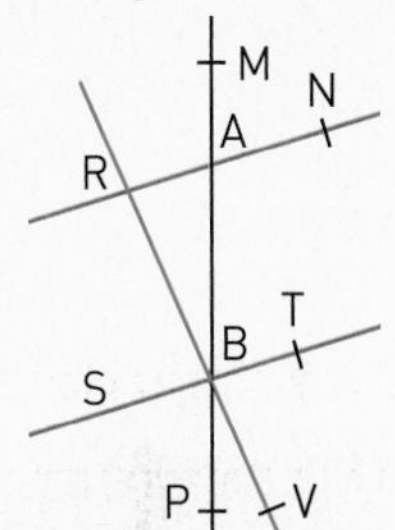


## 2 Propriétés des parallélogrammes

**54 A** Le quadrilatère ABCD est un parallélogramme et le quadrilatère CDEF est un rectangle.
Prouver que les droites (AB) et (DE) sont perpendiculaires.

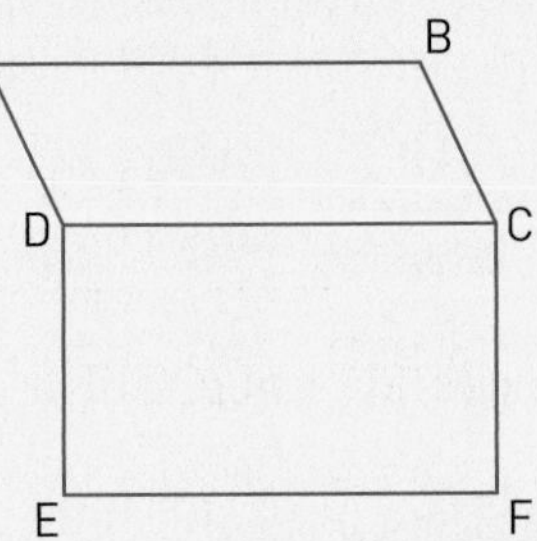


**54 B** Le quadrilatère ABCD est un rectangle et le quadrilatère DECF est un losange.
Prouver que les droites (EF) et (BC) sont parallèles.

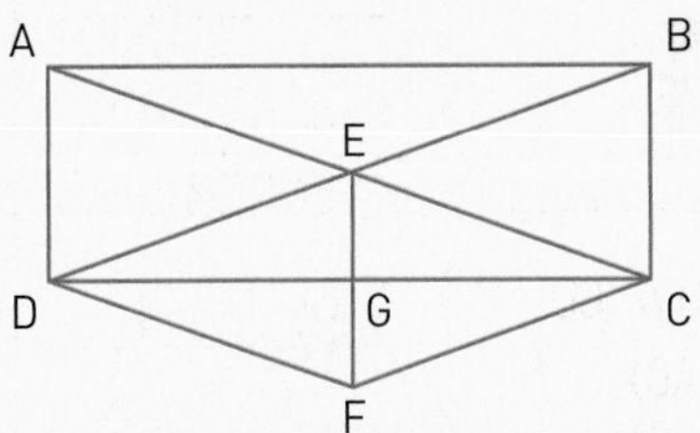


## 3 Nature d'un quadrilatère

**55 A** Construire un parallélogramme dont les diagonales mesurent 5 et 8 cm.
Peut-on construire un rectangle ayant ces dimensions ?

**56 A** Le triangle ABC est isocèle en A.
**a.** Construire les points B′ et C′ symétriques des points B et C par rapport au point A.
**b.** Prouver que le quadrilatère BCB′C′ est un rectangle.

**55 B** Construire un rectangle dont les diagonales mesurent 7 cm, et dont un côté mesure 4 cm.
Peut-on construire un parallélogramme dont les diagonales mesurent 7 cm et qui ne soit pas un rectangle ?

**56 B** Les droites $d$ et $d'$ sont perpendiculaires, **sécantes*** en O, le point A appartient à la droite $d$ et le point B à la droite $d'$. Les points C et D sont les symétriques des points A et B par rapport à O.
Quelle est la nature du quadrilatère ABCD ? Justifier.

# Exercices d'approfondissement

## Angles : sans mesurer

**57 Sans mesurer**
Soit ABCD un rectangle tel que $\widehat{ADB} = 27°$. Déterminer la mesure de l'angle $\widehat{BDC}$. Justifier.

**58 Dans le prolongement**
ABCD est un parallélogramme, $\widehat{ADC} = 82°$.
Calculer la mesure de l'angle $\widehat{DAB}$.

→ **Aide** : Prolonger les côtés du parallélogramme.

**59 Avec un triangle**
Dans un triangle ABC les points M et N appartiennent aux segments [AB] et [AC] et les droites (MN) et (BC) sont parallèles.
Prouver que les triangles ABC et AMN ont des angles de même mesure.

**60 Comparer**

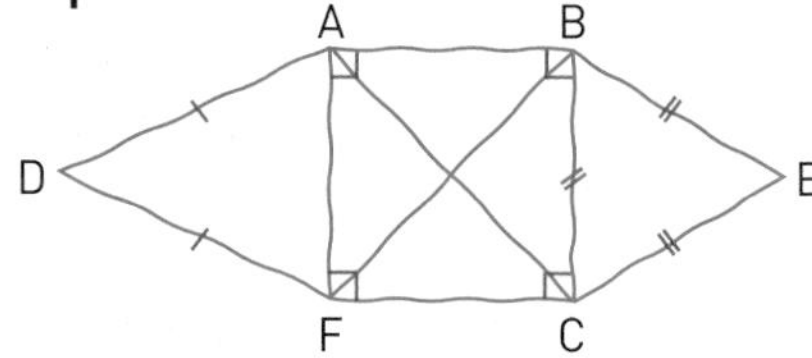


**Citer*** les angles de même mesure dans la figure ci-dessus. Justifier les égalités.

**61 Les angles inconnus**
Calculer, quand c'est possible, les angles manquants sur la figure.

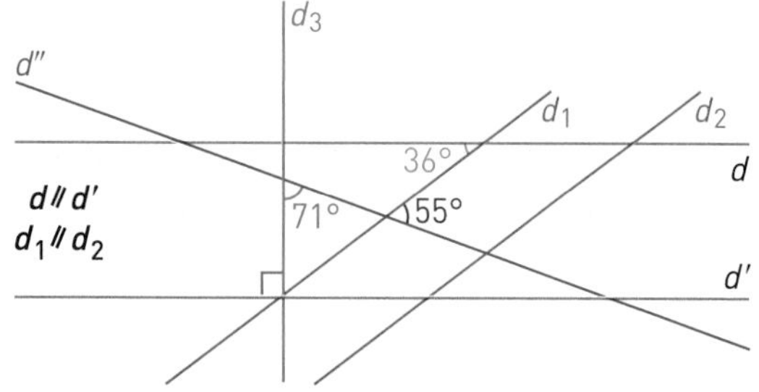


**62 Dénicher les parallèles**
Déterminer toutes les droites parallèles de la figure.

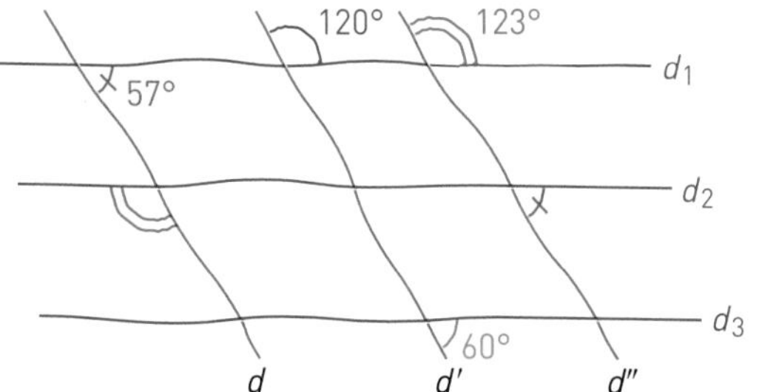


→ **Aide** : Colorier les angles égaux de la même couleur, au fur et à mesure des calculs effectués.

**63 Avec des lettres**

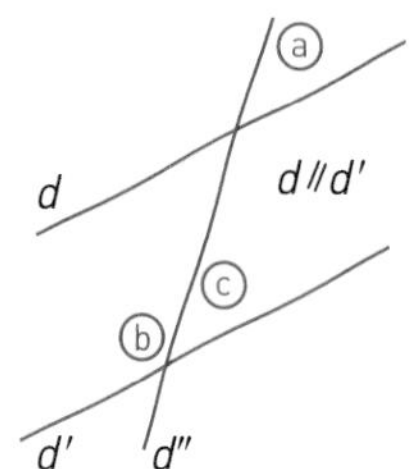


**a.** Si l'angle ⓐ mesure 67°, que mesurent ⓑ et ⓒ ?
**b.** Si l'angle ⓐ mesure 90°, que valent ⓑ et ⓒ ?
Quelle propriété retrouve-t-on ainsi ?
**c.** Trouver une relation entre les angles ⓐ et ⓒ, puis entre les angles ⓑ et ⓒ. En déduire une relation entre ⓐ et ⓑ. Vérifier à l'aide des résultats des deux premières questions.

**64 Compléter le tableau**
Sur le document distribué par le professeur, compléter quand c'est possible le tableau en s'inspirant de l'exemple et en utilisant le vocabulaire du cours.

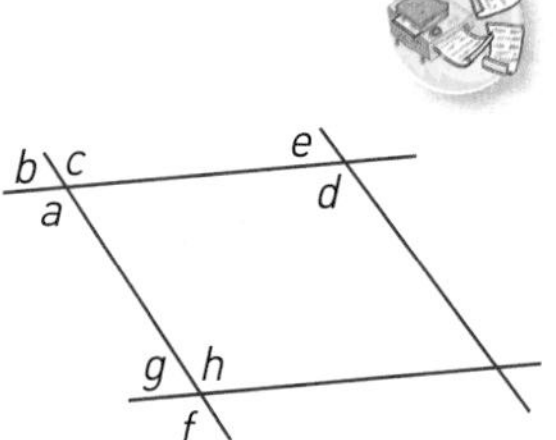


**65 Proportionnalité**
Le diagramme suivant représente la répartition des sports pratiqués par les 30 élèves d'une classe de 5e. Pour chacun des élèves on n'a pris en compte qu'un seul sport.

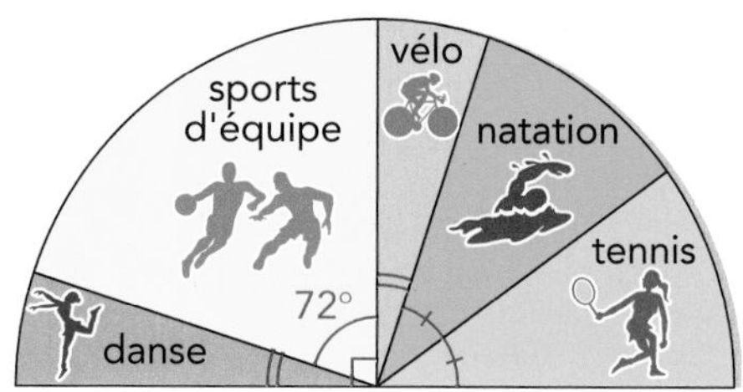


**a.** À l'aide des informations codées sur la figure, déterminer par le calcul les cinq mesures des angles du diagramme.
**b.** Déterminer les pourcentages pour chacun des sports.
**c.** En déduire le nombre d'élèves pratiquant chaque sport.

## Angles et rapporteur

**66 Bissectrice**
**a.** Tracer un segment [AB] et placer un point C tel que $\widehat{BAC} = 38°$.
**b.** Placer le point D tel que $\widehat{BAD} = 47°$ et tel que les points C et D soient de part et d'autre de la droite (AB).
**c.** La droite (AB) est-elle la **bissectrice*** de l'angle $\widehat{CAD}$ ?

**67** Proportionnalité

Sidonie a un rapporteur gradué en *grades* (une autre unité de mesure d'angles) mais elle peut tout de même retrouver la mesure de l'angle.
Expliquer comment et donner cette mesure.

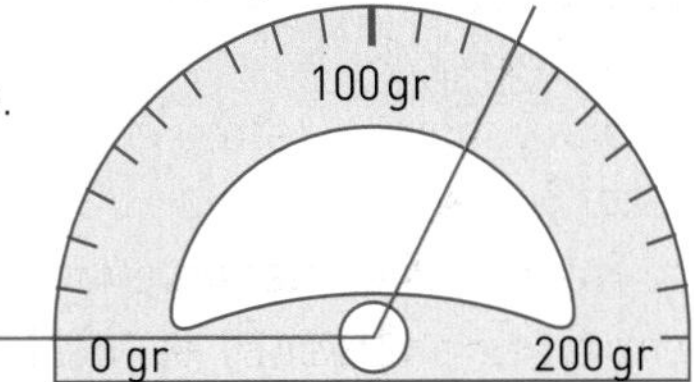


→ **Aide** : Il s'agit d'une situation de proportionnalité.

**68** Proportionnalité

Le tableau suivant représente la répartition en masse des déchets ménager dans la ville de Paris en 2002.

| Déchets | % | Angle en degrés |
|---|---|---|
| Papiers et cartons | 31 % | |
| Plastiques | 13 % | |
| Déchets organiques | 13 % | |
| Métaux et textiles | 12 % | |
| Verres | 11 % | |
| Divers | 20 % | |
| *Total* | | |

(*Source* www.paris.fr)

**a.** Construire un diagramme semi-circulaire représentant ces données (on arrondira les angles au degré le plus proche).

→ **Aide** : Il y a proportionnalité entre les angles du diagramme et les pourcentages du tableau.

**b.** La masse des déchets plastiques et de 119 210 tonnes, quelle est la masse totale des déchets parisiens en 2002 ?
**c.** Proposer une phrase de commentaire pour ce diagramme.

**69** **Angles et construction**

Placer trois points A, E et F tels que :
$\widehat{EAF} = 55°$, AF = 5 cm, AE = 2 cm.

## Constructions

**70** **Parallélogramme**

**a.** Construire un parallélogramme ABCD dont les côtés mesurent 7 et 9 cm.
**b.** Tous les parallélogrammes construits dans la classe ont-ils la même forme ?

**71** **Losange**

**a.** Construire un losange IJKL dont une diagonale mesure 6 cm et dont un côté mesure 4 cm.
**b.** Donner un **programme de construction***.

**72** **Rectangles**

**a.** Tracer deux rectangles ABCD et EFGH de dimensions différentes dont une diagonale mesure 9 cm.
**b.** Donner un **programme de construction*** permettant de tracer un rectangle dont une diagonale mesure 9 cm.
**c.** Tracer un carré IJKL dont une diagonale mesure 9 cm. Donner un programme de construction.

**73** **Avec une diagonale**

**a.** Construire un parallélogramme ABCD dont une diagonale mesure le double de l'autre.
**b.** Est-il possible de construire un losange ayant cette propriété ? Un rectangle ?

**74** **Avec un angle**

Construire un losange ABCD dont un angle vaut 128°.
Donner un **programme de construction***.

## À chacun son parcours

**75 A**

Les droites *d* et *d'* sont-elles parallèles ? Justifier.

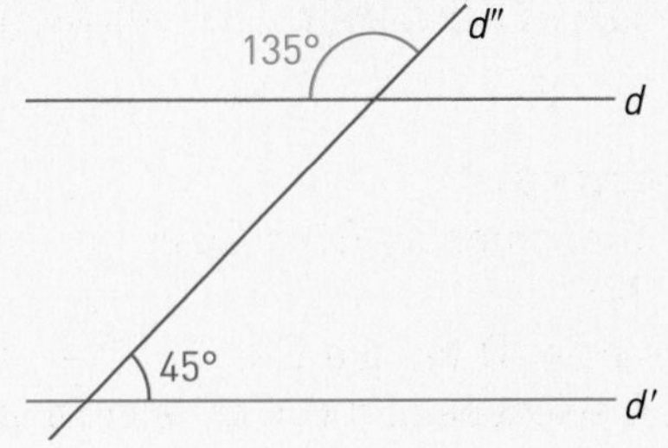


**75 B**

Les droites *d* et *d''* sont-elles parallèles ? Justifier.

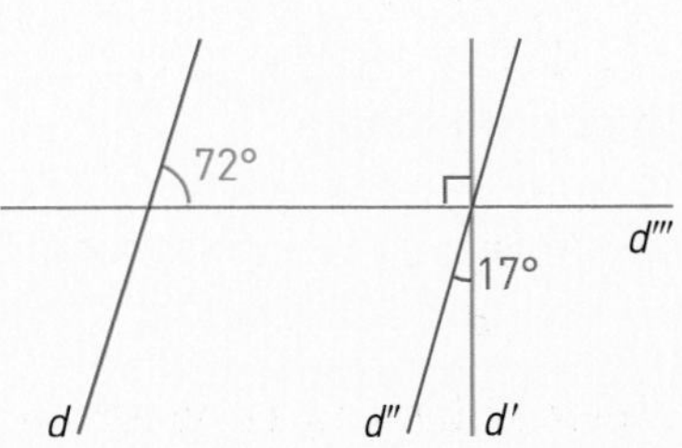

**76** **Programme de construction**

A, B et C sont trois points. On veut construire le point D tel que le quadrilatère ABCD soit un parallélogramme.

Donner un **programme de construction*** du point D :

**a.** utilisant des droites parallèles ;

**b.** utilisant la symétrie centrale ;

**c.** utilisant des longueurs égales.

**77** **Logiciel**

Refaire toutes les constructions de l'exercice précédent à l'aide d'un logiciel de géométrie.

**78** **Angles et parallèles**

**a.** Construire deux droites parallèles $d$ et $d'$ et placer un point A sur droite $d$.

**b.** Construire une droite passant par A et coupant la droite $d'$ en formant un angle de 65°.

**c.** Expliquer la construction.

## Preuves

**79** **Sans oublier de justifier**

Trouver la mesure de l'angle $\widehat{EOB}$.

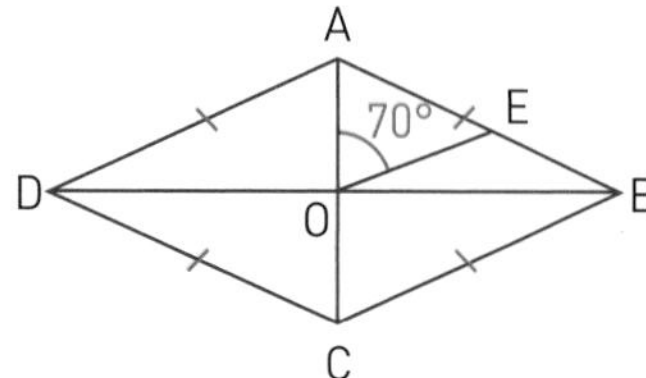


**80** **Construire et déduire**

Construire un rectangle ABCD de centre O tel que AC = 9 cm et $\widehat{AOB}$ = 120°.

En déduire la mesure de l'angle $\widehat{AOD}$. Justifier.

**81** **Avec deux angles et un côté**

Le segment [DC] mesure 5 cm.

**a.** Construire un parallélogramme ABCD dont les angles mesurent 46° et 134°.

**b.** Est-ce encore possible avec des angles de 53° et 137° ? Justifier.

**82** **Analyser une figure**

Le quadrilatère ABCD est un rectangle de centre O. On veut placer des points E et F sur les segments [AB] et [CD], tels que le quadrilatère EBFD soit un losange.

Écrire un **programme de construction***.

→ **Aide** : Faire une figure à main levée.

**83** **Construction et symétrie**

Le quadrilatère ABCD est un parallélogramme tel que AC = 6 cm et BD = 8 cm..

On place le point U sur le segment [AB] et le point V sur le segment [DC].

**a.** Dans cette question on suppose que BU = DV = 1 cm. Prouver que le quadrilatère DUBV est un parallélogramme.

**b.** Comment placer les points U et V sur les segments [AB] et [DC] pour que le quadrilatère DUBV soit un rectangle ?

**c.** Comment placer les points U et V pour que le quadrilatère DUBV soit un losange ?

**84** **Copie d'élève**

Voilà un exercice posé à Sarah en contrôle :

*« POUF est un rectangle et L est le point d'intersection des diagonales. Les points A, B, C et D sont placés sur la figure avec PA = AD = DU = 1/3 PU. Quelle est la nature du quadrilatère ABDC ? Justifier. »*

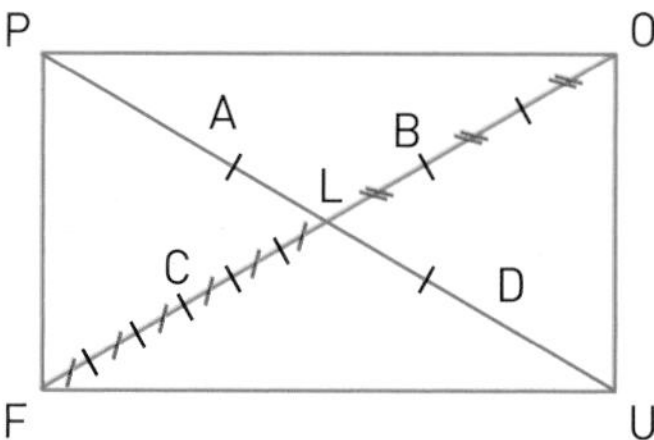


Voici maintenant la réponse de Sarah :

*« Les points A, B, C et D sont tous aux 2/3 des demi-diagonales donc ABDC est un rectangle. »*

**a.** Refaire une figure avec un rectangle dont une diagonale mesure 12 cm. Résoudre l'exercice dans ce cas particulier.

**b.** Que penser de la réponse de Sarah pour le cas général ?

**85** **Les bonnes informations**

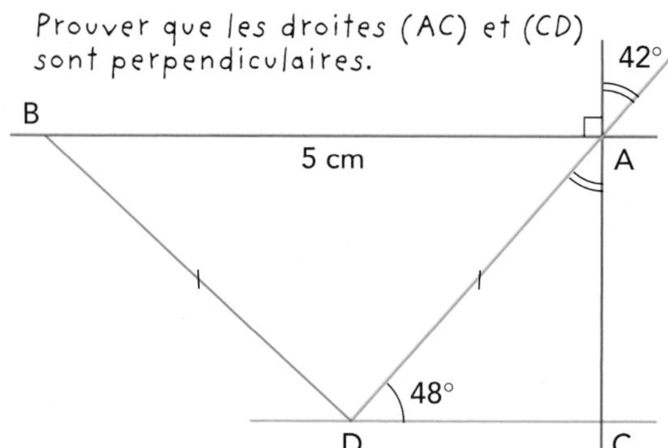


Quels sont les codages qui ne servent pas pour répondre à la question posée ?

**86** **Triangles et parallélogramme**

Les triangles AED, ABC et EBF sont équilatéraux.
Prouver que le quadrilatère DEFC est un parallélogramme.

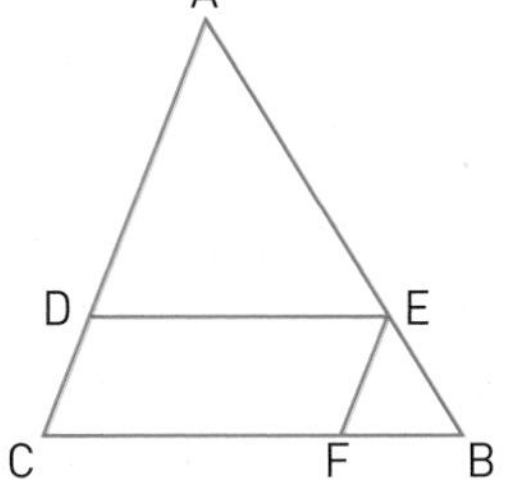


**87** **Carré**

Tracer un carré ABCD et un point I appartenant au segment [AC].
Par le point I on trace les droites perpendiculaires à (AB) et (BC) qui coupent les côtés [AB], [BC], [CD] et [DA] du carré en E, F G et H.
**a.** Prouver que le quadrilatère AEIH est un rectangle. En déduire que le point E est le symétrique du point H par rapport à la droite (AI).
**b.** Prouver que la droite (AC) est un axe de symétrie pour la figure.

**88** **Savoir expliquer**

On a découpé un losange en quatre triangles rectangles comme sur la figure ci-dessous.
**a.** Expliquer pourquoi ces quatre triangles sont identiques.
**b.** Harold affirme que si ces quatre triangles sont isocèles, alors le losange est en fait un carré.
**Rédiger*** une **preuve*** de cette affirmation en indiquant toutes les étapes.

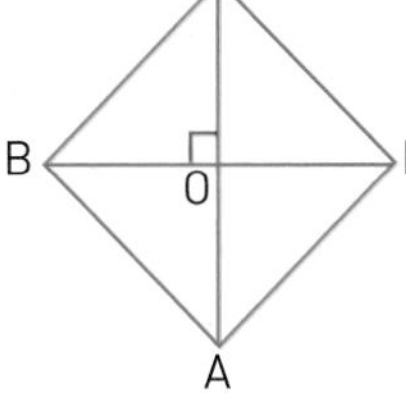


**89** **Avec des lettres**

Le quadrilatère ABCD est est un rectangle.
**a.** Quelle est, d'après le codage, la nature de AIJD ?
**b.** Si AB = 6 cm, comment choisir la valeur du nombre $x$ pour que AIJD soit un carré ?

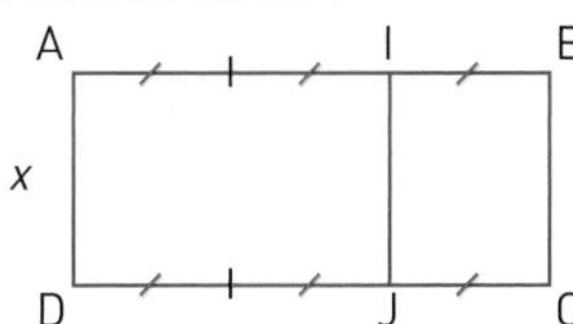


**90** **Démontrer en utilisant les bonnes propriétés**

ABCD est un rectangle, ses diagonales se coupent en O et mesurent 8 cm.
Soit O′ le symétrique du point O par rapport à la droite (DC), et le O″ le symétrique du point O par rapport à la droite (BC).
**a.** Faire une figure.
**b.** Quelle est la nature du quadrilatère DOCO′ ? Justifier. Que peut-on dire du quadrilatère OBO″C ?
**c.** En déduire des égalités de longueurs et les **coder*** sur la figure. Que peut-on déduire pour les segments [DO′] et [BO″] ?
**d.** Quelle est la nature du quadrilatère BO″O′D ?

**91** **Concentriques**

Les cercles $\mathscr{C}$ et $\mathscr{C}'$ ont le même centre. Le segment [AB] est un diamètre du cercle $\mathscr{C}$.
Comment placer les points C et D sur le cercle $\mathscr{C}'$ pour que le quadrilatère ABCD soit un parallélogramme ? Un losange ? Justifier.

## À CHACUN SON PARCOURS

**92** **A** Les quadrilatères ABEF et BCDE sont des rectangles (A, B et C sont alignés).
**a.** Prouver que le quadrilatère ACDF est un rectangle.
**b.** En déduire que les longueurs AD et CF sont égales.

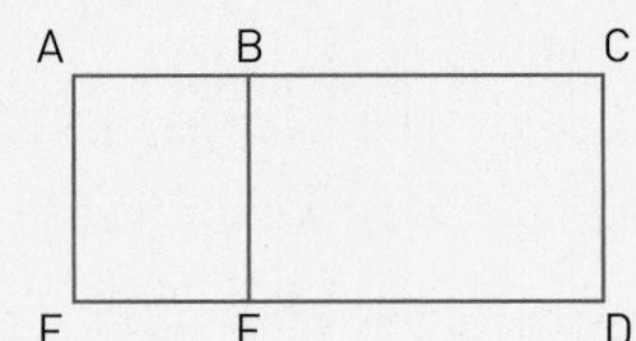


**92** **B** Les rectangles ABEF et BCDE sont symétriques par rapport à la droite (BE).
Prouver que les droites (BE) et (GH) sont perpendiculaires.

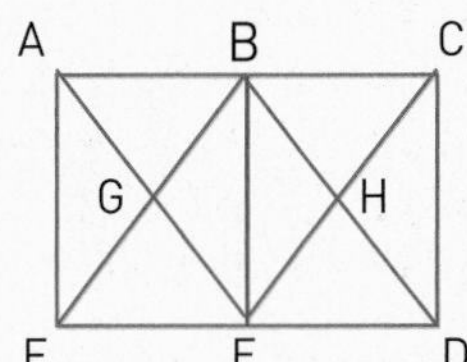

# Exercices d'approfondissement

## Devoirs à la maison

### POUR PRENDRE LE TEMPS DE CHERCHER

**93 Construction d'un cadran solaire**

*Matériel : Il faudra un cure-dent, un rapporteur, une boussole et trois feuilles de papier cartonné.*

**a.** Prendre une des feuilles et la découper de façon à former un carré le plus grand possible.

Appeler A le milieu d'un côté et B le milieu du côté opposé, tracer le segment [AB] et le cercle de diamètre [AB].

À l'aide du rapporteur, graduer l'un des demi-cercles en traçant un rayon tous les 15°. Plier le cercle en deux le long du diamètre [AB] comme indiqué sur le schéma **1**.

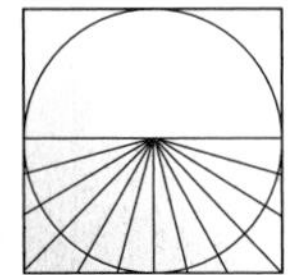

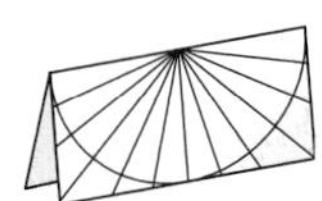

**b.** Rechercher dans un atlas la latitude de l'endroit où sera utilisé le cadran, et dessiner un angle correspondant à cette mesure sur une deuxième feuille de papier. Découper le gabarit ainsi formé et le fixer comme sur le schéma **2** sur la troisième feuille, en veillant à ce que l'angle correspondant à la latitude soit placé comme celui marqué en rouge sur le dessin. Placer le cure-dent comme sur le schéma.

**c.** Placer le demi cercle gradué comme sur le schéma **3**. Prolonger les rayons et tracer leur point d'intersection avec le plan de la troisième feuille, puis relier ce point avec la pointe du style, comme sur le schéma **4**.

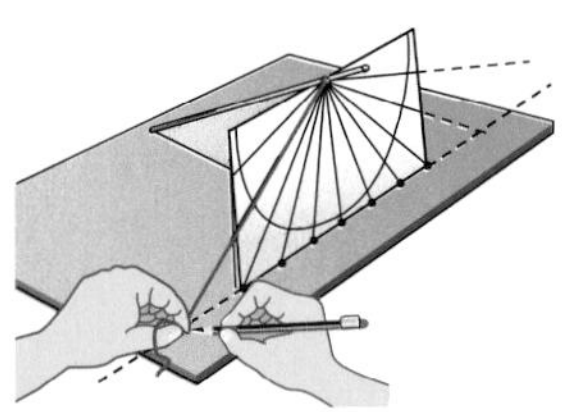

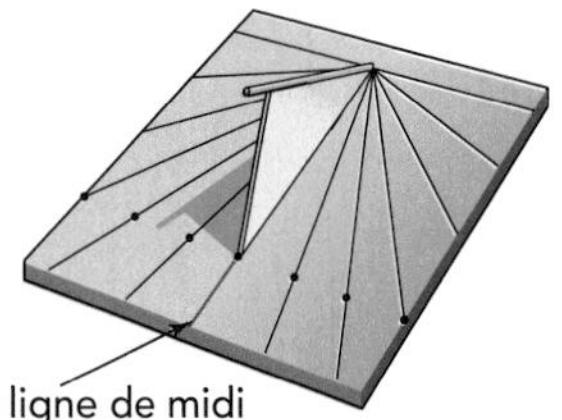
ligne de midi

**d.** Il ne reste plus qu'à attendre le soleil, à orienter le cadran avec la ligne de midi dans la direction nord-sud, et lire l'heure qui s'affiche grâce à l'ombre du style.

**94 En démêlant la démo**

Walid a mélangé les différentes étapes de sa **démonstration***, aidons-le à les remettre dans l'ordre.

Pour cela, reproduire le diagramme ci-dessous et attribuer à chacune des propositions la bonne case, en utilisant les données codées sur la figure :

- les angles $\widehat{BAO}$ et $\widehat{DCO}$ sont alternes-internes et de même mesure ;
- les angles $\widehat{AOE}$ et $\widehat{EOB}$ sont complémentaires ;
- les angles $\widehat{ADO}$ et $\widehat{OBC}$ sont alternes-internes et de même mesure ;
- les droites (AD) et (BC) sont parallèles ;
- les droites (AC) et (BD) sont perpendiculaires.

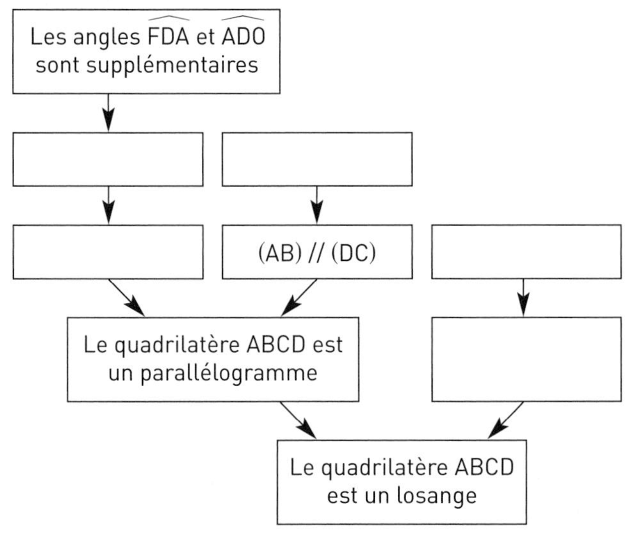
Les angles $\widehat{FDA}$ et $\widehat{ADO}$ sont supplémentaires
(AB) // (DC)
Le quadrilatère ABCD est un parallélogramme
Le quadrilatère ABCD est un losange

Rédiger la démonstration correspondante.

## ÉNIGME DU CHAPITRE

Peut-on construire un parallélogramme dont un angle est le double de l'autre ?

Si oui, tracer un tel parallélogramme.

Peut-on tracer un losange avec la même propriété ?

# 8 Triangles

## Les objectifs du programme

### Construction de triangles et inégalité triangulaire

→ Connaître et utiliser l'inégalité triangulaire.
→ Construire un triangle connaissant :
– la longueur d'un côté et les deux angles qui lui sont adjacents ;
– les longueurs de deux côtés et l'angle compris entre ces deux côtés ;
– les longueurs de trois côtés.
→ Sur papier uni, reproduire un angle au compas.

### Somme des angles d'un triangle

→ Connaître et utiliser le résultat sur la somme des angles d'un triangle. Cas particuliers.

### Cercle circonscrit, médiane

→ Construire le cercle circonscrit à un triangle.
→ Connaître et utiliser la définition d'une médiane d'un triangle.

## Sommaire

# D'un siècle...

## Le théodolite

Le théodolite a été inventé par l'opticien anglais Jesse Ramsden (1735-1800). C'est un instrument fondamental pour la mesure des angles d'un triangle formé par un observateur et deux points éloignés tels que les sommets de deux montagnes par exemple.
Aujourd'hui, il permet aux géomètres de tracer les alignements géographiques des constructions et de lever des plans.

Le théodolite est composé d'un rapporteur pour mesurer les angles et d'une lunette pour la visée. ▶

# ...à l'autre

## Triangles et constructions

Le triangle est à la base de la rigidité des armatures utilisées dans les constructions.

▲ Construction de la tour Eiffel.
Paris, juillet 1888.

### Un jeu

Avec un jeu constitué de barres aimantées et de billes en acier, on s'amuse à construire des **polygones*** ou des solides plus ou moins complexes.

▲ La structure de la surface de ce dôme est constituée de triangles équilatéraux.

# Longueurs des côtés d'un triangle

## 1 Triangle à partir d'un segment

**a.** Placer un point A. Où sont situés tous les points distants de 3 cm du point A ? Construire l'ensemble de ces points.

**b.** Le segment ci-contre mesure 5,5 cm, c'est l'un des côtés d'un triangle dont les deux autres mesurent 3 cm et 4,5 cm.

5,5 cm

À partir de ce segment, combien de triangles ayant ces mesures peut-on construire ? Tracer les différentes constructions sur la même figure.

## « Ligne droite »

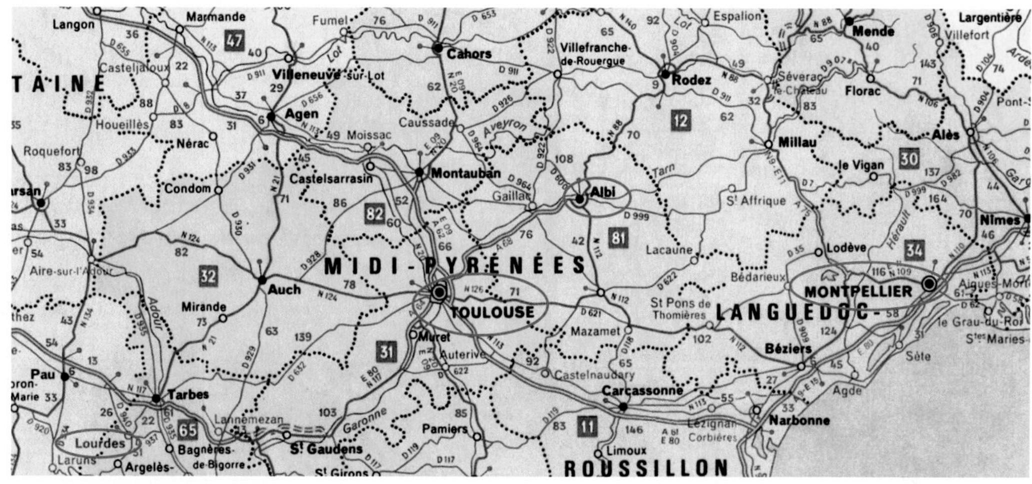


On veut reproduire cette carte :

**1. a.** Les points T, M, A et L représentent les villes de Toulouse, Montpellier, Albi et Lourdes, placer ces points en reportant les distances à l'aide du compas.

**b.** Placer le point C qui représente la ville de Castres située sur la carte à 2,2 cm de Toulouse et 4,6 cm de Montpellier.

**2. a.** On dit que « le plus court chemin est la ligne droite », vérifier ce principe en comparant la longueur du chemin direct Toulouse-Montpellier avec chacun des 3 chemins : Toulouse-Albi-Montpellier, Toulouse-Lourdes-Montpellier, Toulouse-Castres-Montpellier.

**b.** Que peut-on dire de plus à propos du chemin Toulouse-Castres-Montpellier ?

## 3 Une dimension inadaptée

**1.** Construire un triangle IJK **tel que*** IJ = 8 cm, JK = 5 cm et IK = 4 cm.

**2.** Placer un point L (différent de K) qui est à la fois distant de 5 cm du point J et distant de 4 cm du point I.

**3.** Peut-on placer les points M, N et R situés sur le cercle de centre J et de rayon 5 cm et tels que IM = 3,6 cm, IN = 3,2 cm et IR = 2,8 cm ?

**4. a.** Peut-on placer un point S tel que JS = 5 cm et tel que $IS < 3{,}2$ cm ?
Si oui, choisir une valeur pour IS et placer S.

**b.** Quelles valeurs ne peut-on pas donner à IS ?

# Angles dans un triangle

## Réaliser une construction complexe

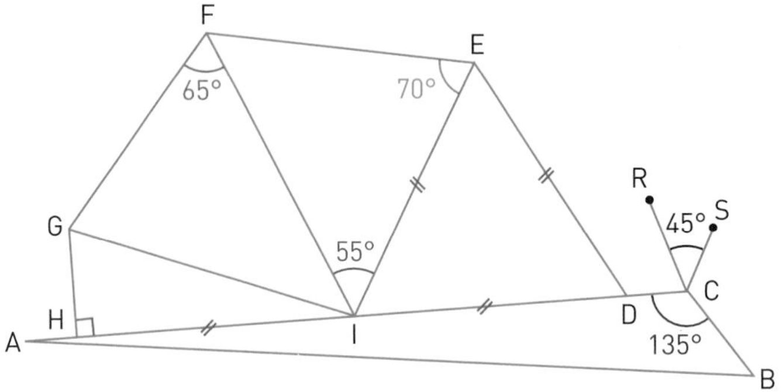


AC = 11 cm
AH = DC = CS = 1 cm
DR = CR = 1,5 cm
CB = 2 cm

Pour reproduire la figure, suivre les étapes suivantes :

**1. a.** Tracer le segment [AC].

**b.** Construire le triangle ABC en commençant par tracer, à l'aide du rapporteur, l'angle $\widehat{ACB}$ qui mesure 135°.

**c.** Placer les points D, H et I sur le segment [AC].

Utiliser aussi les dimensions notées à côté du dessin.

**2. a.** Indiquer la **nature*** du triangle CDR.
Placer le point R puis tracer le segment [CR].

**b.** Placer le point S en respectant les indications d'angle et de distance puis tracer le segment [CS].

**3.** Quelle est la nature du triangle EDI ? Construire ce triangle.

**4.** Construire, à l'aide du rapporteur, la demi-droite [EF) ainsi que la demi-droite [IF) puis placer le point F.

**5.** Terminer la figure.

## Somme des angles d'un triangle

**a.** Construire un triangle ABC **quelconque*** et la demi-droite [BC) :

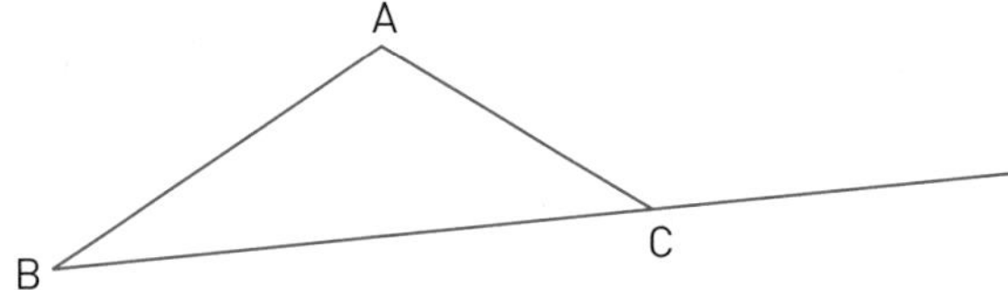


Placer le point O milieu du segment [AC].

**b.** Construire le point D symétrique du point B par rapport au point O.
Tracer les segments [AD] et [CD]. Effacer le segment [BD].

**c.** **Coder*** les angles de la figure avec trois couleurs (deux angles égaux sont de même couleur).

**d.** En observant les trois angles de sommet C, rédiger une propriété au sujet des trois angles du triangle ABC.

**e.** Justifier le travail effectué au **c.** en utilisant les propriétés de la **symétrie centrale*** et des angles **alternes-internes***.

# Médianes, médiatrices, cercle circonscrit

## 6 Reconnaître et construire des droites

**1. a.** Pour chacune des figures ①, ② et ③, donner le nom et une définition de la droite rouge.

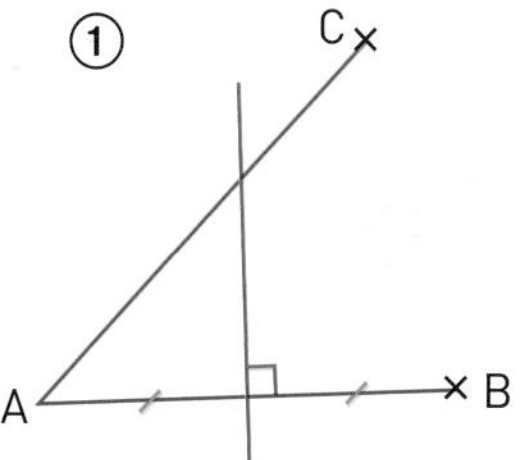


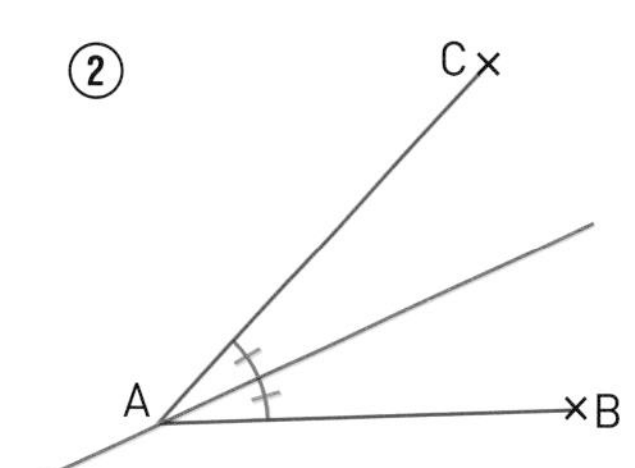


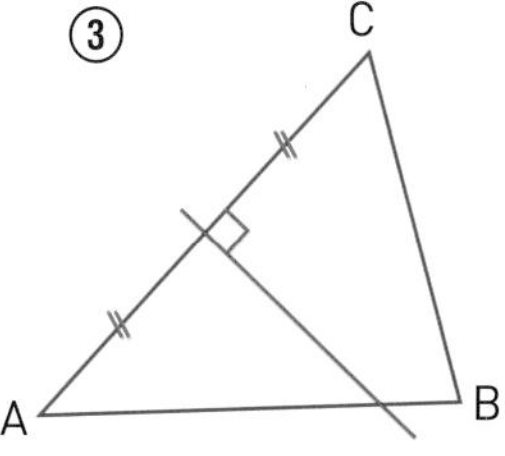


**b.** Comment construit-on chacune de ces droites à partir des points A, B et C ? Proposer plusieurs méthodes.

**2.** Rédiger les indications qu'il faut donner à un camarade qui ne voit pas la figure ④ et qui doit construire la droite rouge dans un triangle ABC déjà tracé.

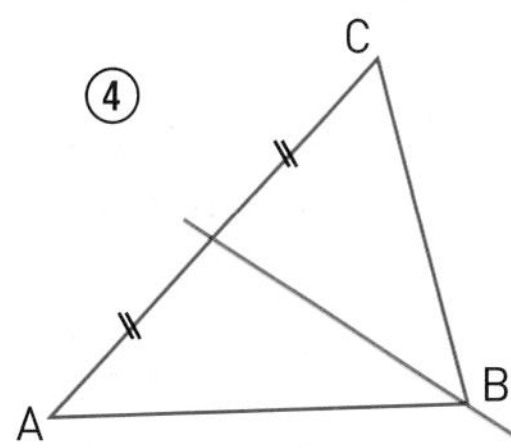


**3.** Construire les figures ①, ②, ③ et ④, en plaçant les points A, B et C de manière quelconque.

## 7 Médiatrices et distances

**1.** Tracer un triangle **quelconque*** IJK.
Tracer la médiatrice du segment [IJ] à l'aide du compas.
Tracer la médiatrice du segment [IK] à l'aide de l'équerre.
Placer O, le point d'intersection des deux droites.

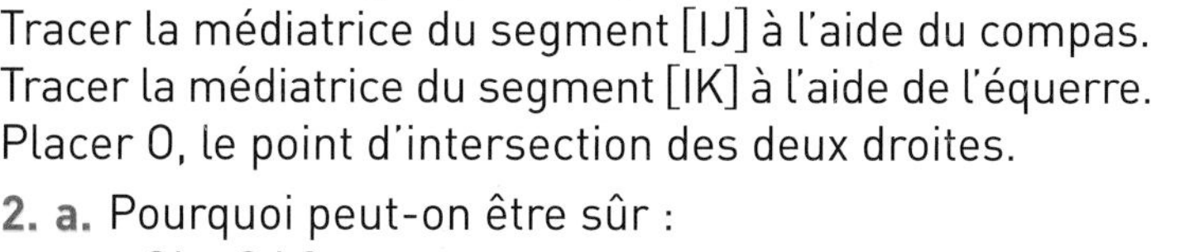

**2. a.** Pourquoi peut-on être sûr :
- que OI = OJ ?
- que OI = OK ?

**b.** En **déduire*** que la médiatrice du segment [JK] passe par le point O.

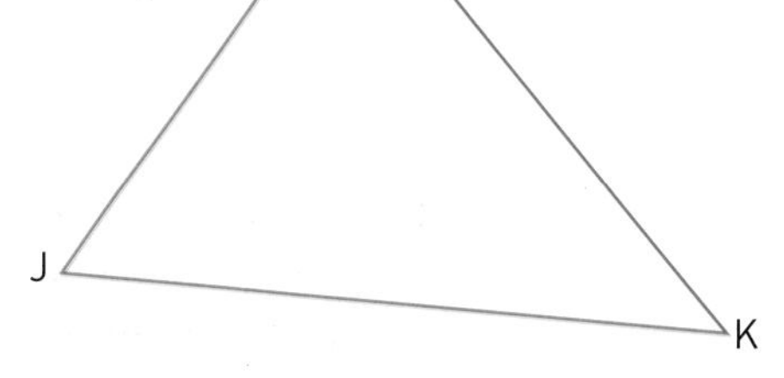


**3.** Pourquoi peut-on être sûr que le point O est le centre d'un cercle qui passe par les points I, J et K ?
Vérifier sur le dessin.

**4.** Résumer les propriétés concernant les médiatrices des trois côtés du triangle.

**Leçon 1**

# Longueurs des côtés d'un triangle

## 1 Inégalité triangulaire

### 1 Triangle

**PROPRIÉTÉ**

**Inégalité triangulaire :** dans un triangle, la somme des longueurs de deux côtés est toujours supérieure à la longueur du troisième côté.

**EXEMPLE**

Dans un triangle ABC : $AB + BC \geqslant AC$

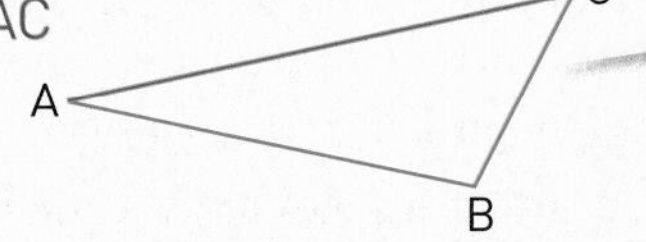


On a aussi : $AC + CB \geqslant AB$
$BA + AC \geqslant BC$

### 2 Cas particulier

**PROPRIÉTÉ**

Si les points A, B et C sont alignés dans cet ordre, alors AB + BC = AC.

**RÉCIPROQUE**

Si A, B et C sont trois points tels que AB + BC = AC, alors on peut affirmer que A, B et C sont alignés dans cet ordre.

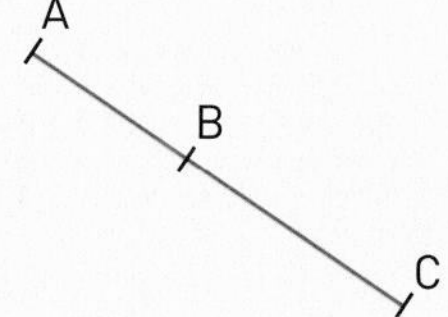


## 2 Construction d'un triangle connaissant 3 longueurs

**EXEMPLE :** On veut construire le triangle JKL tel que JK = 2,5 cm, JL = 3,5 cm et KL = 2 cm.

- On commence par vérifier que la construction est possible : 2,5 cm + 2 cm > 3,5 cm.
- On prend la règle graduée et le compas et on suit les étapes ci-dessous :

Il suffit de vérifier que la plus grande des longueurs est inférieure à la somme des deux autres.

| Étape n° 1 | Étape n° 2 | Étape n° 3 | Étape n° 4 |
|---|---|---|---|
| Tracer un des trois côtés du triangle et le nommer (ici on a choisi [JK]). J K 2,5 cm | Le point L est situé à 3,5 cm du point J. J K | Le point L est situé à 2 cm du point K. J K | Nommer le troisième sommet et tracer les côtés du triangle. L J K Seconde possibilité pour le point L. |

## Justifier l'existence d'un triangle

**ÉNONCÉ**

Lorsque c'est possible, placer les points qui vérifient ces propriétés. Justifier.

a. O, U et F tels que : OU = 4,5 cm OF = 8,5 cm UF = 3,5 cm.

b. A, L et I tels que : AL = 6 cm AI = 2,5 cm LI = 3,5 cm.

c. A, B et C tels que le triangle ABC soit isocèle en A, AB = 12,3 cm et BC = 24,8 cm.

**RÉPONSES**

**a.** OU + UF = 4,5 cm + 3,5 cm = 8 cm.
$OU + UF < OF$, donc on ne peut pas placer ces points.

**b.** AI + IL = 2,5 cm + 3,5 cm = 6 cm.
AI + IL = AL donc les points A, L et I sont alignés :

A —— 2,5 cm —— I —— 3,5 cm —— L

**c.** Le triangle ABC est isocèle en A donc AC = AB.
AB + AC = 2 × 12,3 cm = 24,6 cm
et BC = 24,8 cm.
$AB + AC < BC$ donc le triangle n'existe pas.

**COMMENTAIRES**

Il faut vérifier si le triangle formé avec les trois points donnés peut exister ou non.
- On commence par trouver la plus grande des longueurs.
- Pour que le triangle existe il faut que la plus grande des longueurs soit inférieure à la somme des deux autres.

Un triangle isocèle en A possède deux côtés de même longueur : les cotés issus du sommet A.

Sur le même modèle
▸ exercices 1 et 2

EXERCICE RÉSOLU 2

## Reproduire un angle à la règle et au compas

**ÉNONCÉ**

On ne dispose que d'un crayon, d'une règle **non graduée*** et d'un compas. Reproduire l'angle $\widehat{xOy}$.

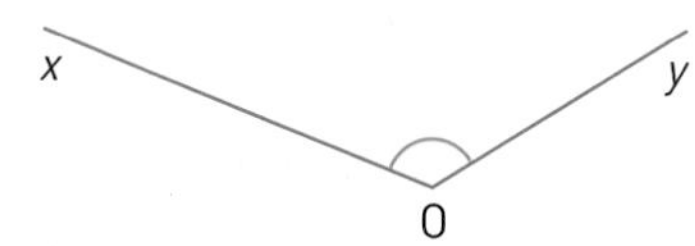


**RÉPONSE**

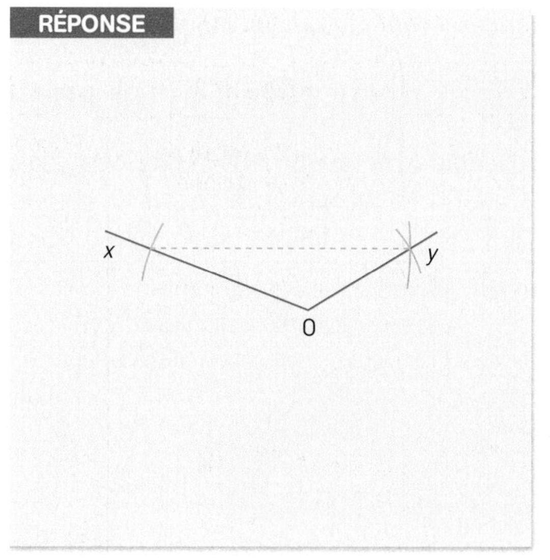


**COMMENTAIRES**

Sur le dessin initial reproduit ci-dessous, on place un point sur chacun des côtés de l'angle : un point A sur [O*x*), un point B sur [O*y*).

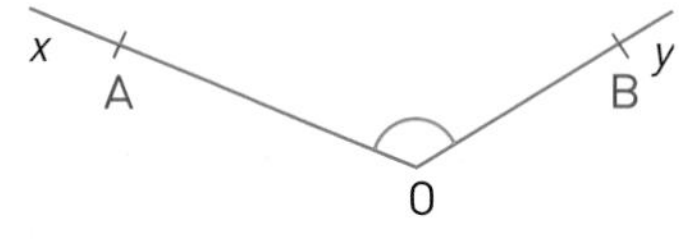


Pour reproduire l'angle $\widehat{xOy}$ : on construit le triangle OAB à la règle et au compas en suivant les étapes décrites dans la leçon et en prenant les dimensions avec le compas sur la figure initiale.

Sur le même modèle
▸ exercice 6

Leçon 2

# Angles dans un triangle

## 1 Somme des angles d'un triangle

**PROPRIÉTÉ**

Dans un triangle, la somme des trois angles est égale à 180°.

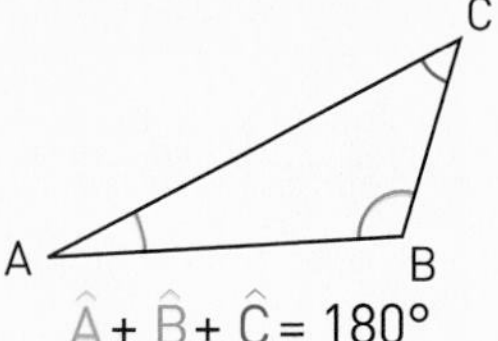


**PREUVE :** Voir l'approche n° 5.

## 2 Construction connaissant un côté et deux angles

**EXEMPLE :** On veut construire un triangle LMN tel que MN = 2cm, $\widehat{M} = 25°$, $\widehat{N} = 40°$.

| Étape n° 1 | Étape n° 2 | Étape n° 3 | Étape n° 4 |
|---|---|---|---|
| On peut commencer par faire un dessin à main levée en indiquant les données : L, 40°, 25°, M, 2 cm, N | Tracer le segment [MN]. M, 2 cm, N | Construire un angle de 25°, de sommet M et dont un côté est la demi-droite [MN]. M, N | Construire l'angle $\widehat{N}$ de 40°. M, N. Placer le point L à l'intersection des deux demi-droites. |

## 3 Construction connaissant deux côtés et un angle

**EXEMPLE :** On veut construire un triangle ABC tel que AB = 3 cm, AC = 2,5 cm et $\widehat{A} = 100°$.

| Étape n° 1 | Étape n° 2 | Étape n° 3 | Étape n° 4 |
|---|---|---|---|
| On peut faire un dessin à main levée : C, 2,5 cm, 100°, A, 3 cm, B | Tracer le segment [AB]. A, 3 cm, B | Construire un angle de 100°, de sommet A et dont un côté est la demi-droite [AB]. A, B | Placer le point C sur la demi-droite, à 2,5 cm du point A. C, 2,5 cm, A, B. Tracer le triangle ABC. |

# Méthodes

## Calculer la mesure d'un angle pour construire

**ÉNONCÉ**

**Construire un triangle EFG tel que EF = 3 cm, $\widehat{F} = 35°$ et $\widehat{G} = 65°$.**

**COMMENTAIRES**

On peut commencer par faire un dessin à main levée :

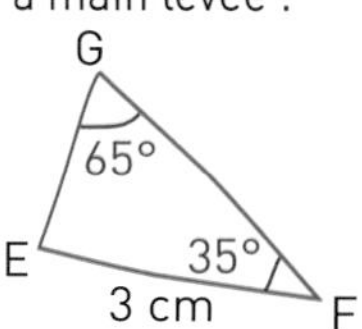


Dans un triangle, la somme des trois angles est égale à 180°.

**Donc*** $\widehat{E} + 65° + 35° = 180°$,
$\widehat{E} + 100° = 180°$

Donc $\mathbf{\widehat{E} = 80°}$.

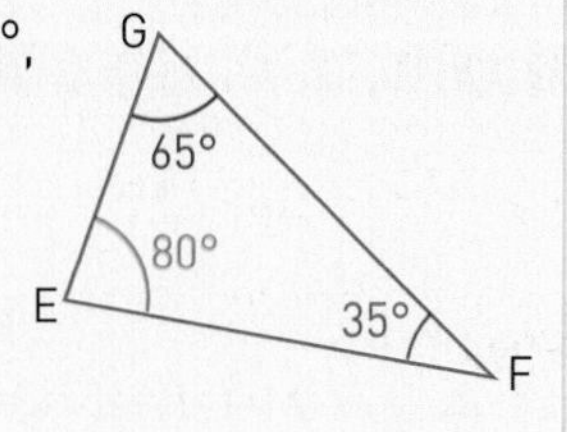


On remarque que la mesure de l'angle $\widehat{E}$ est indispensable à la construction ; on peut la calculer car on connaît la mesure des deux autres angles du triangle.

On construit le triangle en suivant les étapes décrites dans la leçon.

Sur le même modèle
▸ exercice 16

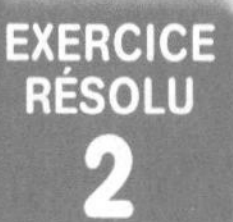


## Calculer un angle dans un triangle particulier

**ÉNONCÉ**

**a.** Calculer la mesure de chacun des angles $\widehat{I}$ et $\widehat{J}$.

**b.** Calculer la mesure de l'angle $\widehat{R}$.

**c.** Calculer la mesure de l'angle $\widehat{Z}$.

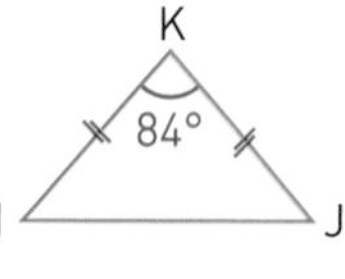
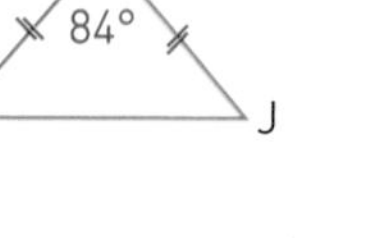


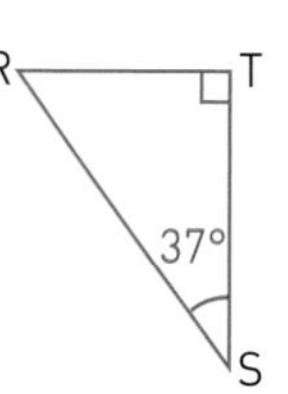


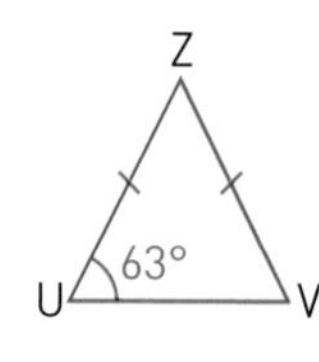


**RÉPONSES**

**COMMENTAIRES**

**a.** – La somme des angles du triangle est égale à 180° : $\widehat{I} + \widehat{J} + 84° = 180°$.

Donc $\widehat{I} + \widehat{J} = 96°$.

→ 96° = 180° – 84°.

– Comme le triangle IJK est isocèle en K, les angles $\widehat{I}$ et $\widehat{J}$ sont égaux.

→ Les côtés [KI] et [KJ] ont la même longueur donc le triangle IJK est isocèle en K.

96° ÷ 2 = 48°

Donc $\mathbf{\widehat{I} = \widehat{J} = 48°}$.

**b.** Le triangle RST est rectangle en S et la somme de ses angles est égale à 180° :

→ Dans un triangle, si on connaît la mesure de deux angles, on sait alors calculer celle du troisième angle.

$\widehat{R} + 37° + 90° = 180°$.

$\widehat{R} + 127° = 180°$

Donc $\mathbf{\widehat{R} = 53°}$.

→ 53° = 180° – 127°.

**c.** Le triangle UVZ est isocèle en Z donc $\widehat{V} = \widehat{U} = 63°$ et $\widehat{V} + \widehat{U} = 63° + 63° = 126°$.

La somme des angles du triangle est égale à 180°, donc $\widehat{Z} + 126° = 180°$

Donc $\mathbf{\widehat{Z} = 54°}$.

→ 54° = 180° – 126°.

Sur le même modèle
▸ exercice 18

Leçon 3

# Médianes, médiatrices, cercle circonscrit

## 1 Médiatrice d'un segment

DÉFINITION

La **médiatrice** d'un segment est la droite perpendiculaire à ce segment et qui passe par son milieu.

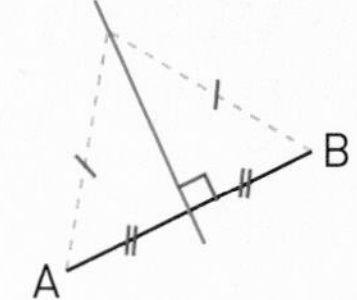

A
B

PROPRIÉTÉ

Si un point P est situé sur la médiatrice du segment [AB], alors PA = PB.

RÉCIPROQUE

Si MA = MB, alors le point M est situé sur la médiatrice du segment [AB].

## 2 Cercle circonscrit à un triangle

PROPRIÉTÉ 1

Les médiatrices des trois côtés d'un triangle sont concourantes.

PROPRIÉTÉ 2 et DÉFINITION

Le point d'intersection des médiatrices des côtés d'un triangle est le centre du cercle qui passe par les trois sommets du triangle.
Ce cercle s'appelle le **cercle circonscrit au triangle**.

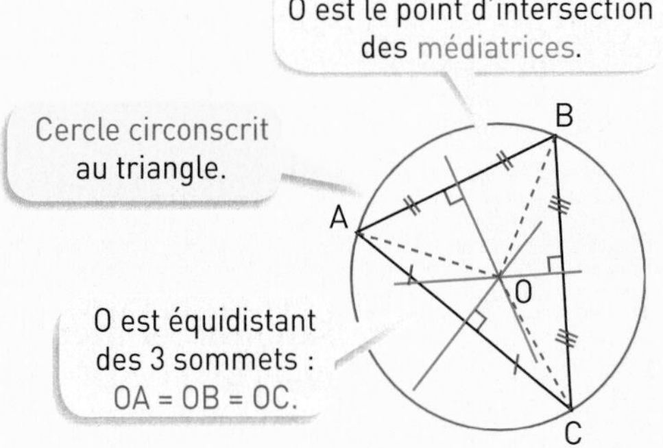

O est le point d'intersection des médiatrices.
Cercle circonscrit au triangle.
O est équidistant des 3 sommets : OA = OB = OC.
A
B
C
O

PREUVE : Voir l'approche n° 7.

CAS PARTICULIER : Un triangle ayant un angle **obtus***.

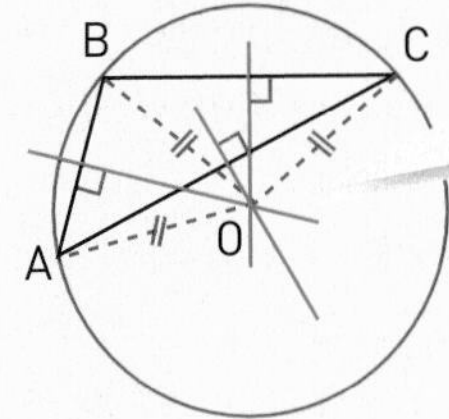

B
C
A
O
Le centre du cercle **circonscrit*** est situé à l'extérieur du triangle.

## 3 Médiane d'un triangle

DÉFINITION

Dans un triangle, la **médiane issue d'un sommet** est la droite qui passe par ce sommet et par le milieu du côté opposé.

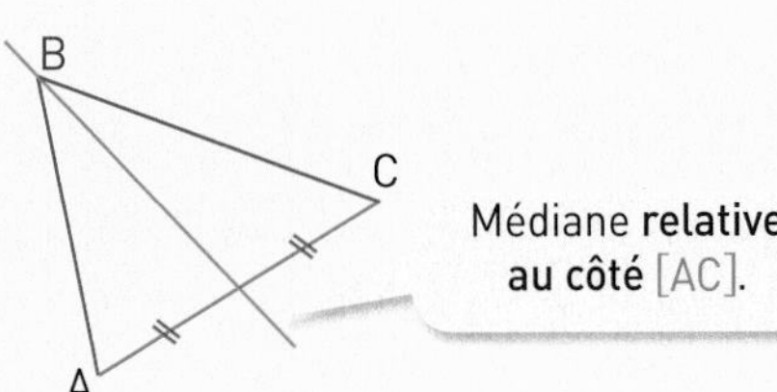

B
C
A
Médiane **relative au côté** [AC].

REMARQUE : On utilise aussi le mot « médiane » pour parler du segment qui joint un sommet au milieu du côté opposé à ce sommet.

## Utiliser les définitions

**ÉNONCÉ**

**a.** Indiquer dans quel(s) cas le point O est le centre du cercle circonscrit au triangle. Justifier la réponse.

Cas n° 1

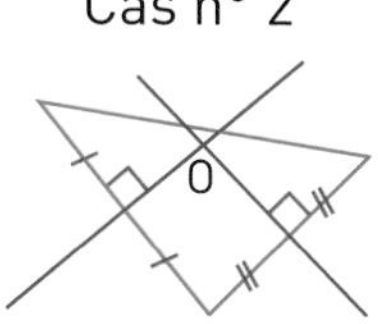


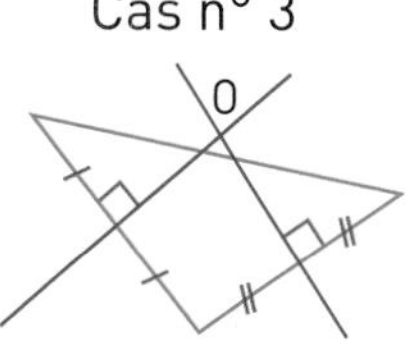


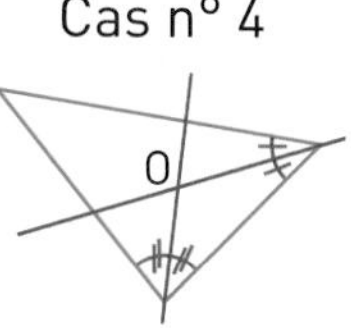


**b.** Quelle est la nature des droites bleues dans les autres cas ?

**RÉPONSES**

**a.** Dans les cas n° 2 et n° 3 les deux droites bleues qui se coupent en O sont les médiatrices de deux côtés du triangle donc le point O est le centre du cercle circonscrit au triangle.
**b.** Cas n°1 : les droites bleues sont des médianes.
Cas n°4 : les droites bleues sont des bissectrices.

**COMMENTAIRES**

On utilise la définition et les propriétés des médiatrices d'un triangle.

On utilise la définition du cours.
Une bissectrice partage un angle en deux angles de même mesure.

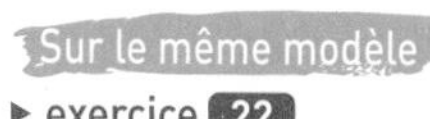


▸ exercice 22

EXERCICE RÉSOLU 2

## Médianes et médiatrices dans un triangle isocèle

**ÉNONCÉ**

**a.** Construire un triangle isocèle dont un côté mesure 2 cm et dont les deux autres mesurent chacun 2,7 cm.
**b.** Construire en vert la médiane issue du sommet principal. Que constate-t-on ?
**c.** Construire le cercle circonscrit au triangle.

**RÉPONSES**

**a.** et **b.**

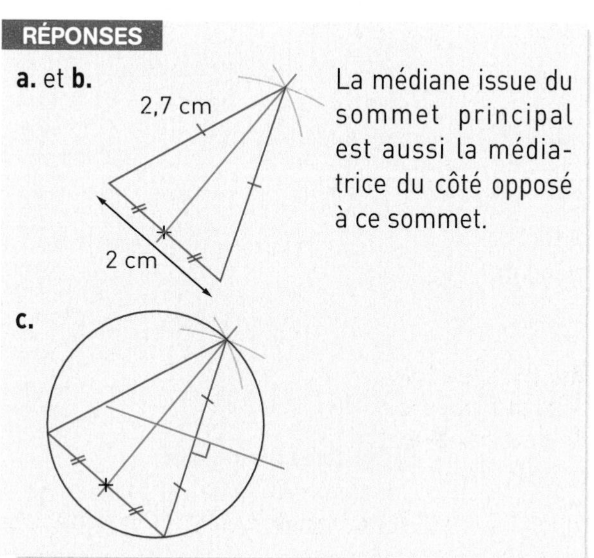


La médiane issue du sommet principal est aussi la médiatrice du côté opposé à ce sommet.

**COMMENTAIRES**

• On construit le triangle isocèle en suivant les étapes décrites dans la leçon 1 (on connaît la longueur des trois côtés).
• Les points B et I sont équidistants des points A et C donc la droite (BI) est la médiatrice du segment [AC].

B
A
I
C

• Deux médiatrices suffisent pour obtenir le centre du cercle circonscrit au triangle.

Sur le même modèle

▸ exercice 28

# Exercices d'application

## Longueurs des côtés d'un triangle

**1 Triangle non constructible ?**

Sans effectuer de construction, expliquer pourquoi dans certains cas le triangle ABC ne peut pas exister.

| | AB | BC | AC |
|---|---|---|---|
| 1$^{er}$ cas | 13 mm | 14 mm | 28 mm |
| 2$^{e}$ cas | 7 km | 2,5 km | 5,5 km |
| 3$^{e}$ cas | 6,5 cm | 13 cm | 5,5 cm |
| 4$^{e}$ cas | 14,5 cm | 1,14 dm | 3,8 cm |

**2 Triangle constructible ?**

**1.** Les dimensions sont données en cm. Vérifier si le triangle est constructible en effectuant un seul calcul.

**a.** DEF tel que : DE = 3 DF = 7 EF = 5

**b.** JKL tel que : KL = 5,8 JK = 2,3 JL = 3,2

**c.** GHI tel que : GH = 6,3 IH = 4,8 IG = 7,5

**2.** Effectuer une construction quand c'est possible.

**3 Construire un triangle**

Construire un triangle :

**a.** ABC tel que AB = 7 cm, AC = 3 cm et BC = 5 cm.

**b.** EFG tel que EF = 9 cm, FG = 4 cm et EG = 7 cm.

**c.** IJK tel que IJ = 51mm, IK = 82 mm et JK = 43 mm.

**4 Triangles plats ?**

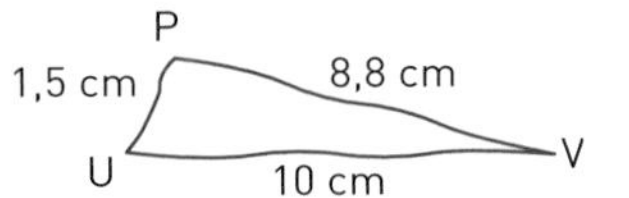


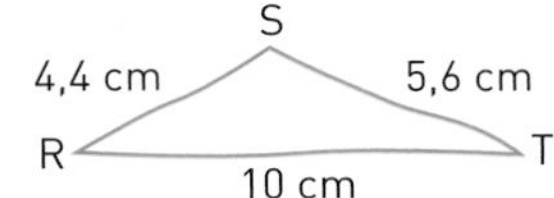


Construire avec précision les triangles UPV et RST. Que constate-t-on ?

**5 De tête**

Que peut-on dire d'un triangle PQR dont les dimensions sont : PQ = 2,2 cm, PR = 4,5 cm et QR = 2,3 cm ?

**6 Reproduire un angle**

Reproduire les angles à la règle et au compas :

**a.** **b.**

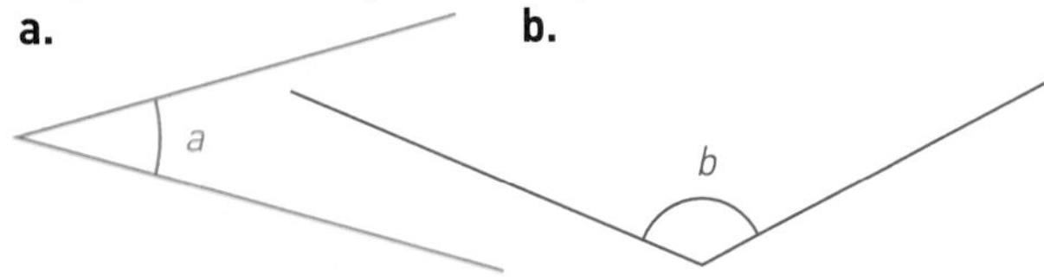


**c.** **d.**

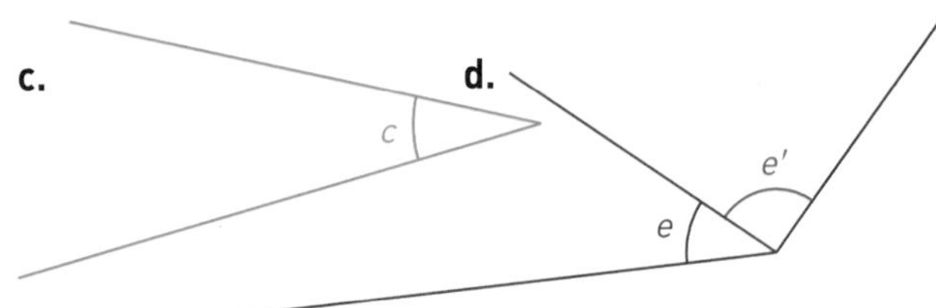


**7 Quadrilatère particulier**

**a.** Construire un triangle ABD tels que : AD = 4,8 cm, AB = 5,5 cm et DB = 6,3 cm.

**b.** Placer le point C tel que BC = 4,8 cm et DC = 5,5 cm (la droite (DB) passe entre les points A et C).

**c.** Indiquer la nature du quadrilatère ABCD. Justifier.

**8 Côté commun**

Reproduire la figure sachant que : AB = BC = 8 cm ; AC = 7 cm ; AD = 6,5 cm ; AE = 4,5 cm ; BD = 9,5 cm et BE = 10,5 cm.

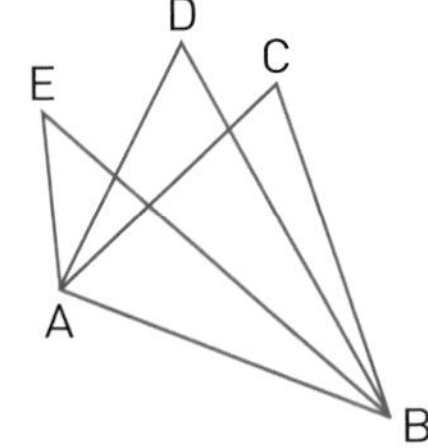


**9 Deux figures simples**

**1.** Reproduire les figures suivantes :

**a.** **b.**

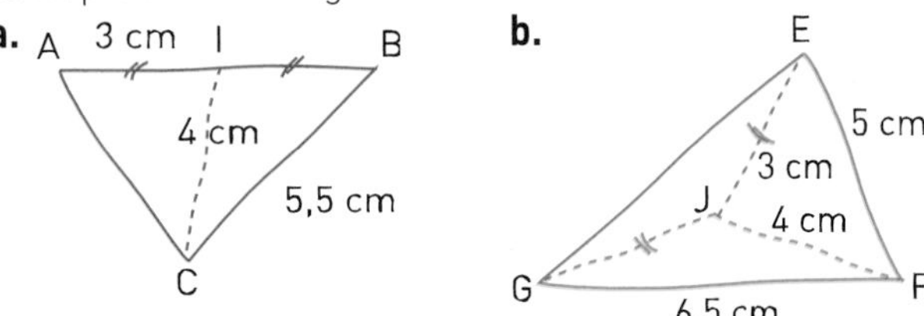


**2.** Proposer un **programme de construction*** pour :

**a.** la figure du 1a. **b.** la figure du 1b.

**10 Une figure complexe**

Construire ce « hérisson » (les dimensions sont données en centimètres).

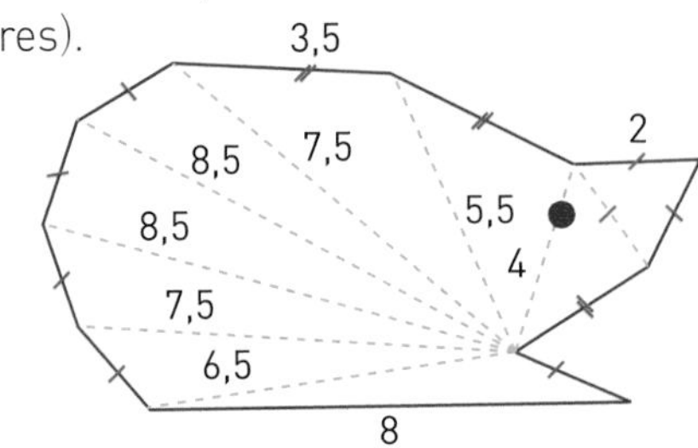


**11 Avec un logiciel**

Construire à l'aide du logiciel les figures des exercices : 4, 8 et 9.

Masquer les traits de construction.

# 2 Angles dans un triangle

### 12 Reproduire un triangle

Construire les triangles suivants.

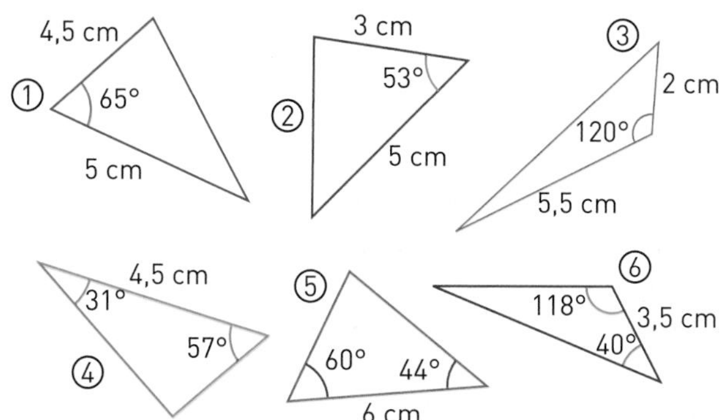


### 13 Calculer un angle

**a.** Énoncer la propriété du cours qui permet de calculer la mesure du troisième angle de chacun des triangles ④, ⑤ et ⑥ de l'exercice n° 12.

**b.** Calculer la mesure de ces angles.

### 14 Connaissant un angle

Construire les triangles suivants :

**a.** ABC tel que AB = 7 cm, $\hat{A} = 40°$ et AC = 3 cm.

**b.** DEF tel que $\hat{F} = 130°$, EF = 5 cm et FD = 3,5 cm.

**c.** XYZ isocèle en Z tel que XZ = 5 cm et $\hat{Z} = 55°$.

### 15 Connaissant deux angles

Construire le triangle indiqué :

**a.** LMN tel que MN = 9 cm, $\hat{M} = 15°$ et $\hat{N} = 35°$.

**b.** STU tel que ST = 4 cm, $\hat{S} = 20°$ et $\hat{T} = 145°$.

**c.** JKV isocèle en J tel que KV = 7 cm et $\hat{K} = 28°$.

### 16 Calculer puis construire

Calculer l'angle manquant puis construire la figure :

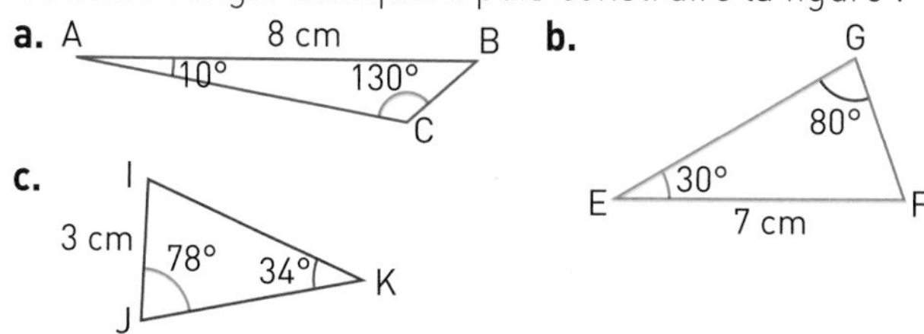


### 17 De tête

**a.** Prouver qu'un triangle qui possède un angle de 140° et un angle de 20° est un triangle isocèle.

**b.** Prouver qu'il n'existe pas de triangle rectangle qui possède un angle de 102°.

### 18 Déterminer des angles

Chaque ligne du tableau correspond à un triangle ABC. Compléter ce tableau en indiquant les calculs qui permettent de trouver la mesure des angles manquants.

| Nature de ABC | Dessin à main levée | $\hat{A}$ | $\hat{B}$ | $\hat{C}$ | Calculs |
|---|---|---|---|---|---|
| Isocèle en... | B A C | ... | 42° | ... | ... |
| Rectangle en A | ... | ... | ... | 50° | ... |
| Isocèle en B | ... | ... | 98° | ... | ... |
| ... | ... | 60° | 60° | ... | ... |
| ... | ... | 54° | 36° | ... | ... |

### 19 Triangle rectangle, triangle isocèle

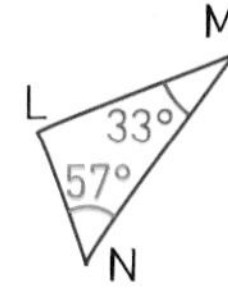

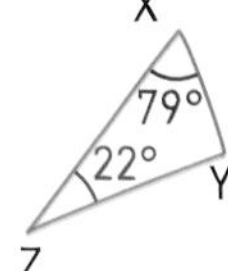

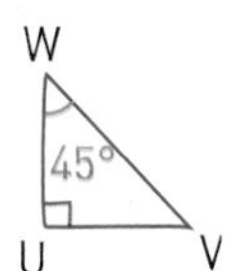

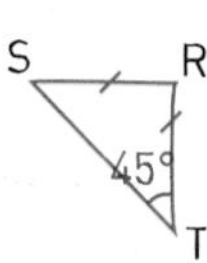


**a.** Prouver que le triangle LMN est un triangle rectangle.

**b.** Prouver que le triangle XYZ est un triangle isocèle.

**c.** Prouver que le triangle UVW est un triangle isocèle.

**d.** Prouver que le triangle RST est un triangle rectangle.

### 20 Reproduire une figure

Construire avec précision la figure en **vraie grandeur***.

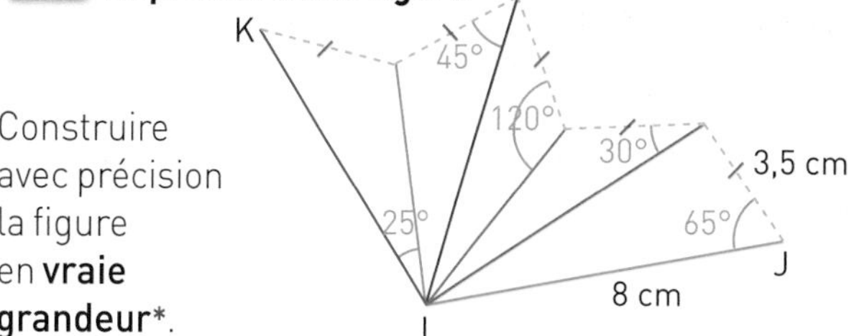


### 21 Triangles ayant un côté commun

Sur une feuille non quadrillée, construire :

– un segment [AB] de 18 cm ;

– un demi-cercle de diamètre [AB] ;

– le triangle ABC tel que et $\widehat{BAC} = 5°$ et C est un point du demi-cercle ;

– les triangles $ABC_1$, $ABC_2$, $ABC_3$, ..., $ABC_{16}$ tels que : $\widehat{BAC_1} = 10°$, $\widehat{BAC_2} = 15°$, $\widehat{BAC_3} = 20°$, ..., $\widehat{BAC_{16}} = 85°$ et les points $C_1$, $C_2$, $C_3$, ..., $C_{16}$ sont placés sur le demi-cercle.

*D'après « La géométrie pour le plaisir » J. L. Denière*

## 3 Médianes, médiatrices, cercle circonscrit

**22 Médiatrice ou médiane ?**
Pour chacun des triangles suivants, indiquer la nature précise de la droite tracée en bleu *(médiatrice du segment ..., médiane issue du sommet ..., médiane relative au côté...)* :

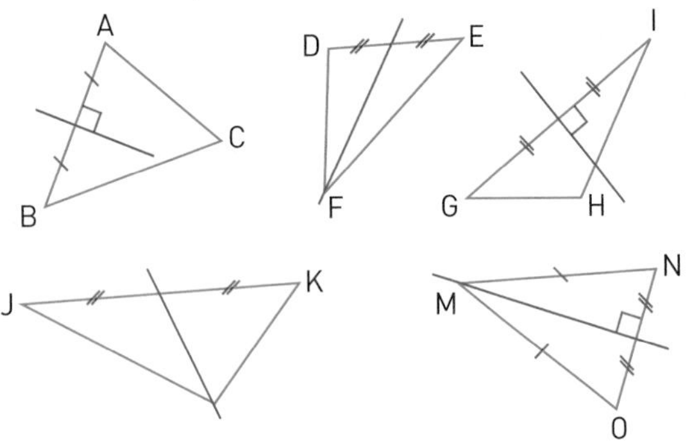


**Pour les exercices 23 et 24.**
Décalquer les deux figures ci-dessous et répondre aux questions.

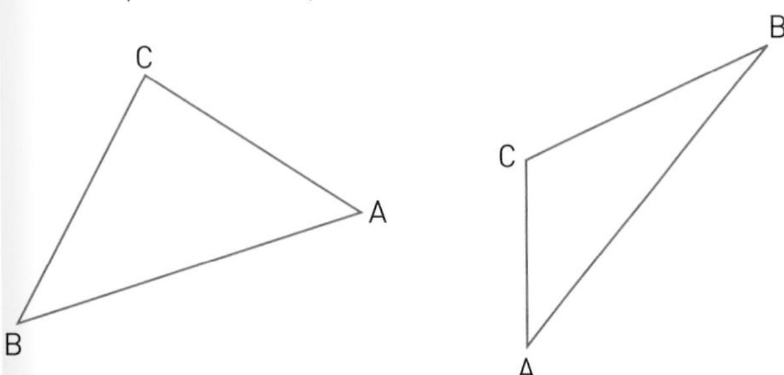


**23** **a.** Tracer la médiane relative au côté [BC] en vert.
**b.** Tracer la médiane issue du sommet C en bleu.

**24** Construire le cercle circonscrit à chaque triangle.

**25 Cercle circonscrit à plusieurs triangles**
Un cercle peut-être le cercle circonscrit à plusieurs triangles ? Vrai ou faux ? Faire un dessin.

**26 Trouver le triangle**
On a tracé le cercle circonscrit à un des quatre triangles, indiquer la couleur de ce triangle.

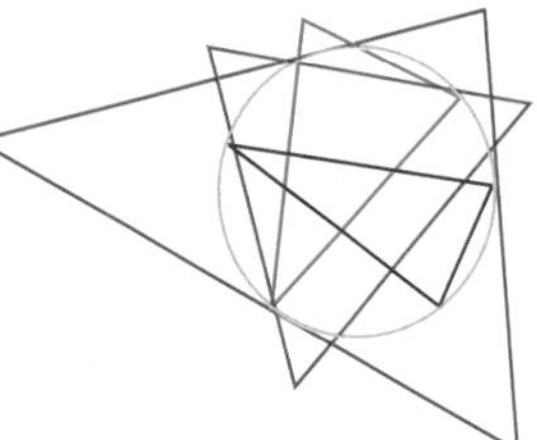

**27** De tête
**a.** Parmi les trois triangles ABC, DEF et GHI, indiquer celui pour lequel le point O est le centre du cercle circonscrit. Justifier la réponse.

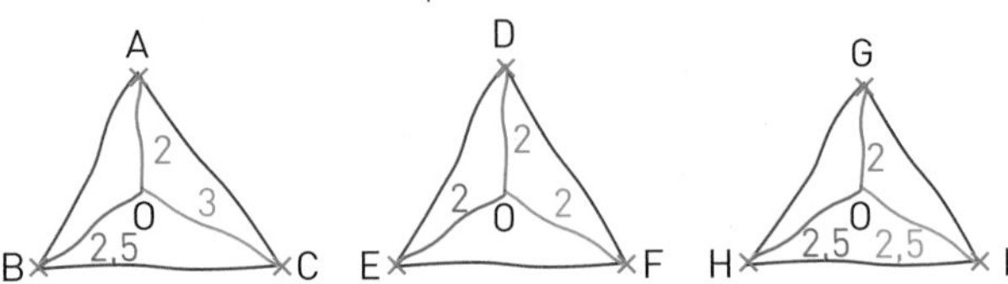


*Les dimensions sont données en cm.*

**b.** R, S, T et U sont 4 points tels que TU = TS = TR. Compléter la phrase : « Le point ... est le centre du cercle circonscrit au triangle ... ».

**28 Dans un triangle équilatéral**
Construire un triangle équilatéral UVW.
**a.** Tracer la médiane relative au côté [UV].
**b.** Nommer I le milieu du segment [UV].
Pourquoi les points I et W sont-ils situés sur la médiatrice du segment [UV] ?
**c.** Quelle propriété d'une médiane d'un triangle équilatéral vient-on de prouver ?

**29 Figure codée**
**a.** Observer le codage de la figure et indiquer la nature :
- de chacune des deux droites bleues,
- du point U.

**b.** Reproduire la figure avec :
AB = 5 cm, AC = 5,5 cm et BC = 6 cm.
**c.** Construire, en vert, les médianes du triangle. Nommer V leur point d'intersection.
**d.** Tracer le cercle circonscrit au triangle ABC.

**30 Utiliser une propriété du cours**
On considère la figure de l'exercice n° 29.
On ne dispose que d'un crayon et d'une règle **non graduée***. Expliquer et justifier comment on peut construire la médiatrice du segment [AC].

**31 Construire avec un logiciel**

**a.** Ouvrir le fichier indiqué par le professeur puis construire le cercle circonscrit au triangle ABC.
**b.** Masquer les traits de construction et vérifier que la construction est exacte en déplaçant les sommets.

### 32 Triangles constructibles ?

Sur chacune des lignes trouver les trois longueurs qui peuvent être les mesures des trois côtés d'un triangle. Justifier chaque proposition par un calcul.

| | | | | |
|---|---|---|---|---|
| **a.** | 2 cm | 3 cm | 5,5 cm | 8 cm |
| **b.** | 11 mm | 7 mm | 3 mm | 15 mm |
| **c.** | 25 m | 44 m | 65 m | 18 m |
| **d.** | 6,6 cm | 9,3 cm | 2,4 cm | 3,7 cm |

### 33 Construction de triangles

Construire les triangles :

**a.** ABC tel que AB = 4 cm, BC = 6 cm et AC = 8 cm.
**b.** GHI tel que GH = 6 cm, $\widehat{G}$ = 20° et $\widehat{H}$ = 100°.
**c.** JKL tel que JK = 5 cm, $\widehat{K}$ = 70° et KL = 4 cm.

### 34 Deux triangles pour une même consigne

**a.** Construire un triangle ABC isocèle en C tel que AB = 5cm et dont l'un des angles mesure 48°.
**b.** Faire un second triangle différent du premier et qui répond à la même consigne.

→ **Aide :** Commencer par faire un dessin à main levée.

### 35 Reproduire une figure

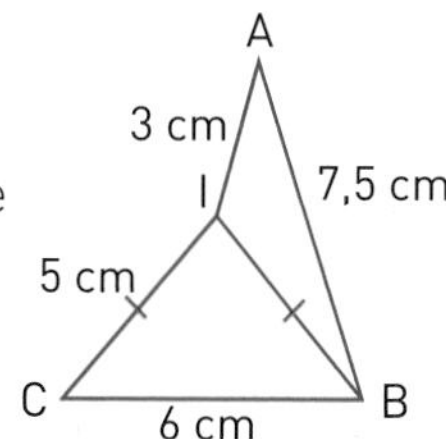


**a.** Construire la figure ci-contre.
**b.** Construire la figure symétrique par rapport au point I.
**c.** Rédiger un **programme de construction*** de la figure ABCI.

### 36 Reporter des données

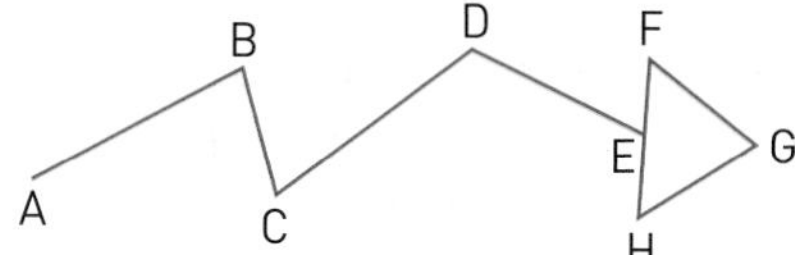


Données :

- E est le milieu de [FH]
- AB = CD = 6 cm, BC = DE = HG = 3,5 cm, EH = 2 cm
- $\widehat{ABC}$ = 75°, $\widehat{BCD}$ = 60°, $\widehat{CDE}$ = 110°, $\widehat{DEH}$ = 105°
- FGH est un triangle isocèle de sommet G.

**a.** Faire une figure à main levée de la flèche et la **coder*** à l'aide de toutes les informations.
**b.** Construire la figure en grandeur réelle.

### 37 Reconnaître et tracer des droites

Pour chaque ligne du tableau, compléter l'une des deux cases :

| | Dessin à main levée | Nature de la droite bleue |
|---|---|---|
| **a.** | | ... du côté [AC]. |
| **b.** | | médiane relative au côté [AB]. |
| **c.** | | médiatrice du côté [BC]. |
| **d.** | | médiane issue du sommet C. |
| **e.** | | ... |

### 38 Hexagone

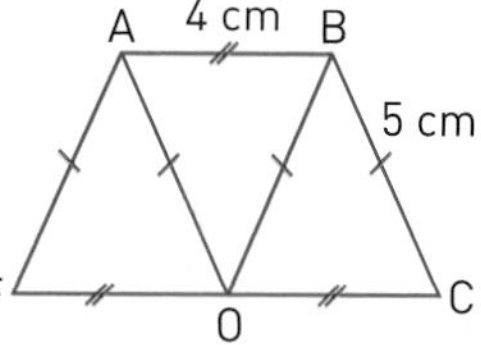


**a.** Construire la figure ci-contre.
**b.** Construire la figure symétrique par rapport au point O pour obtenir l'hexagone ABCDEF.
**c.** Rédiger un **programme de construction*** de l'hexagone ABCDEF.
**d.** Tracer les médianes des six triangles.

## Lire et écrire

### 39 Intersection de médianes et de médiatrices

Données :

- [UT] et [VS] sont deux diamètres du cercle,
- L est le milieu du segment [RT],
- K est le milieu du segment [RS].

**a.** – Qui, de I ou de J, est le centre du cercle circonscrit au triangle RST ?
– Comment définir l'autre de ces deux points ?
– Quelles sont les données qui permettent de justifier chacune des deux réponses précédentes ?
**b.** Dans le triangle RST, les droites (JL) et (JK) sont-elles des médianes ou des médiatrices ? Expliquer.

**40 Construire**

**a.** Construire cette figure.
**b.** Construire les médiatrices des segments [AD] et [CD].
**c.** À quel triangle peut-on tracer le cercle circonscrit sans aucune autre construction ?
**d.** Construire le cercle circonscrit au triangle ABD.

**41 Construire des médianes et médiatrices**

**a.** Dans un repère orthogonal en prenant pour unité 1 cm sur chacun des deux axes, placer les points : A(−3 ; −2), B(3 ; −2), C(−5 ; 2), D(6,5 ; −2), E(0 ; −7).
**b.** Dans le triangle ABC : tracer la médiane issue du sommet A ainsi que la médiane relative au côté [AB].
**c.** Dans le triangle BDE : tracer la médiatrice du segment [BD] ainsi que celle du segment [DE].
**d.** Quel est le triangle dont on peut tracer le cercle circonscrit sans aucune construction supplémentaire ?

**42 Construire avec un logiciel**

**a.** Reprendre les exercices 29, 35 et 38 en utilisant le logiciel de géométrie.
**b.** Ouvrir le fichier indiqué par le professeur puis suivre les instructions de l'exercice n° 41.

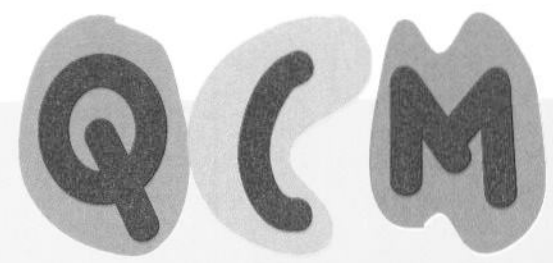


Choisir parmi les trois réponses la ou les bonne(s) réponse(s).

| Question | Réponse 1 | Réponse 2 | Réponse 3 |
|---|---|---|---|
| **43** On ne peut pas construire un triangle de dimensions 2 cm, 5 cm, 8 cm car… | $2+5<8$ | $2+8>5$ | $5+8>2$ |
| **44** Un triangle possède deux côtés mesurant 4,5 cm et 6,5 cm. Son troisième côté peut mesurer… | 2,5 cm | 8,5 cm | 11,5 cm |
| **45** Un triangle possède deux angles de 36° et de 74°, son troisième angle mesure… | 110° | 90° | 70° |
| **46** Un triangle rectangle peut avoir deux angles qui mesurent chacun… | 90° | 45° | 60° |
| **47** Quel est le côté opposé au sommet A ? | Le segment [AC] | Le segment [AB] | Le segment [BC] |
| La médiane issue du sommet C passe par le milieu du côté… | [AC] | [AB] | [BC] |
| **48** La médiane relative au côté [BC] est la droite… | $d_1$ | $d_2$ | $d_3$ |
| La médiatrice du segment [BC] est la droite … | $d_1$ | $d_2$ | $d_3$ |
| **49** On a construit le cercle circonscrit au triangle… | IJK | IJL | JKL |

# À CHACUN SON PARCOURS

## 1 Longueurs des côtés d'un triangle

**50 A** **a.** Les deux côtés égaux d'un triangle isocèle mesurent 6 cm. Parmi les dimensions suivantes, quelles sont celles qui peuvent être la longueur du troisième côté du triangle : 13,4 cm ; 11,8 cm ; 7,6 cm ; 4,3 cm ; 0,9 cm ?
**b.** Construire le triangle pour la plus grande valeur possible du troisième côté puis pour la plus petite.

**51 A**

C
6 cm
7 cm
A
B

En étudiant la distance AB, prouver que le périmètre du triangle ABC est inférieur à 26 cm.

**50 B** Les deux côtés égaux d'un triangle isocèle mesurent 12,5 cm.
**a.** Indiquer toutes les valeurs entières possibles pour la longueur du troisième côté. Justifier la réponse.
**b.** Construire le triangle pour la plus petite valeur entière possible.

**51 B** Les diagonales du losange mesurent **respectivement*** 28 cm et 32 cm. Prouver que le périmètre du losange est inférieur à 120 cm.

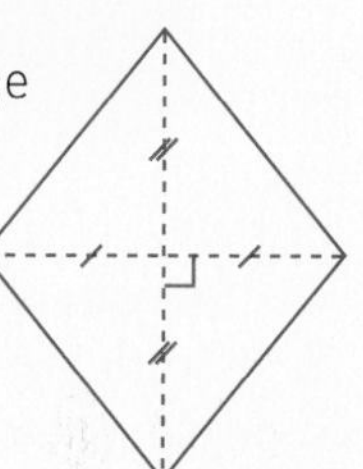

## 2 Angles dans un triangle

**52 A** **a.** Calculer la mesure de chacun des angles des triangles ABC et ACD et justifier les calculs.
**b.** À l'aide de deux mesures d'angles calculées précédemment, prouver que les points B, C et D ne sont pas alignés.
**c.** Construire la figure avec AB = 7 cm.

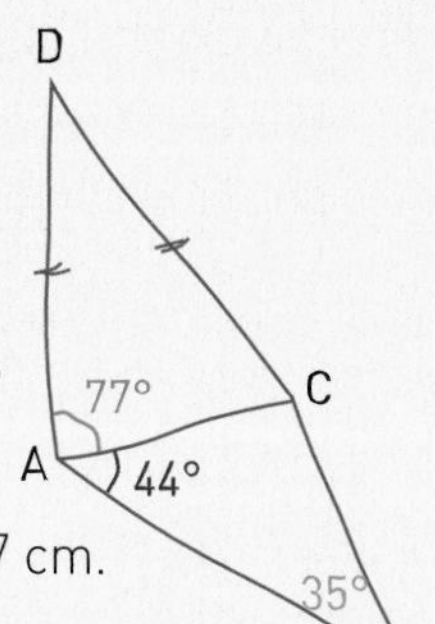


**52 B**
**a.** À l'aide des mesures d'angles, prouver que :
– le triangle ABE est isocèle,
– le triangle ABC est rectangle,
**b.** Construire la figure avec AB = 4 cm.

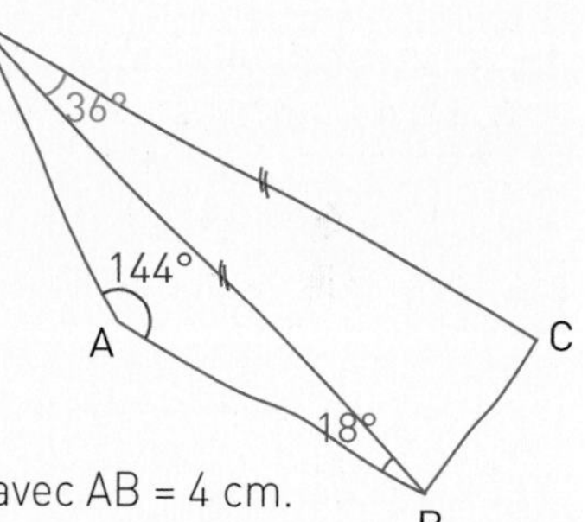


## 3 Médianes, médiatrices, cercle circonscrit

**53 A** **a.** Construire un triangle ABD tel que : BD = 9 cm, BA = 4 cm et DA = 6 cm.
**b.** Construire $\mathscr{C}$ le cercle circonscrit au triangle ABD. Nommer O son centre.
**c.** Construire *d* la médiane relative au côté [BD].
**d.** Placer un point C (différent du point A) sur la droite *d* pour que $\mathscr{C}$ soit le cercle circonscrit au triangle BDC.
**e.** Que peut-on dire du point O par rapport aux quatre points A, B, C et D ?

**53 B** **a.** Construire un triangle ABD tel que : BD = 9 cm, BA = 4,5 cm et DA = 6,5 cm.
**b.** Construire le cercle circonscrit au triangle ABD.
**c.** Placer les points suivants :
– I le milieu du segment [BD]
– C le symétrique du point A par rapport au point I.
**d.** Que représente la droite (AC) pour le triangle ABD ?
**e.** Quelle est la nature du quadrilatère ABCD ? Justifier.
**f.** Sans construire aucune médiatrice, construire le cercle circonscrit au triangle BCD. Expliquer.

# Exercices d'approfondissement

## Triangles constructibles ?

**54** **Qui a raison ?**

**55** **Diagonale d'un losange**

**a.** Construire un losange de 4,6 cm de côté et dont la grande diagonale mesure 8,6 cm.

**b.** Peut-on construire un losange de 4,6 cm de côté et dont la grande diagonale mesure 9,6 cm ? Justifier.

**56** **Un côté de plus en plus grand**

**a.** Construire la figure en commençant par le triangle BOA.

**b.** Peut-on poursuivre la construction de la même façon en ajoutant un point F, puis un point G, ... ? Expliquer.

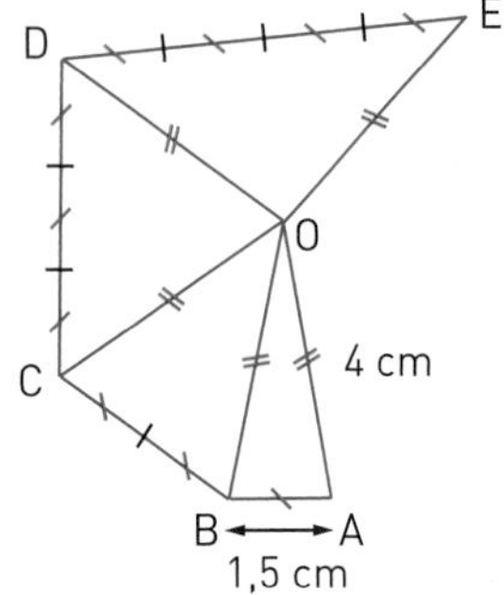

**57** **Construire avec un logiciel**

Reprendre les exercices 55 et 56 en utilisant le logiciel de géométrie.

**58** **Tous les triangles constructibles**

Parmi les cinq nombres suivants, quels sont les trios qui peuvent être les mesures, en décimètres, des trois côtés d'un triangle : 10 ; 5,5 ; 4,5 ; 1,3 ; 6 ? Justifier chaque proposition par un calcul unique.

**59** **Triangles non constructibles**

On ne peut pas construire des triangles vérifiant les conditions ci-dessous, expliquer pourquoi.

**a.** ABC tel que AB = 5 cm, $\hat{A} = 114°$, $\hat{B} = 68°$.

**b.** HIJ isocèle en I tel que $\hat{H} = 65°$, $\hat{J} = 50°$.

## Données relatives à un triangle

**60** **Avec des lettres**

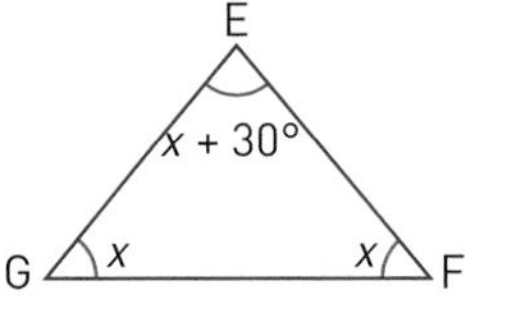


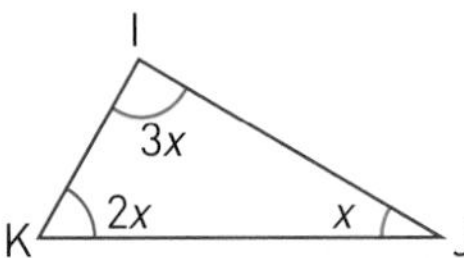


Pour chaque triangle déterminer, parmi les trois valeurs suivantes, celle pour laquelle le triangle est constructible : $x = 30°$, $x = 40°$, $x = 50°$. Justifier.

*D'après PUISSANCE 324 n° 4 année 1997*

**61** **Valeurs possibles du troisième côté**

Dans chaque cas quelles sont les dimensions entières possibles pour le troisième côté du triangle ? Expliquer la réponse.

**a.** Les deux plus petits côtés du triangle mesurent 12 cm et 16 cm.

**b.** Les deux plus grands côtés du triangle mesurent 13 cm et 11 cm.

**c.** Le triangle possède deux côtés de 5 et 7 cm et un périmètre plus grand que 15,5 cm.

**62** **Prouver**

Les segments d'une même couleur ont la même dimension. Prouver que le périmètre du triangle AEI est inférieur à 15 cm.

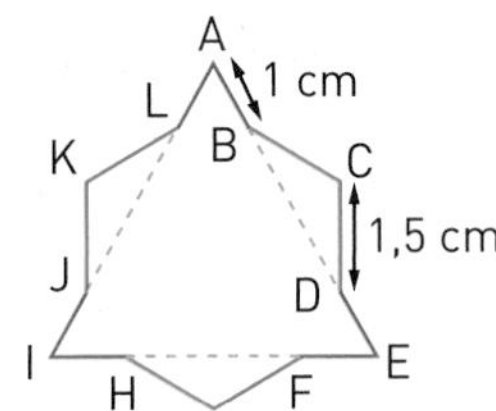


**63** **Bissectrice dans un triangle**

La droite (EK) est la **bissectrice*** de l'angle $\widehat{FEG}$. Déterminer la mesure de l'angle $\widehat{EGF}$. Justifier.

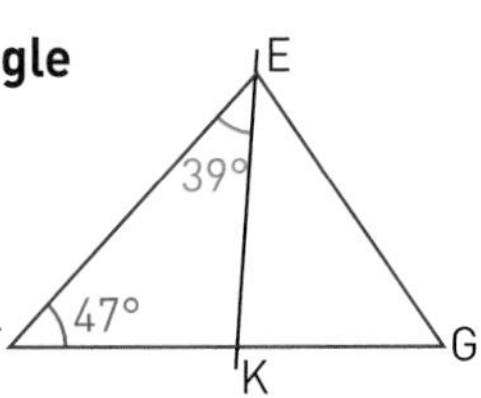


**64** **Opposés par le sommet**

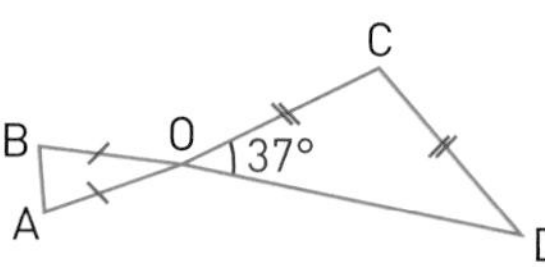


Déterminer les mesures des angles de chacun des triangles DOC et BOA. Justifier.

**65** **Correspondants**

Les droites (MN) et (BC) sont parallèles. Déterminer la mesure de l'angle $\widehat{MAN}$. Justifier.

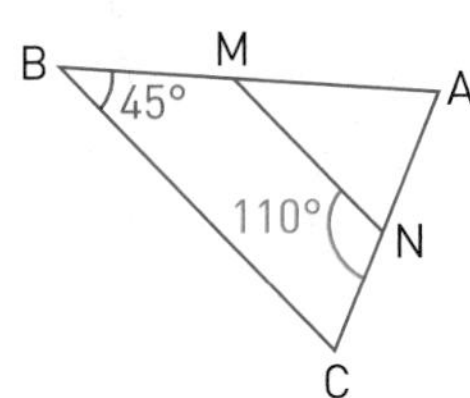

## 66 Alignement de trois points

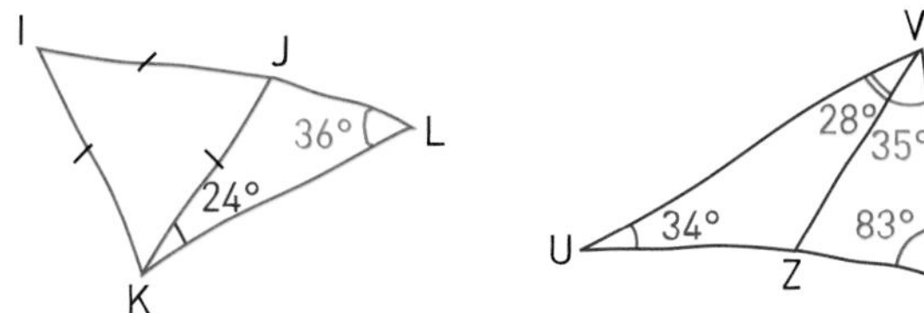


**a.** Prouver que les points I, J et L sont alignés.
**b.** Prouver que les points U, Z et Y sont alignés.

## 67 Trois triangles particuliers

Les points B, D et C sont alignés.

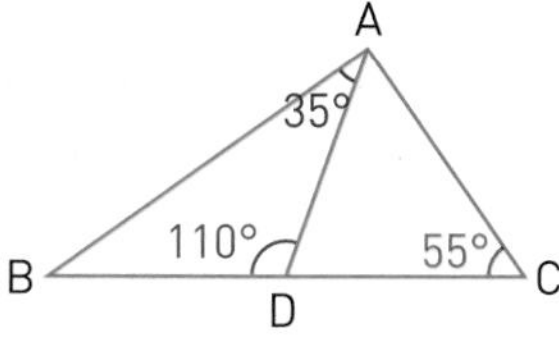


Indiquer la nature de chacun des trois triangles que contient cette figure. Justifier les réponses.

## Construire des triangles

## 68 Axe de symétrie

**a.** Tracer un segment [AB] de longueur 6 cm.
Placer sur ce segment les points I et J tels que AI = IJ = JB = 2 cm.
**b.** Construire les triangles suivants d'un même côté du segment [AB] :
- ABE isocèle en E tel que BE = 7,5 cm ;
- IBF tel que IF = 7,5 cm et BF = 6 cm ;
- JBG tel que JG = 6 cm et BG = 4,5 cm.

**c.** Compléter la figure par **symétrie*** par rapport à la médiatrice du segment [AB].

## 69 À la règle et au compas

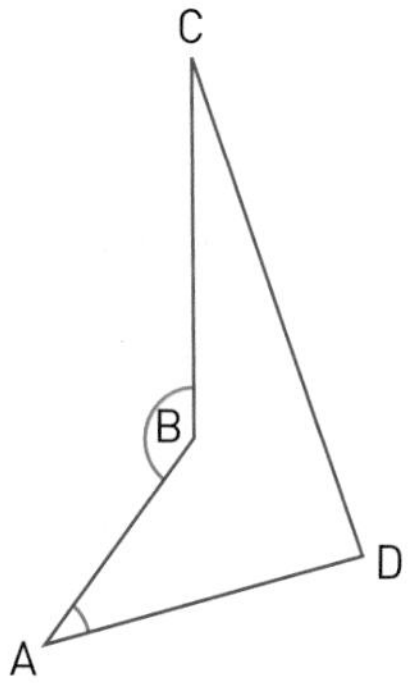


À la règle non graduée et au compas :
**a.** Reproduire les angles $\widehat{ABC}$ et $\widehat{DAB}$ en les juxtaposant afin de vérifier qu'ils sont **supplémentaires***.
**b.** Reproduire la figure ABCD.

## 70 Proportionnalité

**a.** Construire un triangle IJK tel que IJ = 6,5 cm, IK = 3,4 cm et JK = 5,3 cm.
**b.** Construire un triangle UVW dont les dimensions sont proportionnelles à celles du triangle IJK.
**c.** Comparer les mesures d'angles des deux triangles.

## 71 Triangles particuliers

Construire quatre triangles RST tels que RS = 5 cm, $\hat{R}$ = 55° et de plus :
- le premier triangle est rectangle en S ;
- le deuxième triangle est rectangle en T ;
- le troisième triangle est isocèle en S ;
- le quatrième triangle est isocèle en T.

## 72 Reproduire un quadrilatère

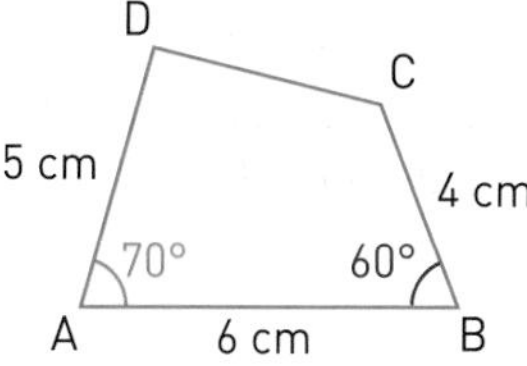


**a.** Reproduire le quadrilatère ABCD.
**b.** À l'aide de la règle seule, placer un point E tel que $\widehat{BAE}$ = 70° et $\widehat{ABE}$ = 60°.
**c.** Tracer le segment [BE].
**d.** À l'aide du compas seul, placer un point F tel que $\widehat{ABF}$ = 60° et BF = 6 cm.

## À CHACUN SON PARCOURS

## 73 A

Les dimensions sont données en centimètres. Construire la figure sachant qu'elle possède un axe de symétrie « vertical ».

→ **Aide :** Commencer par construire le « tronc ».

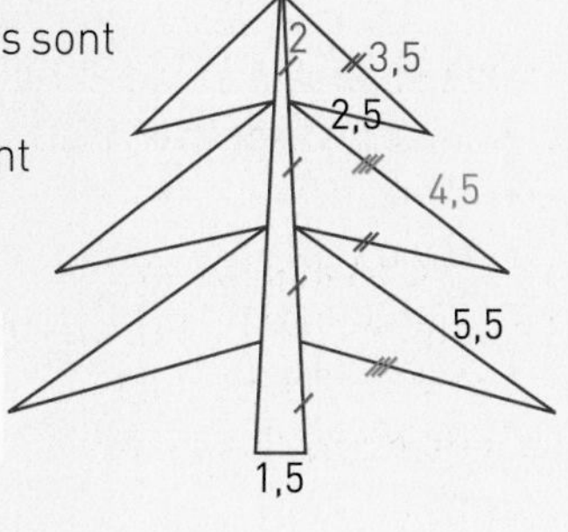


## 73 B

Reproduire la figure.
*Données :*
AB = DA = GF = 6 cm
CB = 5,5 cm et CA = 4,5 cm
EA = 10 cm et DB = GA = 9,5 cm
EB = HF = HA = 7 cm.
L'arc $\overset{\frown}{AB}$ est un arc du cercle circonscrit au triangle ABC.

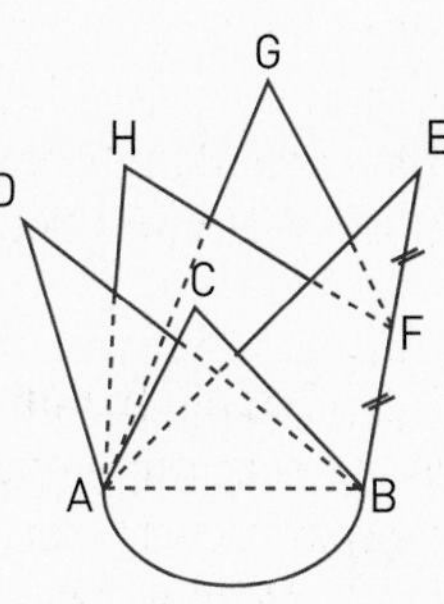

# Exercices d'approfondissement

**74** **Triangles peu « ordinaires »**
Construire avec précision les triangles suivants.
**a.** ABC est tel que AB = 2 cm, $\widehat{A} = 130°$ et $\widehat{B} = 43°$.
**b.** DEF est tel que DE = 10 cm, $\widehat{D} = 166°$ et $\widehat{E} = 4°$.
**c.** IJK est rectangle en I, IJ = 1 cm et $\widehat{J} = 86°$.

**75** **Triangles dans le vent**
Reproduire la figure ci-contre :

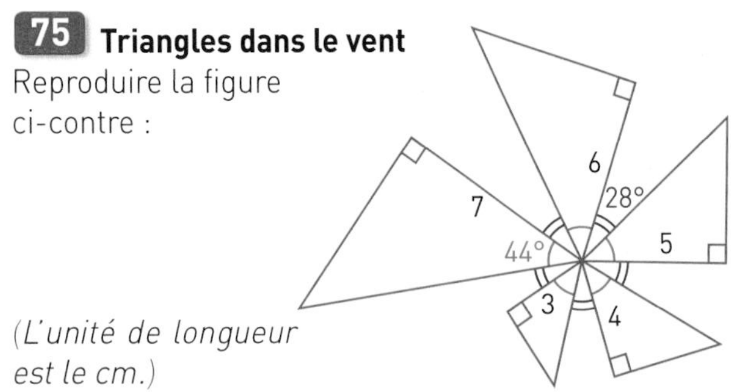


*(L'unité de longueur est le cm.)*

**76** **Calculer pour construire des triangles**
Construire les triangles et préciser les calculs effectués :
**a.** XYZ tel que XY = 8 cm, $\widehat{X} = 35°$ et $\widehat{Z} = 50°$.
**b.** JKV rectangle en V tel que JV = 7 cm et $\widehat{K} = 64°$.
**c.** LUI tel que IU = 6,5 cm, LU = LI et $\widehat{L} = 78°$.

**77** **Calculs dans une figure complexe**
Construire les figures suivantes et écrire les calculs nécessaires à la construction :

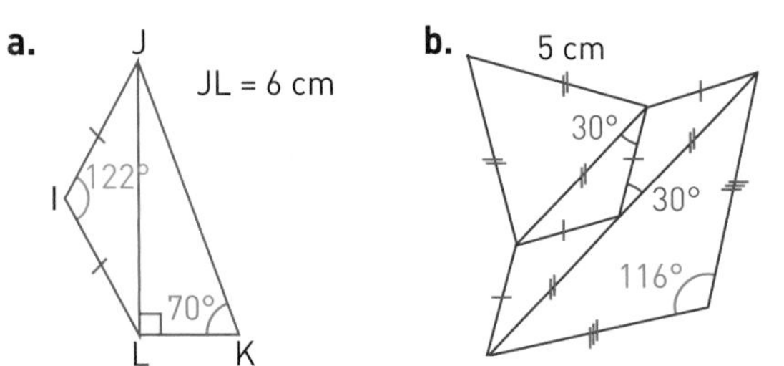


**78** **Angles d'un triangle**
**a.** Construire un triangle rectangle RST rectangle en T tel que $\widehat{RST} = 33°$ et TS = 5,5 cm.
**b.** Placer le point U sur le segment [TS] de sorte que TU = TR.
**c.** Calculer les mesures des angles de chacun des deux triangles RST et SUR. Justifier les calculs.

**79** **Construction et angles**
**a.** Construire la figure avec PN = 6 cm.
**b.** Calculer la mesure de l'angle $\widehat{OPN}$. Peut-on en déduire que le triangle OPN est-il équilatéral ? Justifier.

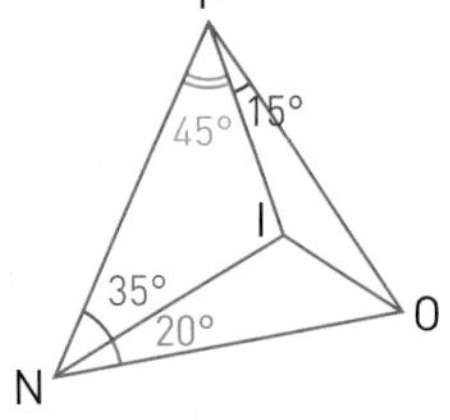


**c.** Calculer la mesure des angles $\widehat{PIN}$ et $\widehat{PON}$.

**80** **Construire à partir d'une diagonale**
Construire les quadrilatères suivants.

→ **Aide :** Commencer par faire un dessin à main levée.

**a.** RECT est un rectangle tel que RC = 6,5 cm et $\widehat{ERC} = 26°$.
**b.** LISA est un losange tel que IA = 5 cm et $\widehat{AIS} = 62°$.

**81** **Construire et prouver**
**a.** Construire les triangles sur une même figure sans les superposer :
- ABC équilatéral de 5 cm de côté.
- BCD isocèle en B tel que $\widehat{BCD} = 75°$.
- BDE isocèle en D tel que $\widehat{DBE} = 45°$.
- BEF tel que BF = 5 cm et $\widehat{EBF} = 45°$.

**b.** Coder la figure à l'aide des indications données.
**c.** Calculer la mesure de l'angle $\widehat{CBD}$. Justifier.
**d.** À l'aide des mesures d'angles, prouver que les points A, B et F sont alignés.
**e.** Prouver que la droite (BD) est la médiatrice du segment [AF].

## Lire et écrire

**82** **Programme de construction**
Rédiger un **programme de construction*** :
**a.** de la figure OABCDE de l'exercice n° 56.
**b.** du quadrilatère ABCD de l'exercice n° 72.
**c.** de la figure LIJK de l'exercice n° 77.
**d.** de la figure PON de l'exercice n° 79 (PN = 6 cm).
**e.** de la figure ISO de l'exercice n° 83.

**83** **Ordonner les étapes d'une rédaction**
Le triangle ISO est isocèle en I.

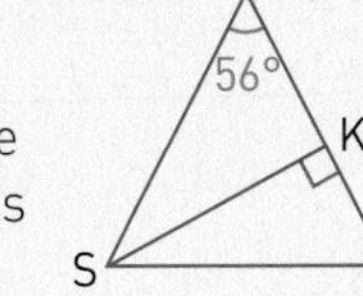


Pour rédiger le calcul de la mesure de l'angle $\widehat{OSK}$, réécrire les phrases dans le bon ordre :

- *Le triangle ISO est isocèle en I et*
- *la somme des angles du triangle SKO rectangle en K est égale à 180° :*
- *la somme de ses angles est égale à 180° :*
- *donc $\widehat{SOI} = 62°$,*
- *donc $\widehat{OSK} = 28°$.*
- *de même $\widehat{SOK} = 62°$.*
- *je calcule $90° + 62° = 152°$ et $180° - 152° = 28°$,*
- *je calcule $180° - 56° = 124°$ et $124° \div 2 = 62°$,*

## Propriété des droites remarquables

**84** **Une médiane connue**

**a.** Dans un **repère*** orthogonal en prenant pour unité 1 cm sur chacun des deux axes, placer les points :

A(−2 ; −1,5) ; B(6 ; −2) ; I(1 ; 0).

**b.** Placer le point C pour que le segment [BI] soit une médiane du triangle ABC.

**c.** Placer le point D pour que le segment [AI] soit une médiane du triangle ABD.

**d.** Quelle est la nature du quadrilatère ABCD ? Justifier.

**85** **Le troisième sommet**

Tracer un segment [BC] de longueur 6 cm.

**a.** Un point A est tel que :

- le segment [AC] mesure 4,5 cm,
- la médiane [AI] du triangle ABC mesure 3,5 cm.

Prouver que ce point A appartient à deux cercles que l'on précisera et que l'on tracera sur la figure.

**b.** Combien y a-t-il de possibilités pour placer le point A ? Préciser.

**86** **Construire avec un logiciel**

**1.** Reprendre les exercices 84 et 85 en utilisant un logiciel de géométrie.

**2. a.** Placer trois points A, B et C et construire le cercle circonscrit au triangle ABC. Nommer I son centre.

**b.** Construire les trois médianes du triangle ABC. Nommer G leur point d'intersection.

**c.** Déplacer les points A, B et C de façon à superposer les points I et G.

Quelle semble être la nature du triangle ABC ?

**87** **Une figure connue**

**a.** Reproduire la figure uniquement à l'aide de la règle non graduée et du compas.

**b.** En utilisant uniquement la règle, tracer la médiatrice du segment [FH]. Expliquer.

**c.** Préciser la nature du quadrilatère EFGH. Justifier.

**88** **Construction au compas**

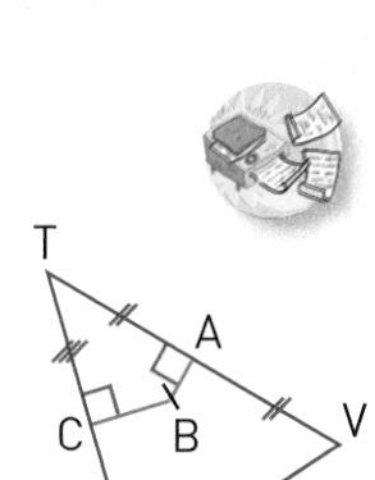


**a.** Que représente le point B pour le triangle UVT ? Justifier la réponse.

**b.** Sur la feuille distribuée par le professeur, construire à l'aide d'un compas et d'une règle **non graduée*** un seul point qui permet ensuite de tracer la médiatrice du segment [UV]. Justifier.

**89** **Médiatrice et médiane**

Placer les points R, S, J et T tels que :

- RS = 5,6 cm ; $\widehat{SRT} = 42°$,
- [TJ] est une médiane du triangle RST,
- T est situé sur la médiatrice du segment [JS].

→ **Aide :** Faire un dessin à main levée.

## Propriété du cercle circonscrit

**90** **Analyser le codage d'une figure**

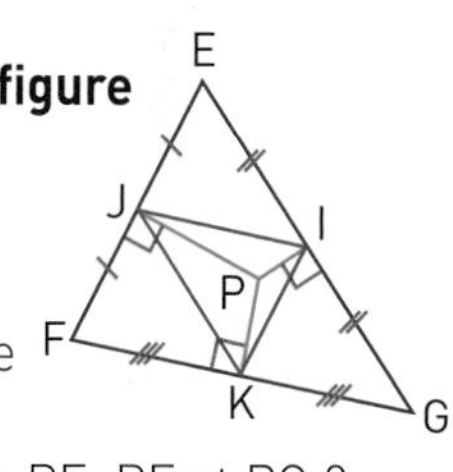


Observer le codage de la figure :

**a.** Que représentent les droites (PI), (PJ) et (PK) ?

**b.** Le point P est le centre du cercle circonscrit à un triangle, lequel ?

**c.** Que peut-on dire des distances PE, PF et PG ?

## À CHACUN SON PARCOURS

**91** **A** **a.** Construire ce rectangle.

**b.** Calculer la mesure des angles $\widehat{ECR}$ et $\widehat{CRT}$. Justifier.

**c.** Placer un point S pour que la droite (EC) soit la médiatrice du segment [TS].

**d.** Construire le cercle circonscrit au triangle TES.

R 6 cm E, 32°, T C

**91** **B** **a.** Construire un losange ABCD dont la diagonale [BD] mesure 7,5 cm et l'angle $\widehat{BAD}$ mesure 108°.

**b.** Tracer les deux diagonales du losange.

**c.** Construire O le centre du cercle circonscrit au triangle ABD en ne traçant qu'une seule droite. Justifier cette construction.

**d.** Placer O′ le centre du cercle circonscrit au triangle BCD uniquement à l'aide du compas.

# Exercices d'approfondissement

**92 Utiliser le centre pour une preuve**

P est le centre du cercle circonscrit au triangle FIG.

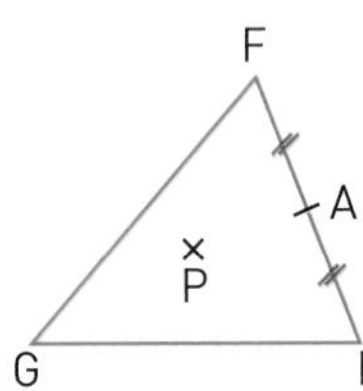


Répondre et justifier les réponses :

**a.** Indiquer la nature du triangle PIF.

**b.** Sur quelle droite particulière sont situés les points P et A ?

**c.** En déduire la nature du triangle PAF.

**93 Construire avec un logiciel**

**a.** Ouvrir le fichier indiqué par le professeur puis placer un point C tel que AC = 4 cm et BC = 5 cm.
Masquer les traits de construction.

**b.** Tracer le cercle circonscrit au triangle ABC.

**c.** Écarter les points A et B. Que se passe-t-il ? Expliquer.

**94 Quatre points cocycliques**

Les points L, P et J sont alignés.

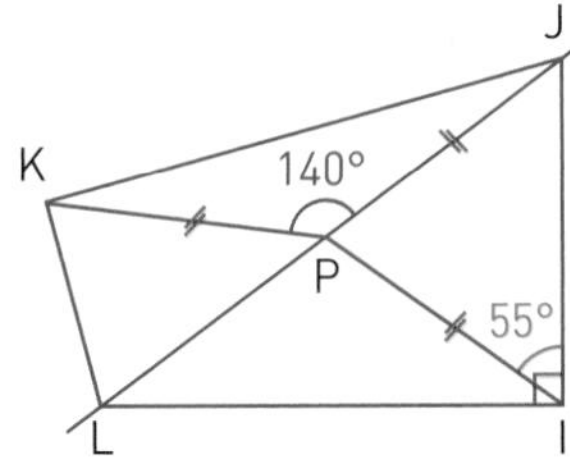


**a.** Le point P est le centre du cercle circonscrit à un triangle, lequel ? Justifier sans calcul. Pour la suite, on nomme le cercle $\mathscr{C}$.

**b.** Calculer les mesures des angles $\widehat{LPK}$, $\widehat{JPI}$ et $\widehat{LPI}$.

**c.** Prouver que le triangle PIL est isocèle en P.

→ **Aide :** Calculer les mesures des angles du triangle.

**d.** En déduire que le point L appartient au cercle $\mathscr{C}$.

**e.** Construire la figure avec IJ = 5 cm.

## ÉNIGME DU CHAPITRE

• On place trois points, à quelle condition peut-on tracer un cercle qui passe par ces trois points ?

• On place quatre points, à quelles conditions peut-on tracer un cercle qui passe par ces quatre points ?

## Devoirs à la maison

### POUR PRENDRE LE TEMPS DE CHERCHER

**95 Diagonale d'un parallélogramme**

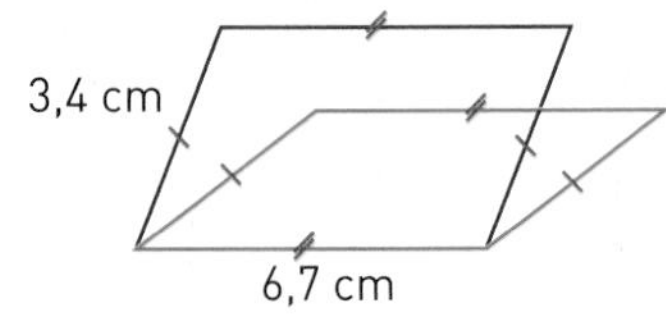


**a.** Construire deux parallélogrammes comme ci-contre. Compléter la figure en construisant un troisième parallélogramme de mêmes dimensions.

**b.** Parmi tous les parallélogrammes dont les dimensions des côtés sont 3,4 cm et 6,7 cm, quelle est la longueur maximale d'une diagonale ? Justifier.

**96 Triangles semblables**

Pour réaliser cette figure :

**a.** Construire un triangle $A_1B_1C_1$ tel que $A_1B_1 = 13$ cm, $\widehat{A_1} = 70°$ et $\widehat{B_1} = 50°$.

**b.** Construire le cercle circonscrit au triangle.

**c.** Sur le segment $[A_1B_1]$, placer les points $A_2$, $A_3$, $A_4$ et $B_2$, $B_3$, $B_4$, tels que :

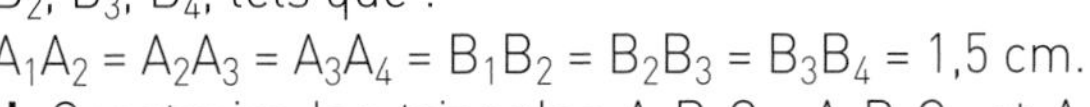

$A_1A_2 = A_2A_3 = A_3A_4 = B_1B_2 = B_2B_3 = B_3B_4 = 1{,}5$ cm.

**d.** Construire les triangles $A_2B_2C_2$, $A_3B_3C_3$ et $A_4B_4C_4$ tels que $\widehat{A_2} = \widehat{A_3} = \widehat{A_4} = 70°$ et $\widehat{B_2} = \widehat{B_3} = \widehat{B_4} = 50°$. Construire le cercle circonscrit à chaque triangle.

**e.** Les centres des quatre cercles sont situés sur une même droite, laquelle ?

**97 Trois triangles**

**1. a.** Prouver que l'angle $\widehat{MLK}$ est un angle droit.

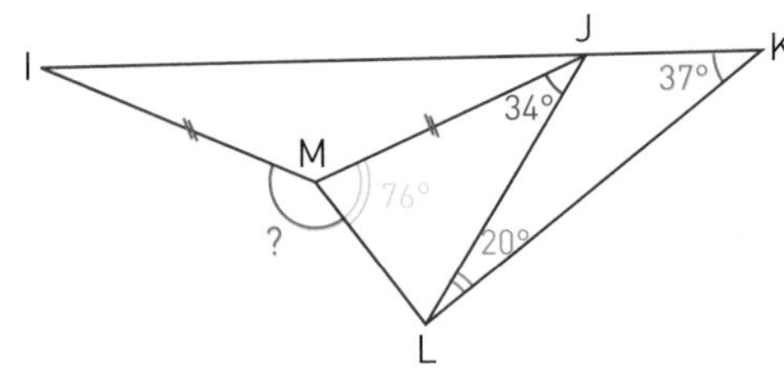


**b.** Sachant que les points I, J et K sont alignés, calculer la mesure de l'angle $\widehat{IJM}$.

**c.** Calculer la mesure de l'angle repéré en orange sur le dessin et justifier les calculs.

**2. a.** Construire la figure en prenant KL = 6 cm.

**b.** Construire un cercle qui passe par les points I, K et L.

# Objets de l'espace

## Les objectifs du programme

### Prismes droits, cylindres de révolution

→ Fabriquer un prisme droit dont la base est un triangle ou un parallélogramme, et dont les dimensions sont données, en particulier à partir d'un patron.
→ Fabriquer un cylindre de révolution dont le rayon du cercle de base est donné.
→ Dessiner à main levée une représentation en perspective cavalière de ces deux solides.

## Sommaire

# D'un siècle...

## Le Parthénon : lutter contre la perspective

Le célèbre temple grec a été construit entre −447 et −432, à Athènes, en hommage à la déesse Athéna. Les plans ont été dessinés par les architectes Ictinos et Callicratès.

Afin de corriger les déformations créées par l'œil humain, les architectes ont conçu des colonnes qui ne sont pas des cylindres.

▲ Façade du Parthénon

En effet, pour donner l'impression qu'elles sont droites malgré la perspective, toutes les colonnes sont inclinées vers le centre, mais surtout galbées, avec un sommet plus mince que leur pied !

Grâce à cette astuce, le temple paraît très droit et majestueux, même vu de loin.

▲ Sommet de quelques colonnes du Parthénon

# ...à l'autre

## L'art moderne : jouer avec la perspective

Felice Varini est un peintre qui joue avec la perspective.

Dans l'une de ses œuvres, ci-dessous, on voit l'effet de la déformation créée par l'œil humain !

▼ Ce dessin, vu d'un point précis, semble vraiment flotter dans l'espace !

▼ Voici le secret de sa construction !

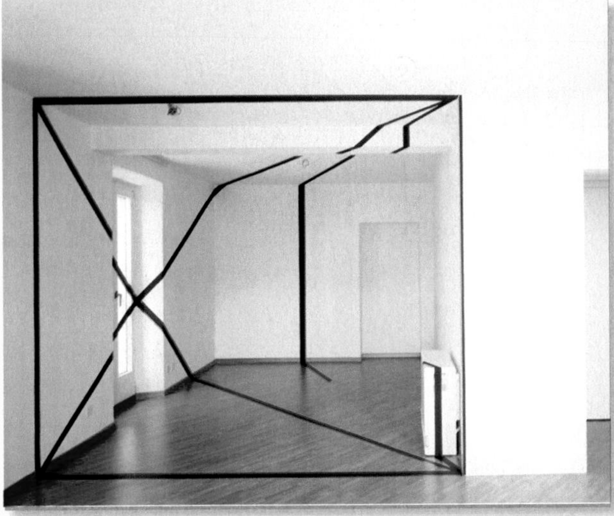

# Prismes droits

## Différentes perspectives

Nous allons dessiner deux **représentations*** d'un pavé droit.

• **Perspective* centrale**

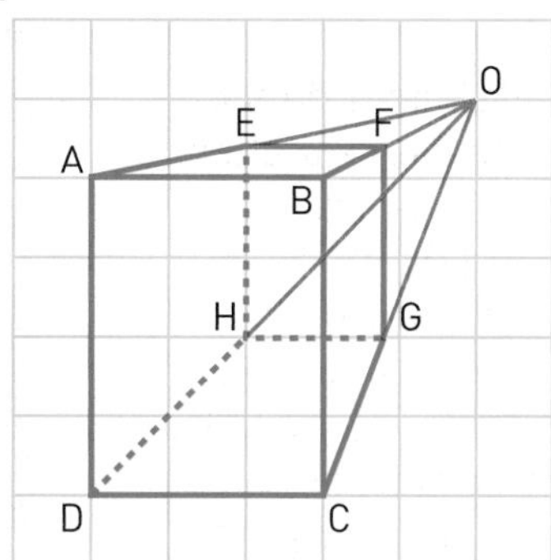


• Perspective **cavalière***

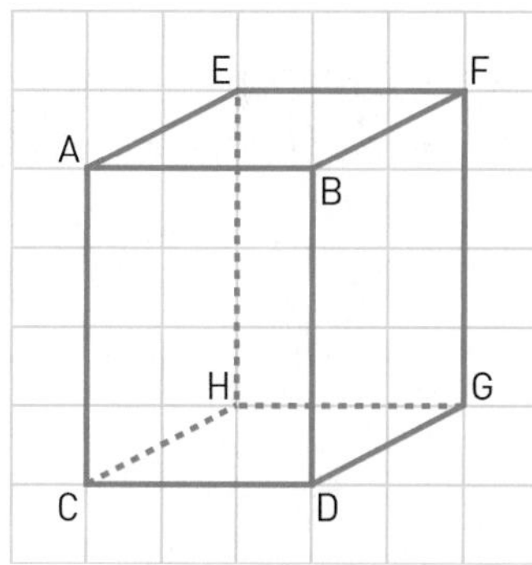


**a.** Reproduire les deux schémas ci-dessus sur du papier quadrillé.
**b.** Pour chacune des deux représentations, répondre aux questions suivantes :
• Les rectangles ABCD et EFGH ont-ils les mêmes dimensions sur le dessin ? Est-ce le cas dans la réalité ?
• Quelle est la **nature*** du quadrilatère AEFB dans la réalité ? Est-ce le cas sur le dessin ?
• Citer tous les segments parallèles dans la réalité, mais qui ne le sont pas sur le dessin.
• Citer tous les segments qui sont de même longueur dans la réalité et pas sur le dessin.
**c.** À partir des réponses à ces questions, quelles grandes différences peut-on citer entre ces deux types de perspectives ?

## 2 Prismes

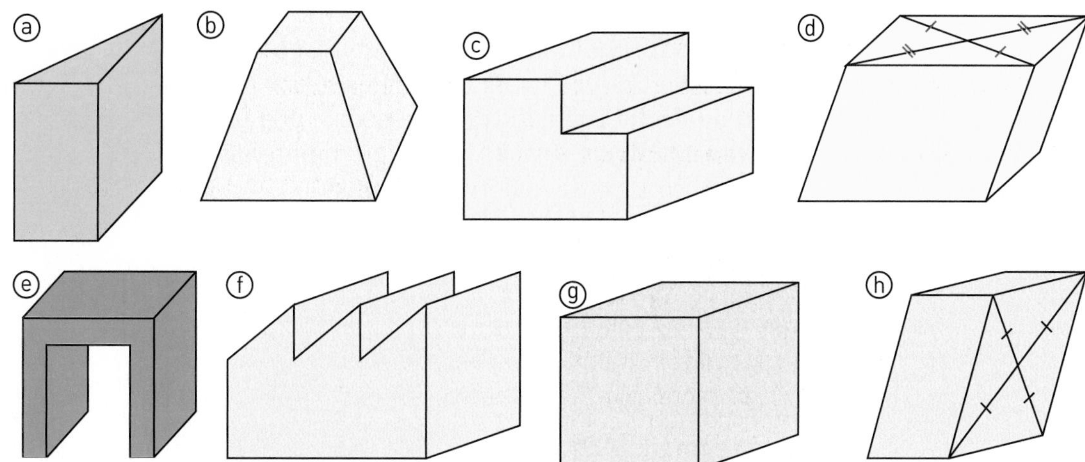


**a.** Pour chacun des solides représentés ci-dessus, donner :
- le nombre de sommets,
- le nombre d'arêtes,
- le nombre total de faces et le nombre de faces rectangulaires.

**b.** Quels sont les solides qui ont dans la réalité exactement deux faces non rectangulaires ? Pour ces solides, reproduire la perspective à main levée.

## Cylindres

### 3 Révolution

Charger la figure indiquée par le professeur. Appuyer sur la touche T.
On peut faire tourner le segment [AB] autour de la droite *d* à l'aide des touches GAUCHE et DROITE.

**a.** Peut-on placer le point B par rapport au point A et à la droite *d* de façon à obtenir les dessins suivants en faisant tourner le segment [AB] autour de la droite *d* ?

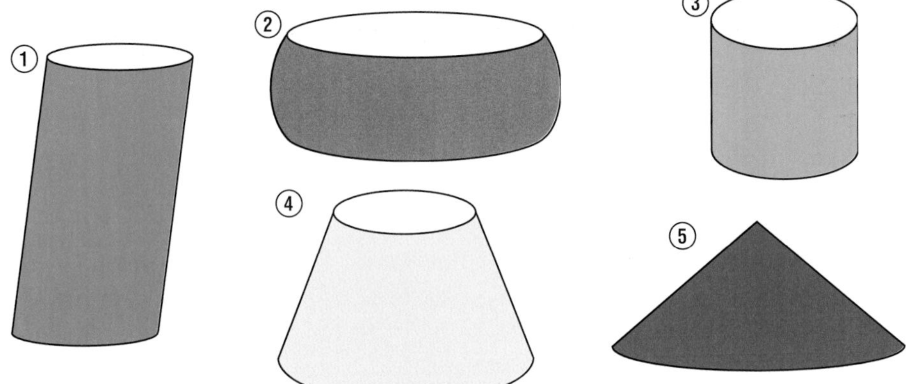

*Une fois un solide dessiné, appuyer sur la touche* Y *pour pouvoir passer au solide suivant.*

**b.** Préciser la position du point B dans chaque cas où cela est possible.

**c.** Dessiner à main levée une représentation du solide obtenu.

### 4 Cylindre et ellipse

Pour pouvoir représenter un cylindre en perspective, il faut savoir dessiner une **ellipse***.

**a.** Voici une première méthode pour tracer les ellipses, à l'aide d'une ficelle.
Fixer un bout de ficelle avec deux punaises sur une feuille de carton. Avec un crayon, tracer l'ovale en maintenant la ficelle tendue comme sur le schéma ci-contre.

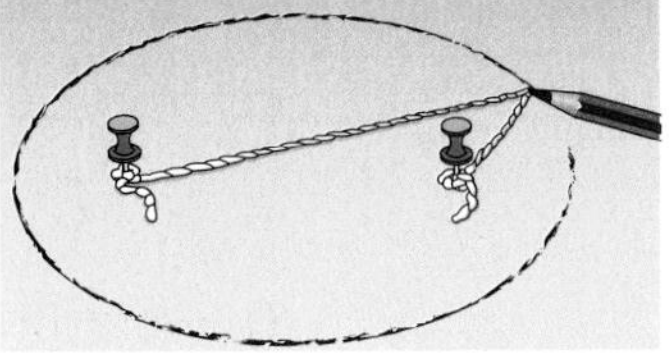

Voici deux autres méthodes, plus simples à réaliser lorsqu'on n'a pas de ficelle sous la main.

**b.** Dessiner un rectangle et les milieux de ses côtés.
Dessiner un ovale à main levée passant par les 4 milieux, sans sortir du rectangle.

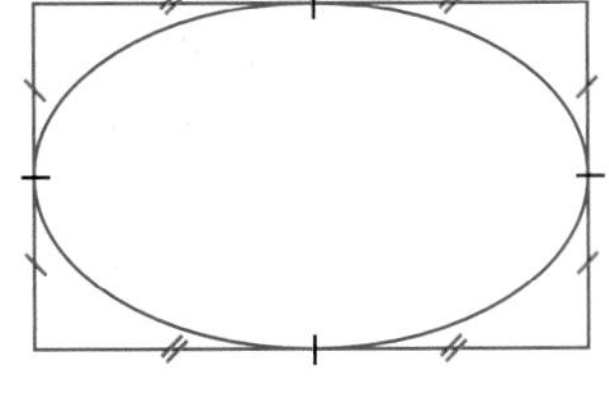

**c.** Tracer un segment [AB], et le cercle de diamètre [AB].
Placer un point M sur le segment [AB], et la droite perpendiculaire à la droite (AB) passant par M. Elle coupe le cercle en C et D.
Marquer en bleu les milieux des segments [MC] et [MD].
Recommencer cette opération plusieurs fois et relier les points bleus pour tracer un ovale.

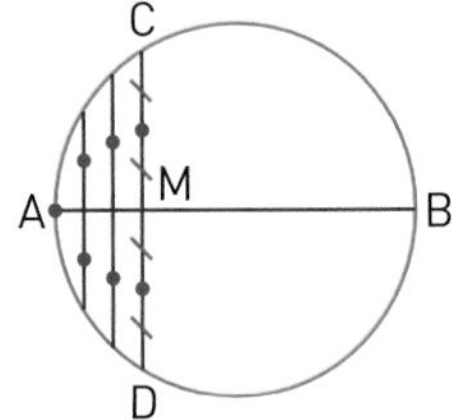

# Patrons

## 5 Prisme droit et patron

**a.** Un pavé droit a pour dimensions 6 cm, 8 cm et 11 cm.
Construire un patron de ce solide, le découper et le plier pour former le pavé droit.
Compter le nombre de segments du patron correspondant à une ligne de pliage ou de découpage, puis le nombre d'arêtes du solide.
Trouve-t-on le même résultat ? Expliquer.

**b.** À partir du patron ci-dessous, donner le nombre d'arêtes du solide et la longueur de chacune.
Donner la **nature*** et les dimensions de chacune des faces du solide.

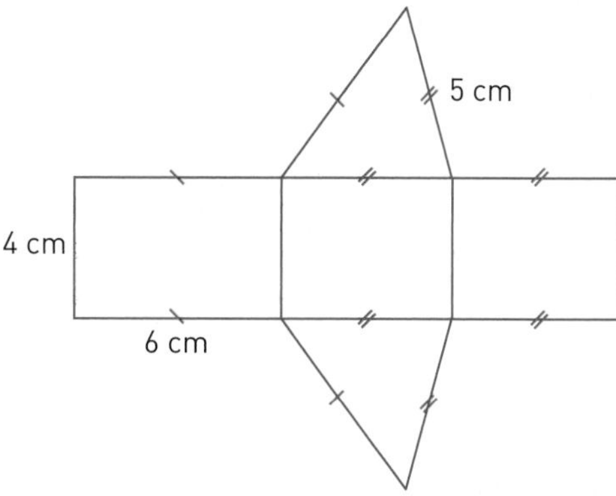


**c.** Reproduire cette représentation en perspective cavalière puis dessiner un patron du solide :

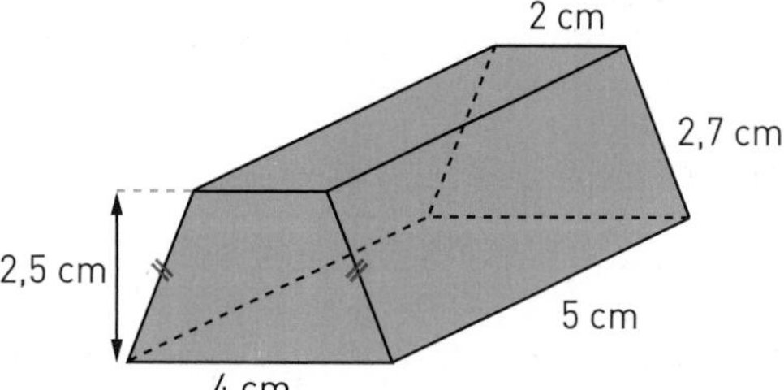

## 6 Cylindre et patron

On veut découper une feuille de manière à pouvoir recouvrir les parois d'une boîte de conserve, pour en cacher l'étiquette.

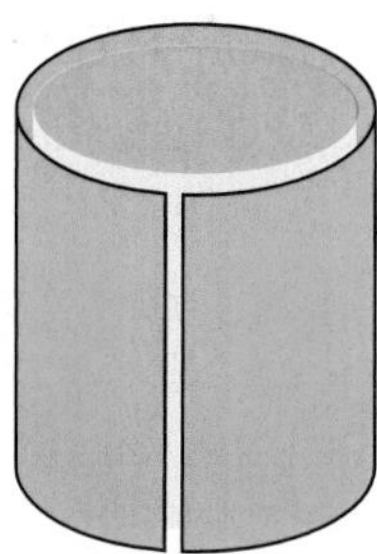

**a.** Quelle est la forme du morceau de papier à découper ?

**b.** Pour que le papier recouvre exactement les parois de la boîte, quelle relation y a-t-il :
- entre la hauteur de la boîte et la largeur du papier ?
- et entre la **circonférence*** du disque de base de la boîte et la longueur du papier ?

# Prismes droits

## 1 Représentation en perspective cavalière

Le milieu d'un segment sur le dessin représentte un milieu dans la réalité.

Des **parallèles** sur le dessin représentent des parallèles dans la réalité.

On dessine les arêtes **cachées*** avec des pointillés.

Ces arêtes obliques sont des **fuyantes**, leur longueur n'est pas la même dans la réalité.

On dessine toujours une face en vraie grandeur.

## 2 Vocabulaire et propriétés

**DÉFINITION**

Un **prisme droit** est un solide qui a :
- deux faces identiques appelées bases qui sont des polygones (*par exemple des triangles, des quadrilatères, etc.*),
- des faces rectangulaires appelées faces latérales.

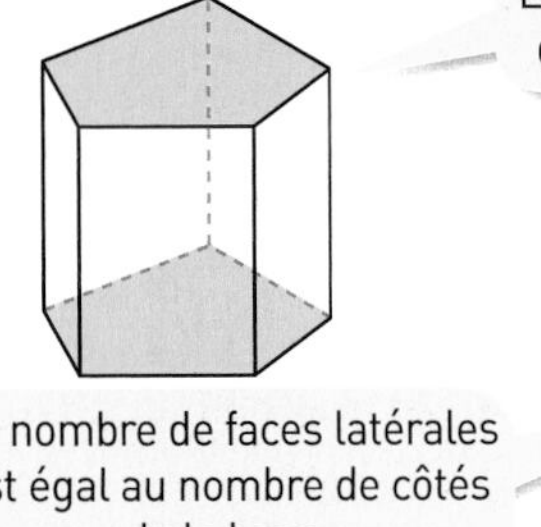

Les bases d'un prisme droit sont parallèles.

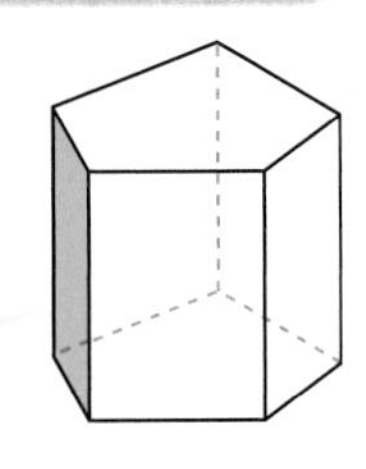

Le nombre de faces latérales est égal au nombre de côtés de la base.

REMARQUE : En général, le « prisme droit » est appelé « prisme ».

**DÉFINITION**

Les arêtes qui marquent les intersections entre les faces latérales s'appellent les arêtes latérales.

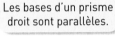

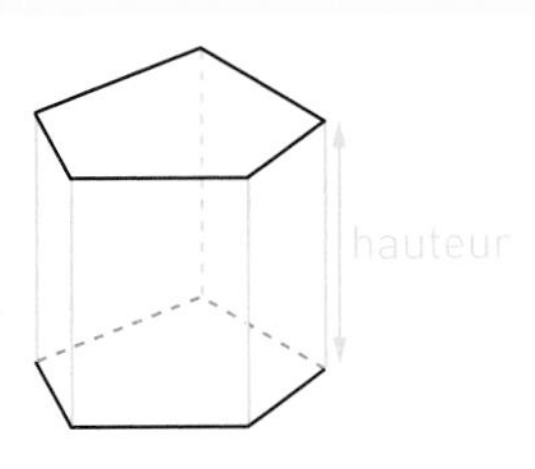


Les arêtes latérales d'un prisme droit sont parallèles et de même longueur. Cette longueur est la hauteur du prisme.

EXEMPLES : Prismes droits selon plusieurs vues.

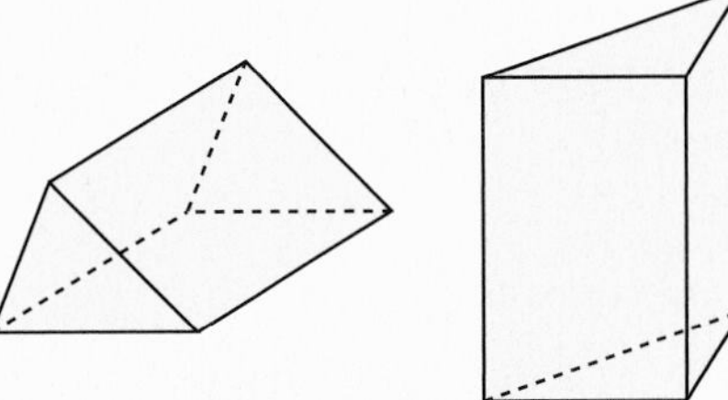

Prisme droit à base triangulaire

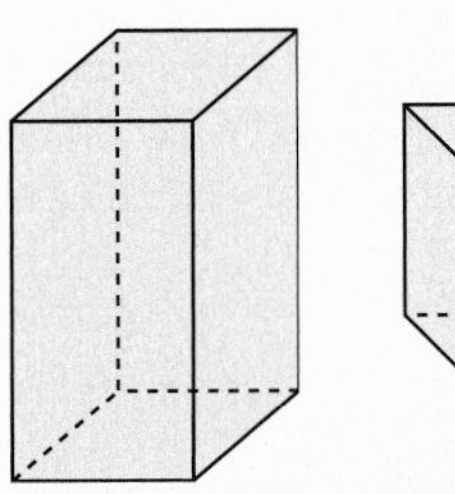

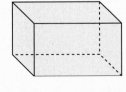

Prisme à base rectangulaire ou pavé droit.

# Méthodes

EXERCICE RÉSOLU 1

## Représenter en perspective cavalière

**ÉNONCÉ**

**Donner deux représentations différentes en perspective cavalière d'un prisme droit dont la base est un triangle isocèle rectangle.**

**RÉPONSES**

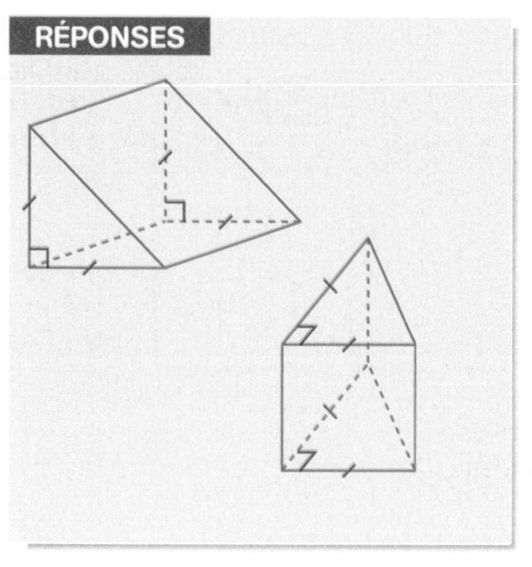

**COMMENTAIRES**

• Sur chaque représentation, les deux bases sont des triangles identiques.

• On a codé certaines longueurs égales, mais on ne peut pas vérifier sur le dessin ces égalités de longueurs. De même, on a codé l'angle droit, mais l'angle construit ne mesure pas 90°.

• Il y a encore d'autres représentations possibles pour ce solide.

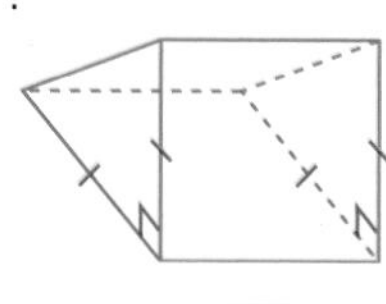

Sur le même modèle
▸ exercice 4

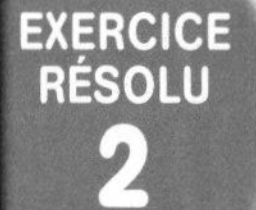
EXERCICE RÉSOLU 2

## Bases, arêtes et faces latérales

**ÉNONCÉ**

**Pour le prisme ci-contre, déterminer :**

**– le nombre de faces, et si possible la nature de chacune de celles-ci,**

**– le nombre d'arêtes et en particulier le nombre d'arête latérales.**

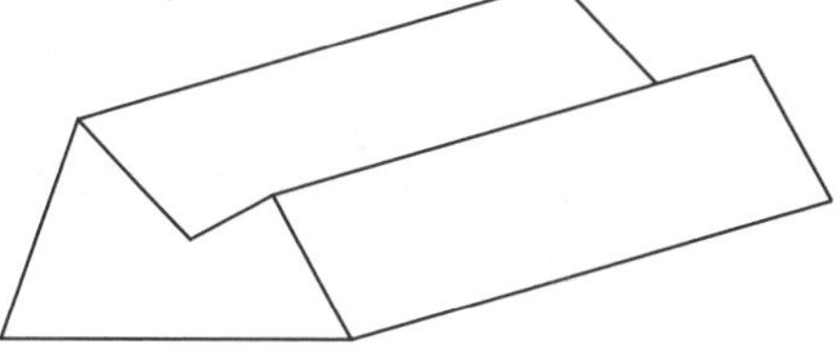

**RÉPONSES**

Le solide a 7 faces :
- 2 faces qui sont les bases et qui sont des polygones à 5 côtés,
- 5 faces latérales qui sont des rectangles.

Le solide a 15 arêtes :
- 10 arêtes qui sont les côtés des bases,
- 5 arêtes latérales.

**COMMENTAIRES**

On a tracé les arêtes cachées, pour faire apparaître toutes les arêtes et les faces latérales.

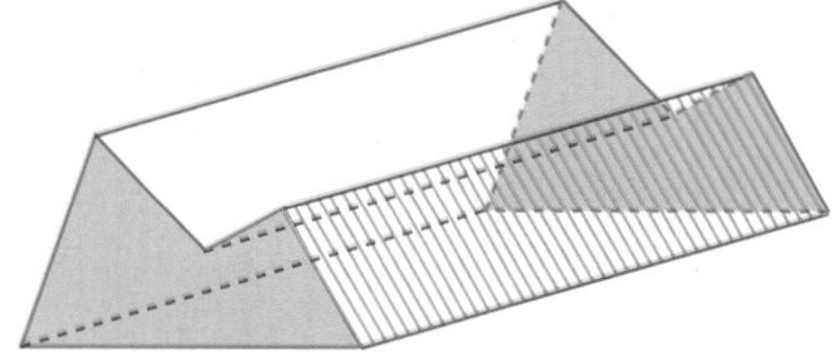

On a hachuré l'une des faces latérales, on sait que c'est un rectangle, même si cela ne se vérifie pas sur la représentation en perspective cavalière.

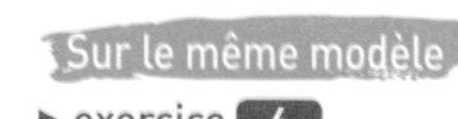

Sur le même modèle
▸ exercice 6

# Cylindres

## Description

On appelle **cylindre de révolution** un solide dont la surface est obtenue en faisant tourner complètement un rectangle autour d'un axe comme sur le schéma ci-dessous :

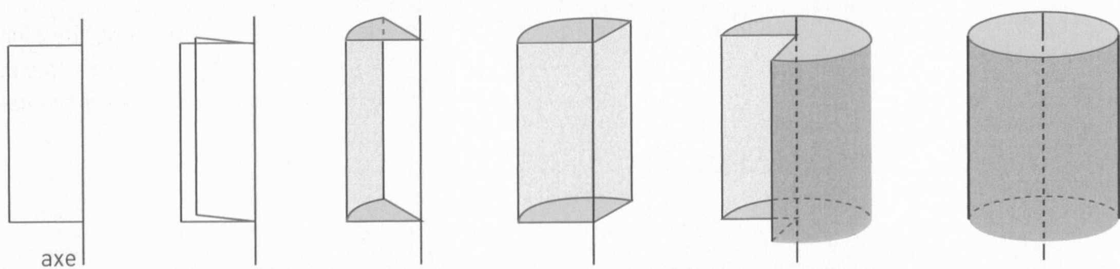


REMARQUE : En général, le « cylindre de révolution » est appelé « cylindre ».

## Vocabulaire et représentation en perspective cavalière

DÉFINITION

La **hauteur du cylindre** est la longueur de l'axe qui rejoint les centres des deux disques.

DÉFINITION

Le **rayon du cylindre** est le rayon des disques de base.

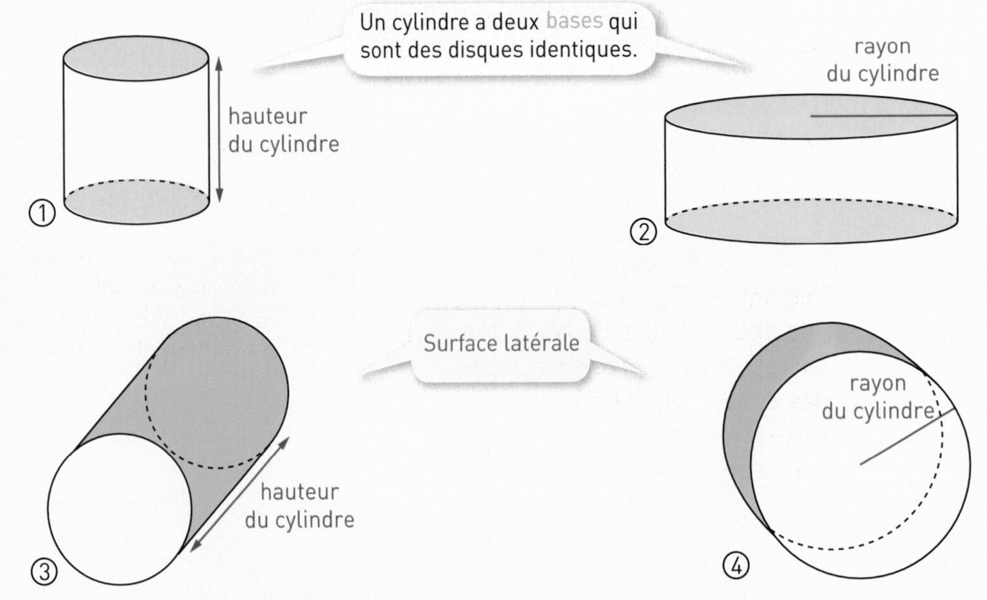


REMARQUES

- Dans les représentations ① et ② les bases sont représentées en perspectives cavalière par des ellipses (des ovales), et les hauteurs sont représentées en vraie grandeur.
- Dans les représentations ③ et ④, la forme des bases est conservée : elles sont représentées par des disques en vraie grandeur, mais la hauteur du cylindre n'est pas représentée en vraie grandeur.

## *Représenter en perspective cavalière*

**ÉNONCÉ**

Dessiner un cylindre en perspective cavalière.

**RÉPONSE**

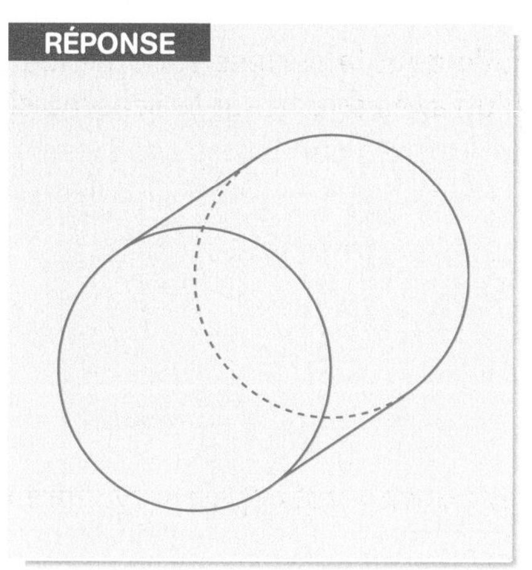

**COMMENTAIRES**

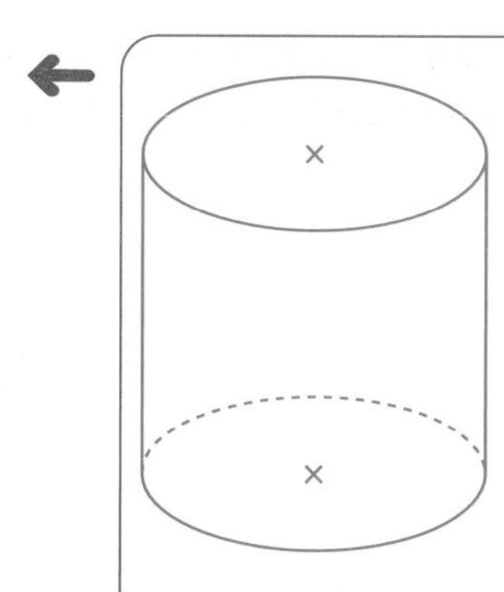

Ce n'est pas la seule représentation possible.

*Pour dessiner les disques en perspective, utiliser les méthodes de l'approche 4.*

Sur le même modèle
▸ exercice 15

## *Reconnaître un cylindre*

**ÉNONCÉ**

Les figures suivantes représentent-elles des cylindres de révolution ?
Si non, expliquer pourquoi.

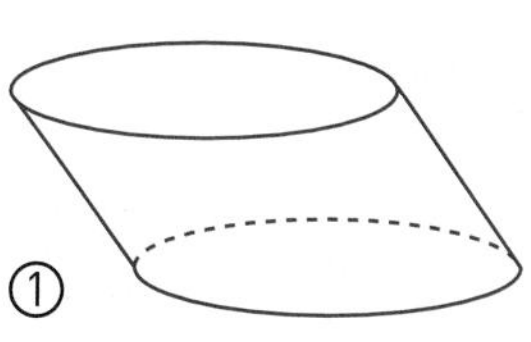


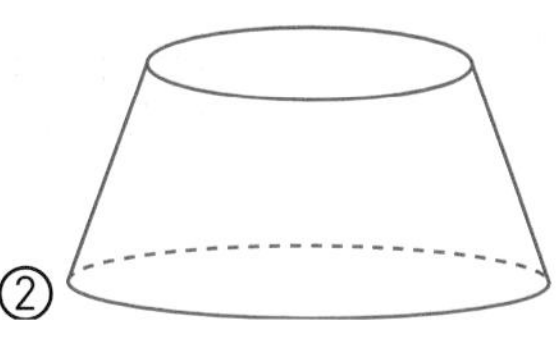


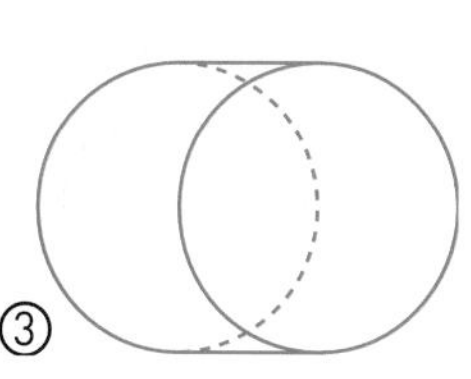


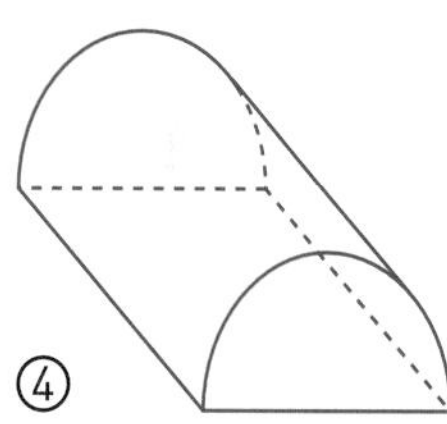


**RÉPONSES**

Les figures ①, ② et ④ ne sont pas des cylindres de révolution car elles ne représentent pas des solides qui s'obtiennent en faisant tourner un rectangle autour d'un axe.

**COMMENTAIRES**

On constate de plus que :
- les bases du solide ② n'ont pas les mêmes dimensions,
- les bases du solide ④ ne sont pas des disques.

Sur le même modèle
▸ exercice 14

Leçon 3

# Patrons

## 1 Patrons de solides

**DESCRIPTION**

Par pliage, le **patron** permet de construire le solide. Un **patron** de solide s'obtient en découpant le solide de manière à pouvoir mettre à plat toutes ses faces.

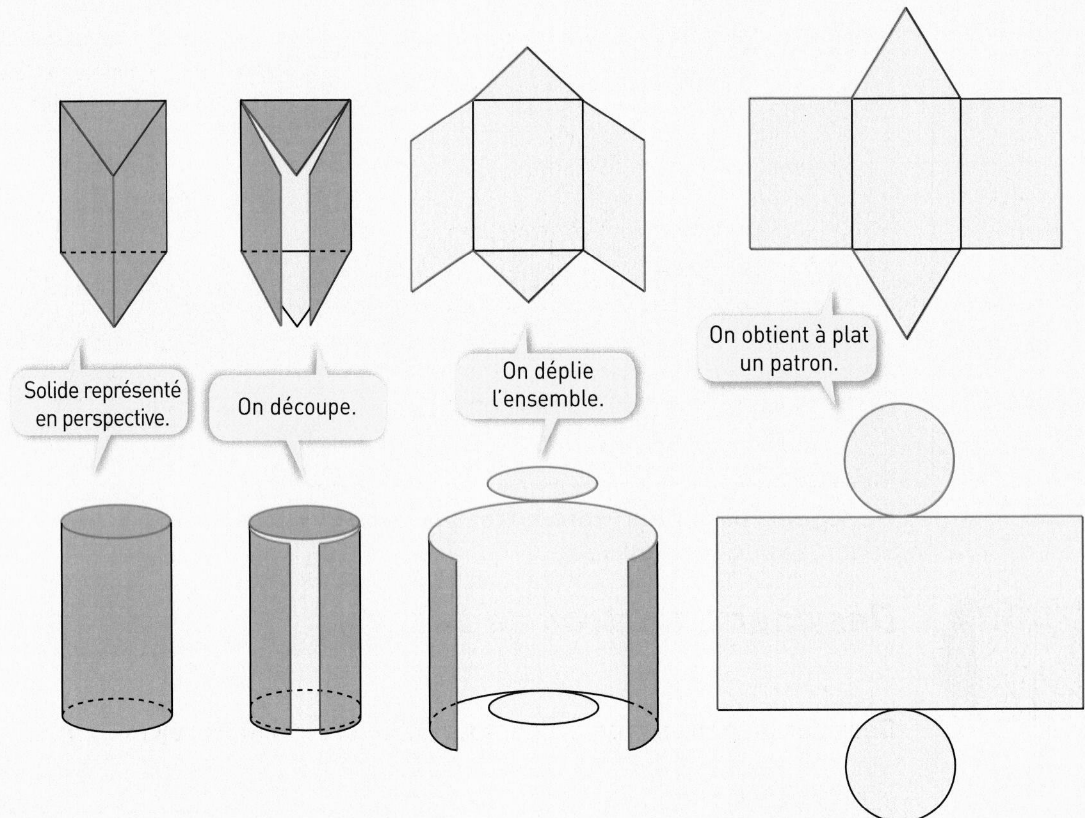

Solide représenté en perspective.
On découpe.
On déplie l'ensemble.
On obtient à plat un patron.

## 2 Les dimensions d'un patron de solide

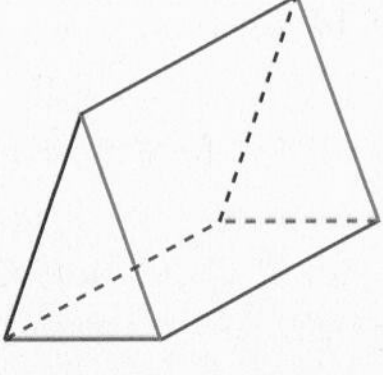

Sur un patron de prisme droit, chaque face apparaît en vraie grandeur. Ici 3 rectangles et 2 triangles.

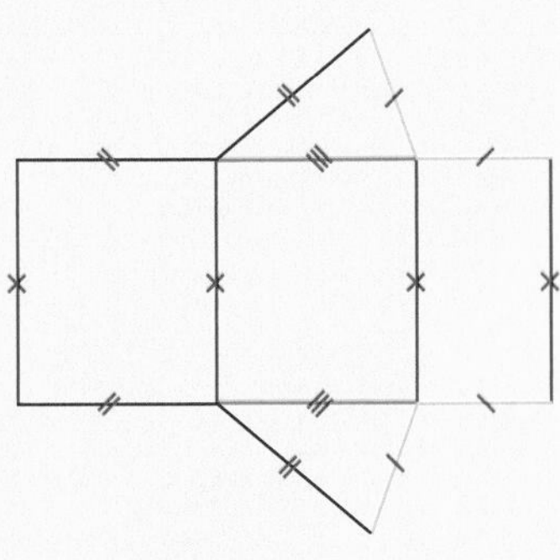

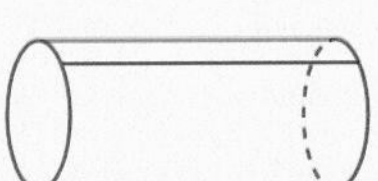

Le patron d'un cylindre est constitué de 2 disques et d'un rectangle. Ici :

- Largeur = Hauteur du cylindre,
- Longueur = **Circonférence*** de la base.

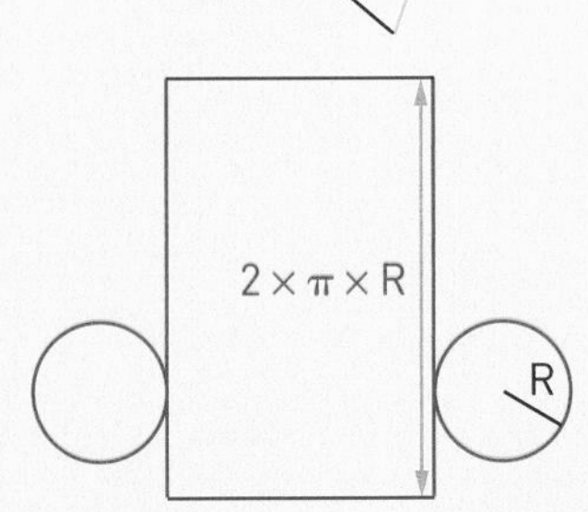

2 × π × R
R

## *Dessiner le patron d'un prisme*

**ÉNONCÉ**

**Dessiner un autre patron de ce prisme.**

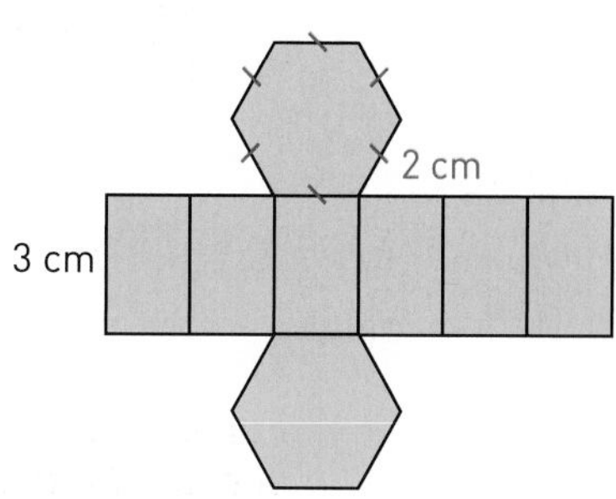


**RÉPONSE**

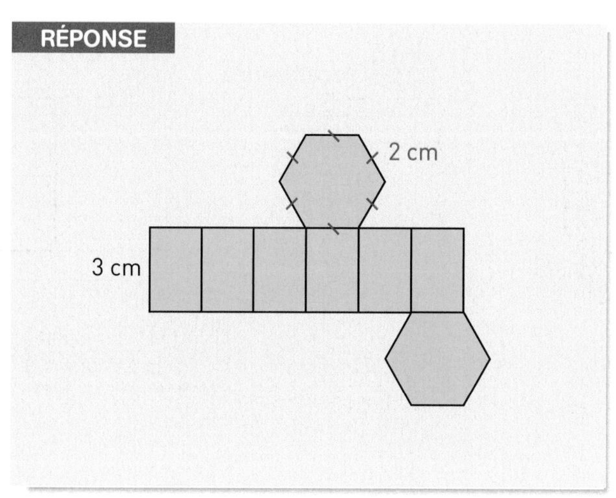


**COMMENTAIRES**

Pour un même solide, il y a plusieurs patrons possibles.

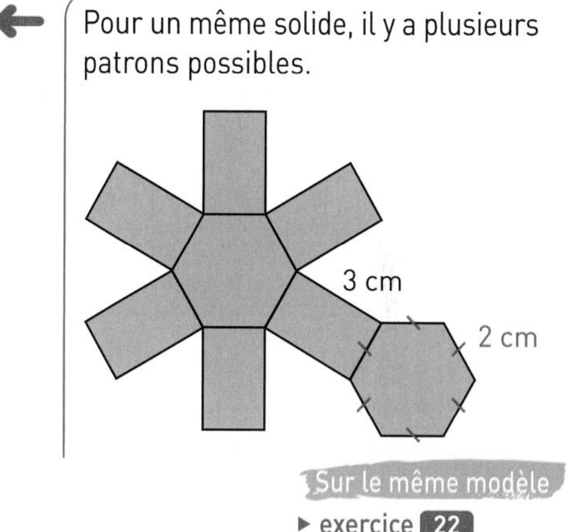


Sur le même modèle
▸ exercice 22

EXERCICE RÉSOLU 2

## *Dessiner un patron de cylindre*

**ÉNONCÉ**

**Dessiner un patron d'un cylindre de hauteur 3 cm et de rayon 1 cm.**

**RÉPONSE**

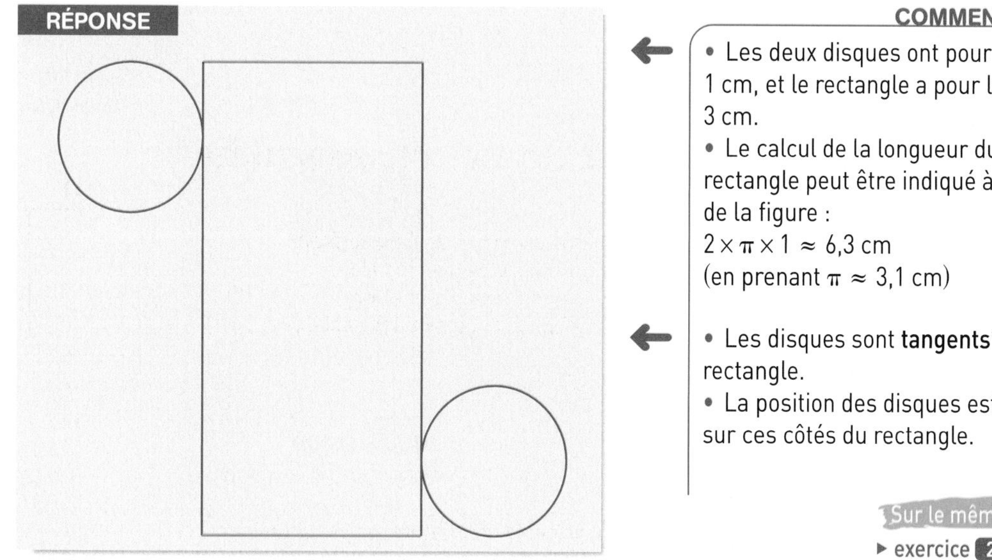

**COMMENTAIRES**

- Les deux disques ont pour rayon 1 cm, et le rectangle a pour largeur 3 cm.
- Le calcul de la longueur du rectangle peut être indiqué à côté de la figure :
$2 \times \pi \times 1 \approx 6{,}3$ cm
(en prenant $\pi \approx 3{,}1$ cm)

- Les disques sont **tangents*** au rectangle.
- La position des disques est libre sur ces côtés du rectangle.

Sur le même modèle
▸ exercice 27

# Exercices d'application

## 1 Prismes droits

### 1 Dessiner les arêtes cachées

**a.** Reproduire à main levée la perspective suivante, en traçant en pointillé les arêtes **cachées*** en supposant la face de contour rouge est entièrement **visible***.

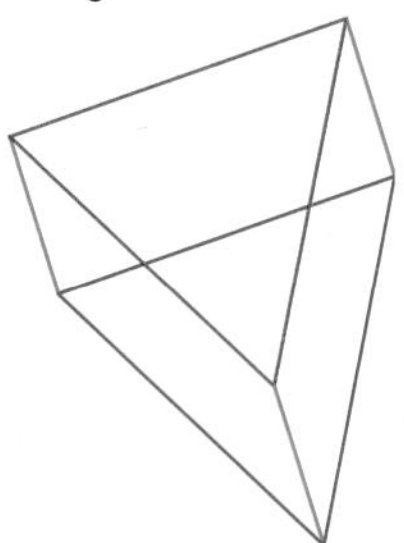

**b.** Même question, en supposant cette fois-ci que la face de contour bleu est entièrement visible.

### 2 Programme de construction

On veut représenter en perspective cavalière un prisme droit dont les bases sont des trapèzes isocèles comme indiqué ci-contre.

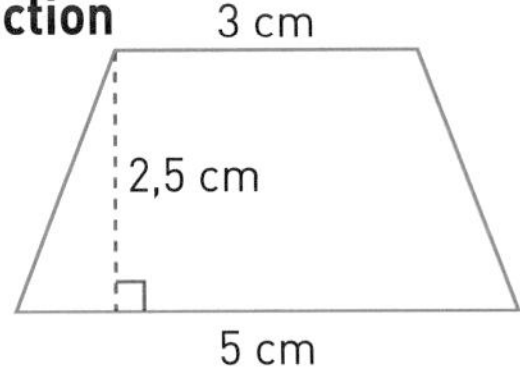


Donner un **programme de construction*** de cette perspective cavalière ayant une base en vraie grandeur et la tracer.

### 3 Compléter le dessin

Reproduire à main levée cette perspective cavalière incomplète d'un prisme droit à base rectangulaire.
Dessiner les arêtes **cachées***.

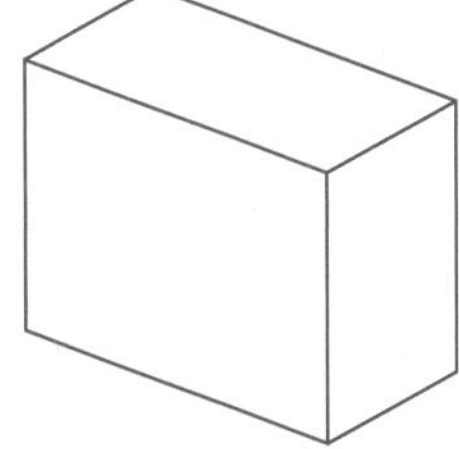

### 4 Sous plusieurs vues

Donner deux autres représentations en perspective cavalière possibles du solide : l'une avec une face triangulaire en vue de face, l'autre avec une face latérale en vue de face.

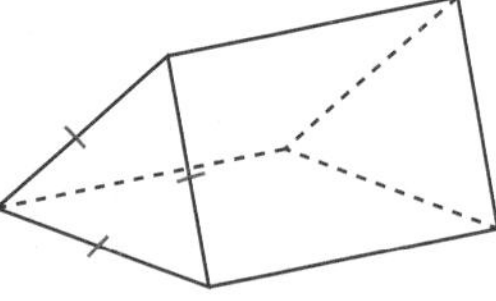

### 5 Quadrillage

Reproduire et compléter le schéma pour obtenir une représentation en perspective d'un prisme dont la base est un triangle (il y a deux possibilités).

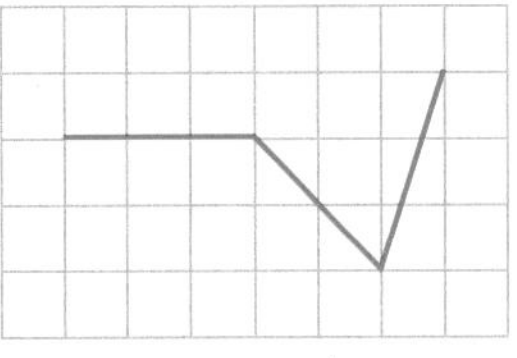

### 6 Dans la vie courante

**a.** Citer trois objets de la vie courante qui ont la forme de prismes (varier la forme des bases)
**b.** Donner une représentation en perspective cavalière de l'un de ces objets.

### 7 Vocabulaire

**a.** Sur ce prisme droit, combien d'arêtes mesurent 1 cm ? 3 cm ? 5 cm ? Combien y a-t-il d'arêtes latérales ?

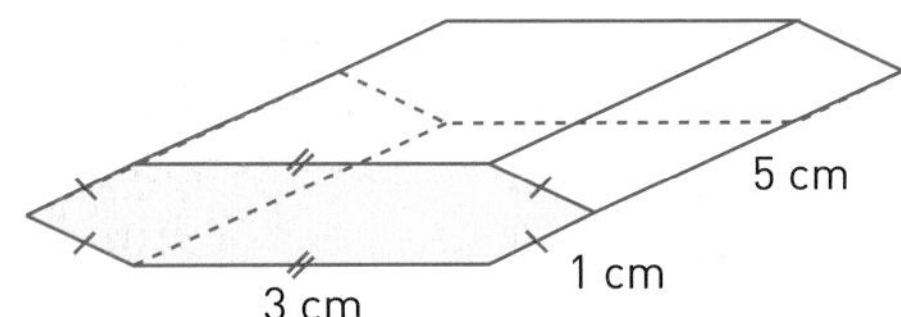


**b.** Compter les faces du prisme, et donner le nombre de leurs côtés (et leurs dimensions si possible). Combien sont des faces latérales ?

### 8 Archéologie

Les pyramides de Gizeh ont-elles la forme de prismes droits ?
Expliquer.

### 9 Classer les solides

Les objets présentés ont la forme de prismes.
① un cube.
② un prisme dont la base est un **hexagone***,

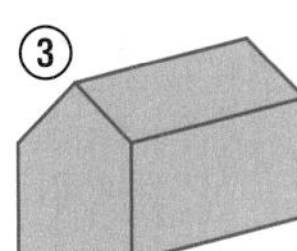


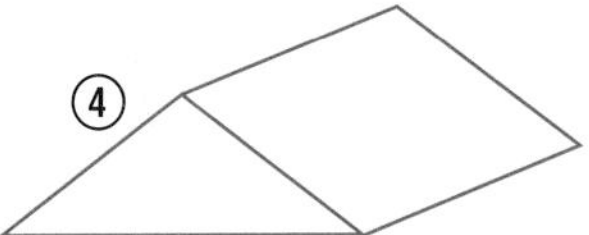


**a.** Les dessiner en perspective cavalière.
**b.** Les classer dans l'ordre croissant du nombre de leurs arêtes latérales.

### 10 Troué

**1.** Le solide suivant est-il un prisme droit ? Expliquer pourquoi.
**2.** Reproduire ce solide en prenant pour dimensions des carrés 4 cm et 2 cm.

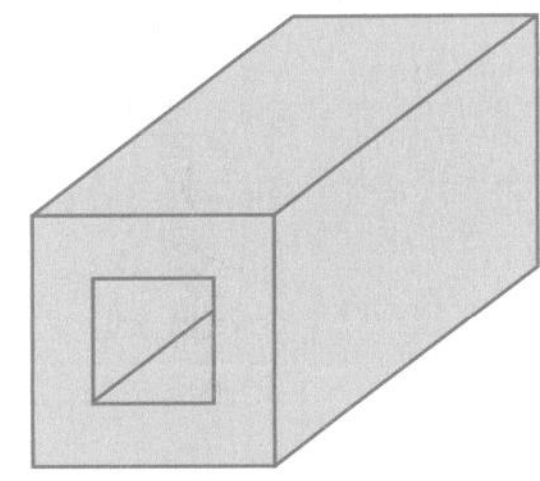

## 2 Cylindres

### 11 Représentation en perspective

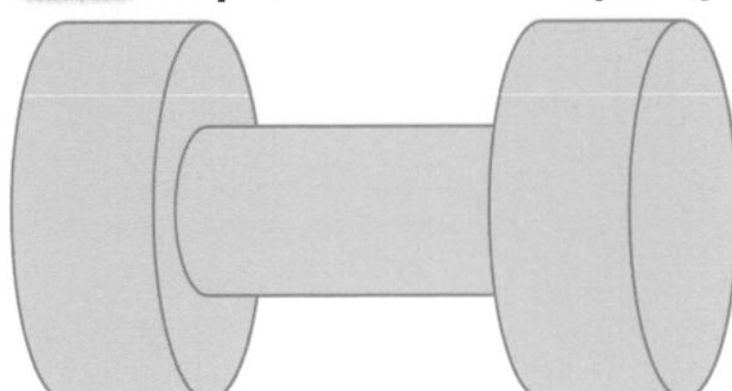

Reproduire à main levée le dessin en perspective cavalière de ce solide, composé de trois cylindres.

### 12 Troué

Ce solide est-il un cylindre ? Expliquer.
Reproduire cette figure à main levée.

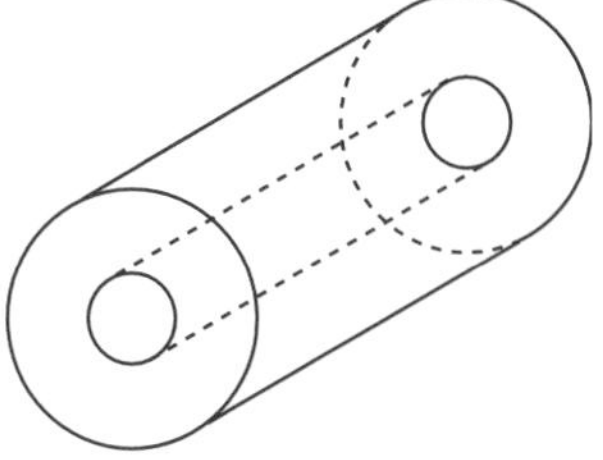

### 13 Dans la vie courante

**a.** Citer trois objets de la vie courante qui ont la forme de cylindres et les décrire (donner **un ordre de grandeur*** de leur hauteur et de leur rayon).
**b.** Donner une représentation en perspective cavalière de l'un de ces objets.

### 14 Autour d'un axe

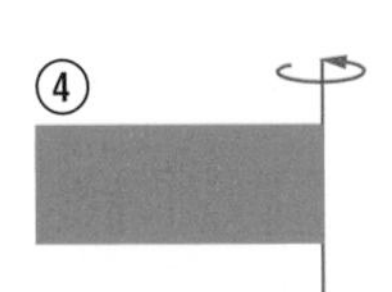


On fait tourner ces figures autour de l'axe rouge pour obtenir des solides. Dans quels cas obtient-on un cylindre ?

### 15 Différentes perspectives

Donner deux représentations différentes en perspective cavalière d'un même cylindre. Expliquer dans chaque cas quelles dimensions ne peuvent pas être mesurées sur le dessin.

### 16 Compléter le dessin

Compléter le dessin suivant, pour que ce soit une représentation en perspective d'un cylindre.
Y a-t-il plusieurs façons de compléter ?

### 17 Découpage

Une bûche glacée a approximativement la forme d'un cylindre de hauteur 30 cm et de rayon 3 cm.
**a.** Comment découper cette bûche de manière à obtenir deux cylindres identiques ?
**b.** Quelles sont les dimensions des deux cylindres obtenus ?

### 18 Le phare

De combien de cylindres de rayons différents ce phare est-il composé ?
Reproduire ce dessin à main levée.

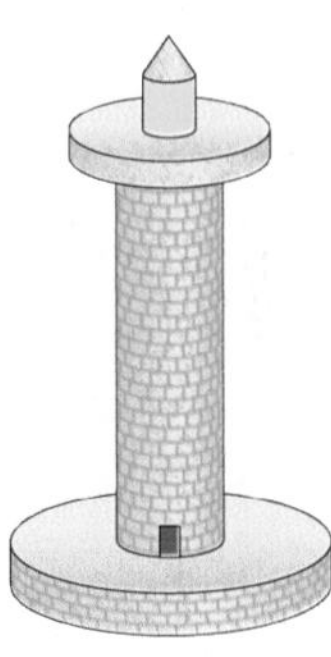

### 19 Chercher l'intrus

Parmi les figures suivantes, lesquelles ne peuvent pas être les représentations en perspective cavalière d'un cylindre ?
Expliquer.

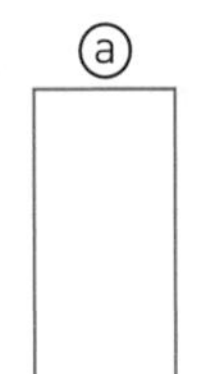


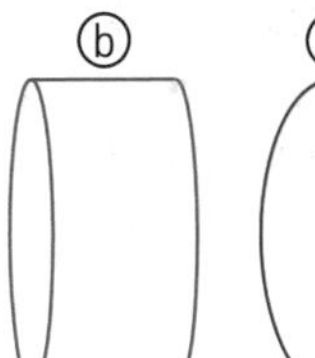


### 20 Cylindre et roue

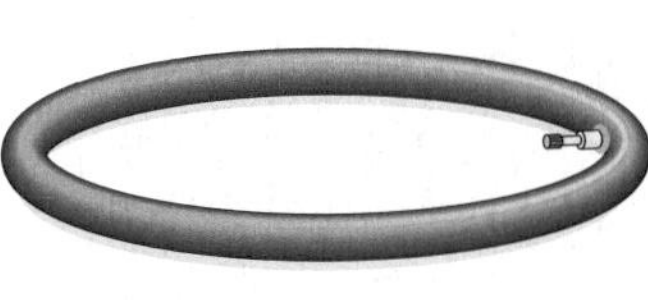

Cette figure représente une chambre à air de roue de bicyclette.
**a.** Quelle figure géométrique faut-il faire tourner autour d'un axe pour obtenir ce solide ?
**b.** Ce solide est-il un cylindre de révolution ?

### 21 Représentation en perspective d'un cylindre

Donner deux représentations en perspective cavalière différentes de ce cylindre coloré.

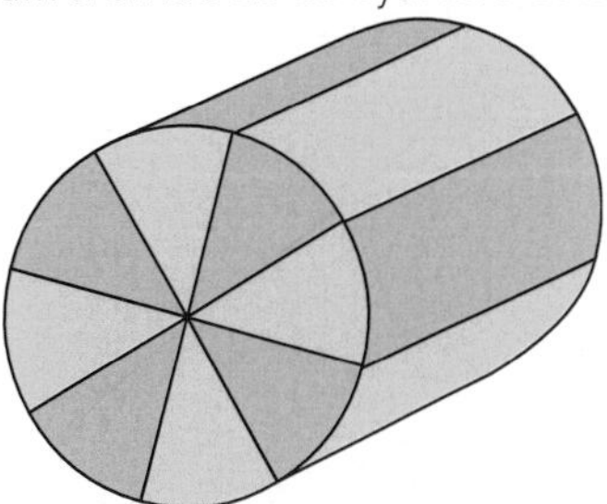

*Remarque :*
*Les disques des bases sont découpés en 8 parts égales.*

## Patrons

**22 Patron de prisme droit**
Dessiner un patron d'un cube de côté 4 cm, de deux manières différentes.

**23 Patron d'un prisme droit (bis)**
Dessiner un patron de ce solide.
Quelle est la **nature*** des bases ?

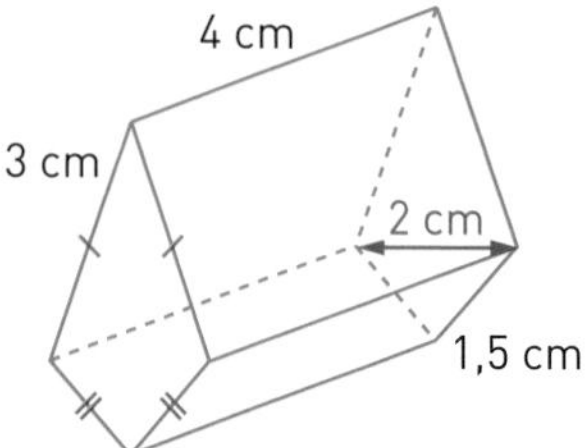


**24 Rectangles ?**
**a.** Combien y a-t-il de faces rectangulaires dans ce solide ?
**b.** Tracer un patron de ce solide.

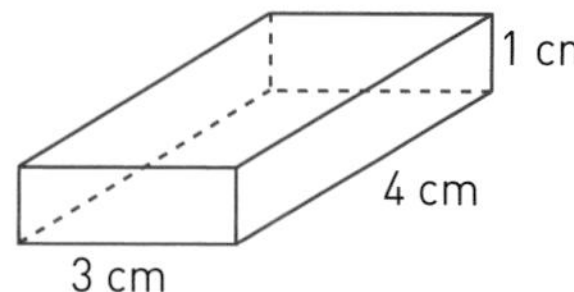


**25 Flacon**
Reproduire la perspective cavalière de ce flacon, puis en dessiner un patron.

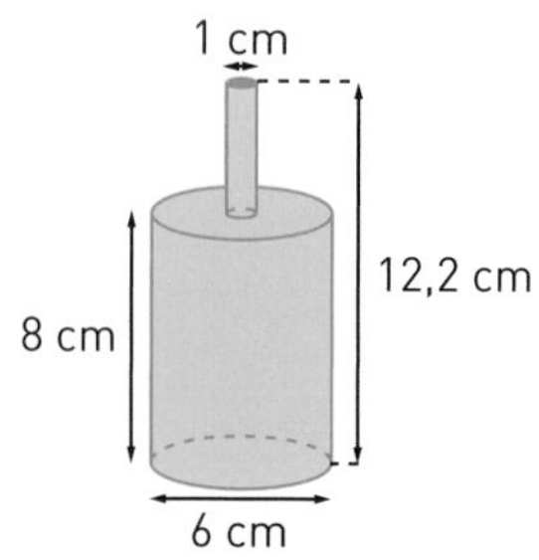


**26 Patrons**
Parmi les solides de l'approche 2 p. 183, dessiner un patron de ceux qui sont des prismes droits.

**27 Patron de cylindre**
Dessiner un patron du cylindre suivant, avec ses « rayures » colorées, sachant que la **hauteur*** est de 7,5 cm, le diamètre de 3 cm et que les deux bases ont la même couleur.

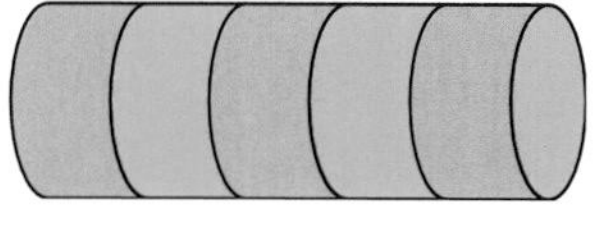

**28 Impossible**
Chercher l'erreur sur ce patron de prisme droit.

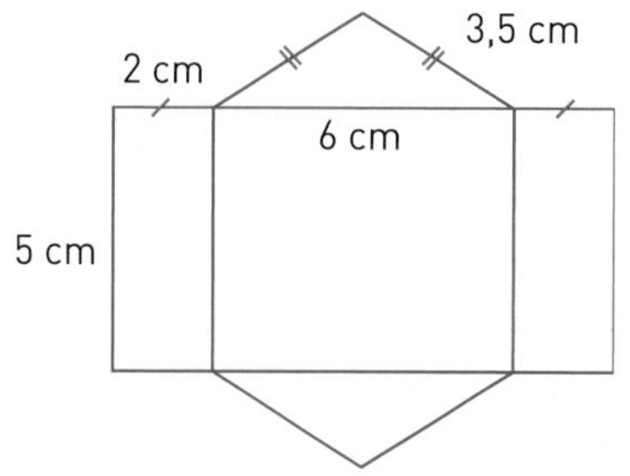


**29 Compléter le patron (1)**
Le patron de cylindre suivant est incomplet, le reproduire en vraie grandeur et le compléter (il y a deux solides possibles).

**30 Compléter le patron (2)**
Même exercice avec le patron précédent, en supposant cette fois-ci qu'il s'agit d'un prisme dont les bases sont des carrés.

**31 Patron et bases**
Reproduire ce patron de prisme à main levée. Colorier d'une couleur les bases et d'une autre couleur les faces latérales.

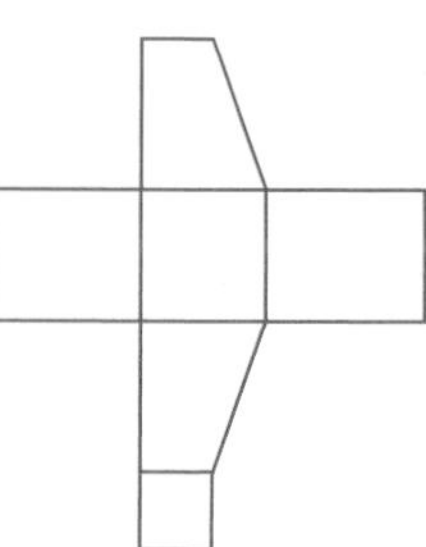

**32 Du patron au prisme droit**
Dire si les figures suivantes sont des patrons de prisme droit. Justifier.

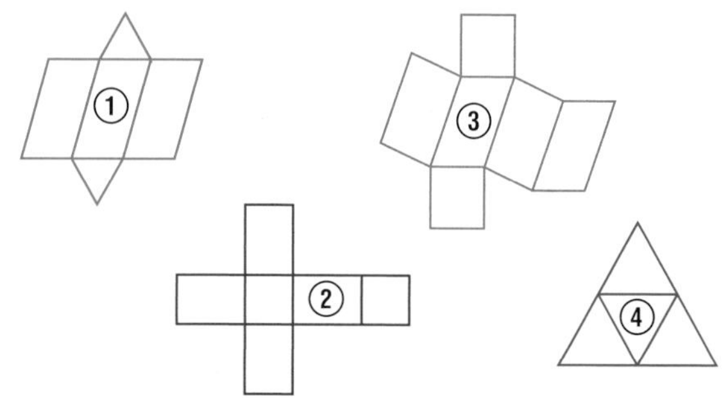


**33 La face manquante**
Il manque l'une des faces du prisme droit sur ce patron. Le compléter de trois manières différentes.

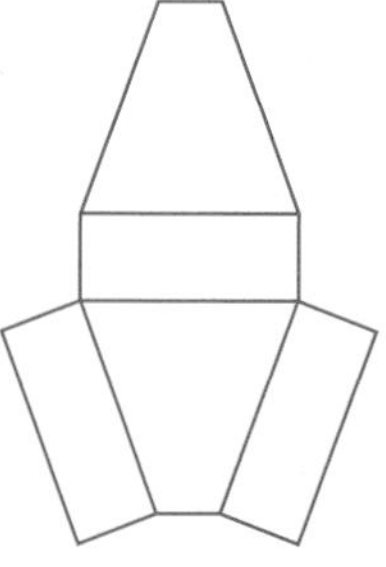

**34 Compléter le dessin**

Il manque les arêtes **cachées*** sur la perspective cavalière de ce prisme droit à base triangulaire. Reproduire la figure à main levée et la compléter.

**35 Dessiner avec les bonnes mesures**

**a.** Dessiner une représentation en perspective cavalière d'un cylindre dont la hauteur est égale au rayon.
**b.** Quelle est la particularité du rectangle que l'on fait tourner autour de l'axe pour obtenir ce cylindre ?

**36 Empilement**

Une pièce de 50 centimes d'euro est un cylindre de rayon 1,2 centimètres et de hauteur 2 millimètres.
**a.** Quel solide obtient-on en empilant 15 pièces de 50 centimes d'euros ? Dessiner ce solide en perspective cavalière.
**b.** Quelles sont ses dimensions en centimètres ?

## Lire et écrire

**37 Copie d'élève**

Voilà ce que Samira a écrit sur sa copie pour justifier le calcul du nombre d'arêtes et de la nature des bases d'un prisme donné par le professeur :

*Ce prisme droit a 12 sommets donc il a 6 arêtes latérales et des bases à 6 côtés.*

Commenter la réponse de Samira.

**38 Lecture d'énoncé**

*« Un prisme droit a ses quatre faces latérales identiques. Quelle est la nature de ses bases ? »*

**a.** Quel élément de cet énoncé permet de déterminer le nombre de côtés des bases de ce prisme ?
**b.** Quel élément de l'énoncé permet de préciser un peu plus la forme des bases ?
**c.** Dessiner un patron d'un tel prisme.

**39 Qui a raison ?**

**40 Du patron aux arêtes**

À partir de ce patron, déterminer le nombre d'arêtes du prisme droit.

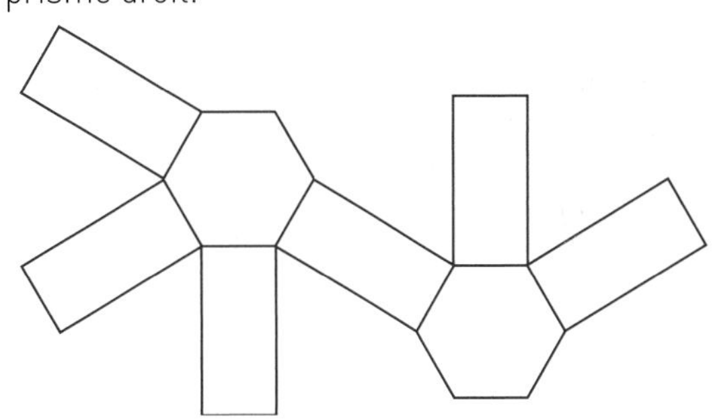

**41 Patron à compléter (1)**

Peut-on compléter le patron suivant pour que ce soit celui d'un prisme droit à bases triangulaires ? Expliquer.

1,5 cm — 5 cm — 2,5 cm — 4 cm

**42 Patron à compléter (2)**

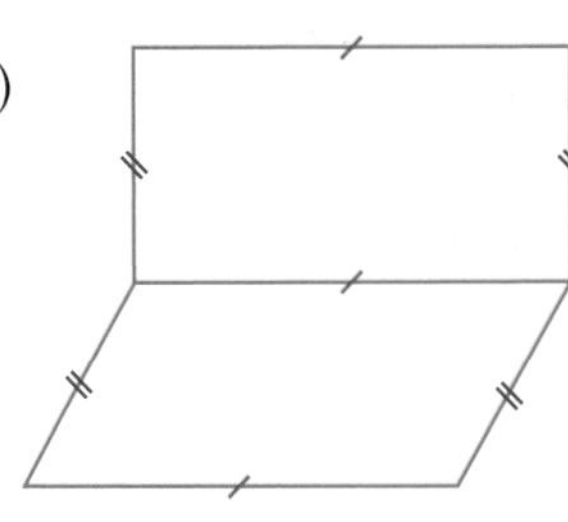

Le schéma suivant est le morceau d'un patron de prisme droit.
**a.** Quelle est la nature des bases ce prisme ?
**b.** Compléter le schéma.

**43** **Rouleau compresseur**

Un rouleau compresseur permettant d'aplanir le goudron sur les routes est constitué d'un cylindre en métal de rayon 60 cm et de hauteur 2,5 m.

Combien de tours de ce rouleau compresseur sont-ils nécessaires pour aplanir une route d'un kilomètre de long ?

**44** De tête

Donner le nombre de faces latérales d'un prisme droit à base **hexagonale***.

**45** **Arêtes mal cachées**

Reproduire à main levée cette figure et la compléter en utilisant des pointillés pour les arêtes **cachées*** (on considère que la face colorée est **visible***).

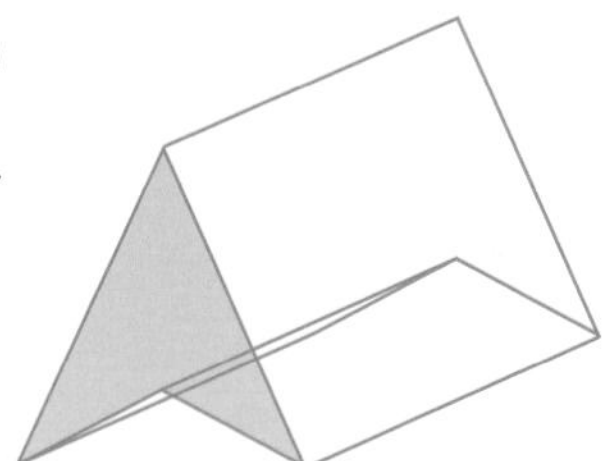

Choisir parmi les trois réponses proposes la (ou les) bonne(s) réponse(s).

| Questions | Réponse 1 | Réponse 2 | Réponse 3 |
|---|---|---|---|
| **46** Un prisme droit à base hexagonale a… | 8 faces latérales | 6 faces latérales | 4 faces latérales |
| **47** Si un cylindre a pour hauteur 5 cm, alors… | Son rayon vaut 2,5 cm. | Son patron est constitué d'un rectangle de longueur 5 cm et de deux disques. | On ne peut pas déterminer son rayon. |
| **48** On peut tracer une représentation en perspective d'un prisme droit à base triangulaire à partir de ce dessin… 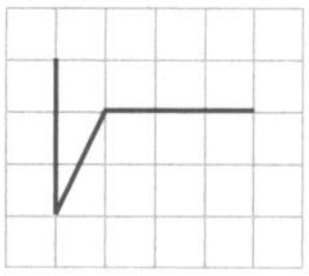 | 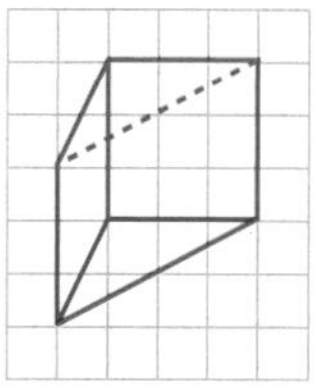 | 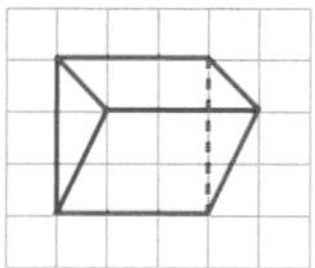 | 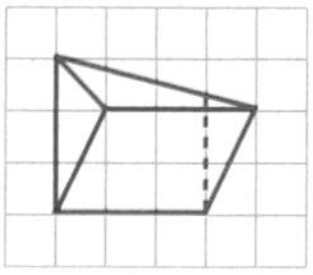 |
| **49** Pour un prisme droit dont les bases sont des triangles rectangles, un patron possible est… | 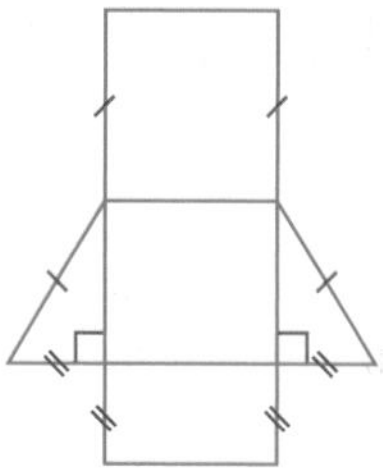 | 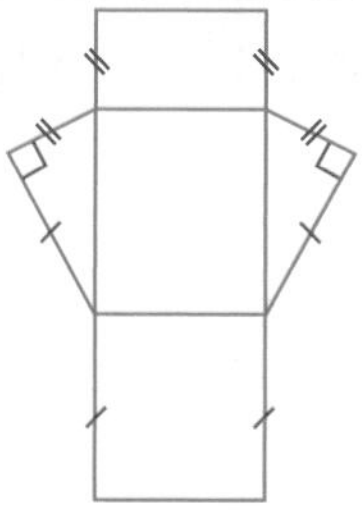 | 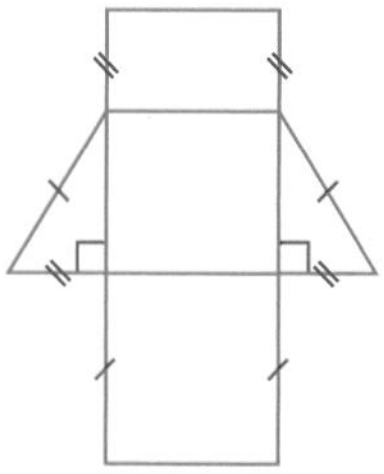 |
| **50** Si un cylindre a pour rayon 2 cm et pour hauteur 4 cm, et si on prend $\pi$ environ égal à 3, alors un patron possible de ce cylindre est… | 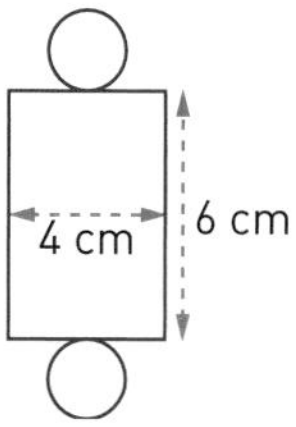 4 cm<br>6 cm | 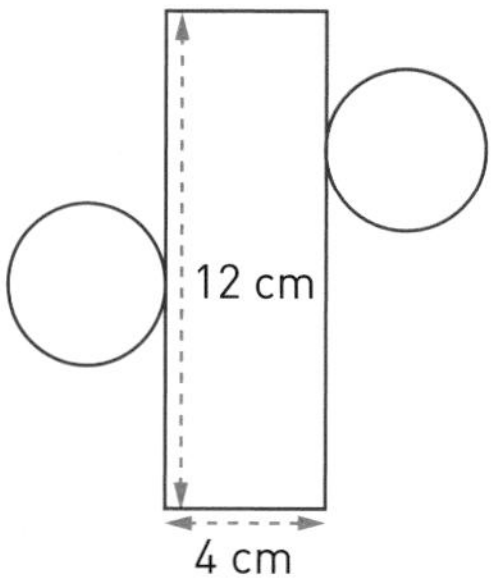 12 cm<br>4 cm | 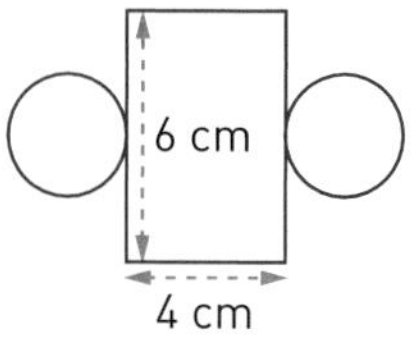 6 cm<br>4 cm |

# À CHACUN SON PARCOURS

## 1 Prismes droits

**51 A** **a.** Reproduire et compléter le schéma suivant avec les arêtes manquantes pour qu'il représente une perspective d'un prisme droit à base triangulaire.
**b.** Compter le nombre d'arêtes latérales.

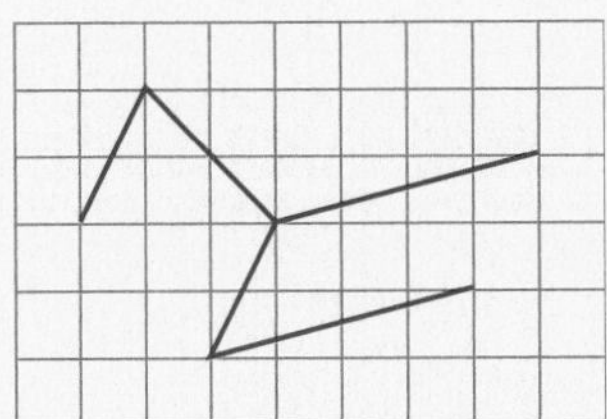

**51 B** **a.** Reproduire et compléter le schéma suivant avec les arêtes manquantes pour qu'il représente une perspective d'un prisme droit (donner plusieurs possibilités).
**b.** Compter le nombre d'arêtes latérales dans chaque cas.

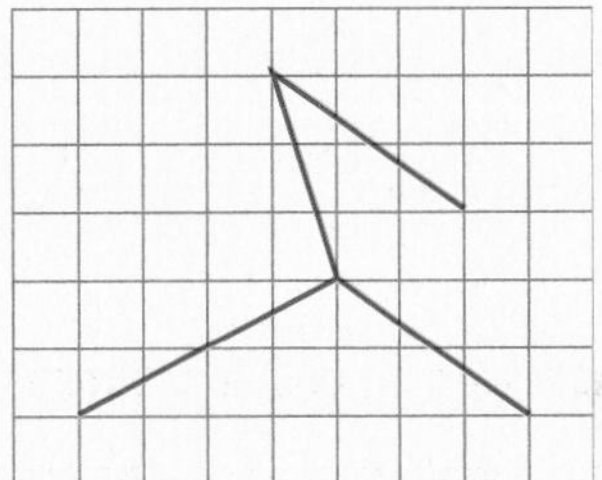

## 2 Cylindres

**52 A** Un cylindre a pour hauteur 3 cm, et pour rayon le double de la hauteur.
Dessiner une représentation en perspective cavalière de ce cylindre de façon à ce que les bases soient représentées par des disques.

**52 B** Dessiner une représentation en perspective cavalière d'un cylindre dont la surface latérale est, une fois dépliée, un rectangle de longueur 9 cm et de largeur 6 cm (on prendra $\pi = 3$).
Dessiner de façon à ce que les bases soient représentées par des disques.

## 3 Patrons

**53 A** Compléter le schéma ci-dessous de manière à ce que ce soit le patron d'un prisme dont les bases sont des triangles équilatéraux (il y a deux solutions possibles).

11,5 cm

4 cm

**53 B** Compléter le schéma ci-dessous de manière à ce que ce soit le patron d'un prisme dont les bases sont des triangles isocèles, l'un des côtés de ces bases ayant pour longueur 3 cm.

7 cm

10 cm

Combien y a-t-il de solutions possibles ?

## Prismes droits et cylindres

**54** Proportionnalité

**a.** Y a-t-il proportionnalité entre le nombre d'arêtes d'un prisme droit et le nombre de côtés de la base ?
**b.** Même question avec le nombre d'arêtes latérales et le nombre de côtés de la base.
**c.** Même question avec le nombre de côtés de la base et le nombre total de faces du prisme
**d.** Même question avec le nombre de côtés de la base et le nombre de faces latérales du prisme.

**55 Retrouver le solide à partir du patron**

Le patron d'un prisme est formé de trois rectangles identiques de dimensions 3 cm sur 5 cm, et de deux polygones.
**a.** Quelle est la nature des bases ?
**b.** Donner les dimensions des deux prismes possibles correpondant à ce patron

**56 Autre patron**

**a.** Déterminer dans ce patron, la longueur du plus grand côté du parallélogramme.
**b.** Construire en vraie grandeur ce patron. Découper pour obtenir un cyclindre.

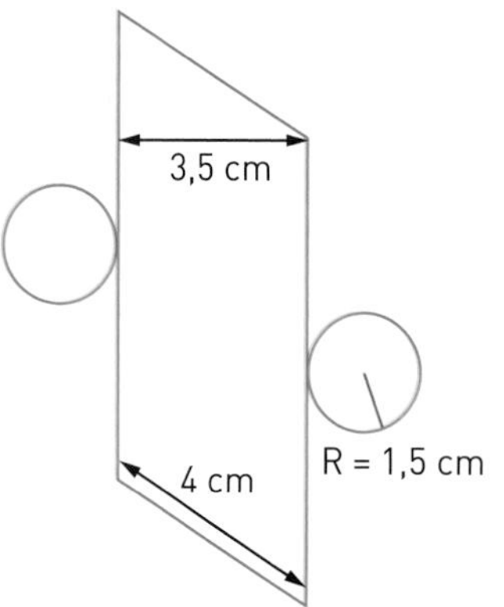


**57** Avec des lettres

On considère un prisme droit à base **quelconque***.
On appelle :
- $b$ le nombre de côtés de la base,
- $\ell$ le nombre d'arêtes latérales,
- $p$ le nombre de côtés du patron.

**a.** Trouver une relation entre $b$, $\ell$ et $p$.
**b.** Vérifier la formule trouvée pour le pavé droit.

## Représentations en perspective

**58** Proportionnalité

Dessiner une représentation en perspective cavalière d'un prisme dont les bases sont des triangles rectangles isocèles dont deux côtés mesurent 3 cm, et dont la hauteur est de 6 cm. On représentera les bases en vraie grandeur, et les fuyantes à l'**échelle*** $\frac{2}{3}$.

**59 Emboîtés**

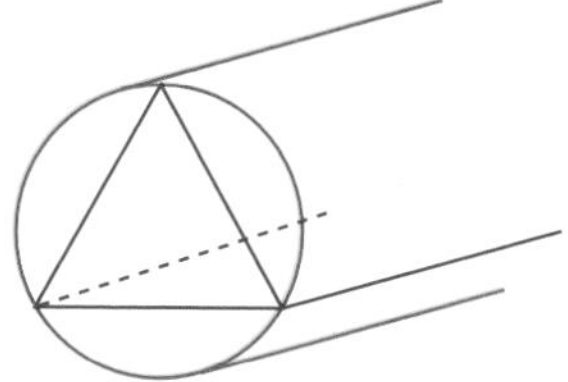

Un prisme droit à base triangulaire est emboîté dans un cylindre de rayon 4 cm.
Reproduire et compléter le schéma de la représentation en perspective de ces deux solides.

**60 Découpage**

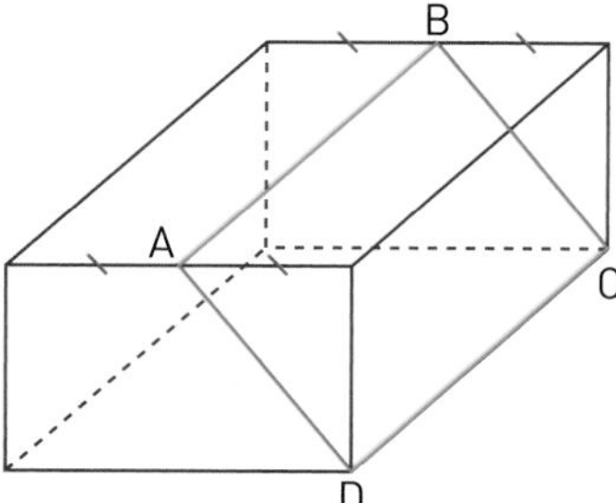


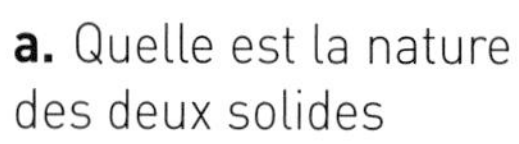

On réalise le découpage du pavé droit suivant, le long des traits marqués en vert.
**a.** Quelle est la nature des deux solides obtenus ? Donner la forme des bases de chacun.
**b.** Représenter chacun des deux solides en perspective cavalière, de deux manières différentes.

**61 Décorer le prisme**

Tracer une représentation en perspective cavalière du prisme décoré dont un patron est le suivant (les bases sont des carrés de côté 3 cm) :

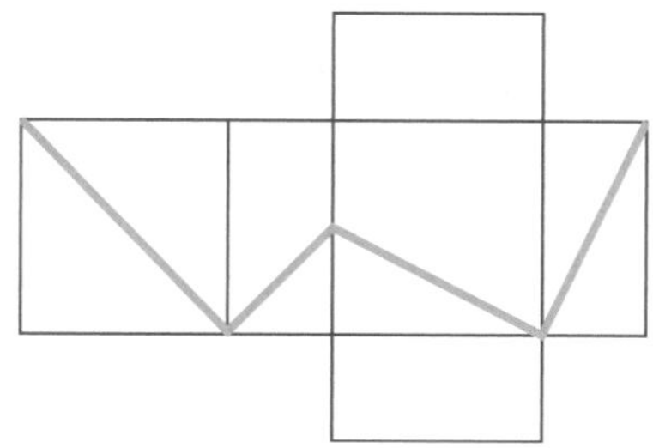

**62 Perspective cavalière et angles**

On veut représenter en perspective cavalière un pavé droit de dimensions 3 cm, 4 cm et 5 cm, de manière à ce que tout le monde dans la classe ait le même dessin.
**a.** Donner une représentation en perspective de ce prisme sur le cahier
**b.** Dans combien de positions différentes peut-on placer la représentation ?

→ **Aide** : chercher combien il y a de faces différentes, puis réfléchir au nombre de façons de placer la face avant, puis les autres.

Quelles informations supplémentaires doit-on donner à la classe pour que tous les élèves tracent les fuyantes de la même façon ?

**63** **Arêtes manquantes**
Cette figure représente un prisme en perspective cavalière.
La reproduire et la compléter, sans tracer les arêtes **cachées***.

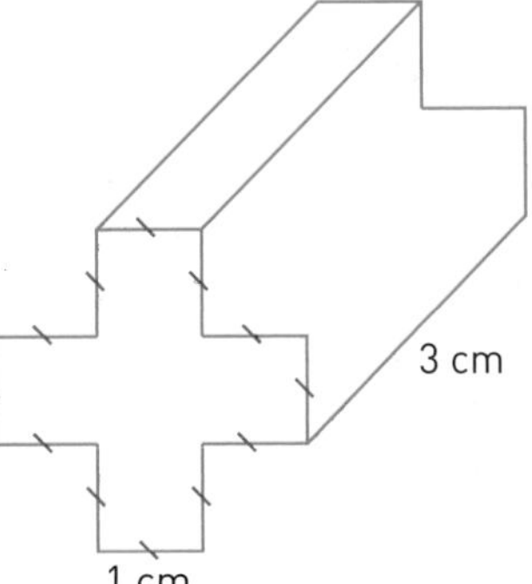


## Patrons et dimensions des solides

**64** **De la perspective au patron**
Dessiner un patron du solide de l'exercice précédent.

**65** **Proportionnalité et patron**
Une tente de type canadienne est un prisme droit dont les bases sont des triangles isocèles. Elle peut contenir tout juste un matelas de 160 cm sur 180 cm. Le sommet de la tente est à 140 cm du sol.
**a.** Dessiner un schéma en perspective cavalière de cette tente.
**b.** En dessiner un patron à l'**échelle*** $\frac{1}{20}$.

**66** **Boîte**
Une boîte a la forme d'un pavé. Elle contient 24 craies cylindriques de longueur 5 cm et de rayon 0,5 cm, qui remplissent la boîte et sont empilées sur 4 couches.

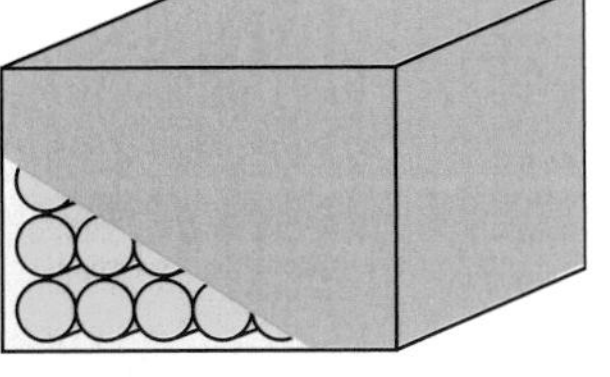

**a.** Quelles sont les dimensions de la boîte ?
**b.** Réaliser un patron de cette boîte.

**67** **Avec des lettres**
Trouver une formule qui relie la hauteur $h$ du cylindre, le diamètre $d$ du disque de base et le périmètre $p$ du rectangle du patron du cylindre.

**68** **Un patron exigeant**
**a.** Est-il possible que le patron d'un cylindre soit composé de deux disques et d'un carré ? Si oui, comment trouver le côté du carré ?
**b.** Est-il possible que le patron d'un prisme soit composé de trois carrés en plus de ses deux bases ? Quelle est alors la nature des bases ?

**69** **Les erreurs**
Sur ces patrons il y a certaines erreurs.
Expliquer lesquelles, puis reproduire les patrons et les corriger.

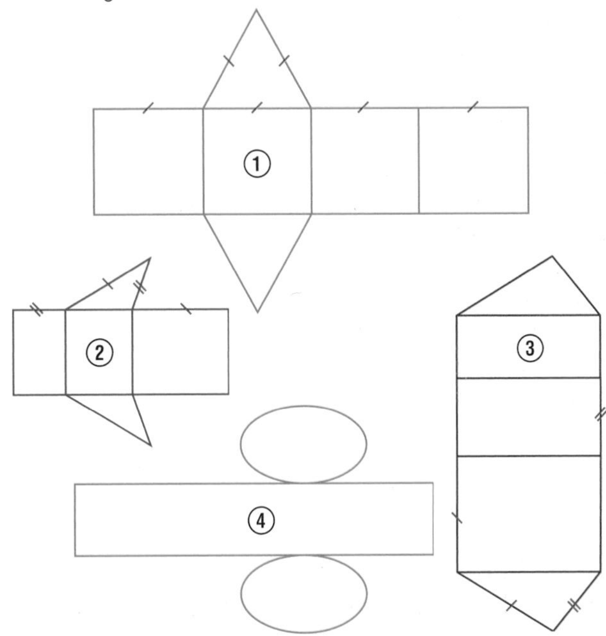

## À CHACUN SON PARCOURS

**70** **A** Existe-t-il un prisme droit dont les 6 faces sont :
- 2 rectangles de dimensions 2 cm sur 5 cm,
- 2 rectangles de dimensions 3 cm sur 5 cm,
- et 2 rectangles de dimensions 2 cm sur 3 cm ?

Quelle est la nature de ce prisme ? En dessiner un patron.

**70** **B** Existe-t-il un prisme droit dont les faces latérales sont des rectangles de dimensions 3 cm sur 5 cm, 1 cm sur 5 cm et 2 cm sur 5 cm ? Faire un schéma à main levée.

**71** **Du cylindre au prisme**

On veut utiliser la partie rectangulaire de ce patron de cylindre pour construire un patron de prisme droit dont les bases sont des carrés.

Reproduire le rectangle bleu en vraie grandeur, et compléter le patron.

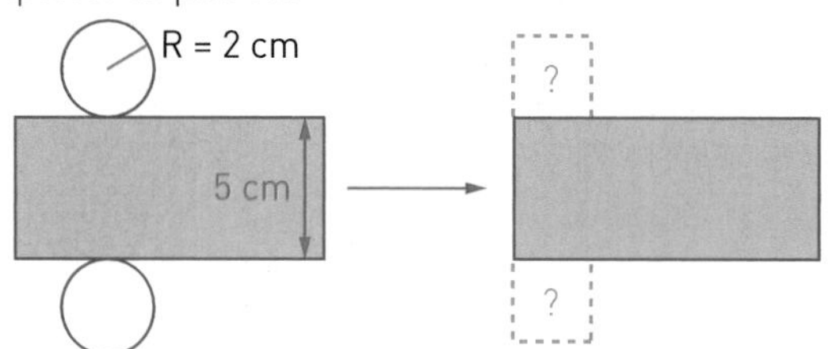


**72** **Du prisme au cylindre**

On veut utiliser la partie rectangulaire de ce patron de prisme droit pour construire le patron d'un cylindre.

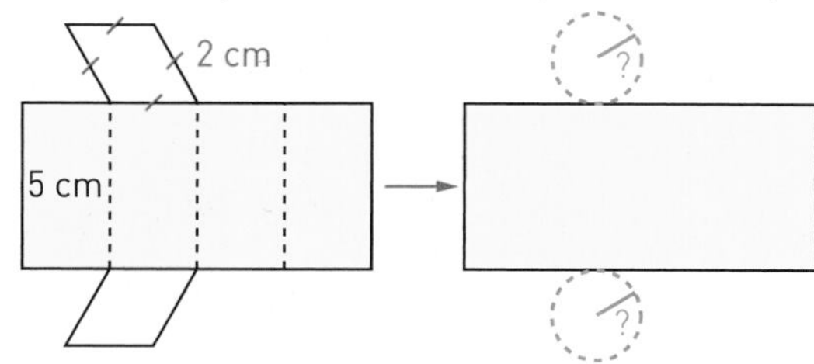


Reproduire le rectangle jaune en vraie grandeur, et compléter le patron.

## Devoirs à la maison

### POUR PRENDRE LE TEMPS DE CHERCHER

**73** **Cube**

ABCDEFGH est un cube de côté 8 cm.

I est le milieu de [AB], J le milieu de [DH], K le milieu de [CG] et L le milieu de [BC]

**a.** Dessiner les patrons de prismes obtenus en réalisant les découpages suivants du cube :

- le prisme de base du triangle IBC et dont [BF] est une arête latérale ;
- le prisme de base du quadrilatère DCKJ et dont [CL] est une arête latérale ;
- le prisme dont le polygone BFGKL est une base et dont [BI] est une arête latérale ;
- le prisme à base triangulaire dont L, C, K et J sont des sommets (il y a plusieurs prismes possibles, les dessiner tous, et donner la position des autres sommets sur le cube).

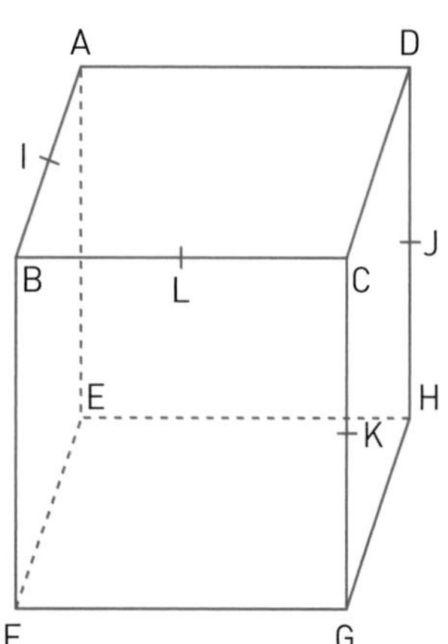


**b.** Les triangles BAC et EGH peuvent-ils représenter les bases d'un même prisme droit ?

**74** **Décorer le patron**

Dessiner un patron du prisme décoré, en reproduisant les motifs.

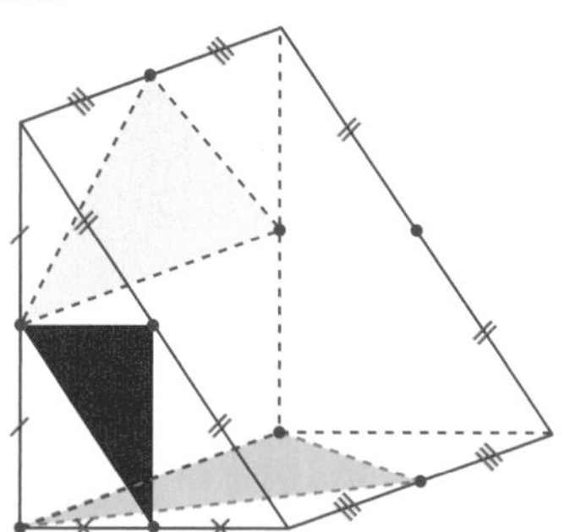

**75** **Jolie perspective**

ABCDEF est un prisme droit dont la base est un triangle rectangle. Les points H et G sont les milieux des segments [CB] et [FE], les points I et J sont les milieux des segments [DE] et [AC]

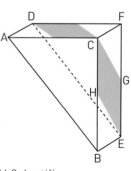

**a.** Quelle est la nature de CGEH ? Justifier.

**b.** Dessiner un patron du solide.

Peut-il exister un prisme droit avec au total 10 arêtes ?
25 arêtes ?
132 arêtes ?

# 10 Aires et volumes

## Les objectifs du programme

### Hauteurs d'un triangle

→ Connaître et utiliser la définition d'une hauteur d'un triangle.

### Parallélogramme, triangle, disque

→ Calculer l'aire d'un parallélogramme.
→ Calculer l'aire d'un triangle connaissant un côté et la hauteur associée.
→ Calculer l'aire d'un disque de rayon donné.
→ Calculer l'aire d'une surface plane ou celle d'un solide, par décomposition en surfaces dont les aires sont facilement calculables.

### Prismes, cylindre de révolution

→ Calculer le volume d'un prisme droit, en particulier celui d'un pavé.
→ Calculer le volume d'un cylindre.

## Sommaire

# D'un siècle...

▲ Ruines du temple d'Apollon à Délos.

## La duplication du cube

PROBLÈME
COMMENT CONSTRUIRE, AVEC UNE RÈGLE NON GRADUÉE ET UN COMPAS, UN CUBE DONT LE VOLUME EST LE DOUBLE DU VOLUME D'UN CUBE DONNÉ ?

Le problème de la duplication du cube provient d'une légende grecque racontée par Plutarque (50-125).

En l'an 430 avant J.-C., les habitants de l'île grecque de Délos souffraient d'une épidémie de peste. Pour que les dieux fassent cesser cette épidémie, l'oracle recommande de doubler le volume de leur autel dédié à Apollon. Cet autel avait la forme d'un cube.

De grands savants sont consultés, mais personne ne parvient à trouver de méthode pour effectuer cette duplication.

Ce n'est qu'en 1837 que le mathématicien français, Pierre-Laurent Wantzel (1814-1848) réussit à démontrer que ce problème ne présente pas de solution si l'on n'utilise qu'une règle non graduée et un compas pour la construction.

# ...à l'autre

## Des problèmes pour les mathématiciens

Les mathématiciens cherchent encore aujourd'hui à résoudre des problèmes liés au rangement de disques.
Par exemple, on sait prouver depuis 50 ans que la disposition 2 est le rangement qui est le plus efficace parmi tous les rangements.

### Travail de mathématiciens

→ **Rangement de disques**

Voici la meilleure disposition pour placer 6 disques de même rayon à l'intérieur d'un disque.

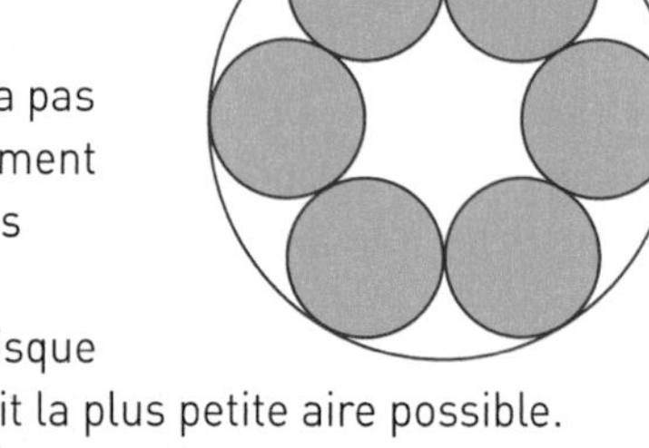

En revanche, on n'a pas encore trouvé comment disposer 11 disques de même rayon à l'intérieur d'un disque pour que celui-ci ait la plus petite aire possible.
Les mathématiciens ont encore du travail !

▲ Disposition 1

▲ Disposition 2

## Aire d'un triangle

### 1 Des rectangles aux triangles

Dans chaque situation ci-dessous, trouver 5 manières de tracer un triangle de façon à ce que :
- l'aire soit égale à la moitié de l'aire du rectangle ;
- le triangle et le rectangle aient un côté **commun***.

SITUATION 1

SITUATION 2

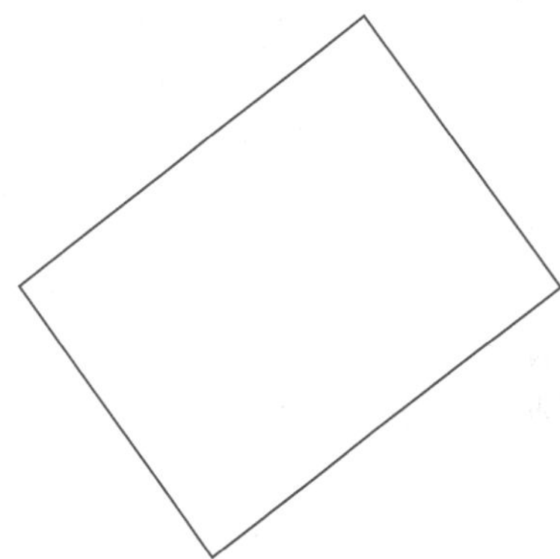

→ **Indication :** Il est possible de découper les rectangles.

### 2 Des triangles aux rectangles

Voici 4 triangles de formes différentes.

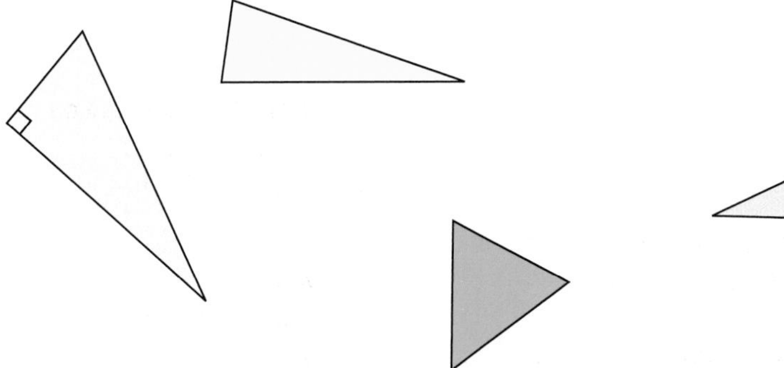

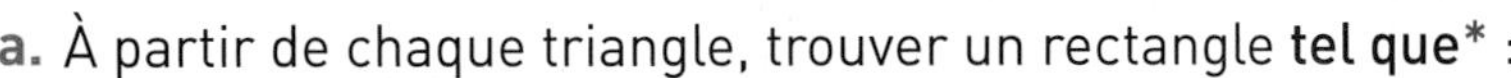

**a.** À partir de chaque triangle, trouver un rectangle **tel que*** :
- l'aire soit le double de l'aire du triangle ;
- le triangle et le rectangle aient un côté commun.

**b.** Dans chaque cas, trouver un deuxième rectangle répondant aux critères du **a.** en choisissant un autre côté du triangle.

### 3 Aire d'un triangle quelconque

Utiliser les résultats des approches 1 et 2 pour trouver une méthode de calcul de l'aire d'un triangle **quelconque***.

# Aires usuelles

##  Aire du parallélogramme

L'objectif de cette approche est de trouver la formule qui permettra de calculer l'aire d'un parallélogramme.

**a.** Reproduire chaque parallélogramme ci-dessous. Pour chacun, effectuer les découpages nécessaires pour construire un rectangle de même aire.

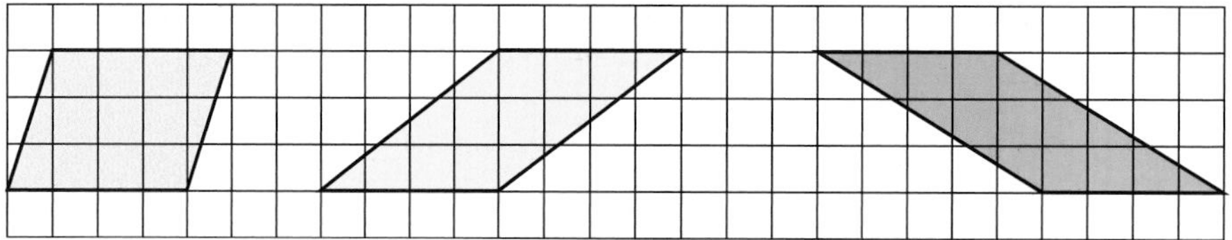

**b.** Comparer les aires des trois parallélogrammes.

**c.** Peut-on en **déduire*** une méthode de calcul de l'aire d'un parallélogramme ?

##  Aire du disque

**Étape 1 : On découpe**

On découpe d'abord le disque en 8 parts égales, puis on place les parts sur une ligne comme ci-dessous.

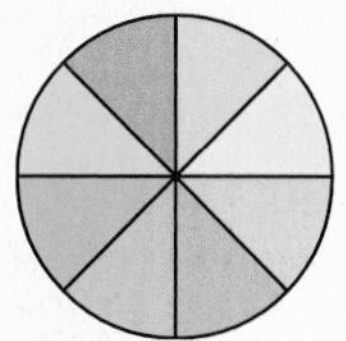

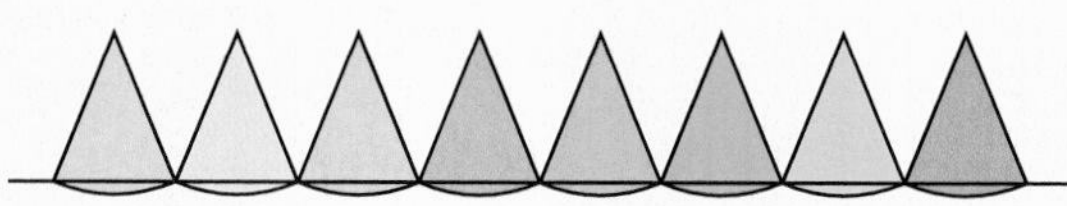

**Étape 2 : On retrouve des triangles**

Si on découpe le disque en un très grand nombre de parts égales, on peut considérer que les portions de disque sont des **triangles**. Ils ont tous la même base et la même hauteur.

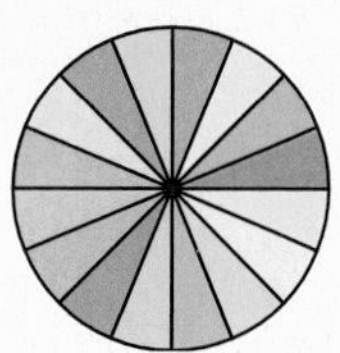

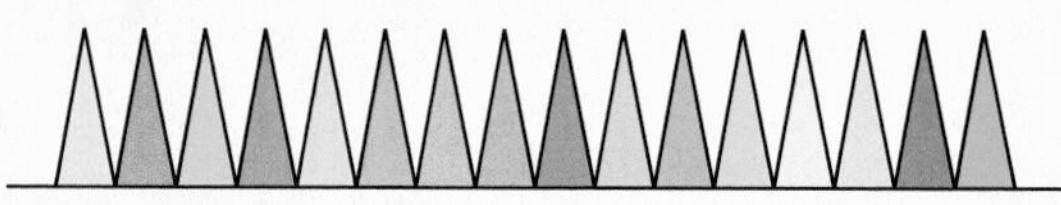

Ici on a découpé le disque en 16 parts égales. On peut considérer que tous les triangles ont une hauteur presque égale au rayon du cercle.

**a.** Réaliser cette expérience en découpant un disque en 16 parts égales puis en collant les parts le long d'une droite.

**b.** Peut-on en déduire une méthode de calcul d'une **valeur approchée*** de l'aire de ce disque ?

# Aires et volumes de solides

6

## Aire latérale d'un prisme droit

Sur les deux représentations en perspective du même prisme droit, on a colorié en bleu sa surface latérale.

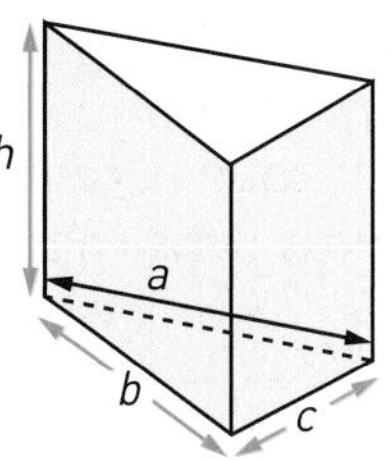
h
a
b
c

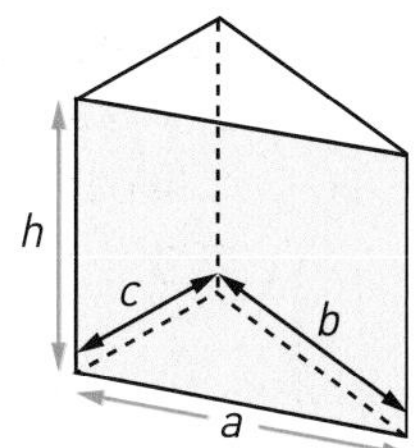
h
c
b
a

**a.** Réaliser à main levée un patron de ce prisme droit et colorier en bleu les faces qui correspondent à la surface latérale.
**b.** Exprimer l'aire latérale, en **fonction*** des lettres notées sur la représentation en perspective.
**c.** Comparer l'expression obtenue avec celle de l'élève voisin. Si les expressions sont différentes, expliquer.

7

## Expression du volume d'un prisme droit ou d'un cylindre

Karim et Anaëlle cherchent à calculer un volume :

Pour calculer le volume d'un pavé droit, je compte le nombre de cubes sur une couche puis je multiplie ce nombre par le nombre de couches
Moi, je calcule l'aire d'une face et je multiplie par la hauteur du pavé

**a.** Appliquer ces deux méthodes pour calculer le volume de ce prisme droit dont la base est un triangle rectangle (l'unité de volume est un cube de 1 cm de côté).

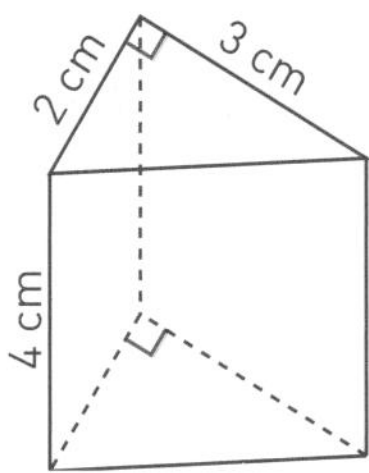
2 cm
3 cm
4 cm

**b.** Une boîte de conserve est un cylindre de hauteur 10,5 cm dont la base a un diamètre de 7,1 cm. L'étiquette indique que la contenance est 412 mL (412 $cm^3$). Appliquer la méthode d'Anaëlle pour calculer le volume de cette boîte de conserve et comparer avec la contenance indiquée.

# Aire d'un triangle

## 1 Hauteur dans un triangle

**DÉFINITION**

Dans un triangle, une droite perpendiculaire à un côté et passant par le sommet opposé est appelée **hauteur relative à ce côté**.
Le mot « hauteur » désigne à la fois la droite et la longueur du segment joignant le sommet et le **pied de la hauteur**.

**EXEMPLE**

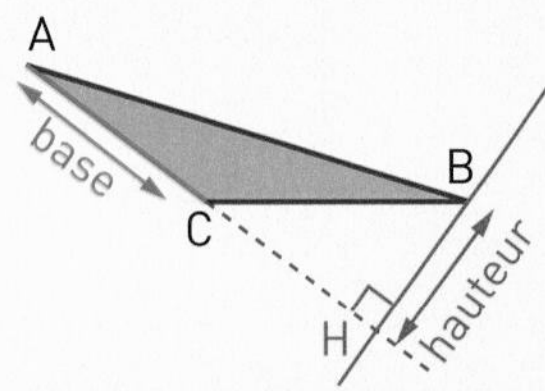


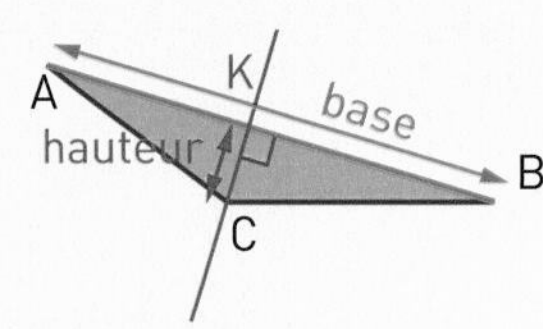


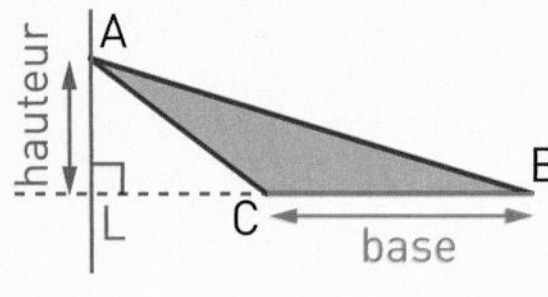


La droite (BH) est la hauteur issue de B.
K est le pied de la hauteur issue de C.
La droite (AL) est la hauteur relative au côté [BC].

## 2 Aire d'un triangle

**FORMULE**

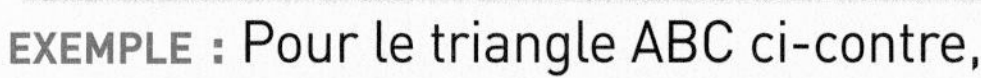

$$\text{Aire d'un triangle} = \frac{\text{Longueur d'une base} \times \text{Hauteur relative à cette base}}{2}$$

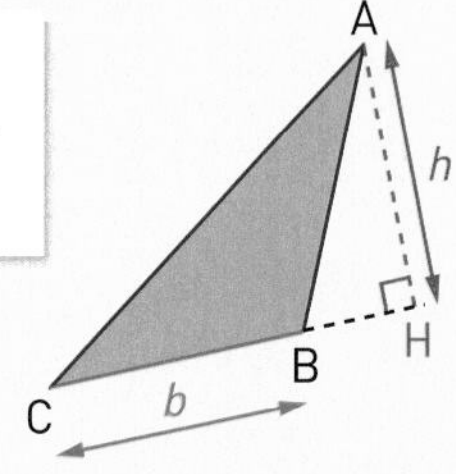


**EXEMPLE :** Pour le triangle ABC ci-contre,
un calcul possible est : $\text{Aire} = \frac{1}{2} b \times h = \frac{CB \times AH}{2}$

## 3 Propriété de la médiane

**PROPRIÉTÉ**

La médiane d'un triangle partage ce triangle en deux triangles de même aire.

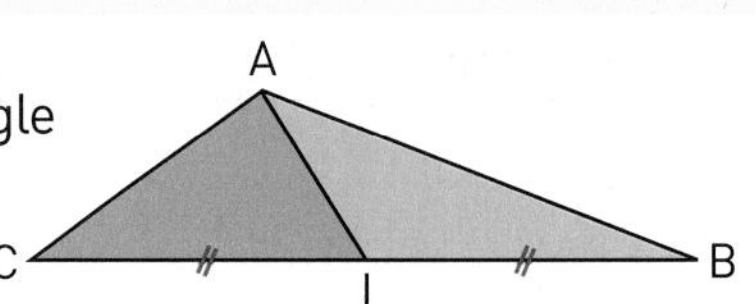


**PREUVE**

La droite (AH) est la hauteur issue de A dans le triangle ABI et dans le triangle ACI.

$\text{Aire de ABI} = \frac{BI \times AH}{2}$ et $\text{Aire de ACI} = \frac{CI \times AH}{2}$

Le point I est le milieu du segment [BC], donc BI = CI.
On a donc bien **Aire de ABI = Aire de ACI.**

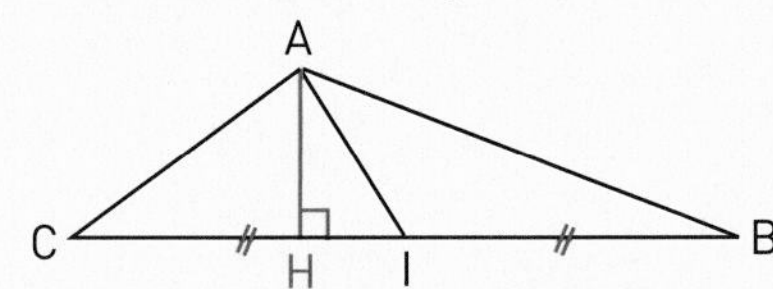

## *Trouver des hauteurs*

**ÉNONCÉ**

Sur chaque triangle, placer l'équerre pour tracer la hauteur relative au côté en couleur.

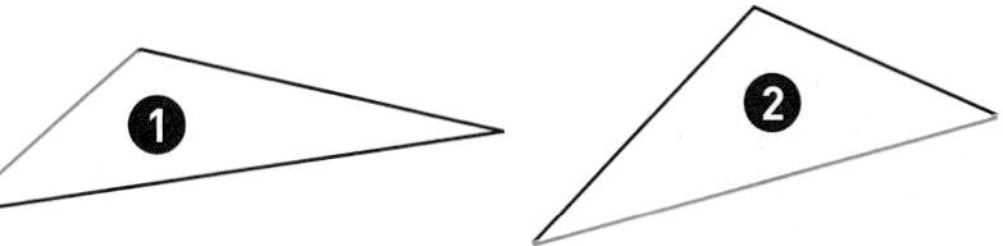


**RÉPONSES**

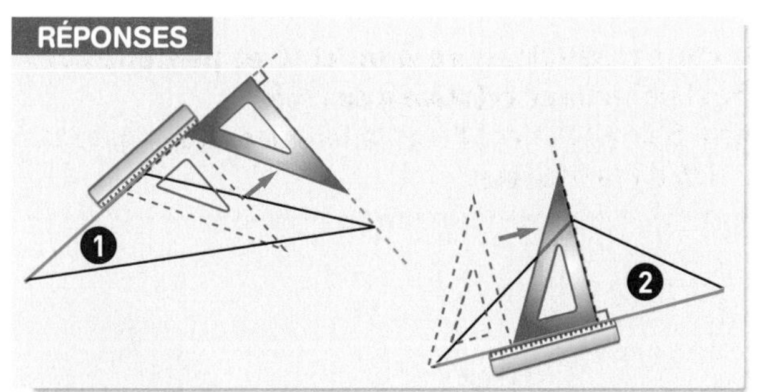


**COMMENTAIRES**

- Commencer par placer un côté de l'angle droit de l'équerre sur la base et faire glisser jusqu'à ce que l'autre coté de l'angle droit rencontre le sommet opposé.
- Il faut parfois prolonger la base choisie.

Sur le même modèle
▸ exercice 3

EXERCICE RÉSOLU 2

## *Calculer l'aire d'un triangle*

**ÉNONCÉ**

a. Construire un triangle RBV tel que RB = 5 cm, RV = 3 cm et BV = 3,5 cm.

b. Tracer la hauteur issue de R en rouge, puis la mesurer et calculer une **valeur approximative*** de l'aire du triangle RBV.

c. Faire de même avec la hauteur issue de B en bleu et la hauteur issue de V en vert.

**RÉPONSES**

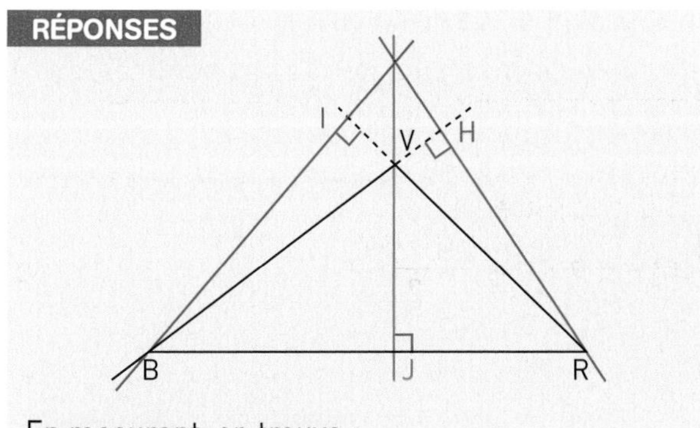


**COMMENTAIRES**

Ne pas oublier de prolonger les côtés si nécessaire.

En mesurant, on trouve :

RH ≈ 0,8 cm ; VJ ≈ 0,5 cm ; BI ≈ 1,3 cm.

On calcule :

$$\text{Aire} = \frac{RH \times BV}{2} \approx \frac{2{,}9\ \text{cm} \times 3{,}5\ \text{cm}}{2} \approx 5\ \text{cm}^2$$

$$\text{Aire} = \frac{BI \times RV}{2} \approx \frac{3{,}4\ \text{cm} \times 3\ \text{cm}}{2} \approx 5\ \text{cm}^2$$

$$\text{Aire} = \frac{VJ \times BR}{2} \approx \frac{2\ \text{cm} \times 5\ \text{cm}}{2} \approx 5\ \text{cm}^2$$

L'aire du triangle RVB est d'environ 5 cm$^2$.

Ces résultats peuvent varier d'un élève à l'autre car les mesures sont imprécises.

- On peut aussi écrire le calcul sans les unités.
- Les trois valeurs de l'aire obtenues doivent être approximativement égales.

Sur le même modèle
▸ exercices 7 et 8

# Leçon 2

# Calculs d'aires

## 1 Formules de calcul

### 1 Aire du parallélogramme

**FORMULE**

Aire du parallélogramme = Longueur d'un côté × Hauteur relative à ce côté

EXEMPLE : Pour calculer l'aire d'un parallélogramme.

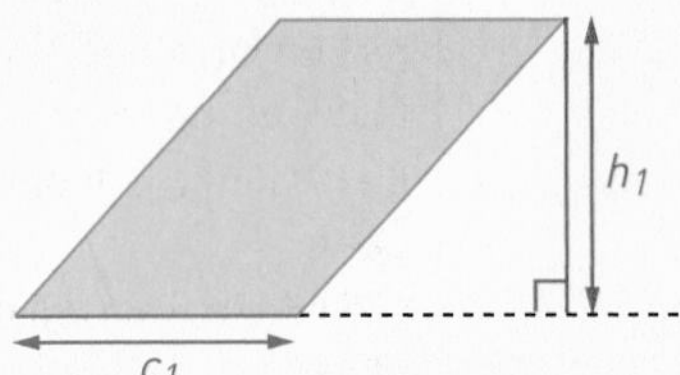


Première méthode
Aire = $c_1 \times h_1$

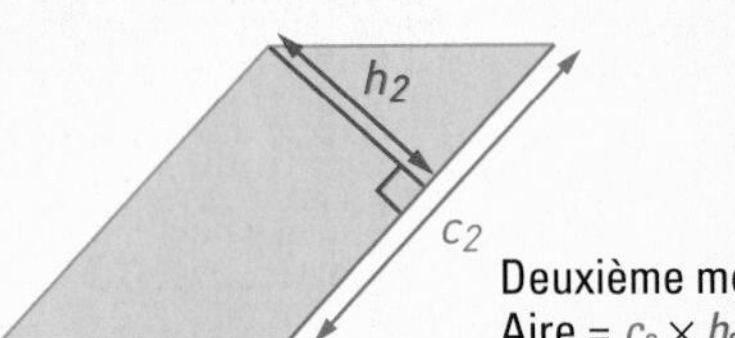


Deuxième méthode
Aire = $c_2 \times h_2$

### 2 Aire d'un disque de rayon r

**FORMULE**

Aire du disque = $\pi \times r^2 = r^2 \times \pi$

Rappel : $r^2 = r \times r$

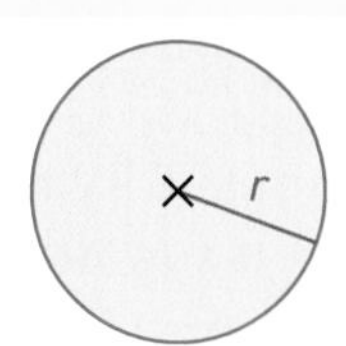


EXEMPLE : Un disque de rayon $r = 4$ cm a exactement pour aire $16 \times \pi$ cm$^2$ (que l'on note aussi $16\pi$ cm$^2$). Une **valeur approchée*** de cette aire au centième est 50,27 cm$^2$.

ATTENTION : Si on ne connaît que le diamètre du cercle, on peut calculer le rayon en divisant le diamètre par 2 avant d'utiliser la formule.

## 2 Décompositions

### 1 En recomposant

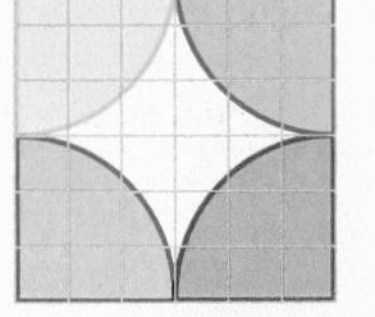

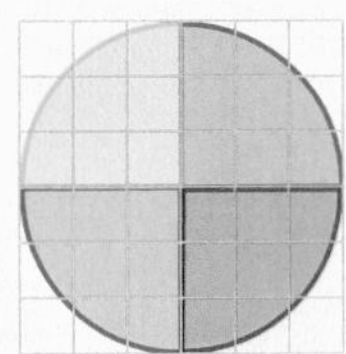

EXEMPLE : Pour calculer l'aire de la partie coloriée de la figure (en prenant 1 carreau comme unité d'aire), on peut découper 4 quarts de disques.
On recompose ainsi un disque complet.
Aire coloriée = $3^2 \times \pi = 9 \times \pi$ (on note aussi $9\pi$). L'aire coloriée est d'environ 28 carreaux.

### 2 En utilisant des symétries

EXEMPLE : Un parallélogramme possède un centre de symétrie, les triangles vert et bleu sont symétriques l'un par rapport à l'autre, donc ils ont même aire.

Deux figures symétriques ont la même aire.

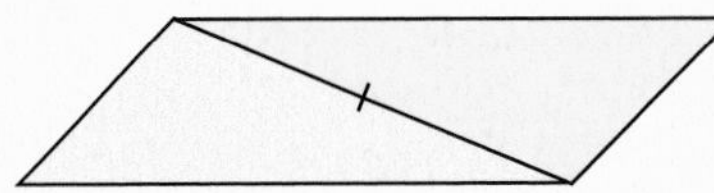

# Méthodes

EXERCICE RÉSOLU 1

## *Calculer l'aire d'un quadrilatère*

**ÉNONCÉ**

On considère un **cerf-volant***.
On nomme $D$ la longueur de sa grande diagonale et $d$ la longueur de sa petite diagonale.
Calculer l'aire du cerf-volant lorsque $D = 10$ cm et $d = 3{,}5$ cm.

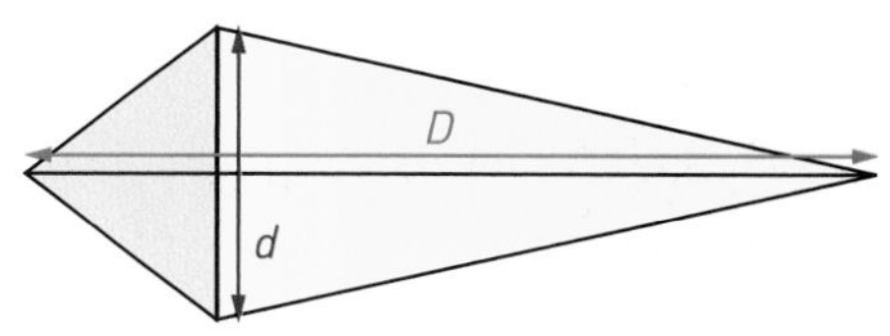


**RÉPONSES**

Si l'on découpe le cerf-volant le long de ses diagonales, on peut former le rectangle suivant :

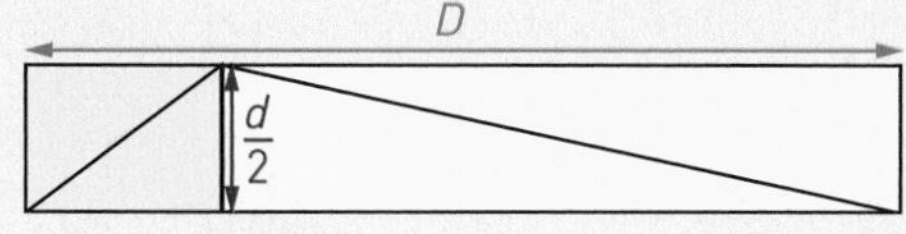


$$\text{Aire} = 10\text{ cm} \times \frac{3{,}5\text{ cm}}{2} = 17{,}5\text{ cm}^2$$

L'aire du cerf-volant est 17,5 cm².

**COMMENTAIRES**

- Pour trouver les aires de quadrilatères, lorsqu'on ne connaît pas de formules, on décompose le quadrilatère en triangles ou en rectangles dont on sait calculer l'aire.
- Il existe d'autres décompositions possibles.

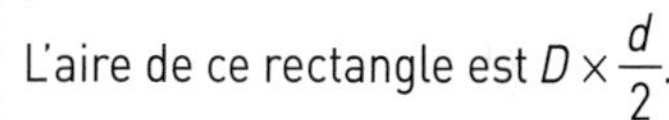

L'aire de ce rectangle est $D \times \frac{d}{2}$.

Sur le même modèle
▸ exercices 16 et 17

EXERCICE RÉSOLU 2

## *Trouver une aire par décomposition*

**ÉNONCÉ**

Calculer l'aire de la partie coloriée dans ce carré en tenant compte des dimensions indiquées sur la figure. Donner la **valeur exacte*** du résultat puis une **valeur approchée*** au centième.

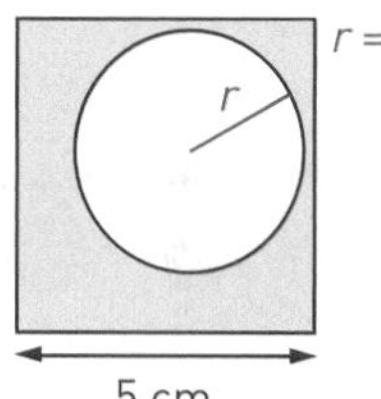


**RÉPONSES**

Aire coloriée = Aire du carré – Aire du disque blanc
Aire coloriée = $(5\text{ cm})^2 - \pi \times (2\text{ cm})^2$
Aire coloriée = $(25 - 4 \times \pi)\text{ cm}^2$ (**valeur exacte***)
Aire coloriée $\approx 12{,}43\text{ cm}^2$

L'aire coloriée est d'environ 12,43 cm².

**COMMENTAIRES**

- Chaque fois que l'on a une aire à calculer, il faut penser à chercher des aires connues dans la figure : des rectangles, des triangles, des disques…
- La valeur exacte peut parfois servir dans d'autres calculs.

Sur le même modèle
▸ exercices 21 et 22

# Aires et volumes de solides

## 1 Aire latérale du prisme droit ou du cylindre

**FORMULE**

Aire latérale = Périmètre de la base × Hauteur du solide

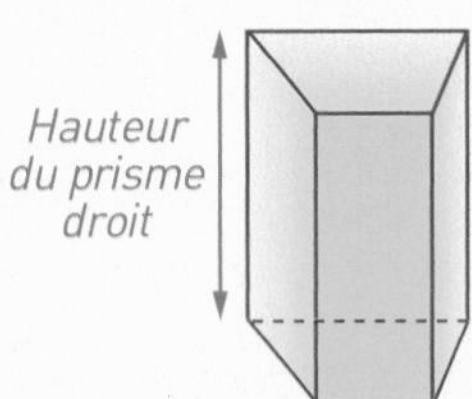


Le périmètre de la base de ce prisme est égal à la somme des longueurs des côtés de la base.

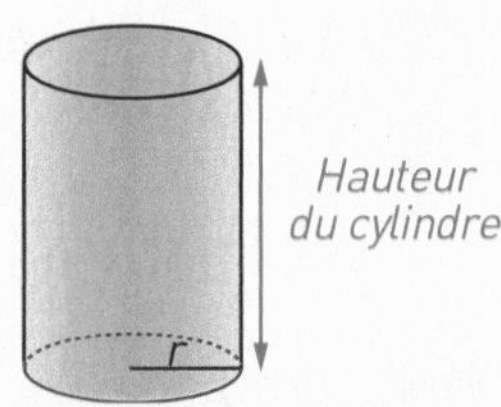


Le périmètre de la base de ce cylindre est égal à $2 \times \pi \times r$.

EXEMPLE : Calcul pour un prisme droit

Aire latérale = $\underbrace{(3\text{ cm} + 7\text{ cm} + 5\text{ cm})}_{\text{Périmètre de la base}} \times 12\text{ cm}$

$= 15\text{ cm} \times 12\text{ cm} = 180\text{ cm}^2$

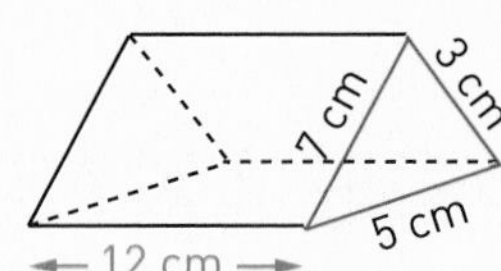


## 2 Volume du prisme droit ou du cylindre

**FORMULE**

Volume = Aire de la base × Hauteur du solide

Pour un prisme l'aire de la base dépend de la forme de la base

Pour un cylindre de rayon $r$ l'aire de la base est $r^2 \times \pi$

### 1 Cas particulier du pavé droit

**FORMULE**

Volume pavé droit = $\underbrace{\text{Longueur} \times \text{Largeur}}_{\text{Aire de la base}} \times \text{Hauteur}$

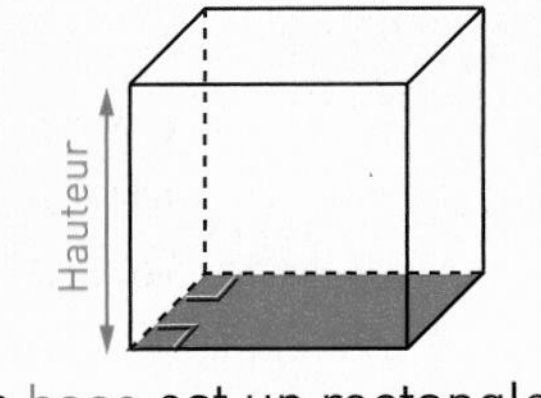


La base est un rectangle.

### 2 Cas particulier du cylindre

EXEMPLE : La hauteur d'un cylindre est 75 dm et le rayon de sa base mesure 3 m.

Volume = $\underbrace{\pi \times (3\text{ m})^2}_{\text{Aire de la base}} \times 7{,}5\text{ m} = 67{,}5 \times \pi\text{ m}^3$

Le volume du cylindre est d'environ 212 m³.

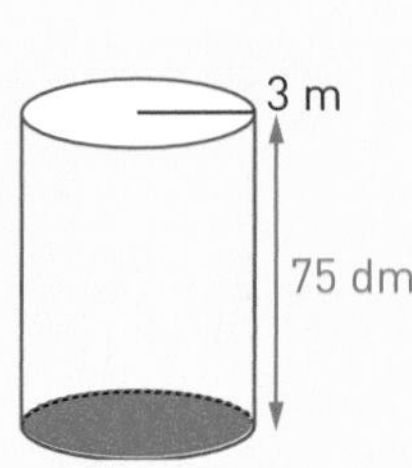

# Méthodes

EXERCICE RÉSOLU 1

## *Calculer le volume d'un prisme droit*

**ÉNONCÉ**

**Calculer le volume d'un prisme droit de hauteur 6 cm sachant que sa base est un triangle rectangle dont les côtés de l'angle droit mesurent 7 cm et 1 dm.**

**RÉPONSES**

On convertit : 1 dm = 10 cm.
On applique la formule :
Volume = Aire de la base × Hauteur du prisme.

$$\text{Volume} = \underbrace{\frac{7\text{ cm} \times 10\text{ cm}}{2}}_{\text{Aire de la base}} \times 6\text{ cm} = 210\text{ cm}^3.$$

Le volume du prisme droit est 210 $\text{cm}^3$.

**COMMENTAIRES**

Il est toujours utile de rappeler la formule utilisée.

Ne pas oublier de préciser les unités dans le résultat.

Sur le même modèle
▸ exercices **30** et **31**

EXERCICE RÉSOLU 2

## *Relation volume/contenance*

**ÉNONCÉ**

**Calculer la contenance du prisme de l'exercice 1 en litres.**

**RÉPONSES**

On convertit : 1 $\text{dm}^3$ = 1 L et 1 $\text{cm}^3$ = 0,001 $\text{dm}^3$.
210 $\text{cm}^3$ = 210 × 0,001 $\text{dm}^3$ = 0,21 L

Donc la contenance, en litres, est 0,21.

**COMMENTAIRES**

- À connaître par cœur : **1 L = 1 $\text{dm}^3$**.
- On utilise les conversions vues dans le chapitre 3.

Sur le même modèle
▸ exercices **34** et **36**

EXERCICE RÉSOLU 3

## *Calcul de la hauteur à partir du volume*

**ÉNONCÉ**

**Un prisme droit a pour base un triangle rectangle dont les côtés de l'angle droit mesurent 5 cm et 7 cm. Le volume de ce prisme droit est 175 $\text{cm}^3$.**
**Quelle est la hauteur de ce prisme droit ?**

**RÉPONSES**

Volume = Aire de la base × Hauteur du solide.

Or, Aire de la base = $\frac{7\text{ cm} \times 5\text{ cm}}{2}$ = 17,5 $\text{cm}^2$.

Donc 175 $\text{cm}^3$ = 17,5 $\text{cm}^2$ × hauteur.
En choisissant 10 cm pour la hauteur, on a bien :
Volume = 17,5 $\text{cm}^2$ × 10 cm = 175 $\text{cm}^3$.
La hauteur du prisme droit est 10 cm.

**COMMENTAIRES**

La base est un triangle rectangle. L'aire est égale à la moitié du produit des longueurs des côtés de l'angle droit (vu en $6^e$).

Sur le même modèle
▸ exercices **33** et **35**

# 1 Aire d'un triangle

### 1 Tracer des hauteurs sur quadrillage

Reproduire les triangles et tracer la hauteur relative au côté rouge.

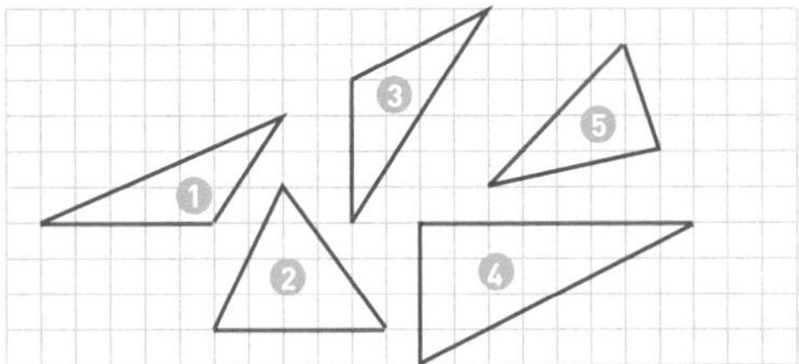


### 2 Hauteurs et logiciel

Charger le fichier indiqué par le professeur.

**a.** Pour chaque triangle, déplacer la droite de même couleur que la base pour former la hauteur correspondante.

**b.** Utiliser ensuite la commande « droite perpendiculaire » pour tracer la hauteur et vérifier que les deux droites coïncident.

### 3 Construire des hauteurs à l'équerre

En utilisant l'équerre, construire les trois hauteurs des triangles ci-dessous.

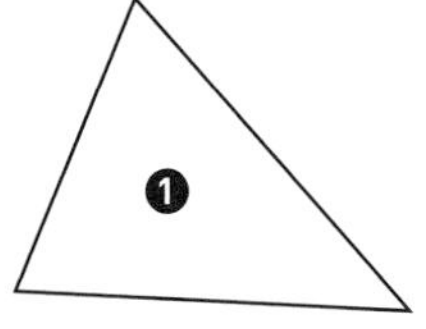


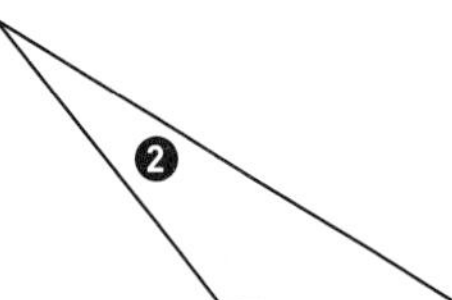


### 4 Hauteurs

ABCD est un cerf-volant.
Prouver que la droite (AC) est la hauteur issue de A dans le triangle ABD.

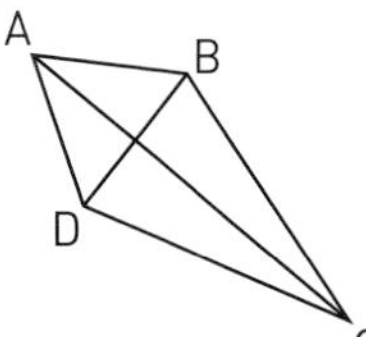


### 5 Triangle à partir d'une hauteur

**a.** Construire trois triangles différents dont une hauteur mesure 5 cm. Pour un des triangles au moins, la hauteur sera à l'extérieur du triangle.

**b.** Pour chaque triangle, mesurer la base relative à la hauteur et donner une valeur approchée de l'aire.

### 6 Aires sur quadrillage

Calculer l'aire de chacun des triangles de l'exercice 1, en prenant un carreau comme unité d'aire.
*Attention : Pour ⑤, on n'utilise pas la formule, mais un découpage* ***astucieux****.

### 7 Calculer des aires

**a.** Pour l'un des triangles de l'exercice 3, mesurer une base et sa hauteur relative.

**b.** Donner une valeur approchée de l'aire à l'aide des mesures précédentes.

**c.** Recommencer **a.** et **b.** avec les deux autres hauteurs.

**d.** Vérifier que les trois calculs d'aire donnent approximativement la même aire.

### 8 Trois façons

Construire un triangle de dimensions (en cm) : 4, 6 et 9.

**a.** Après avoir mesuré les longueurs nécessaires, calculer l'aire de trois façons différentes.

**b.** Vérifier que les trois calculs donnent approximativement le même résultat.

### 9 Avec un tableur

**a.** Construire une feuille de calcul qui permettra à partir de la donnée de la longueur d'une base et de la hauteur correspondante, de calculer l'aire du triangle.

**b.** Tester cette feuille de calcul avec les résultats trouvés dans l'un ou plusieurs des exercices 5, 7 et 8.

### 10 Sans formule

**a.** Tracer un segment [AB] et un point $C_1$ n'appartenant pas à la droite (AB).

**b.** Placer 9 points $C_2$, $C_3$, $C_4$, $C_5$, $C_6$, $C_7$, $C_8$, $C_9$ et $C_{10}$ du même côté de la droite (AB) que le point $C_1$ tels que tous les triangles $ABC_2$, $ABC_3$, $ABC_4$, $ABC_5$, $ABC_6$, $ABC_7$, $ABC_8$, $ABC_9$ et AB $C_{10}$ aient la même aire que le triangle $ABC_1$.

**c.** Comment sont placés tous les points $C_1$ à $C_{10}$ ?

### 11 Comparer des aires

ABCD est un parallélogramme.
Le point I est le milieu du segment [DC].

**a.** Construire une figure

**b.** Dans cette figure, trouver trois triangles qui ont la même aire que le triangle ADI. Justifier dans chaque cas la réponse.

### 12 Avec une médiane

À l'aide des informations portées sur la figure, calculer l'aire du parallélogramme.

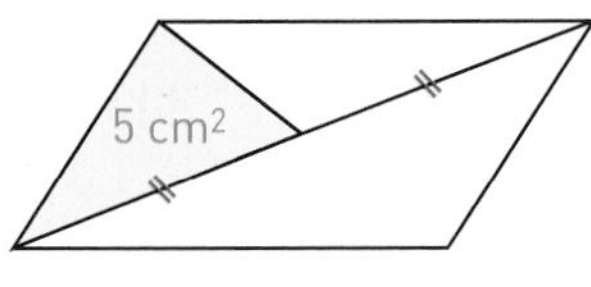

## 2 Aires usuelles

### 13 Aire d'un parallélogramme

Calculer l'aire du parallélogramme MNOP.

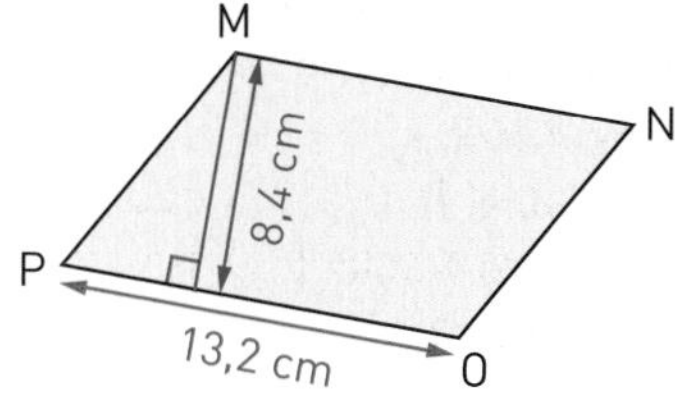


### 14 Deux calculs de l'aire d'un parallélogramme

Le parallélogramme suivant est en vraie grandeur. En mesurant les longueurs nécessaires, calculer de deux manières différentes une valeur approximative de l'aire de ce parallélogramme. Comparer les résultats obtenus par les deux méthodes.

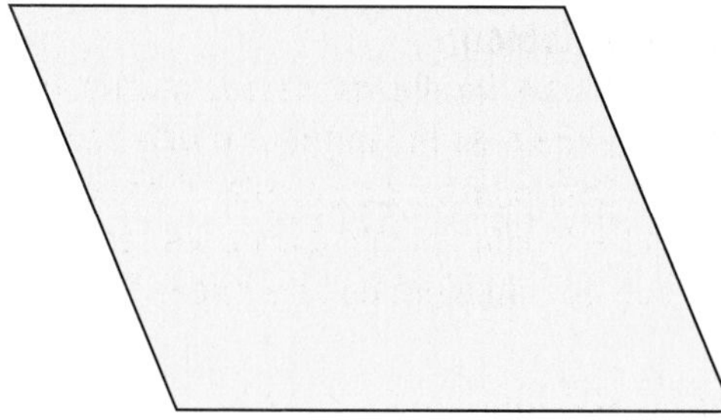

### 15 Aire d'un disque

**a.** Donner la valeur exacte de l'aire d'un disque de diamètre 7 cm.

**b.** Calculer une valeur approchée (en $cm^2$) de cette aire, arrondie au centième.

### 16 Aire d'un cerf-volant

Calculer l'aire du cerf-volant en utilisant les informations portées sur le dessin.

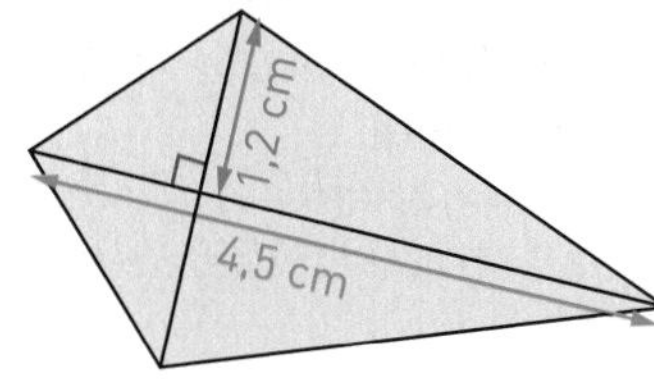


### 17 Aire d'un trapèze

Calculer l'aire de ce trapèze.

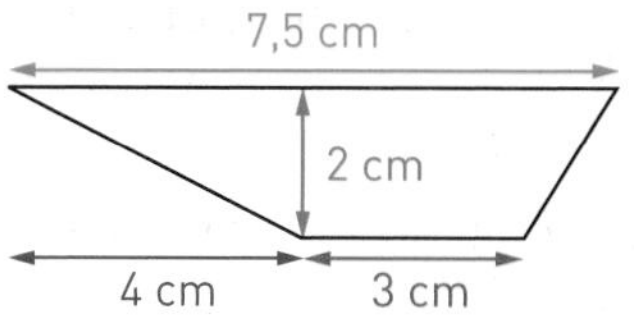


### 18 Construction d'un parallélogramme

Construire deux parallélogrammes différents dont l'aire est 63 $cm^2$.

### 19 Aires égales

Parmi les figures décrites ci-dessous, quelles sont celles qui ont une aire exactement égale à 9 $cm^2$ ?

**a.** Un disque de rayon 1,7 cm.

**b.** Un carré de côté 3 cm.

**c.** Un **losange*** dont les diagonales mesurent 6 cm et 3 cm.

### 20 Aire par décomposition

**a.** Donner une **valeur exacte*** de l'aire de la partie coloriée.

**b.** Calculer une valeur approchée au dixième de $cm^2$ de cette aire.

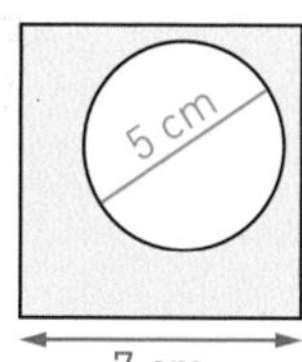


### 21 1 $m^2$

**a.** Peut-on dessiner sur un cahier d'élève un carré d'aire 1 $m^2$ ? Et sur le tableau ? Et sur le sol de la cour de récréation ?

**b.** Peut-on dessiner sur un cahier d'élève un disque d'aire 1 $m^2$ ? Et sur le tableau ? Et sur le sol de la cour de récréation ?

**c.** Chercher, à l'aide d'une calculatrice, une valeur approchée du rayon d'un disque dont l'aire est 1 $m^2$.

### 22 Aire d'une couronne

Comparer l'aire de la **couronne*** à l'aire du disque.

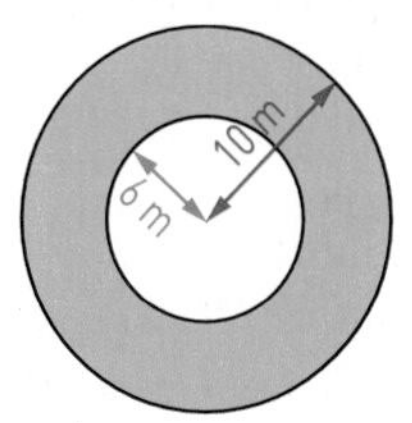


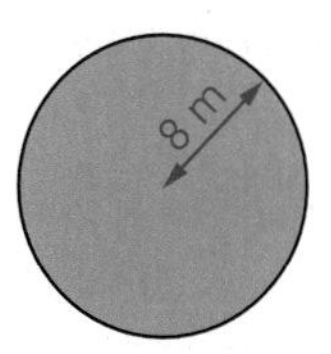


### 23 Aire d'un quadrilatère quelconque

Calculer l'aire du quadrilatère AFED :

AB = 2 cm FB = 3,5 cm
BC = 3 cm EC = 3 cm
CD = 1 cm

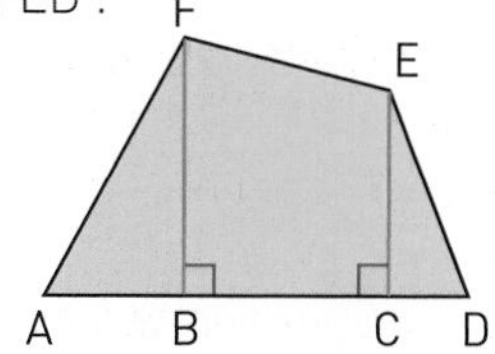

## 3 Aires et volumes de solides

**24 Aire latérale d'un prisme**
Calculer l'aire latérale du prisme droit dont on donne une représentation en perspective (les longueurs sont données en mètres).

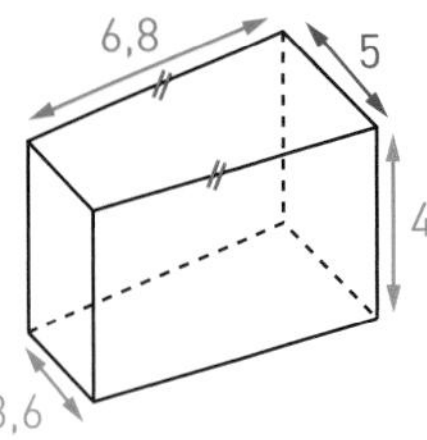


**25 Aire latérale d'un cylindre**

**a.** Calculer la valeur exacte de l'aire latérale du cylindre dont on donne une représentation en perspective.
**b.** Donner une valeur approchée au centième de $cm^2$ de cette aire.

**26 Aire latérale à partir d'un patron**
Calculer l'aire latérale du prisme droit dont la hauteur mesure 5 cm et dont on donne un patron et les informations suivantes :

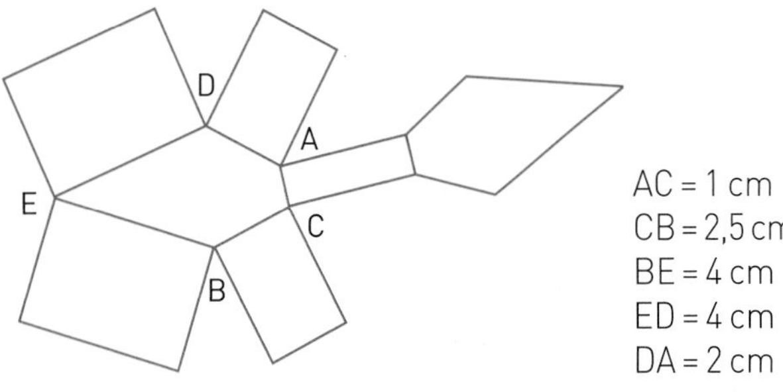


AC = 1 cm
CB = 2,5 cm
BE = 4 cm
ED = 4 cm
DA = 2 cm

**27 Aire latérale d'un cylindre**
Se munir d'un objet cylindrique (canette, boîte de conserve, boîte à balles de tennis...) et effectuer les mesures nécessaires pour calculer l'aire latérale de ce cylindre. Calculer ensuite une valeur approchée de cette aire latérale.

**28 Volume d'un pavé droit**
Rappeler la formule permettant de calculer le volume pour ce pavé, puis calculer ce volume.

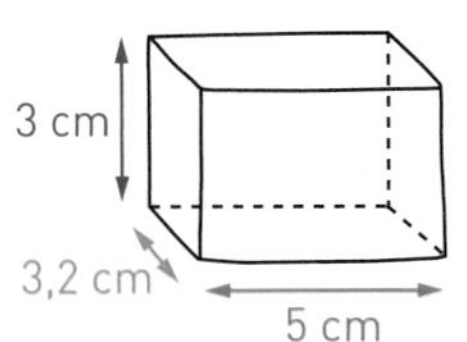


**29 De tête**
Calculer le volume d'un pavé droit dont les dimensions sont 7 cm, 5 cm et 2 cm.

**30 Triangle rectangle**
Calculer le volume d'un prisme droit de hauteur 3 dm et dont la base est un triangle rectangle dont les côtés de l'angle droit mesurent 7 cm et 25 mm.

**31 Volume d'un prisme droit**
Calculer le volume d'un prisme droit de hauteur 3,5 cm et dont la base est le triangle ci-contre.

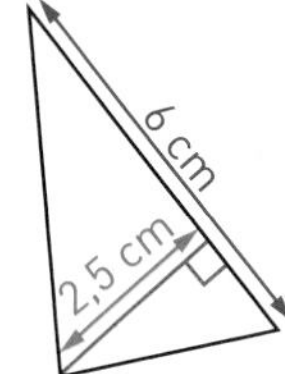


**32 Volume d'un cylindre**
Donner la valeur exacte du volume d'un cylindre de hauteur 6 dm et dont la base est un cercle de rayon 10 cm.

**33 Hauteur d'un prisme droit**
Un prisme droit a pour base un hexagone régulier de côté 4,7 cm.
Quelle doit être la hauteur de ce prisme droit pour que l'aire latérale soit de 84,6 $cm^2$ ?

**34 Contenance d'un cylindre**
Un cylindre a pour base un disque de diamètre 16 cm. Si la hauteur de ce cylindre est 5 cm, quel est son volume ? Pourra-t-il contenir 1 L de liquide ?

**35 Proportionnalité**
On considère des prismes droits dont la base a pour aire 42 $cm^2$.
Compléter le tableau suivant en utilisant la proportionnalité entre le volume et la hauteur.

| Volume | 294 $cm^3$ | | 29,4 $cm^3$ | 5,88 $cm^3$ |
|---|---|---|---|---|
| Hauteur | | 14 cm | | |

**36 Volume et contenance**
Un vase a la forme d'un cylindre de hauteur 30 cm et de diamètre 8 cm. Ce vase peut-il contenir 2 L d'eau ?

## Lire et écrire

### 37 Volume de prisme droit

Clémence doit résoudre l'exercice suivant :

*Énoncé : « On considère un prisme droit dont la base est un triangle RST rectangle en S tel que RS = 7 cm, ST = 8,5 cm et dont la hauteur est 45 cm. Calculer le volume de ce prisme droit ».*

Clémence résout l'exercice de la manière suivante :

*Volume = aire de la base × hauteur*

$$\text{Volume} = \frac{\text{base} \times \text{hauteur}}{2} \times \text{hauteur}$$

$$\text{Donc Volume} = \frac{7 \times 45}{2} \times 45 = 7\,087{,}5 \text{ cm}^3$$

Quelle erreur Clémence a-t-elle commise ? Résoudre correctement l'exercice.

### 38 Prendre de la hauteur

*Énoncé : « Dans le triangle ABC, tracer la hauteur issue de A. Tracer ensuite le cercle de diamètre [CB]. Mesurer la hauteur issue de A. On considère un prisme droit dont la hauteur est égale au diamètre du cercle. Calculer l'aire latérale de ce prisme droit. »*

**a.** Dans l'énoncé, souligner en bleu le mot « hauteur » lorsqu'il désigne la droite.
**b.** Quel est l'autre sens dans lequel le mot « hauteur » peut être employé ? Souligner alors le mot en rouge dans ce cas.
**c.** Souligner en vert le mot « diamètre » lorsqu'il désigne le segment.
**d.** Quel est l'autre sens du mot « diamètre » ? Souligner dans ce cas le mot en noir.

### 39 Aires en fixant un côté

On considère tous les triangles dont un côté est 6 cm.
**a.** Peut-on trouver un triangle dont l'aire est 6 cm$^2$ ?
**b.** Peut-on trouver un triangle dont l'aire est 21 cm$^2$ ?
**c.** Peut-on trouver un triangle dont l'aire est 3 cm$^2$ ?
Dans chaque cas expliquer la réponse.

### 40 Base d'un triangle

**a.** Un triangle a pour aire 7,5 cm$^2$. Calculer la longueur d'une base associée à une hauteur de 2,5 cm.
**b.** Construire 3 triangles différents qui vérifient les critères du **a.**

### 41 Hauteurs dans un triangle équilatéral

Donner toutes les propriétés des hauteurs dans un triangle équilatéral.

### 42 Hauteurs dans un repère

**a.** Placer les points suivants dans un **repère orthogonal*** en prenant 1 cm comme unité.
A(−4,5 ; 4), B(1,5 ; −2), C(−8 ; −2).
**b.** Tracer le triangle ABC, puis donner les coordonnées des points H et I, pieds des hauteurs **respectivement*** issues de A et de C.

### 43 À propos d'angles

**a.** Construire le triangle ABC tel que $\widehat{BCA} = 35°$, $\widehat{BAC} = 100°$ et AC = 6 cm.
**b.** Tracer les trois hauteurs dans ce triangle.
**c.** On appelle H le pied de la hauteur issue de B. Calculer la mesure de l'angle $\widehat{HBA}$.

### 44 Aire d'un parallélogramme

ABCD est un parallélogramme tel que AB = 7 cm et la hauteur relative au côté [AB] est 3 cm.
Calculer l'aire du parallélogramme ABCD.

### 45 Aires égales

En utilisant les informations portées sur la figure, prouver que l'aire de la surface jaune est égale à l'aire de la surface bleue.

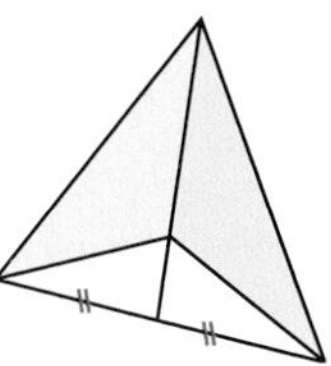

### 46 Une maison

Calculer l'aire de la surface composée d'un rectangle et d'un trapèze isocèle.

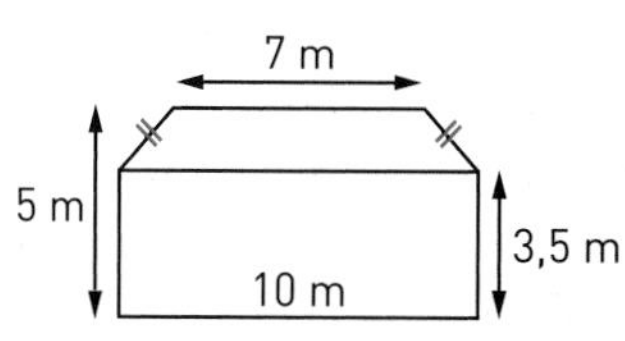


### 47 De tête

Calculer l'aire du losange ci-contre.

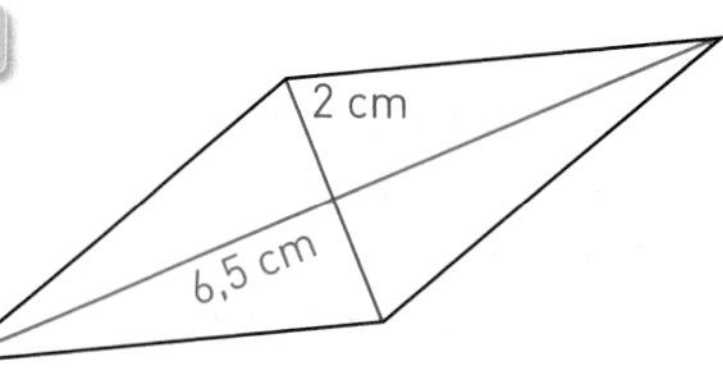

**48 Aire d'un disque**

**a.** Un disque a pour rayon 2,5 cm. Donner une valeur approchée arrondie au dixième de son aire.

**b.** On double le rayon de ce disque. Quelle est la nouvelle aire ? Cette aire est-elle approximativement le double de la précédente ?

**49 Silo**

Un silo est un cylindre de hauteur 45 m et de diamètre 20 m. Quelle quantité de blé (en L) peut contenir ce silo ?

**50 Volume d'un cylindre et contenance***

Quelle sera la contenance d'une bouteille d'eau dont la forme est un cylindre de hauteur 12,5 cm et dont la base a un rayon de 2,9 cm ?

Propositions : 50 cL ? 33 cL ? 1 L ? 1,5 L ?

**51 De tête**

Donner une valeur approchée au dixième de $cm^2$ de l'aire d'un disque de diamètre 6 cm.

**52 CD**

Effectuer deux mesures sur un CD de manière à calculer son aire. Effectuer ce calcul.

**53 De tête**

Qui a la plus grande aire latérale ?

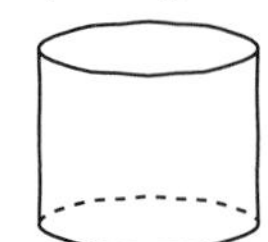

Hauteur : 5
Rayon de base : 3

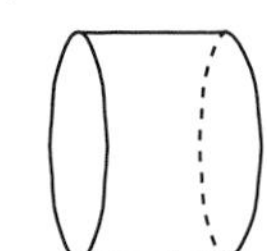

Hauteur : 3
Rayon de base 5

Choisir parmi les trois réponses proposées la (ou les) bonne(s) réponse(s).

| Question | Réponse 1 | Réponse 2 | Réponse 3 |
|---|---|---|---|
| **54** La hauteur relative au côté [NO] dans le triangle MNO correspond au(x) dessin(s) : | | MNO est équilatéral | |
| **55** L'aire du triangle IJK est égale à… | Deux fois l'aire du triangle IJL | La moitié du produit de la longueur IK par la longueur JH | $\frac{IH \times JH}{2}$ |
| **56** Un disque a une aire de 300 $m^2$. La valeur la plus proche de son diamètre est… | 20 m | 2 000 cm | 10 m |
| **57** L'aire du parallélogramme WXYZ est… | Le double de l'aire du triangle WXY | Le produit de la longueur WX par la longueur WF | La moitié de l'aire du triangle WZY |
| **58** Une poubelle cylindrique de hauteur 44,5 cm et de diamètre 30 cm peut contenir… | 30 L | 15 L | 40 L |
| **59** ABCD étant un carré, le volume du pavé droit est égal à… | Aire de ABCD × HD | Aire de ABCD × Aire de HGCD | $AB^2 \times AE$ |

# À CHACUN SON PARCOURS

## 1 Hauteurs et aires dans un triangle

**60 A** **a.** Construire le triangle XYZ tel que :
XY = 5,5 cm, YZ = 6 cm et XZ = 4 cm.

**b.** Construire les 3 hauteurs de ce triangle.

**c.** Prolonger les hauteurs autant que possible.

**d.** Que remarque-t-on ?

**60 B** **a.** Construire le triangle XYZ tel que :
XY = 7 cm, YZ = 9 cm et XZ = 3,5 cm

**b.** Construire les 3 hauteurs de ce triangle.

**c.** Prolonger les hauteurs autant que possible.

**d.** Que remarque-t-on ?

## 2 Aires de quadrilatères et de disques

**61 A** Un disque a pour rayon 4,5 cm.

**a.** Calculer l'aire de ce disque

**b.** L'aire du demi disque orange est-elle égale à l'aire du disque jaune ? Répondre par un calcul.

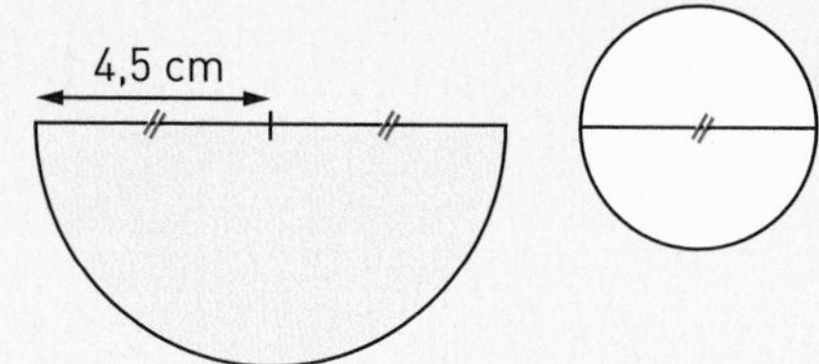


**61 B** **a.** Recopier et compléter le tableau de proportionnalité suivant :

| | | | | |
|---|---|---|---|---|
| **Fraction*** de disque | 1 | $\frac{1}{3}$ | $\frac{1}{5}$ | |
| Angle | 360° | | | 60° |

**b.** Calculer l'aire d'un disque de rayon 4,3 cm.

**c.** Calculer l'aire d'une portion de ce disque formant un angle de 60°. Même chose avec un angle de 45°.

**d.** L'affirmation suivante est-elle vraie ou fausse ? *« Un disque dont le rayon est un sixième du disque de départ a pour aire un sixième de l'aire du disque de départ. »*
Si elle est fausse, trouver quelle fraction de l'aire de départ on obtient.

## 3 Grandeurs liées aux prismes et aux cylindres

**62 A** Un prisme droit a pour base le triangle ci-dessous. On appelle $x$ la hauteur de ce prisme droit.

**a.** Calculer l'aire de la base.

**b.** Calculer, en litre, le volume de ce prisme droit lorsque $x = 2$ cm.

**c.** **Exprimer*** en fonction du nombre $x$, le volume de ce prisme droit.

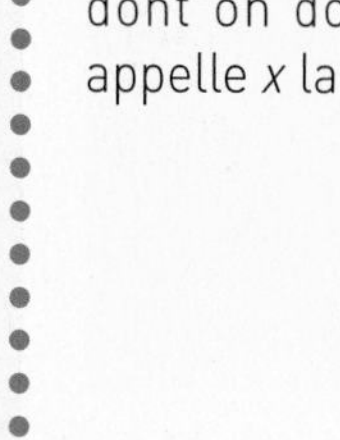

**62 B** Un prisme droit a pour base un trapèze, dont on donne les dimensions sur la figure. On appelle $x$ la hauteur de ce prisme droit (en cm).

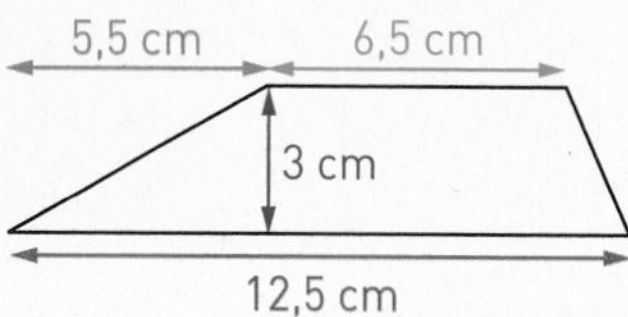


**a.** **Exprimer*** en fonction du nombre $x$ le volume de ce prisme droit.

**b.** Quelle est la plus petite valeur entière que doit prendre $x$ pour que ce prisme droit contienne 1 L ?

## Aires de triangles

### 63 Partages d'un triangle

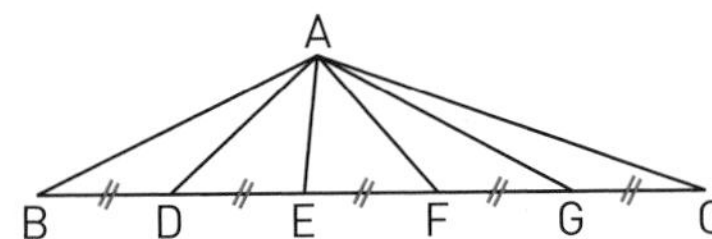


L'aire du triangle ABE est 7 cm$^2$.
**a.** Quelle est l'aire du triangle ABD ? Justifier.
**b.** Quelle est l'aire du triangle ABF ? Justifier.
**c.** Quelle est l'aire du triangle ABC ? Justifier.

### 64 Triangle rectangle

En utilisant les informations portées sur la figure :
**a.** Calculer l'aire du triangle EFG.
**b.** En déduire l'aire du triangle DEF.
**c.** Calculer la hauteur issue du point D dans le triangle DEF.

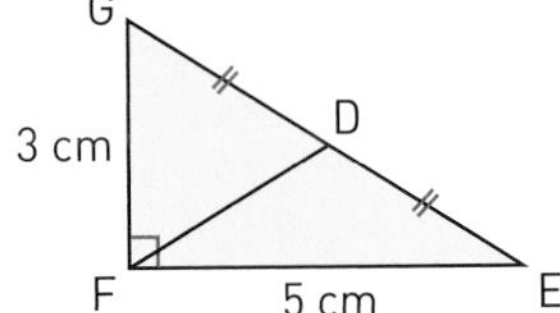


### 65 Aires égales dans un repère

**a.** Placer les points suivants dans un repère orthogonal en prenant 1 cm comme unité : A(0 ; 2), B(−2,5 ; 0), C(1,5 ; 0), D(−3 ; −1,5) et E(−3 ; 3,5).
**b.** Donner les coordonnées d'un point F pour que le triangle DEF ait la même aire que le triangle ABC.

### 66 Pyramide

La grande **pyramide*** construite dans la cour du musée du Louvre est formée par une base carrée de côté 35 m et par 4 triangles isocèles identiques de hauteur 27,83 m.
Les faces formées par les triangles sont en verre.
Calculer la surface de verre recouvrant cette pyramide.

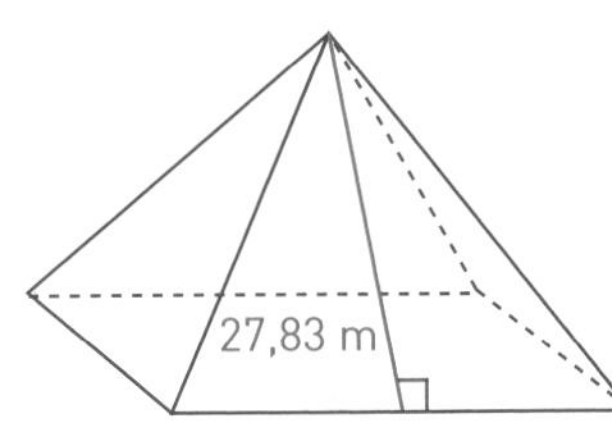

### 67 Vrai ou faux ?

Si on double la longueur d'un côté d'un triangle, sans changer la hauteur correspondante, alors l'aire du triangle est doublée.

### 68 Dans un repère

**a.** Placer les points suivants dans un repère orthogonal en prenant 1 cm comme unité.
A(−1 ; 2), B(5 ; 2) et C(4,5 ; −1).
**b.** En utilisant le repère pour obtenir les grandeurs manquantes, calculer l'aire du triangle ABC.
**c.** Placer les points suivants :
I(1 ; −2), J(−5 ; −2) et K(−4,5 ; 1).
**d.** Sans effectuer aucun calcul, donner l'aire du triangle IJK. Justifier la réponse.

### 69 Aire dans un repère

**a.** Placer les points suivants dans un repère orthogonal en prenant 1 cm comme unité.
W(0 ; −4,5), X(5,5 ; −4,5), Y(8 ; 0) et Z(−6,5 ; 0).
**b.** En utilisant le repère pour obtenir les grandeurs manquantes, calculer l'aire des triangles WXY et WXZ.
**c.** Comparer les résultats et justifier.

### 70 Avec des lettres

BC = 6 cm CH = 5,6 cm
AB = 3 cm AI = $y$

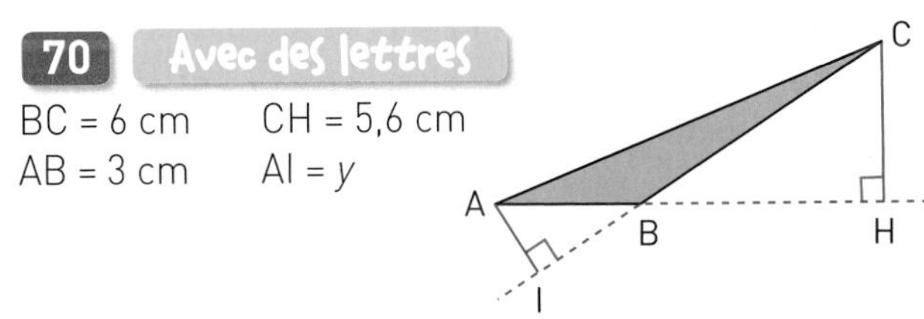


**a.** Calculer l'aire du triangle ABC
**b.** En déduire la valeur du nombre $y$.

### 71 Retrouver deux hauteurs

On considère le triangle UVW tel que :
UV = 10 cm, VW = 7 cm et UW = 6 cm.
**a.** Construire ce triangle et tracer une de ses hauteurs.
**b.** Mesurer la hauteur tracée.
**c.** Sans effectuer aucune autre mesure, calculer les deux autres hauteurs.
**d.** Vérifier par une mesure sur le dessin que les hauteurs calculées sont cohérentes avec la figure obtenue.

### 72 Avec des lettres

**a.** Calculer l'aire du triangle FGH.
**b.** **Exprimer*** l'aire du triangle FGH en fonction de $x$.
**c.** En déduire la valeur de $x$.

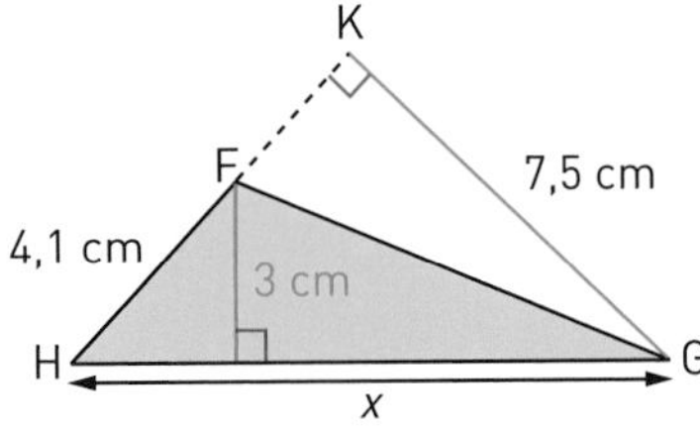

## Aires composées

**73 Expression**

Sur la figure tous les angles sont droits et l'unité choisie est le millimètre.

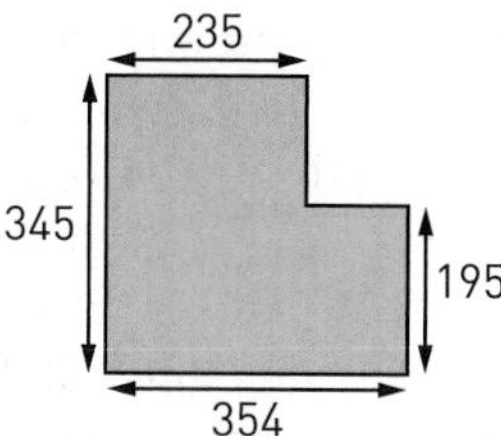


**a.** Donner une expression du calcul de l'aire de la figure en une seule ligne en supprimant les parenthèses inutiles.

**b.** Calculer l'aire de la figure. Donner le résultat en m$^2$.

**74 Données inutiles**

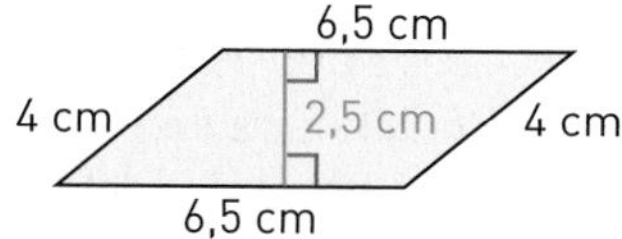


**a.** Calculer l'aire du parallélogramme ci-dessus.

**b.** Construire le parallélogramme et écrire sur la figure le minimum de données qui permettent d'en calculer l'aire.

**75 Données utiles**

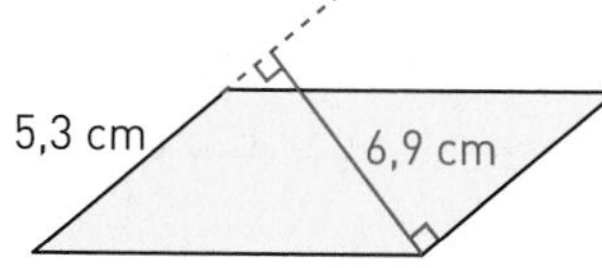


Peut-on calculer l'aire du parallélogramme avec les informations données ?
Si oui, effectuer le calcul, sinon, énumérer les grandeurs manquantes.

**76 Un rectangle**

Quelle est l'aire de ce rectangle ? Justifier.

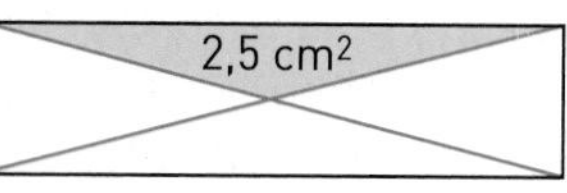


**77 Losange**

Tous les losanges de côté 4,5 cm ont-ils la même aire ? Expliquer.

**78 Parallélogramme dans un repère**

**a.** Placer les points R(− 4 ; 1), S(1,5 ; 3), T(1,5 ; 0,5) et U(− 4 ; − 1,5) dans un repère orthogonal en prenant 1 cm comme unité. On obtient un parallélogramme RSTU.

**b.** En utilisant le repère pour obtenir les longueurs manquantes, calculer l'aire de ce parallélogramme.

**79 Polygone**

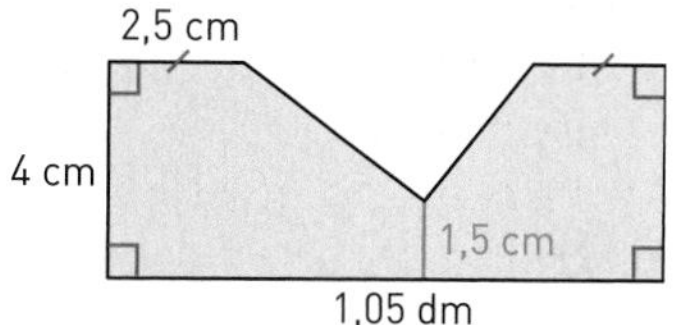


Calculer l'aire de la figure ci-dessus en utilisant les informations données.

**80 Hexagone**

**a.** Construire l'hexagone régulier inscrit dans un cercle de rayon 5 cm.

**b.** En effectuant une seule mesure, calculer l'aire approximative de cet hexagone.

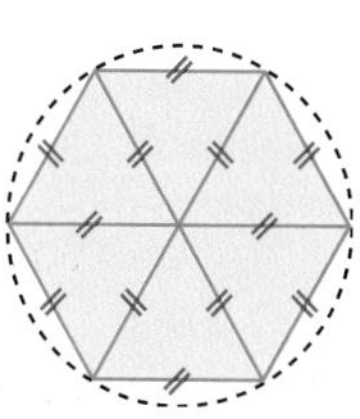

**81 Parallélogramme**

AB = 7,5 cm
AD = 3 cm
AH = 2 cm
IC = $x$

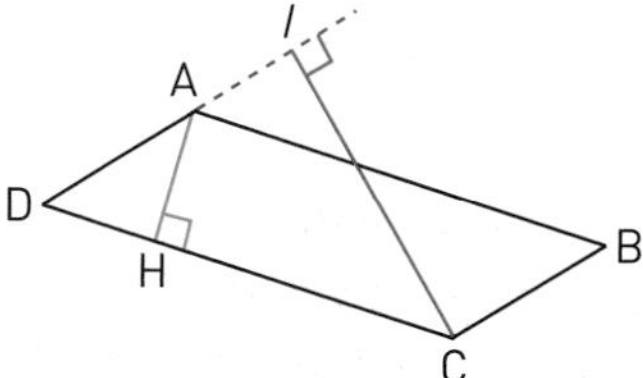


**a.** Calculer l'aire du parallélogramme ABCD.

**b.** En déduire la valeur du nombre $x$.

## À CHACUN SON PARCOURS

**82 A** Les triangles RST et QST ont la même hauteur (en rouge sur le dessin). Que peut-on dire des aires des deux morceaux du nœud papillon ? Justifier.

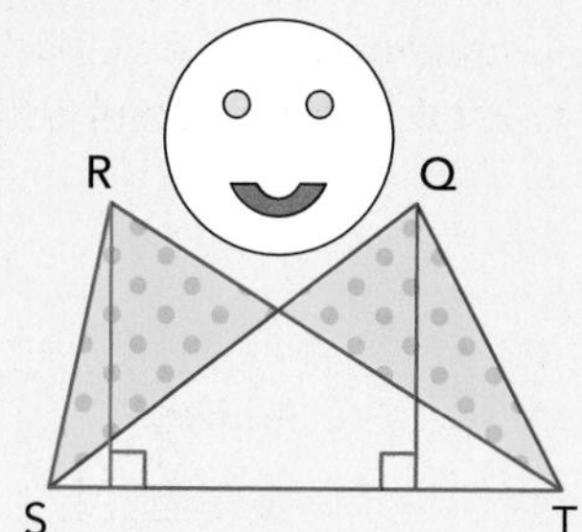


**82 B** Sachant que les droites (AB) et (DC) sont parallèles, comparer les aires des ailes du papillon. Justifier.

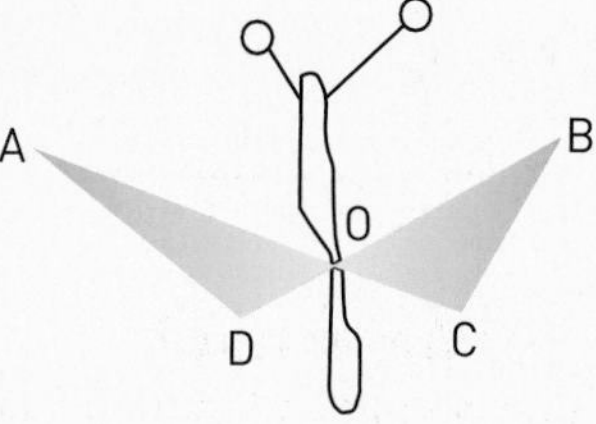

**83** Avec des lettres

**a.** Exprimer en fonction de $a$ l'aire du parallélogramme RSTU.

**b.** Quelle valeur doit-on donner au nombre $a$ pour que l'aire du parallélogramme RSTU soit égale à l'aire du carré RUVW ?

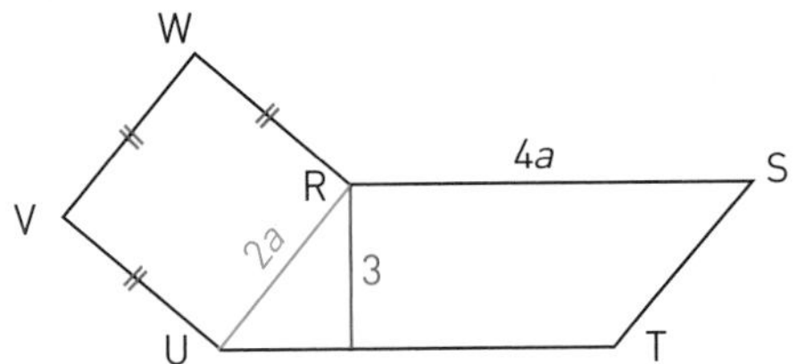
W
V
R
4a
S
2a
3
U
T

**84** **D'un polygone à un triangle**

**a.** Observer et justifier les décompositions et recompositions successives apportées au polygone. Le but est de trouver un triangle de même aire que le polygone de départ.

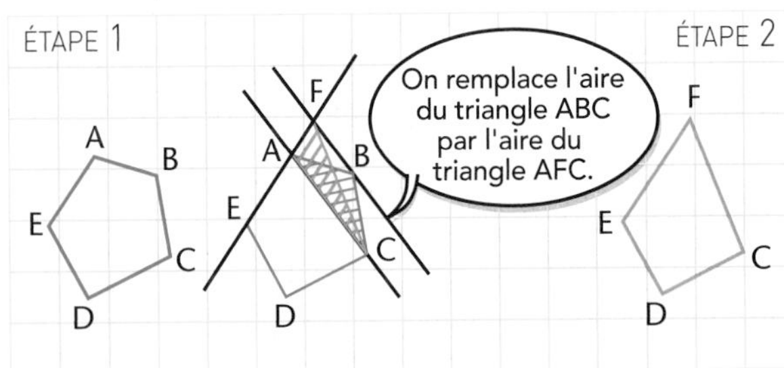
ÉTAPE 1
ÉTAPE 2
On remplace l'aire du triangle ABC par l'aire du triangle AFC.
A
B
C
D
E
F

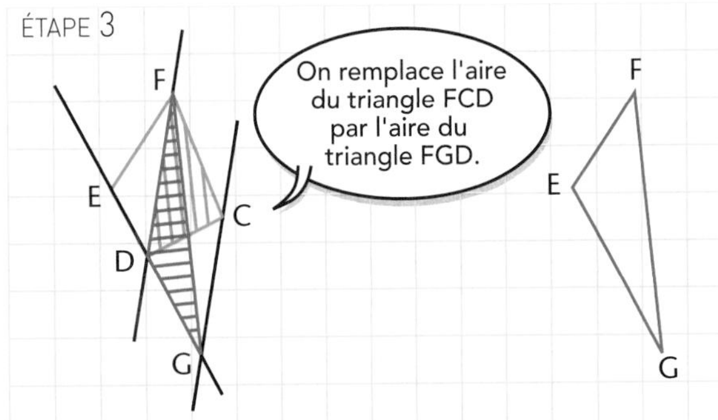
ÉTAPE 3
On remplace l'aire du triangle FCD par l'aire du triangle FGD.
F
E
C
D
G

**b.** Tracer un **hexagone*** quelconque et trouver un triangle de même aire que cet hexagone.

## Aires de disques

**85** Proportionnalité

Ce tableau donne l'aire d'un disque en fonction de son rayon. Compléter ce tableau.

| Rayon | | | | |
|---|---|---|---|---|
| Aire | $36\ \pi$ | $169\ \pi$ | $10\ 000\ \pi$ | $1\ 089\ \pi$ |

S'agit-il d'un tableau de proportionnalité ?

**86** **Éoliennes**

La puissance fournie par une éolienne est proportionnelle à l'aire de la surface du disque balayée par les pales (les pales sont assimilées à des rayons de disques) :

| Surface balayée (m²) | 1,0 |
|---|---|
| Puissance (kW) | 8,6 |

**a.** Pour des pales de longueur 21 m, calculer l'aire approximative de la surface du disque balayée par les pales, puis la puissance (en kW) produite par l'éolienne.

**b.** Si on double la longueur des pales, la puissance de l'éolienne sera-t-elle doublée ?

**c.** On prévoit que dans quelques années les éoliennes auront des pales de longueur 56 m. Sachant qu'une maison consomme environ 5 kW, combien de maisons une telle éolienne pourra-t-elle alimenter en électricité ?

**87** **Petit pont**

Calculer une valeur approchée de l'aire de cette surface.

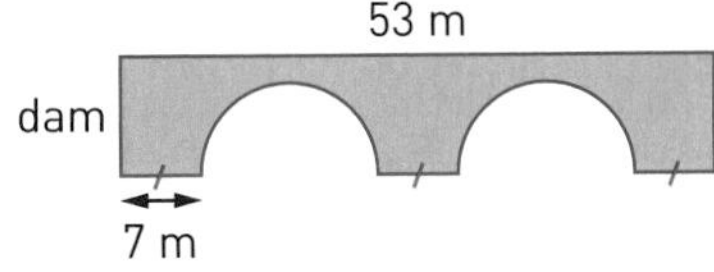
53 m
1 dam
7 m

**88** **Qui a raison ?**

Les deux aires sont égales
Non, l'aire 1 est le double de l'aire 2.
1
2
3 cm
1,5 cm

**89** **Massif de fleurs**

Pour agrémenter un jardin public, un jardinier doit concevoir un massif de fleurs. Il dispose d'une surface en forme de disque dont l'aire est 70 m².

**a.** Donner une valeur arrondie au mètre près du diamètre de ce disque.

**b.** Le jardinier doit faire venir de la terre pour effectuer ses plantations.

Il considère que 20 cm de terre seront suffisants pour les plantes qu'il souhaite planter. Calculer le volume de terre nécessaire pour faire les plantations.

## Aires latérales

**90 Drôle de prisme**

Voici deux représentations en perspective du même prisme droit.

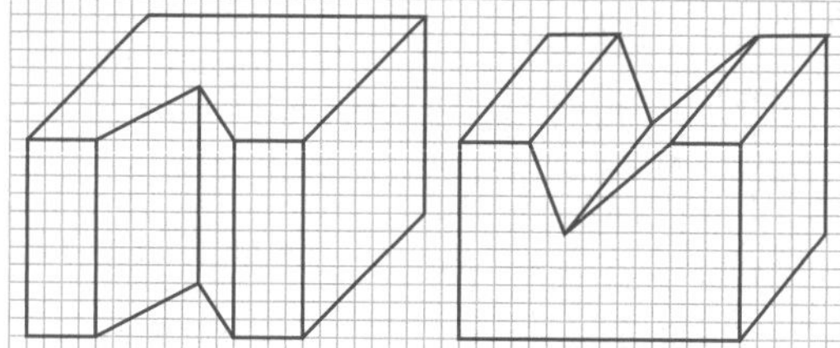

**a.** Reproduire la base sur une feuille quadrillée, en prenant 0,5 cm pour un carreau.
**b.** Mesurer les longueurs nécessaires au calcul du périmètre de la base
**c.** En prenant 1 $cm^2$ comme unité d'aire, calculer l'aire latérale de ce prisme droit.

**91 Avec des lettres**

Toutes les longueurs sont données en cm.
La hauteur de ce prisme droit est 8.

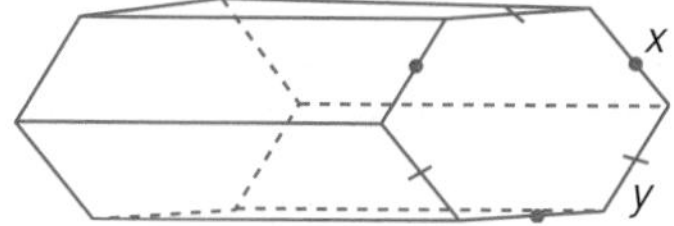


**a.** Calculer l'aire latérale du prisme droit dans les cas suivants :

**Cas 1 :** $x = 4$ et $y = 1$ **Cas 2 :** $x = \frac{4}{3}$ et $y = \frac{7}{3}$

**b. Exprimer*** l'aire latérale en fonction de $x$ et de $y$.
**c.** Proposer trois couples de valeurs différentes pour $x$ et $y$, tels que l'aire latérale de ce prisme droit soit 72 $cm^2$.

**92 Étiquette**

Quelles sont les dimensions approximatives d'une étiquette recouvrant une boîte de conserve cylindrique dont la contenance est de 550 mL et dont la base est un disque de rayon 4 cm ?

## Volumes

**93 A380**

L'avion A380 peut embarquer 325 000 L de kérosène. Les citernes acheminant le kérosène aux avions sont des cylindres de hauteur 4,25 m et de rayon 1,25 m.
Une seule citerne est-elle suffisante pour remplir le réservoir ?

**94 Avec des lettres**

On considère les deux objets suivants (les longueurs sont données en m) :

- Un prisme droit dont la hauteur a pour longueur x (en mètre). La base de ce prisme droit est un parallélogramme de côté 3, la hauteur associée mesure 1.

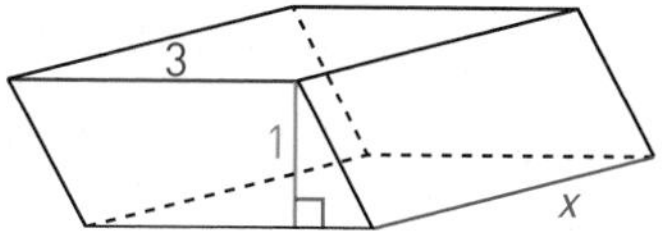


- Un solide formé de deux objets : un pavé droit et un prisme de base un triangle rectangle.

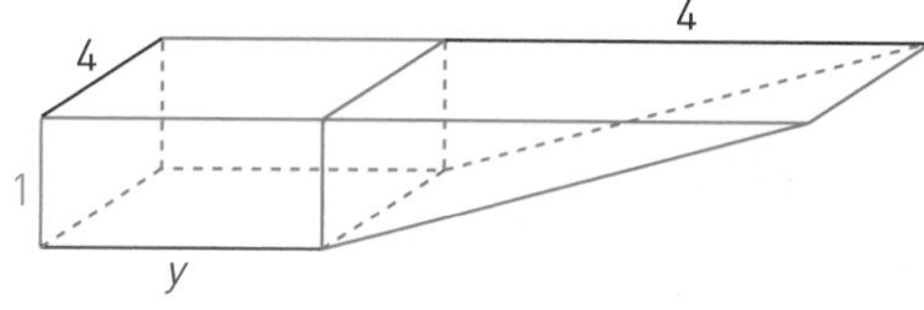


**a. Exprimer*** le volume du premier solide en fonction du nombre $x$.
**b.** Exprimer le volume du deuxième solide en fonction du nombre $y$.
**c. Tester*** des valeurs de $x$ et $y$ telles que les deux solides aient le même volume.

D'après math en 5e, CRDP Nord-Pas-de-Calais.

## À chacun son parcours

**95 A** Des glaçons ont la forme d'un cube de 3 cm de côté.

**a.** Calculer le volume d'un glaçon.
**b.** On met 10 glaçons dans un verre.
En sachant que la glace fondue occupe un volume 1,1 fois moins grand que la glace, quel sera le volume d'eau (en mL) obtenu après la fonte des 10 glaçons ?

**95 B** Des glaçons ont la forme d'un cylindre troué de hauteur 5 cm, de diamètre 4 cm et dont le trou a pour diamètre 1,5 cm.

En sachant que la glace fondue occupe un volume 1,1 fois moins grand que la glace, calculer une valeur approchée de la hauteur d'eau obtenue par la fonte de 10 glaçons dans un verre d'eau de 8 cm de diamètre.

# Exercices d'approfondissement

## 96 Récupérateur d'eau de pluie

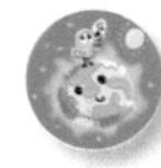

Afin de ne pas consommer l'eau du robinet pour arroser leur jardin, les parents de Maëlle veulent installer chez eux un récupérateur d'eau de pluie. Dans un catalogue ils trouvent les modèles suivants :

- Forme cylindrique :

| Dimensions | Modèle 1 | Modèle 2 | Modèle 3 | Modèle 4 |
|---|---|---|---|---|
| Diamètre | 60 cm | 71 cm | 81,6 cm | 93,6 cm |
| Hauteur | 100 cm | 76 cm | 80 cm | 101,5 cm |

- Forme pavé droit (Modèle 5) :
  hauteur : 1,60 m
  base : rectangle de dimensions 35 cm et 55 cm.

**a.** Sachant qu'ils disposent au sol d'une surface ayant la forme d'un carré de côté 85 cm, quel est le récupérateur d'eau de pluie de la plus grande **contenance*** à installer ?
**b.** Quelle est cette capacité (en litre) ?

## 97 Tunnel

On assimile le tunnel sous la Manche à un cylindre de longueur 60 km et de diamètre 8,78 m.
Donner le volume de terre qui a été extrait lors de la construction de ce tunnel. Arrondir à la centaine de milliers de m$^3$.

## Énigme du chapitre

On plie une bande de papier de 2 cm de large et à bords parallèles.
Quelle est l'aire minimum de la région hachurée où deux épaisseurs se superposent ?

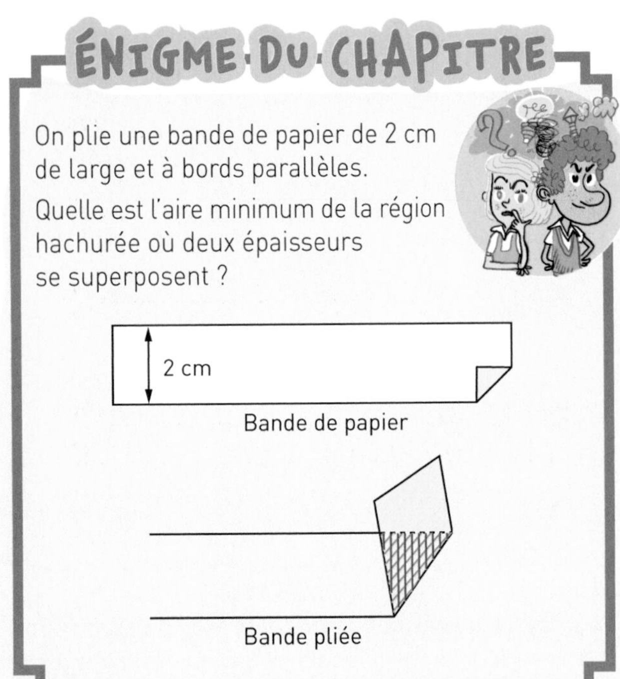


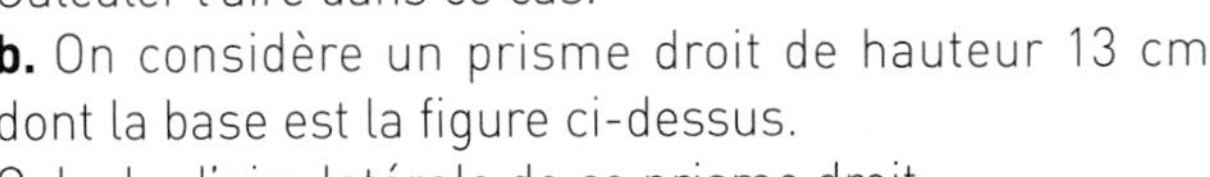


### Pour prendre le temps de chercher

## 98 Prisme droit

**a.** On prend : $a = 2,6$ cm, $b = 1,1$ cm et $c = 0,4$ cm.
Calculer l'aire dans ce cas.
**b.** On considère un prisme droit de hauteur 13 cm dont la base est la figure ci-dessus.
Calculer l'aire latérale de ce prisme droit.
**c.** Calculer le volume de ce prisme droit.

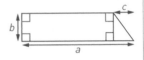

## 99 Pentagone

**a.** Placer les points suivants dans un repère orthogonal en prenant 1 cm comme unité :
E(− 1 ; 2,5), F(− 3,5 ; 0), G(− 1,5 ; − 3), H(1 ; − 3) et I(4 ; 0).
**b.** Tracer le pentagone EFGHI.
**c.** En utilisant le repère pour obtenir les grandeurs manquantes, calculer l'aire du pentagone.

## 100 Volume d'un prisme droit

Calculer le volume du prisme droit de hauteur 35 cm et dont la base est un losange ayant des diagonales de longueurs 12 cm et 21 cm.

## 101 Cube tronqué

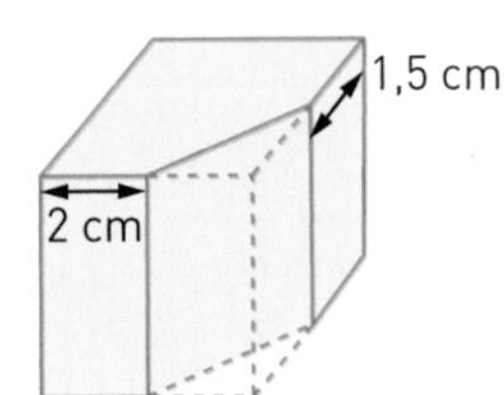


On coupe un morceau de cube d'arête 4 cm, comme sur le schéma ci-contre pour obtenir le prisme donné.
**a.** Calculer l'aire de la base de ce solide.
**b.** Quel est le volume du solide ?
**c.** Tracer un patron de ce solide.
**d.** Donner une valeur approchée de l'aire latérale de ce solide en mesurant sur le patron la longueur manquante.

## 102 Aire latérale

On considère un cylindre creux.
Son patron est le rectangle ci-dessous :

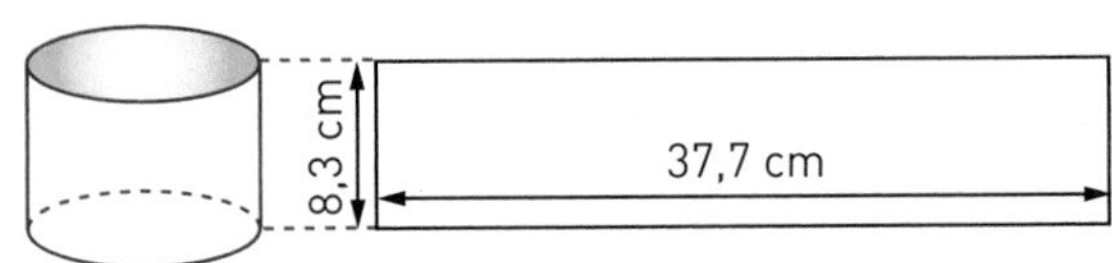


Donner une valeur approchée du diamètre de la base de ce cylindre.

# Chapitre 11 Résolution de problèmes

## Ce que disent les programmes

### Dans l'introduction générale pour le collège

- Identifier et formuler un problème.
- Conjecturer un résultat en expérimentant sur des exemples.
- Bâtir une argumentation.
- Contrôler les résultats obtenus en évaluant leur pertinence en fonction du problème.
- Communiquer une recherche.
- Mettre en forme une solution.

### Dans l'introduction aux programmes du cycle central

L'enseignement des mathématiques concourt à la formation du citoyen en :

- développant l'aptitude à chercher
- développant la capacité à critiquer, justifier ou infirmer une affirmation
- habituant à s'exprimer clairement aussi bien à l'oral qu'à l'écrit.

## Sommaire

# D'un siècle...

## La quadrature du cercle

Voici un problème dont la plus ancienne proposition de solution approchée a été retrouvée sur le papyrus Rhind vers 1650 av. J.-C.

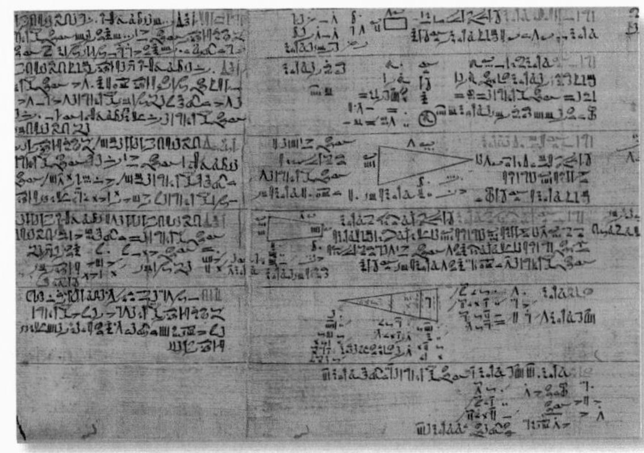

▲ Le papyrus de Rhind est considéré comme l'un des plus vieux traités de mathématiques du monde : il contient 87 problèmes.

**Problème**

*On choisit un cercle, et on cherche à construire un carré qui aurait même périmètre que le cercle choisi.*
*On ne veut utiliser qu'une règle non graduée et un compas.*

De nombreux mathématiciens se sont penchés sur ce problème.
Ce n'est qu'en 1882 que le mathématicien allemand Ferdinand Von Lindemann réussit à démontrer que cette construction n'était pas possible.

# ...à l'autre

## Le théorème de Fermat

▲ Andrew Wiles après sa démonstration du théorème de Fermat

***Propriété***

*Il n'y a pas de nombres entiers positifs non nuls $x$, $y$, $z$ tels que :*

$$x^n + y^n = z^n$$

*où $n$ est un entier strictement supérieur à 3.*

Pierre de Fermat (1601-1665), a écrit dans la marge d'un livre où ce problème apparaissait : « *J'ai trouvé une merveilleuse démonstration de cette propriété, mais la marge est trop étroite pour la contenir* ».

Pendant plus de 300 ans les mathématiciens ont essayé de retrouver une preuve. Ce n'est qu'en 1994 qu'un mathématicien, Andrew Wiles, a trouvé une solution.

On pense aujourd'hui que Fermat avait fait une erreur. La démonstration de 1994 utilise des notions qui étaient inconnues à son époque.

### Aide

- $x^n = \underbrace{x \times x \times ... \times x}_{n \text{ facteurs}}$
- Pour $n = 2$ on trouve des solutions :
  $3^2 + 4^2 = 5^2$
  ($x = 3$, $y = 4$ et $z = 5$)

# Plusieurs pistes pour un même problème

Dans cette approche nous cherchons comment trouver des indices et des pistes pour résoudre ce **problème** :

> *AECD est un rectangle et EBCD est un parallélogramme.*
> *Quelle est la nature du triangle ABC ? Justifier.*

Voici trois énoncés d'exercices guidant la résolution du problème de trois manières différentes.

## Énoncés

**1** AECD est un rectangle et EBCD est un parallélogramme.
On appelle O le point d'intersection des diagonales du rectangle AECD.
**a.** Prouver que $\widehat{OAE} = \widehat{AEO}$, en déduire que $\widehat{CAB} = \widehat{AED}$.
**b.** Prouver que $\widehat{AED} = AB$
**c.** En **déduire*** que ABC est un triangle isocèle.

**2** AECD est un rectangle et EBCD est un parallélogramme.
**a.** Prouver que AC = DE.
**b.** Prouver que ED = BC.
**c.** En déduire que ABC est un triangle isocèle.

**3** AECD est un rectangle et EBCD est un parallélogramme.

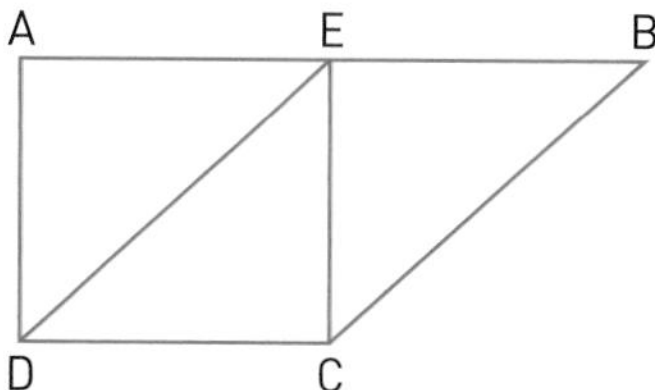


**a.** Prouver que EA = DC = EB.
**b.** Prouver que la droite (EC) est la médiatrice du segment [AB].
**c.** En déduire que ABC est un triangle isocèle.

## Questions

**1. a.** Répondre aux questions de l'énoncé **1.**
**b.** Indiquer quels éléments de l'énoncé du problème, pourraient permettre de retrouver les étapes de l'énoncé **1.**
**2. a.** Répondre aux questions de l'énoncé **2.**
**b.** De quel chapitre proviennent les connaissances de l'énoncé **2.** ? Est-il possible de retrouver ces connaissances seulement à partir de l'énoncé du problème ?
**3. a.** Répondre aux questions de l'énoncé **3.**
**b.** Comment peut-on avoir l'idée (comme dans l'énoncé **3.**) de prouver que la droite (EC) est la médiatrice du segment [AB] à partir de l'énoncé du problème ?

# Résoudre...

## Comment comprendre le problème ?

• On peut vérifier que tous les mots de l'énoncé sont connus.
*Utiliser le cours, un dictionnaire ou demander à une autre personne.*

• On peut vérifier que la question est comprise.
*Faire un dessin à main levée,* ***coder**** *la figure, résumer les données de l'énoncé, écrire un premier calcul...*

• On peut donner des noms aux objets de l'énoncé qui n'en ont pas.
*Nommer des points, désigner un nombre inconnu par une lettre...*

## Comment trouver des pistes ?

• On peut étudier plusieurs cas particuliers au brouillon.
*Faire des dessins au brouillon en codant les figures, utiliser une calculatrice, faire des dessins sur un logiciel de géométrie.*

• On peut relier le problème à des connaissances.
*Écrire une liste de tout ce qui pourrait avoir un lien avec la situation.*

• Il ne faut pas hésiter à proposer beaucoup de pistes.
Remarque : Travailler à plusieurs permet d'avoir plus d'idées.

## Comment explorer des pistes ?

• Prendre le temps d'aller au bout de ses calculs.
Remarque : même si le calcul n'aboutit pas, ce n'est pas du temps perdu.

• Il faut vérifier si ce qu'on dit est toujours vrai.

• On peut essayer de convaincre une autre personne.

## Réorganiser pour rédiger

• Supprimer les étapes et les calculs inutiles.
*Reprendre toutes les pistes et ne garder que celle(s) qui mène(nt) à une solution satisfaisante.*

• Présenter la réponse en justifiant chaque étape.
*Une personne qui n'a pas cherché le problème doit comprendre facilement et être convaincue.*

**PROBLÈME**

**Existe-t-il des triangles isocèles dont la mesure de l'un des angles à la base est le double de celle de l'angle au sommet principal ?**

## • *Comment comprendre le problème ?*

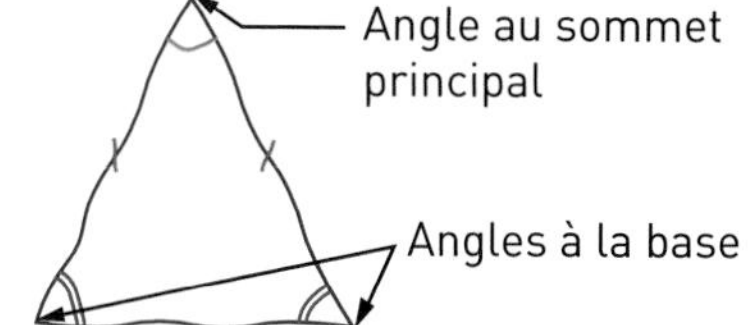


– Il faut connaître les mots « base », « double » et « sommet principal ». On trouve dans le cours ou dans le dictionnaire du manuel ce que signifient tous ces mots.
– On représente un triangle à main levée et on code qu'il est isocèle pour repérer les différents angles.
– On ne connaît pas la mesure des angles, on peut choisir de les désigner par une lettre. On peut par exemple nommer $a$ la mesure de l'angle du sommet principal.

## • *Comment trouver des pistes ?*

– Propriétés sur les angles :
 • angles et triangles : la somme des trois angles est 180°,
 • angles et triangles isocèles : les angles à la base ont même mesure.
– On peut calculer les angles de plusieurs triangles isocèles en choisissant la mesure de l'angle au sommet principal.

## • *Comment explorer les pistes ?*

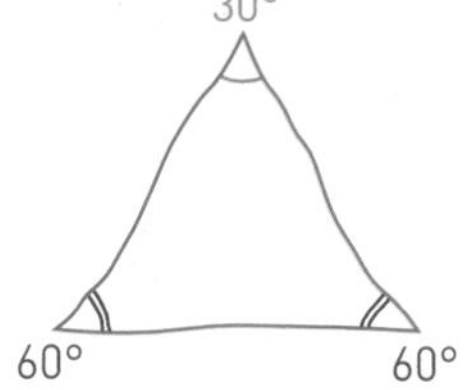


– On choisit par exemple 30° pour la mesure au sommet principal.
On calcule le double et on obtient 60°. Les angles du triangle ont donc pour mesures 30°, 60° et 60°.
Or $2 \times 60° + 30° = 150°$ et $150° < 180°$, donc la mesure 30° est trop petite pour le sommet principal. On recommence alors avec une autre mesure, par exemple 40°.
– Il faut continuer les calculs jusqu'au bout.
– Si on ne trouve pas de triangle qui convient, il faut essayer de comprendre pourquoi.

## • *Réorganiser pour rédiger*

**RÉPONSE**

Il existe des triangles isocèles correspondant à l'énoncé, par exemple celui dont l'angle au sommet principal est 36°.

Vérification :
$2 \times 36° = 72°$
et $36° + 72° + 72° = 180°$.

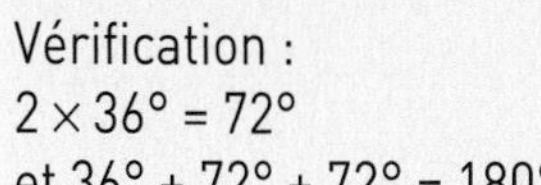

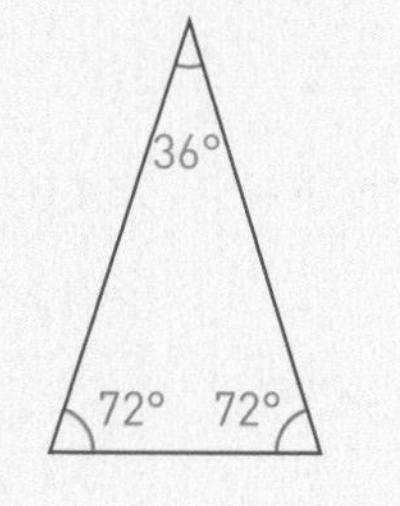

**COMMENTAIRES**

On peut aussi rédiger une solution qui utilise des lettres :
On appelle $a$ la mesure de l'angle au sommet principal.
Les angles de la base doivent être de mesure $2 \times a$.

La somme des 3 angles d'un triangle étant de 180°, on doit avoir :

$$a + 2 \times a + 2 \times a = 180°.$$

C'est-à-dire $5 \times a = 180°$,
et donc $a = 36°$ convient (car $5 \times 36° = 180°$).

▸ exercice 50

## Avec des lettres

### 1 Longueur colorée

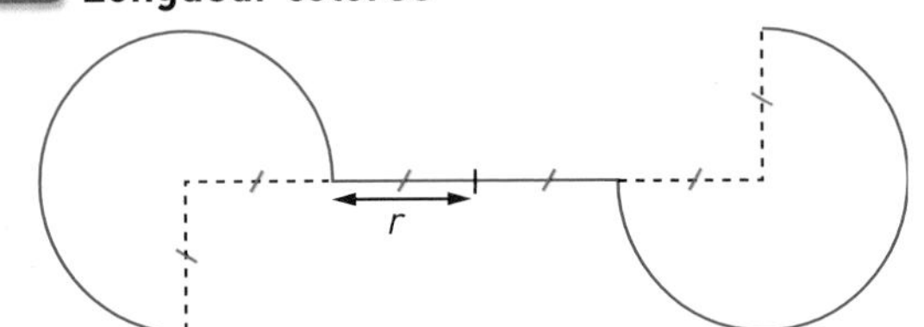


**a.** Donner une expression de la longueur de la courbe bleue.
**b.** Prouver que cette longueur $r \times (3\pi + 2)$

### 2 Diminution

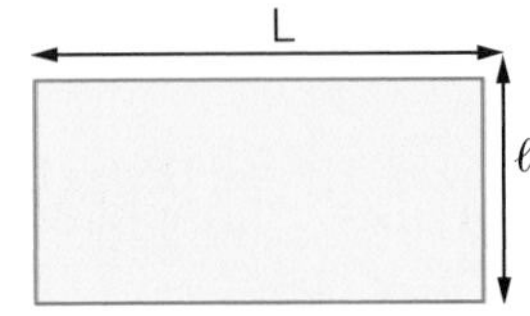


On multiplie la longueur du rectangle par $\frac{3}{5}$ et sa largeur par $\frac{1}{3}$, par quelle fraction est multipliée l'aire du rectangle ABCD ? Justifier.

### 3 Périmètres

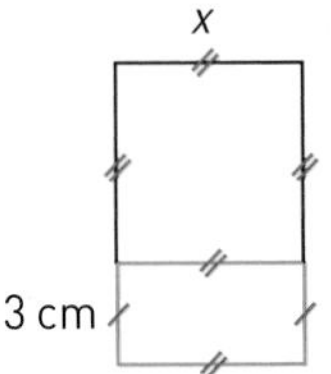


**1.** Périmètre du carré.
**a.** Compléter le tableau en calculant pour chaque valeur du nombre $x$, le périmètre du carré.

| $x$ (en cm) | 0 | 1 | 4 | 6 |
|---|---|---|---|---|
| Périmètre (en cm) | | | | |

**b.** Dans un **repère*** orthogonal, en prenant 1 cm comme unité sur chaque axe, placer les points obtenus en prenant la valeur du nombre $x$ en abscisse et le périmètre en ordonnée.
**c.** Les points obtenus doivent être alignés. Tracer la droite.
**2.** Périmètre du rectangle.
Reprendre les questions **a.**, **b.** et **c.** avec le rectangle orange en plaçant les points sur le *même* graphique.
**3.** En utilisant les droites tracées, sans effectuer aucun calcul, trouver pour quelle(s) valeur(s) du nombre $x$ les deux périmètres sont égaux.

### 4 Aires

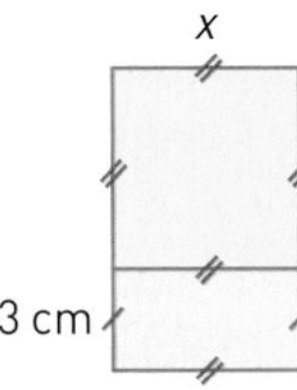


**1.** Aire du carré.
**a.** Compléter le tableau en calculant pour chaque valeur de $x$, l'aire du carré.

| $x$ (en cm) | 0 | 2 | 4 | 6 |
|---|---|---|---|---|
| Aire (en cm$^2$) | | | | |

**b.** Dans un **repère*** orthogonal, en prenant 1 cm comme unité sur l'axe des abscisses et 1 cm pour 10 unités sur l'axe des ordonnées, placer les points obtenus en prenant la valeur du nombre $x$ en abscisse et l'aire en ordonnée.
**c.** *Sans la règle,* relier les points obtenus (ils ne sont pas alignés).
**2.** Aire du rectangle.
Reprendre les questions **a.**, **b.** et **c.** avec le rectangle bleu en plaçant les points sur le *même* graphique. (les points sont alignés)
**3.** En utilisant les courbes tracées, sans effectuer aucun calcul, trouver une valeur approchée du nombre $x$ pour laquelle les deux aires sont égales.
Existe-t-il d'autres valeurs qui conviennent ?
**4.** Vérifier le résultat précédent par un calcul.

### 5 Fractions

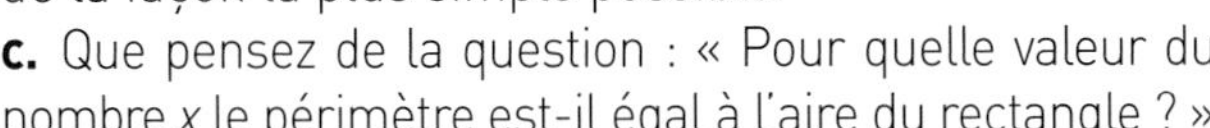


**a.** Exprimer l'aire du rectangle en fonction du nombre $x$.
**b.** Exprimer le périmètre du rectangle en fonction du nombre $x$ de la façon la plus simple possible.
**c.** Que pensez de la question : « Pour quelle valeur du nombre $x$ le périmètre est-il égal à l'aire du rectangle ? »

### 6 Un rectangle carré

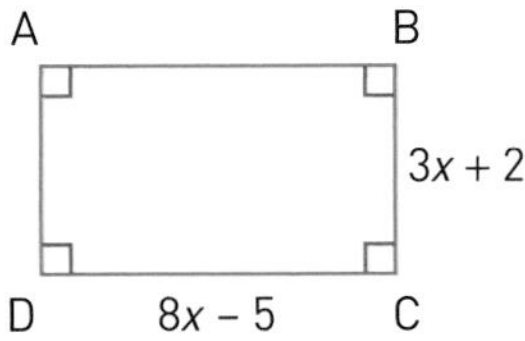


Trouver une valeur du nombre $x$ pour que le rectangle ABCD soit un carré.

### 7 Aire de rectangle

**a.** Trouver une valeur du nombre $x$ (en cm) pour que l'aire du rectangle ABDE soit égale à 60 cm$^2$.

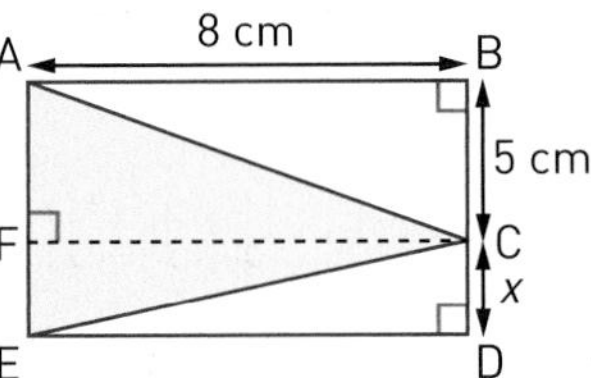


**b.** Que dire dans ce cas de l'aire du triangle ACE ?

## 8 Décomposition

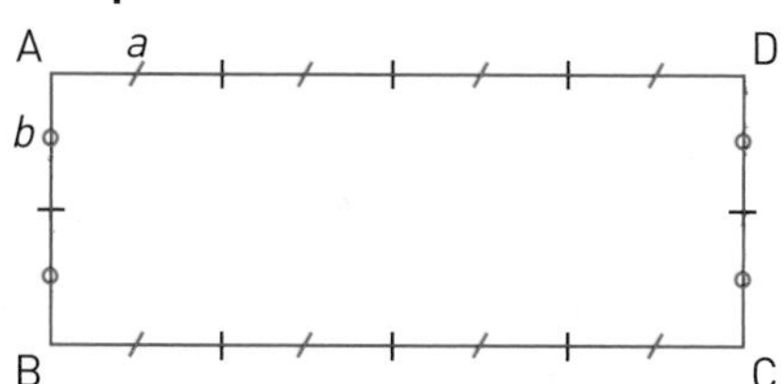


$a$ et $b$ sont deux nombres entiers.
L'aire du rectangle ABCD est 384 cm$^2$.
Pourquoi peut-on être sûr que $a \times b = 48$ ?
Quelles sont les valeurs possibles pour les nombres $a$ et $b$ ?

D'après IREM de Poitiers.

## 9 Égalités

**a.** $a$ et $b$ désignent deux nombres.
Quelle relation simple y a-t-il entre les nombres $a$ et $b$ lorsque : $4 \times a \times 5 = 10b$ ?
**b.** $a$, $b$, $c$ et $d$ désignent quatre nombres.
Quelle relation simple y a-t-il entre les nombres $c$ et $d$ lorsque : $a + b + c = a + b + d$ ?

## 10 Largeur

Pour chaque cas, trouver la largeur du rectangle exprimée en fonction du nombre $x$.
**a.** la longueur est 6 et le périmètre est $2x + 12$.
**b.** la longueur est $x + 3$ et le périmètre est $4x + 8$.
**c.** la longueur est $2x + 1$ et le périmètre est $6x - 2$.

## 11 Longueur

Retrouver la longueur d'un rectangle, exprimée en fonction du nombre $x$, sachant que :
**a.** sa largeur est 4 et son aire est $8x$.
**b.** sa largeur est $x + 3$ et son aire est $4x + 12$.
**c.** sa largeur est 3 et son aire est $6x - 9$.

# Nombres

## 12 Sur une droite graduée

**a.** Reproduire la droite graduée.

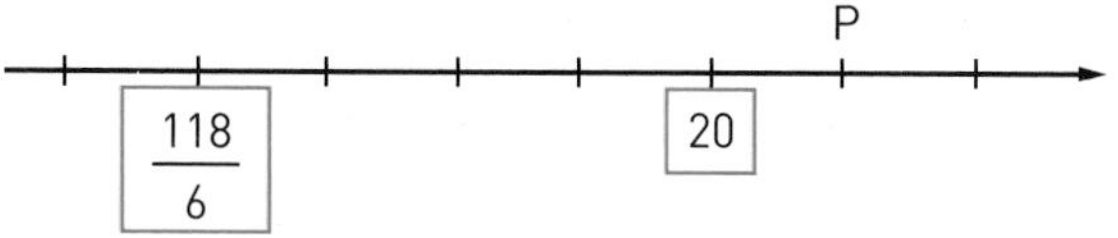


**b.** Placer le nombre $\frac{121}{6}$ et expliquer la méthode utilisée.
**c.** Donner l'abscisse exprimée sous forme fractionnaire, du point P. Justifier la réponse.

## 13 Bidons

Aliénor a acheté un bidon de 12 litres d'eau. Elle veut en donner exactement la moitié à son frère. Pour faire le partage, elle ne dispose que de deux bidons vides : le premier fait exactement 4 litres, le deuxième, 7 litres. Mais aucun des deux bidons n'a de graduations.
Comment doit-elle s'y prendre pour effectuer son partage ?

## 14 Pendule digitale

Une pendule à affichage digitale avance de 36 s par jour. Elle est mise à l'heure un dimanche à midi. Quelle heure affichera cette pendule le vendredi suivant à 17 h ?

# Statistiques

## 15 Réaliser une enquête dans le collège

Choisir un des thèmes ci-dessous et :
**a.** Décider d'une question intéressante sur le thème choisi.
**b.** Choisir les données à recueillir dans le collège pour répondre à cette question.
**c.** **Recueillir*** les données et proposer des représentations graphiques pour résumer les données.
**d.** Les graphiques construits permettent-ils de répondre à la question choisie en **a.** ? Rédiger une conclusion.
** Aller chercher les renseignements auprès des personnes qui les détiennent : conseiller principal d'éducation, professeur d'éducation physique...*

Thèmes proposés :
- Nombres de jours de l'année scolaire où il y a : aucun absent, un absent, deux absents...
- Nombre d'absents selon la demi-journée dans la semaine
- Nombre d'inscrits à l'association sportive
- Nombre de professeurs par discipline.
- Nombre d'élèves par langue vivante en 5$^e$.
- Nombre d'élèves par langue vivante sur tout le collège.

**16** **Réaliser une enquête dans la classe**

Choisir un des thèmes ci-dessous puis :

**a.** Décider d'une question intéressante sur le thème choisi.

**b.** Choisir les données à recueillir dans la classe pour répondre à cette question.

**c.** **Recueillir*** les données et proposer des représentations graphiques pour résumer les données.

**d.** Les graphiques construits permettent-ils de répondre à la question choisie en **a.** ? Rédiger une conclusion.

Thèmes proposés :

- La durée du travail à la maison de chaque élève pour un jour fixé à l'avance.
- La durée du temps passé à regarder la télévision pour un jour donné par élève.
- Le poids du cartable d'un élève.
- La durée du trajet domicile/collège.
- Le nombre de frères et sœurs.
- Les activités pratiquées le mercredi.
- L'heure du coucher pour un soir donné.

## Espace

**17** **Prisme droit**

Voici le schéma d'un patron d'un prisme droit à base triangulaire.

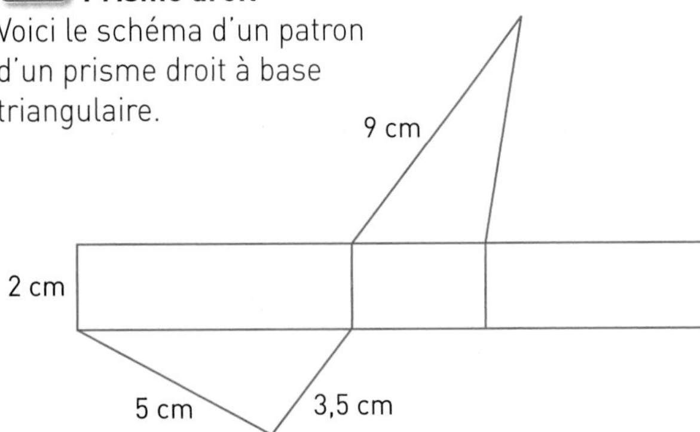


Peut-on réaliser ce prisme droit ? Justifier.

**18** **Un « antiprisme » de Kepler**

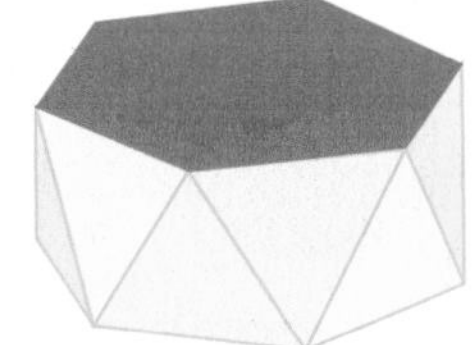

**a.** Construire un patron de cet antiprisme (étudié par Kepler au XVII^e siècle). La face rouge est un **hexagone régulier*** de côté 4 cm et les faces vertes sont des triangles équilatéraux.

**b.** En mesurant une longueur sur le patron, calculer une valeur **approximative*** de l'aire totale de ce patron.

**19** **Rhomboèdre**

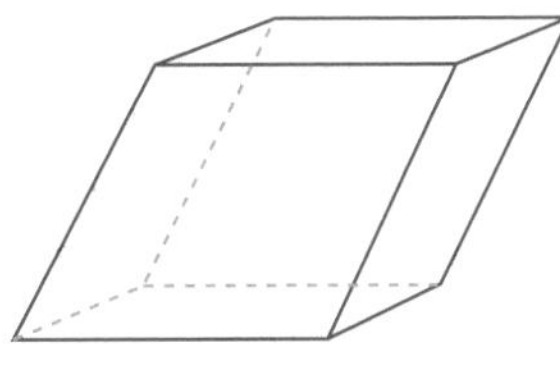

Le solide représenté en perspective est un rhomboèdre. Il est formé de 6 losanges identiques.

Construire un patron de ce rhomboèdre en prenant pour les losanges une diagonale de 5 cm et une diagonale de 3 cm.

## Figures planes

**20** **Une construction**

Sur une feuille blanche :

**a.** Tracer un cercle de centre O et de rayon 10 cm. Tracer un rayon [OA] et placer un point B sur le cercle tel que $\widehat{AOB} = 72°$.

En tournant dans le même sens, placer les points C, D, E sur le cercle tels que $\widehat{BOC} = \widehat{COD} = \widehat{DOE} = \widehat{EOA} = 72°$.

Tracer les rayons d'extrémités B, C, D et E.

**b.** Construire au compas les **bissectrices*** de ces cinq angles. Elles coupent le cercle en cinq points F, G, H, I, J (le point F est entre les points A et B, le point G est entre les points B et C...).

Tracer le polygone AFBGCHDIEJ ainsi que les rayons d'extrémités F, G, H, I, J.

**c.** Dans le triangle AOF (et sans sortir du triangle), tracer les trois hauteurs, les trois médianes et les trois médiatrices.

**d.** Faire le même travail dans les 9 autres triangles isocèles de sommet O tracés en **b**.

**e.** Colorier la figure.

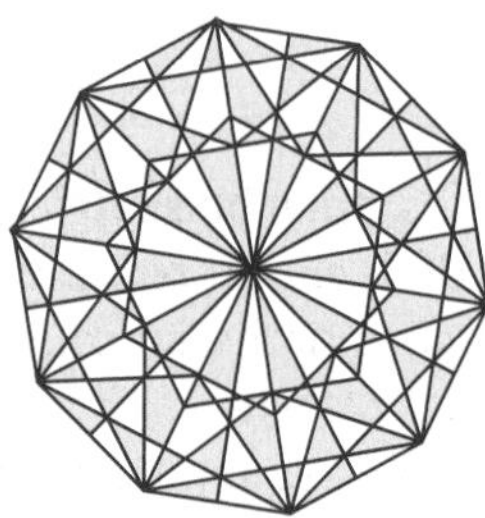

D'après « La géométrie pour le plaisir » J.-L. Denière.

**21** **Points cocycliques***

ABC est un triangle équilatéral.

I, J, K, L, M et N sont 6 points à l'extérieur du triangle tels que les quadrilatères IJCA, CKLB, BMNA sont des carrés. Il existe un cercle passant par les points I, J, K, L, M et N. Trouver le centre de ce cercle. Décrire la construction.

**22** **Symétries**

**a.** Construire une figure qui a deux centres de **symétrie***.

**b.** Que peut-on dire de toutes les figures qui ont deux centres de symétrie ?

**23** **Chercher une mesure d'angle**

ABC est un triangle isocèle en C. Le point D est tel que :

- les points A et D sont de part et d'autre de la droite (CB),
- les points A, B et D sont trois points alignés,
- le triangle BCD est isocèle en B.

**a.** On note $a$ la mesure de l'angle $\widehat{CAB}$, exprimer la mesure de l'angle $\widehat{BCD}$ en fonction de $a$.

→ **Aide** : Commencer par la mesure de l'angle $\widehat{CBD}$.

**b.** Comment choisir la mesure de l'angle $\widehat{CAB}$ pour que (CB) soit la **bissectrice*** de l'angle $\widehat{ACD}$ ?

**24** **Avec des parallèles**

Quelle est la nature du triangle ABC ?

*(Les deux droites vertes sont parallèles.)*

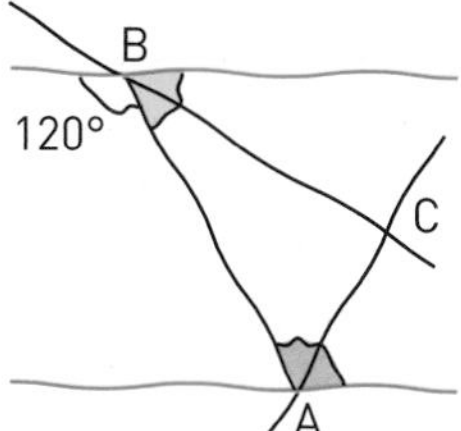


**25** **Triangle équilatéral**

ABC est un triangle équilatéral. M est un point du segment [AB]. La droite parallèle à la droite (BC) passant par le point M coupe le segment [AC] en N. Prouver que le triangle AMN est équilatéral.

**26** **Triangle rectangle**

ABC est un triangle équilatéral. Le point D est le symétrique du point C par rapport au point A. Prouver que le triangle BCD est rectangle en B.

**27** **Des bissectrices**

ABCD est un rectangle. Les **bissectrices*** des quatre angles droits se coupent **deux à deux*** et forment un quadrilatère.

Quelle est la nature de ce quadrilatère ? Justifier.

**28** **Droites concourantes**

ABC est un triangle **quelconque***. Le point O est un point à l'extérieur du triangle. [AA′], [BB′] et [CC′] sont trois segments de même milieu O.

**a.** Tracer la droite $d_1$, parallèle à la droite (AC) passant par le point C′. Pourquoi le point A′ appartient-il à la droite $d_1$ ?

**b.** Tracer la droite $d_2$, parallèle à la droite (BC) passant par le point B′. Pourquoi le point C′ appartient-il à la droite $d_2$ ?

**29** **Rectangle**

ABCD est un rectangle de centre O. Construire les points E, F, G et H, symétriques **respectifs*** du point O par rapport aux points A, B, C et D.

Prouver que le quadrilatère EFGH est un rectangle.

**30** **Des cercles**

Le diamètre du petit cercle vert est $x$.

Prouver que le périmètre du cercle bleu est la somme des périmètres des deux plus petits cercles.

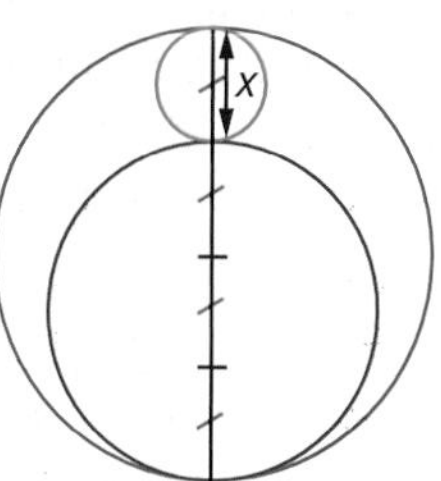


**31** **Calcul d'aire**

Calculer l'aire de la figure en trois calculs au maximum.

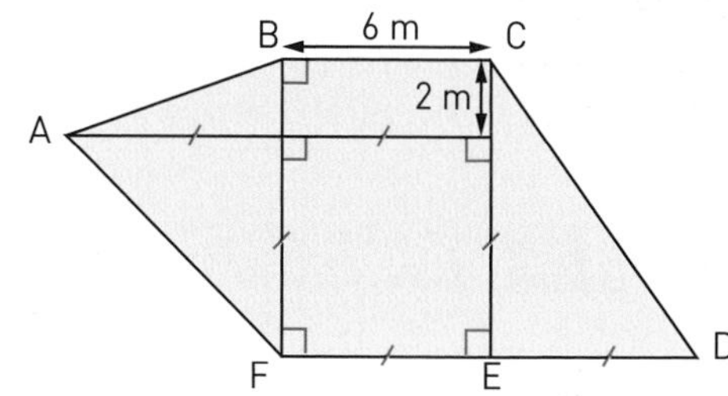


**32** **Comparer des aires**

Comparer les aires du losange et du rectangle.

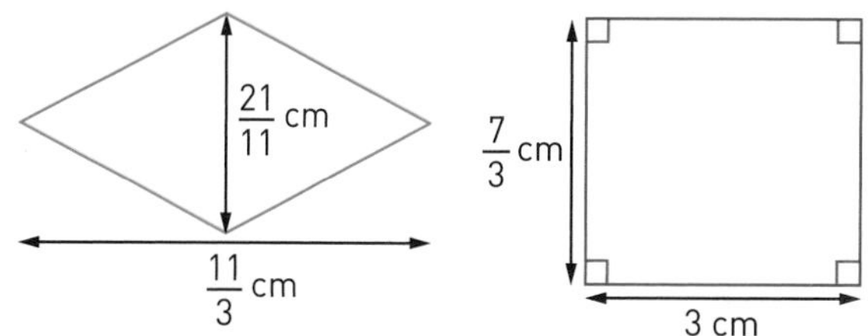


**33** **Chaîne de calculs**

Écrire un calcul permettant de calculer en une fois l'aire colorée sur cette figure.

Deux droites de même couleur sont parallèles entre elles.

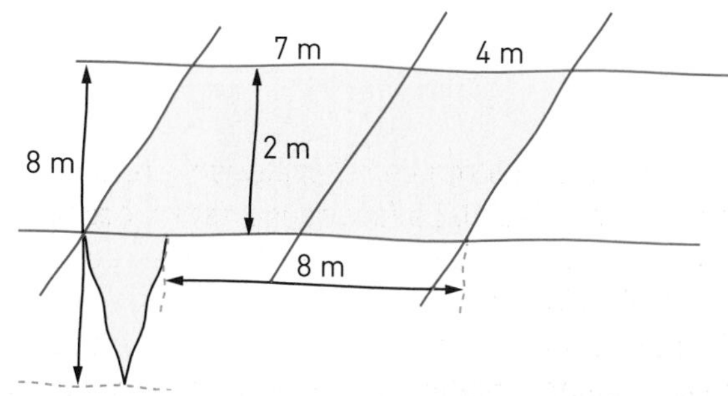

## Nombres

**34** **Dénombrer les triangles**

AEDB est un rectangle dont la longueur AE vaut le double de la largeur AB.
Les points F et C sont les milieux **respectifs*** des segments [AE] et [BD].
**a.** Combien y a-t-il de triangles ayant pour sommets A et deux autres points nommés sur cette figure ?
**b.** Parmi ces triangles, quels sont ceux qui sont isocèles, équilatéraux, rectangles ?

**35** **L'escalier**

Dans un escalier, on monte 1 marche ou 2 marches d'un coup. Combien y a-t-il de façon différentes de monter 3 marches ? 4 marches ? 5 marches ? 6 marches ? 7 marches ? 17 marches ?

D'après IREM de Paris 7.

**36** **Arithmétique 1**

**a.** La somme de deux nombres pairs est-elle paire ou impaire ? Justifier.
**b.** La somme de deux nombres impairs est-elle paire ou impaire ? Justifier.

**37** **Arithmétique 2**

Le produit d'un nombre pair par lui-même est **divisible*** par 4. Justifier.

**38** **Arithmétique 3**

La somme de trois nombres entiers **consécutifs*** est divisible par 3. Justifier.

**39** **Étagère**

On a rempli complètement une étagère de la bibliothèque, avec des livres dont l'épaisseur est 3 cm et d'autres dont l'épaisseur est 5 cm. La largeur de l'étagère est 84 cm.
Combien de livres de chaque sorte a-t-on pu disposer ? Plusieurs solutions sont possibles.

D'après IREM de Poitiers.

**40** **Entiers**

On trace un segment [AB] de 5 cm.
On veut construire tous les triangles ayant à la fois [AB] pour côté, 20 cm de périmètre et dont les mesures des côtés sont des nombres entiers.
Rechercher tous les triangles possibles et les construire.

D'après IREM de Poitiers.

**41** **Pavé**

Le volume d'un pavé est 48 cm$^3$.
**a.** Trouver toutes les valeurs possibles pour les côtés du pavé sachant que ce sont des nombres entiers de centimètres.
**b.** Pour chaque solution calculer l'aire totale (des faces) du pavé.
Les aires totales sont-elles toutes égales ?
Et les volumes ?

D'après IREM de Poitiers.

**42** **Les poules et les lapins**

Problème 1
Dans la cour du collège, il y a des poules et des lapins. J'ai compté 16 têtes et 44 pattes.
Combien y a-t-il de poules ?
Combien y a-t-il de lapins ?

Problème 2
Dans la cour du collège, il y a des poules et des lapins. J'ai compté 91 têtes et 234 pattes.
Combien y a-t-il de poules ?
Combien y a-t-il de lapins ?

Problème 3
Dans la cour du collège, il y a des poules et des lapins. J'ai compté 2 171 têtes et 4 368 pattes.
Combien y a-t-il de poules ?
Combien y a-t-il de lapins ?

D'après IREM de Paris 7.

## 43 Divisions

**1.** Poser la division 14/11
**a.** Quel est le 9e chiffre après la virgule ? Pourquoi ?
**b.** Quel est le 10e chiffre après la virgule ? Pourquoi ?
**c.** Quel est le 20e chiffre après la virgule ? Pourquoi ?
**d.** Quel est le 100e chiffre après la virgule ? Pourquoi ?
**e.** Quel est le 1 000e chiffre après la virgule ? Pourquoi ?

**2.** Poser la division 10/27.
**a.** Quel est le 9e chiffre après la virgule ? Pourquoi ?
**b.** Quel est le 10e chiffre après la virgule ? Pourquoi ?
**c.** Quel est le 20e chiffre après la virgule ? Pourquoi ?
**d.** Quel est le 100e chiffre après la virgule ? Pourquoi ?
**e.** Quel est le 1 000e chiffre après la virgule ? Pourquoi ?

**3.** Poser la division 10/7.
**a.** Quel est le 9e chiffre après la virgule ? Pourquoi ?
**b.** Quel est le 10e chiffre après la virgule ? Pourquoi ?
**c.** Quel est le 20e chiffre après la virgule ? Pourquoi ?
**d.** Quel est le 100e chiffre après la virgule ? Pourquoi ?
**e.** Quel est le 1 000e chiffre après la virgule ? Pourquoi ?

D'après IREM de Paris 7.

## 44 Carrés

**a.** Peut-on partager un carré en :
4 carrés ? 7 carrés ? 10 carrés ?

→ **Remarque :** Pour cette question et les suivantes, les carrés obtenus n'ont pas tous nécessairement la même taille.
Exemple :

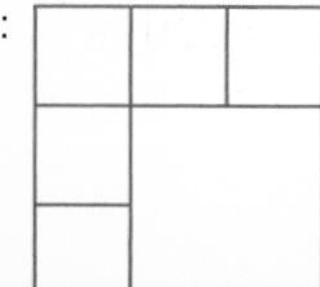

**b.** Peut-on partager un carré en :
6 carrés ? 9 carrés ? 12 carrés ?
**c.** Peut-on partager un carré en :
8 carrés ? 11 carrés ? 14 carrés ?
**d.** Peut-on partager un carré en :
101 carrés ? 102 carrés ? 103 carrés ?
**e.** Que se passe-t-il si l'on cherche à partager un carré en :
2 carrés ? 3 carrés ? 5 carrés ?

D'après IREM de Paris 7.

# Algèbre

## 45 Carré hachuré

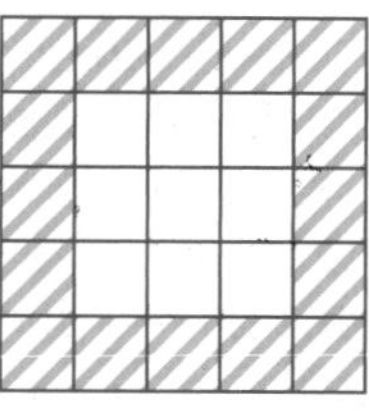

Voici un carré dont on a hachuré les carreaux du contour.
**a.** De la même manière, construire un carré dont le nombre de carreaux de chacun des côtés est 10, hachurer la bordure du carré.
**b.** Quel est le nombre de carreaux hachurés du carré dessiné ci-dessus ?
**c.** Quel est ce nombre pour un carré dont le nombre de carreaux de chacun de ses côtés est :
• 25 ? • 83 ? • $c$ ?

D'après « Les débuts de l'algèbre au collège », INRP.

## 46 Segments

Étant donnés quelques points placés sur une feuille, combien peut-on tracer de segments différents joignant deux quelconques de ces points ?

→ **Aide :** Commencer par réfléchir avec 2 points, puis 3, puis 4... etc.

Peut-on trouver une formule pour $n$ points ?

## 47 Périmètres égaux

M est un point du segment [AB].
Pour quelle longueur de AM, le périmètre du triangle est-il égal au périmètre du carré ?

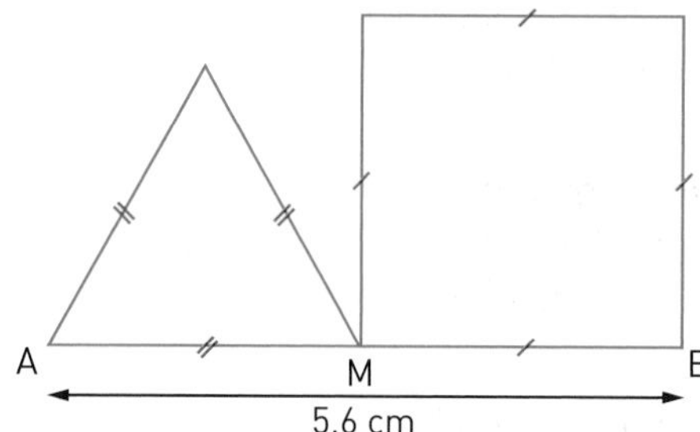


## 48 Formule

Trouver une formule d'aire pour le trapèze en fonction des nombres $h$, $b$ et $B$ :

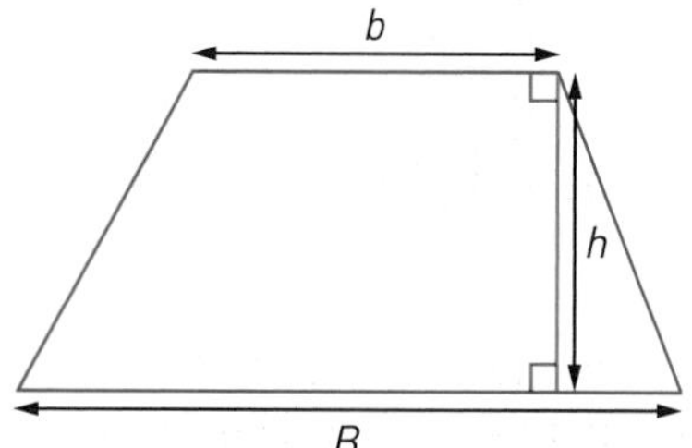

### 49 Isocèle
Existe-t-il des triangles isocèles dont la mesure de l'angle du sommet principal est le double de celle de l'un des angles de la base ?

D'après IREM de Poitiers.

### 50 Mystère
Anaëlle propose à Karim le jeu suivant :
Prouver qu'elle est sûre d'avoir toujours raison.

D'après IREM des Pays de la Loire.

Choisis un nombre.
Multiplie le par 5.
Ajoute 4 au résultat.
Multiplie le tout par 2.
Au dernier résultat obtenu retire le nombre de départ multiplié par 10.
Divise le tout par 2.
Je parie que tu trouves 4 !

### 51 Bouteille
Une bouteille et son bouchon pèsent 110 g.
La bouteille pèse 100 g de plus que le bouchon.
Quelle est la masse du bouchon ?

## Figures planes

### 52 Médiatrices
**a.** Soit $d_1$ et $d_2$ deux droites **sécantes*** en O. Soit A un point n'appartenant ni à la droite $d_1$, ni à la droite $d_2$.
Tracer le cercle circonscrit au triangle ABC tel que la droite $d_1$ soit la médiatrice du segment [AB] et la droite $d_2$ celle du segment [BC].
**b.** Tracer la médiatrice du segment [AC] sans prendre de mesure ni utiliser le compas.

### 53 Ellipse
**a.** Placer deux points A et B distants de 8 cm. Placer un point M à 9 cm du point A et à 2 cm du point B. Combien y a-t-il de possibilités ?
**b.** On veut trouver le maximum de points vérifiant la propriété MA + MB = 11 cm.
Trouver au moins 10 longueurs possibles pour MA et MB (commencer par chercher des nombres entiers).
Placer au moins 20 points vérifiant MA + MB = 11 cm.
*(Voir le chapitre 9 : approche n° 4 page 184).*

### 54 Équilatéral ?
**a.** Construire un triangle équilatéral ABC de côté mesurant 6 cm.
**b.** Construire le point D symétrique du point B par rapport au point A et le point E symétrique du point B par rapport au point C.
**c.** Peut-on dire que le triangle DBE est équilatéral ? Justifier.

## Démonstrations avec les angles

### 55 Triangle isocèle
ABC est un triangle rectangle isocèle en A. BCD est un triangle équilatéral.
Les points D et A sont de par et d'autre de la droite (BC).
La parallèle à la droite (AD) passant par le point C coupe la droite (BD) en E.
Prouver que le triangle CDE est isocèle en D.

### 56 Triangles équilatéraux
Les triangles ABC et ABD sont des triangles équilatéraux (avec B ≠ C) ayant un côté en commun [AB].
Les points I et J sont les milieux **respectifs*** des segments [BC] et [BD].
Prouver que le triangle AIJ est équilatéral.

### 57 Points alignés
Soit ABCD un carré. On construit un point E à l'intérieur du carré et un point F à l'extérieur tels que les triangles ABE et BFC sont des triangles équilatéraux.
Prouver que les points D, E et F sont alignés.

→ **Aide :** Angle **plat***.

### 58 Triangle et cercle
Quelle est la nature du triangle ABC ?

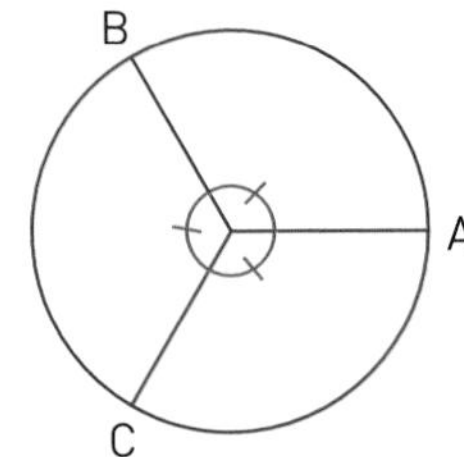


### 59 Droites perpendiculaires
Soit ABCD un parallélogramme, la **bissectrice*** de l'angle $\widehat{BAD}$, et celle de l'angle $\widehat{ABC}$, se coupent en U.
**a.** Prouver que les droites (AU) et (BU) sont perpendiculaires.

→ **Aide** : Utiliser le cours sur les angles.

**b.** On appelle V le point d'intersection des bissectrices des angles $\widehat{ABC}$, et $\widehat{BCD}$, W celui des bissectrices des angles $\widehat{BCD}$, et $\widehat{CDA}$, et X celui des bissectrices des angles $\widehat{CDA}$, et $\widehat{BAD}$.
Prouver que le quadrilatère UVWX est un rectangle.

## Grandeurs

### 60 Avions

En 1934, l'avion Mac Douglas DC3 pouvait parcourir 500 km en 1 h 54 min.
En 1953, la caravelle pouvait parcourir 2 000 km en 2 h 40 min.
En 1969, le concorde pouvait parcourir 6 000 km en 3 h 20 min.
Compléter les phrases avec le nom de l'avion qui convient :

- « ... est un avion 2,4 fois plus rapide que... »
- « ... est un avion 2,9 fois moins rapide que... »

### 61 Un carré

On partage un carré par une droite passant par son centre.
Que peut-on dire des deux surfaces obtenues ? Justifier.

### 62 Deux carrés

Reproduire deux carrés semblables à ceux représentés.

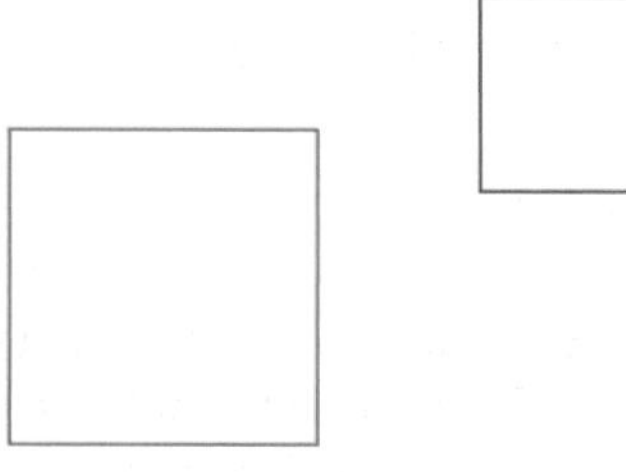

D'un seul trait à la règle, partager ces deux carrés à la fois, chacun d'eux en deux parties de même aire. Attention, la même droite doit partager les deux carrés.

D'après un rallye mathématique.

### 63 Carré double

Construire un carré d'aire double d'un carré donné.

D'après IREM de Paris 7.

### 64 Comparer des aires

Le quadrilatère est un parallélogramme.
M est sur une diagonale. Les droites en rouge sont parallèles. Les droites en vert sont parallèles.

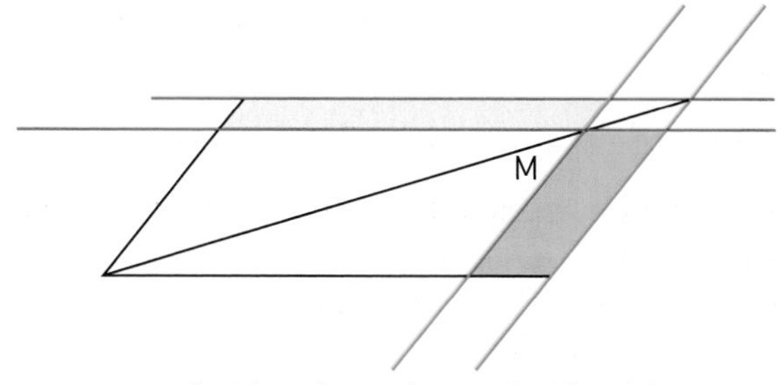


Que peut-on dire des deux aires coloriées ? Le prouver.

### 65 Parallélogramme

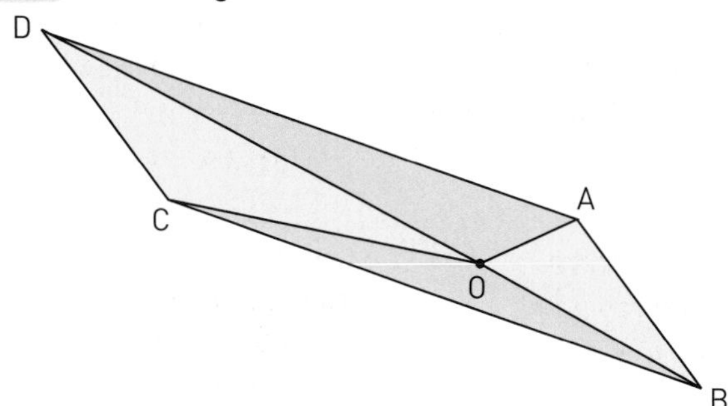


ABCD est un parallélogramme. Le point O est à l'intérieur du parallélogramme.
Laquelle des deux aires (celle représentée en vert ou celle représentée en violet) est la plus grande ?

D'après IREM de Montpellier.

## Propriété de la médiane

### 66 Sept fois

Tracer un triangle **quelconque*** ABC.
Construire le point D symétrique du point A par rapport au point B, le point E symétrique du point B par rapport au point C et le point F symétrique du point C par rapport au point A.
Prouver que l'aire du triangle FDE est sept fois plus grande que celle du triangle ABC.

### 67 Rapport d'aires

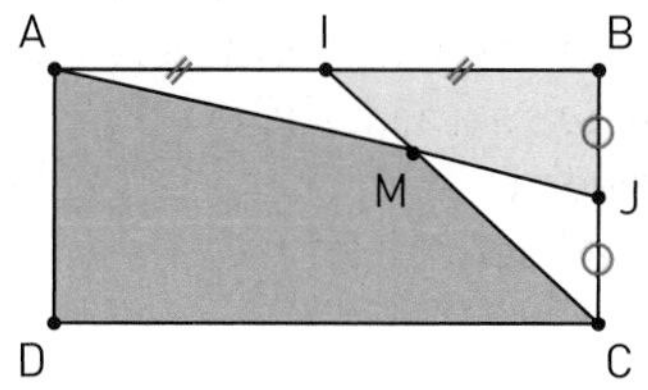


Le quadrilatère est un rectangle. On nomme M le point d'intersection des segments [CI] et [AJ].
Quel est le rapport des aires grisées ?

### 68 Cinq fois

Tracer un quadrilatère **quelconque*** ABCD.
Construire le point E symétrique du point A par rapport au point B, le point F symétrique du point B par rapport au point C, le point G symétrique du point C par rapport au point D et le point H symétrique du point D par rapport au point A.
Prouver que l'aire du quadrilatère EFGH est cinq fois plus grande que celle du quadrilatère ABCD.

# Fiche Géoplan

**Pour charger la figure indiquée par le professeur**

1. 
Fichier
Créer
Piloter
Afficher
Nouvelle figure
Charger une figure
Fermer la figure

2. 
Charger
Nom :
droitrep.g2w
Chemin :
c:\geoplanw\exemple1
Fichiers
Répertoires
cerctang.g2w
droitrep.g2w
envelop.g2w
[..]

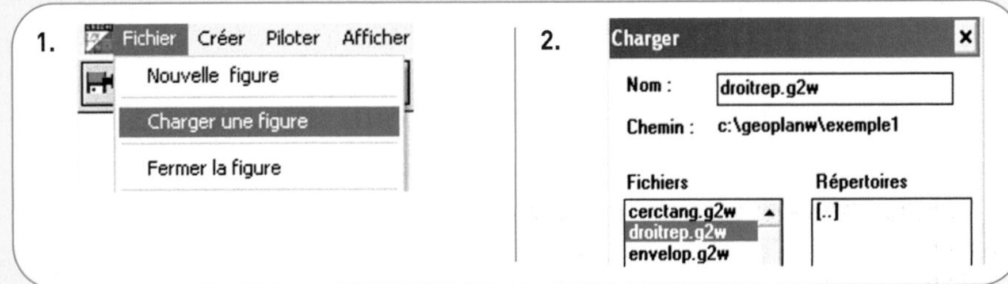

## 1. PLACER DES POINTS

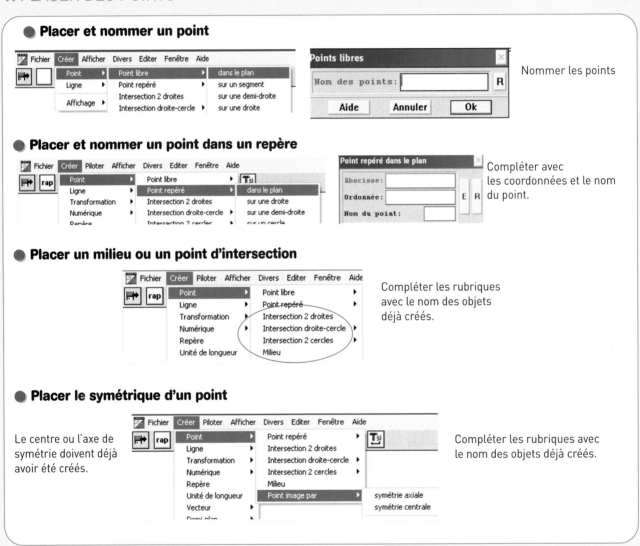

### Placer et nommer un point

Fichier
Créer
Afficher
Divers
Editer
Fenêtre
Aide
Point
Ligne
Affichage
Point libre
Point repéré
Intersection 2 droites
Intersection droite-cercle
dans le plan
sur un segment
sur une demi-droite
sur une droite

Points libres
Nom des points:
R
Aide
Annuler
Ok

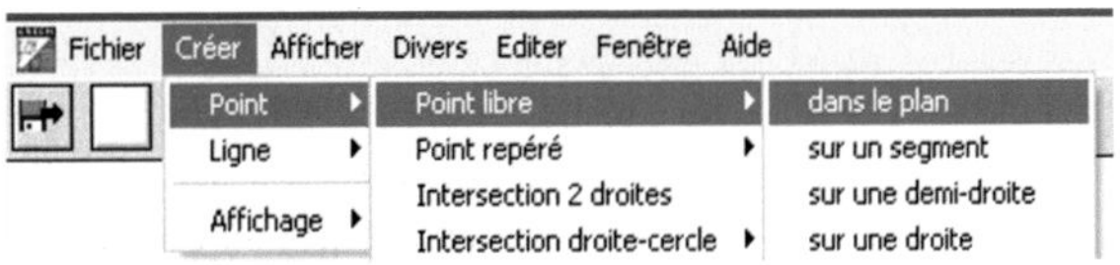

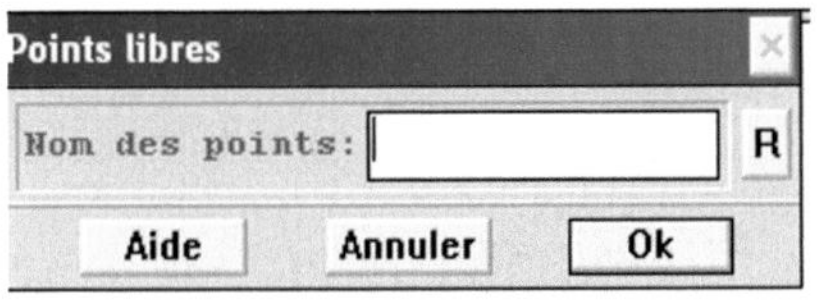

Nommer les points

### Placer et nommer un point dans un repère

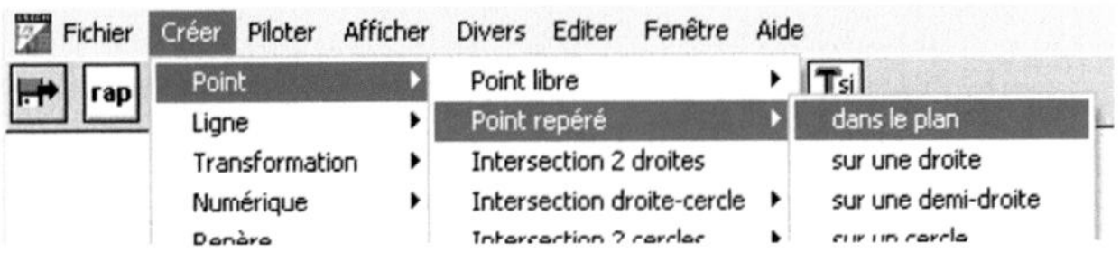

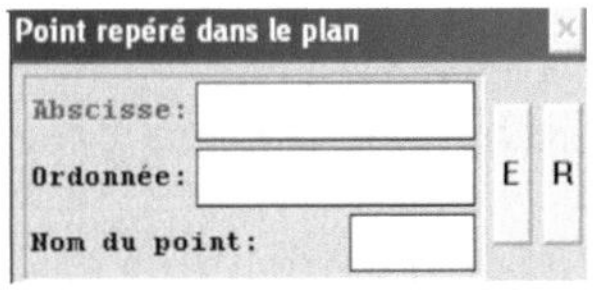

Fichier
Créer
Piloter
Afficher
Divers
Editer
Fenêtre
Aide
rap
Point
Ligne
Transformation
Numérique
Point libre
Point repéré
Intersection 2 droites
Intersection droite-cercle
dans le plan
sur une droite
sur une demi-droite

Point repéré dans le plan
Abscisse:
Ordonnée:
Nom du point:
E
R

Compléter avec les coordonnées et le nom du point.

### Placer un milieu ou un point d'intersection

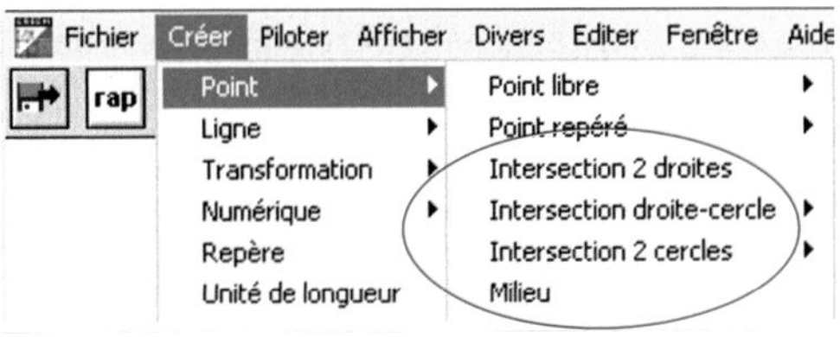

Fichier
Créer
Piloter
Afficher
Divers
Editer
Fenêtre
Aide
rap
Point
Ligne
Transformation
Numérique
Repère
Unité de longueur
Point libre
Point repéré
Intersection 2 droites
Intersection droite-cercle
Intersection 2 cercles
Milieu

Compléter les rubriques avec le nom des objets déjà créés.

### Placer le symétrique d'un point

Le centre ou l'axe de symétrie doivent déjà avoir été créés.

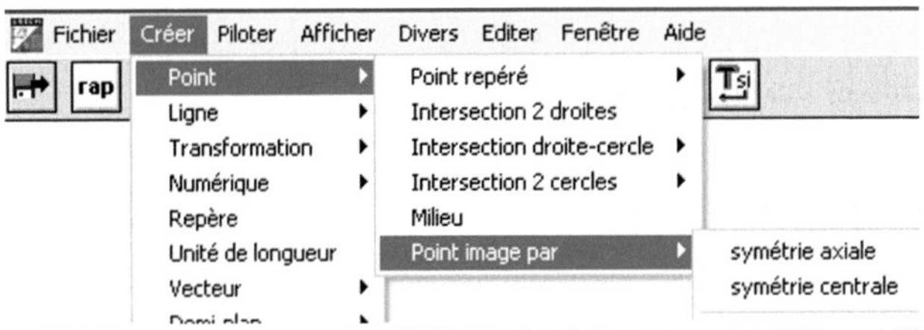

Fichier
Créer
Piloter
Afficher
Divers
Editer
Fenêtre
Aide
rap
Point
Ligne
Transformation
Numérique
Repère
Unité de longueur
Vecteur
Point repéré
Intersection 2 droites
Intersection droite-cercle
Intersection 2 cercles
Milieu
Point image par
symétrie axiale
symétrie centrale

Compléter les rubriques avec le nom des objets déjà créés.

## 2. TRACER DES LIGNES

### Tracer une droite, un segment ou une demi-droite définie par deux points

Commencer par placer deux points (libres dans le plan).

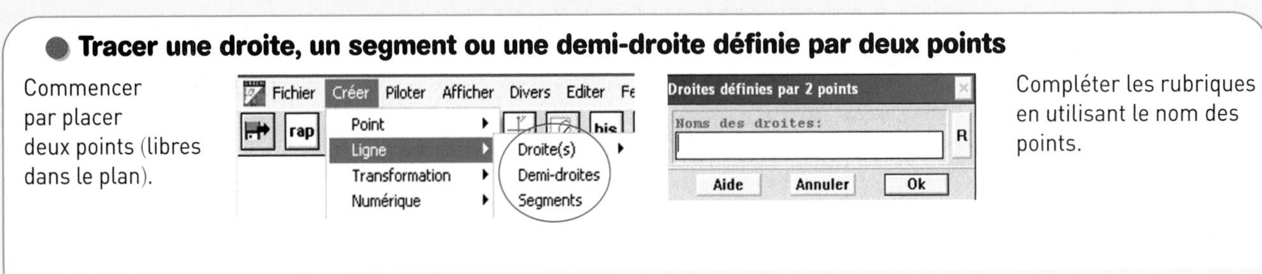

Fichier
Créer
Piloter
Afficher
Divers
Editer
rap
Point
Ligne
Transformation
Numérique
Droite(s)
Demi-droites
Segments

Droites définies par 2 points
Noms des droites:
R
Aide
Annuler
Ok

Compléter les rubriques en utilisant le nom des points.

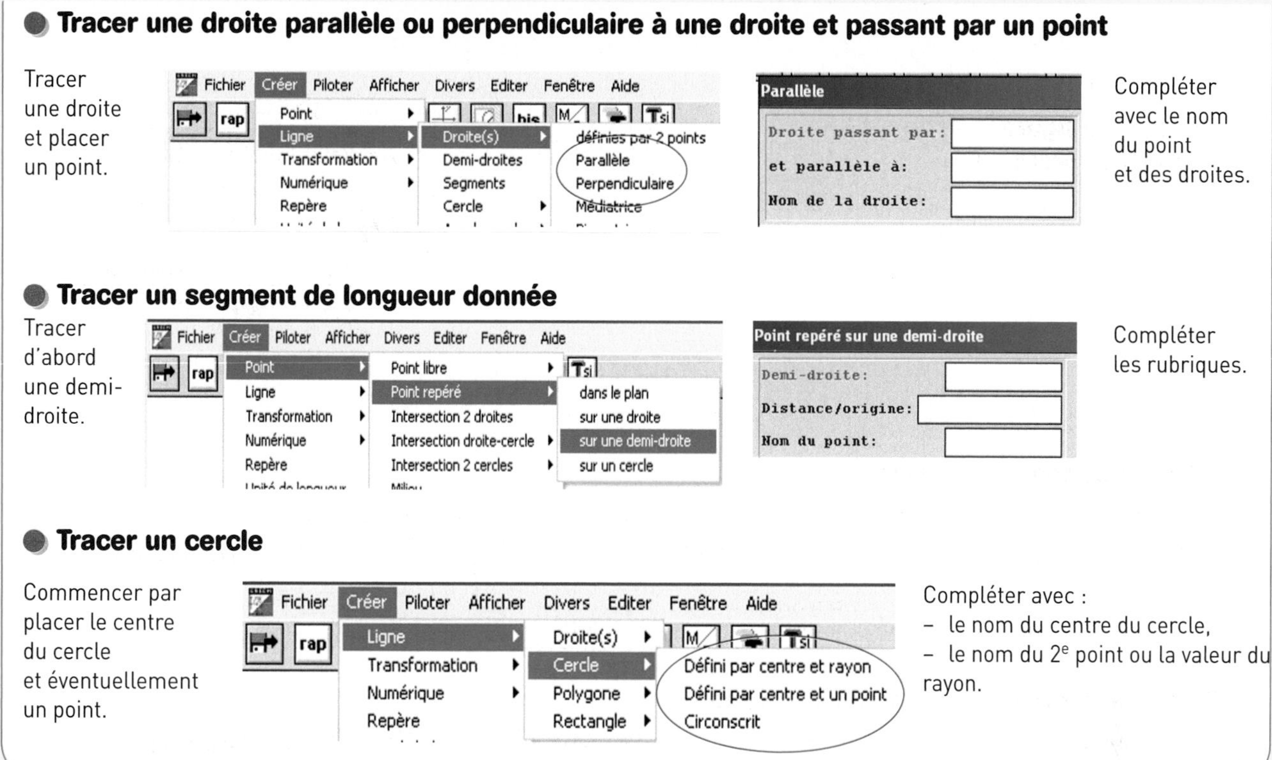


- **Tracer une droite parallèle ou perpendiculaire à une droite et passant par un point**

Tracer une droite et placer un point.

Compléter avec le nom du point et des droites.

- **Tracer un segment de longueur donnée**

Tracer d'abord une demi-droite.

Compléter les rubriques.

- **Tracer un cercle**

Commencer par placer le centre du cercle et éventuellement un point.

Compléter avec :
- le nom du centre du cercle,
- le nom du 2e point ou la valeur du rayon.

## 3. TRANSFORMER UNE FIGURE

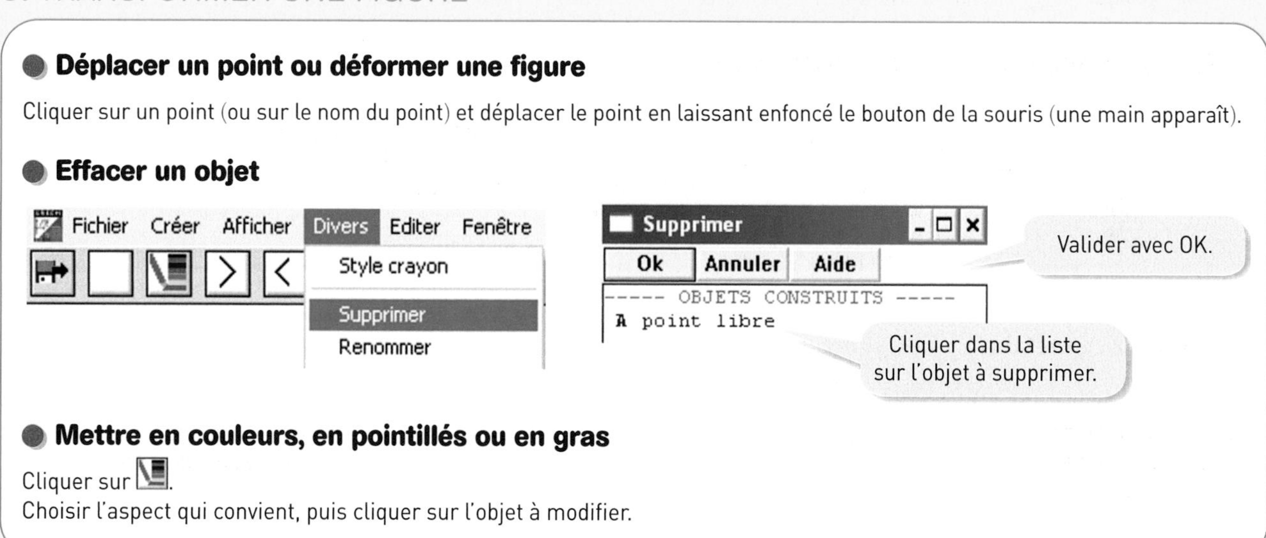


- **Déplacer un point ou déformer une figure**

Cliquer sur un point (ou sur le nom du point) et déplacer le point en laissant enfoncé le bouton de la souris (une main apparaît).

- **Effacer un objet**

Valider avec OK.

Cliquer dans la liste sur l'objet à supprimer.

- **Mettre en couleurs, en pointillés ou en gras**

Cliquer sur .
Choisir l'aspect qui convient, puis cliquer sur l'objet à modifier.

## 4. DEMANDER DES INFORMATIONS SUR UNE FIGURE

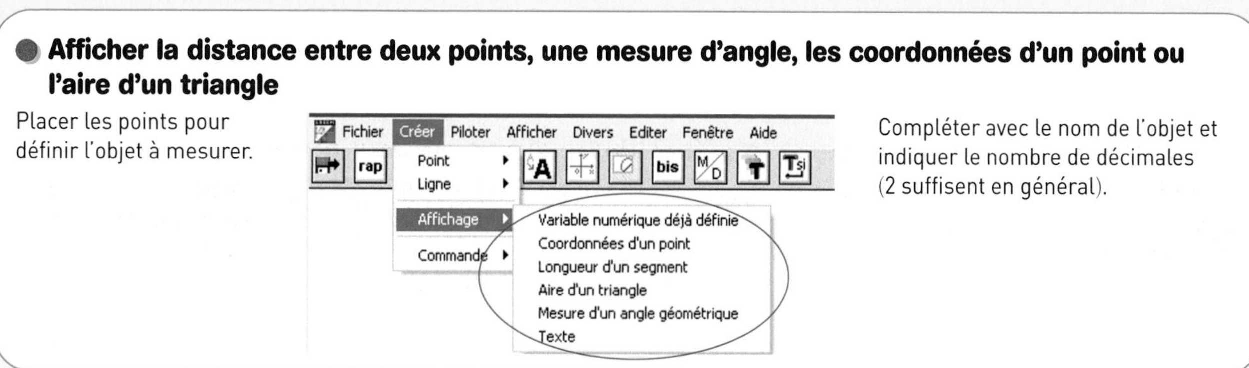


- **Afficher la distance entre deux points, une mesure d'angle, les coordonnées d'un point ou l'aire d'un triangle**

Placer les points pour définir l'objet à mesurer.

Compléter avec le nom de l'objet et indiquer le nombre de décimales (2 suffisent en général).

# Fiche Cabri

## Pour charger la figure indiquée par le professeur

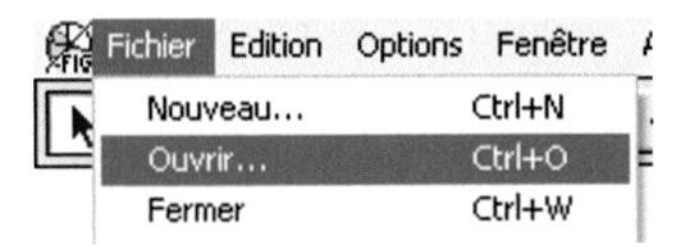


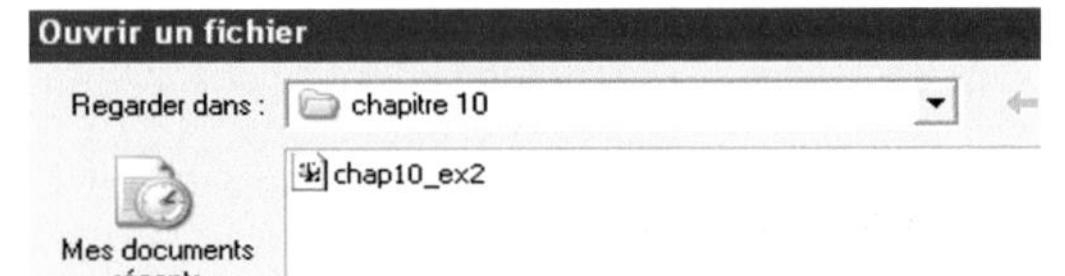


Sélectionner le dossier avec REGARDER DANS, puis cliquer sur le nom du fichier.

**Pour utiliser une fonction**

Cliquer sur l'icône en laissant le bouton de la souris enfoncé.

## 1. PLACER DES POINTS

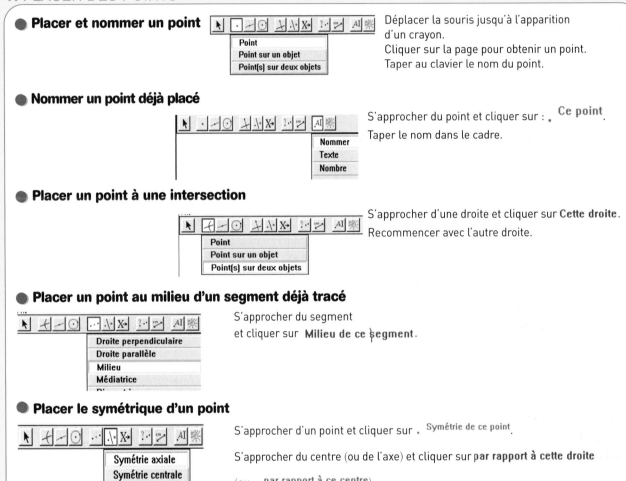

### Placer et nommer un point

Point
Point sur un objet
Point(s) sur deux objets

Déplacer la souris jusqu'à l'apparition d'un crayon.
Cliquer sur la page pour obtenir un point.
Taper au clavier le nom du point.

### Nommer un point déjà placé

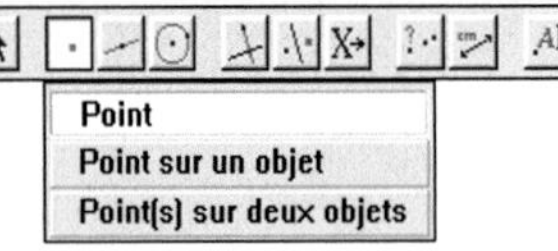


S'approcher du point et cliquer sur : Ce point.
Taper le nom dans le cadre.

### Placer un point à une intersection

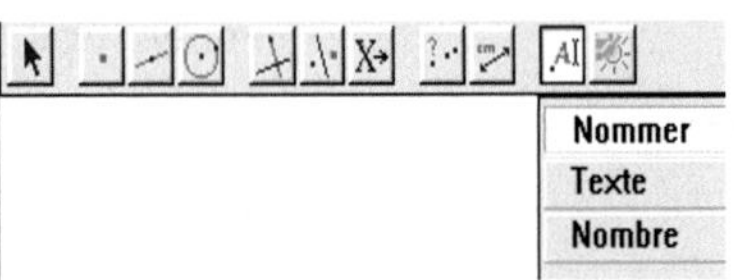


S'approcher d'une droite et cliquer sur **Cette droite**.
Recommencer avec l'autre droite.

### Placer un point au milieu d'un segment déjà tracé

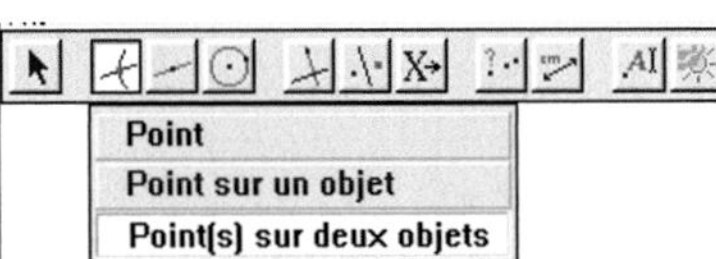


S'approcher du segment et cliquer sur **Milieu de ce segment**.

### Placer le symétrique d'un point

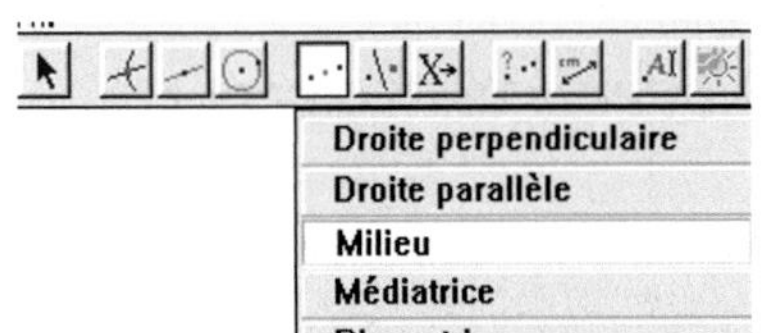


S'approcher d'un point et cliquer sur Symétrie de ce point.

S'approcher du centre (ou de l'axe) et cliquer sur **par rapport à cette droite**

(ou **par rapport à ce centre**).

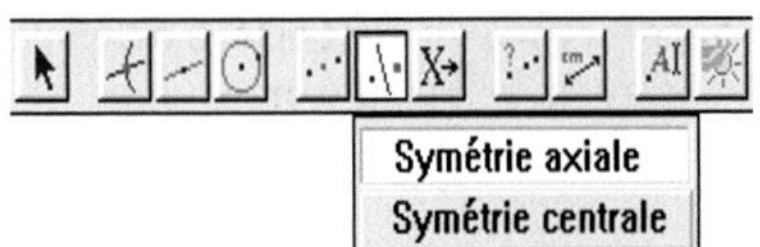

## 2. TRACER DES LIGNES

### Tracer une droite, une demi-droite ou segment passant par des points déjà placés

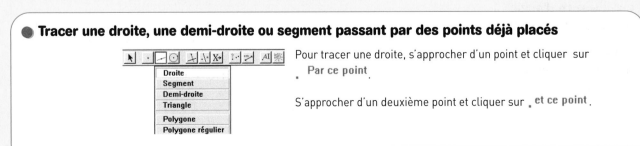

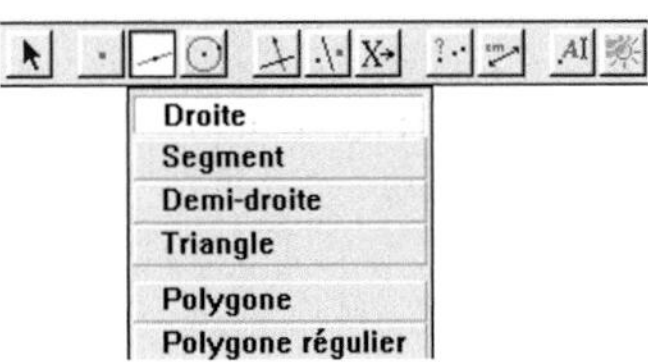


Pour tracer une droite, s'approcher d'un point et cliquer sur Par ce point.

S'approcher d'un deuxième point et cliquer sur et ce point.

### Tracer une droite parallèle ou perpendiculaire à une droite passant par un point

Droite perpendiculaire
Droite parallèle
Milieu
Médiatrice
Bissectrice

S'approcher d'une droite et cliquer sur **Parallèle à cette droite**.

S'approcher d'un point et cliquer sur **Par ce point**.

### Tracer un segment de longueur donné

Créer un **nombre** égal à la longueur choisie.

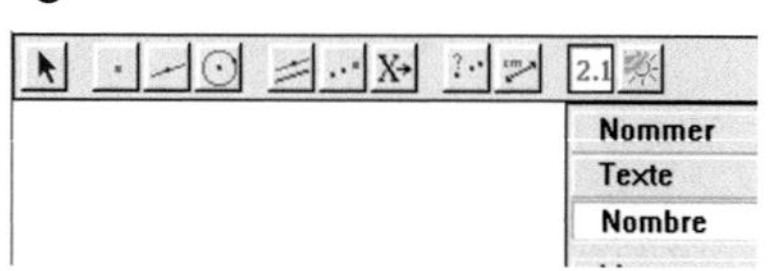


Déplacer la souris sur la partie blanche et cliquer.
Taper le nombre dans le cadre.

Créer une **demi-droite** dont l'origine est une des extrémités du segment cherché puis :

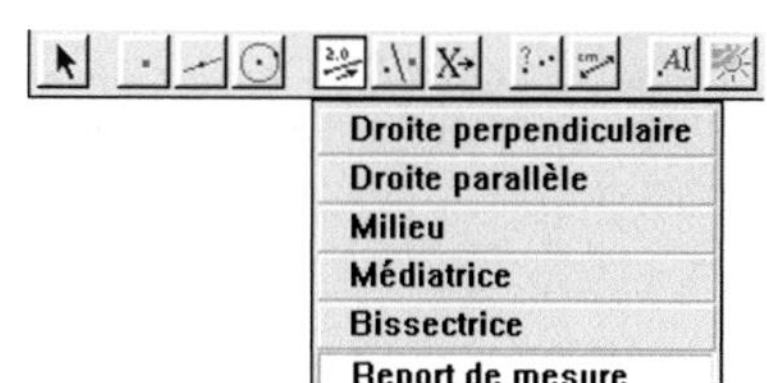


S'approcher de la demi-droite et cliquer sur **Cette demi-droite**.

S'approcher du nombre et cliquer sur **Ce nombre**.

Cacher la demi-droite (voir paragraphe 3.) et créer le segment à partir de l'origine de la demi-droite et du point obtenu.

### Tracer un cercle de centre donné passant par un point

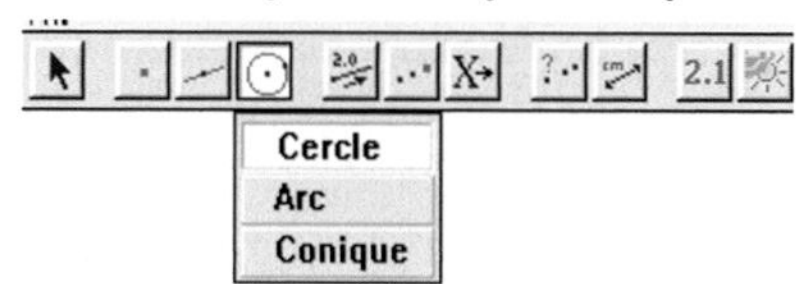


S'approcher du centre et cliquer sur **Ce point comme centre**.

S'approcher du point et cliquer sur **passant par ce point**.

## 3. TRANSFORMER UNE FIGURE

### Déformer une figure ou Déplacer un point

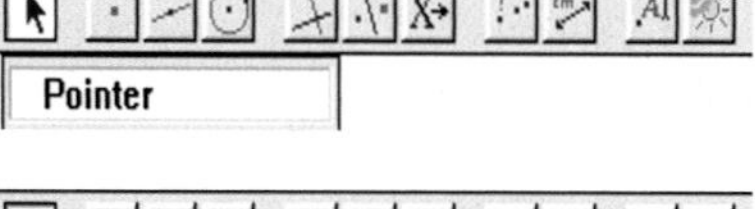


S'approcher du point et cliquer sur : **Ce point**.
**Sans relâcher** le bouton de la souris, déplacer le point.

### Effacer un objet

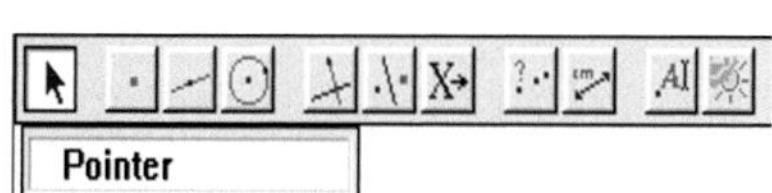


Cliquer sur l'objet à effacer. L'objet sélectionné clignote. Appuyer sur la touche suppr du clavier.

### Mettre en couleur en pointillés en gras ou cacher un objet

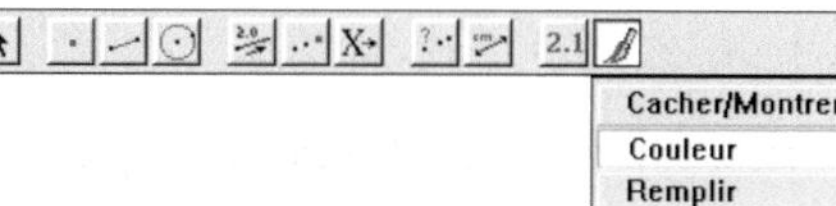


Choisir l'aspect et cliquer sur l'objet à modifier. Un objet caché existe toujours, mais n'apparaît plus à l'écran.

## 4. DEMANDER DES INFORMATIONS SUR LA FIGURE

### Afficher une distance entre deux points, une mesure d'angle ou l'aire d'un polygone

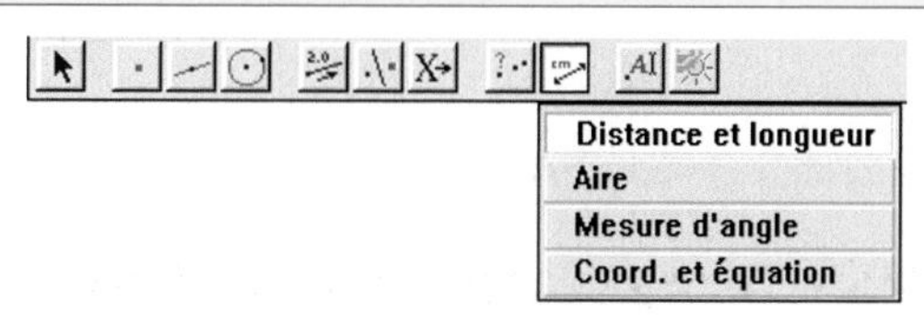


S'approcher des objets et cliquer lorsque le type d'objet concerné apparaît.

Pour l'aire, il faut avoir tracer le polygone et pas seulement les segments.

### Obtenir des informations sur la figure

Aligné ?
Parallèle ?
Perpendiculai
Equidistant ?
Appartient ?

S'approcher successivement des objets concernés et cliquer lorsque la question correcte apparaît.

# Fiche Tableur

## 1. LA CELLULE

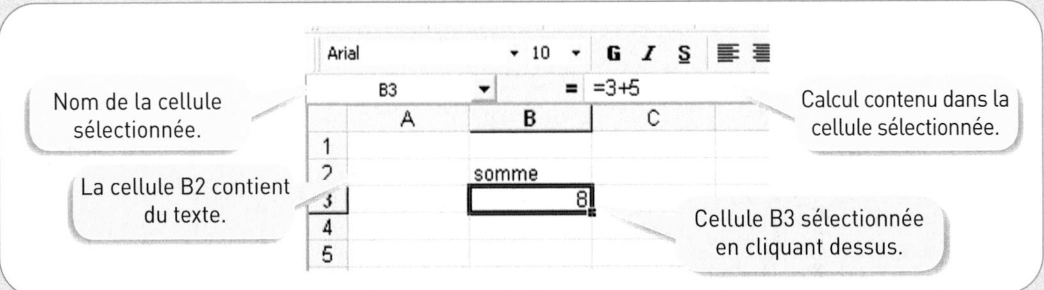


## 2. REMPLIR UNE CELLULE

**Avec du texte**
Sélectionner la cellule à remplir.
Écrire le texte.

**Avec un calcul**
Sélectionner la cellule à remplir.

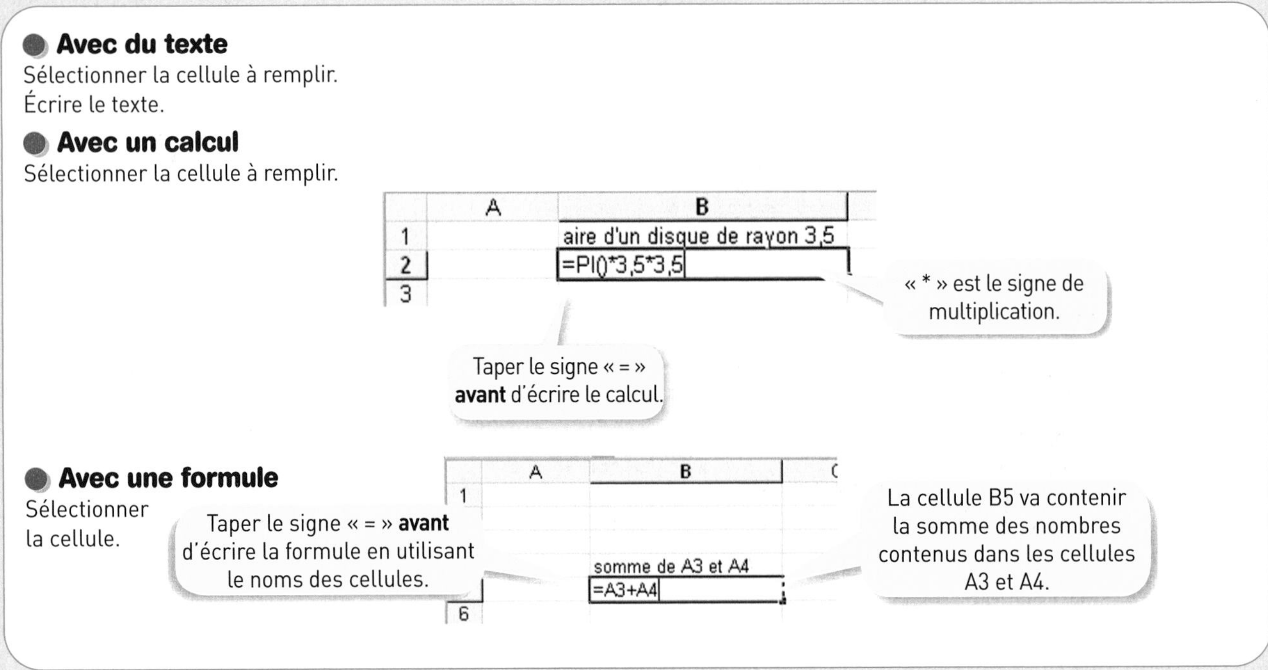


**Avec une formule**
Sélectionner la cellule.

## 3. MODIFIER LE CONTENU D'UNE CELLULE

Double cliquer sur la cellule.
Modifier son contenu.
Taper la touche échap.

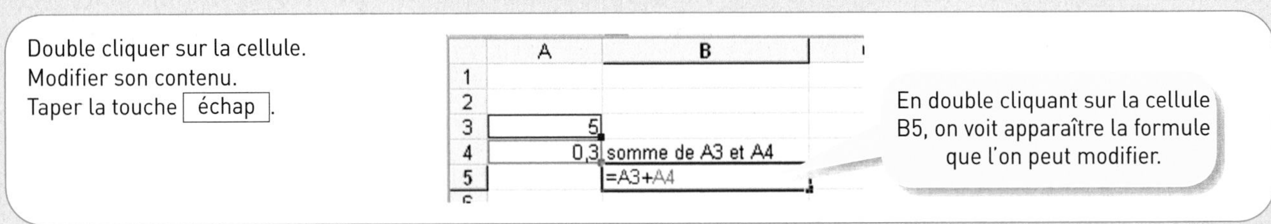


## 4. CHOISIR LE NOMBRE DE DECIMALES A AFFICHER

Clic droit sur la cellule considérée.

Sélectionner FORMAT

Choisir NOMBRE.

Choisir NOMBRE DE DÉCIMALES.

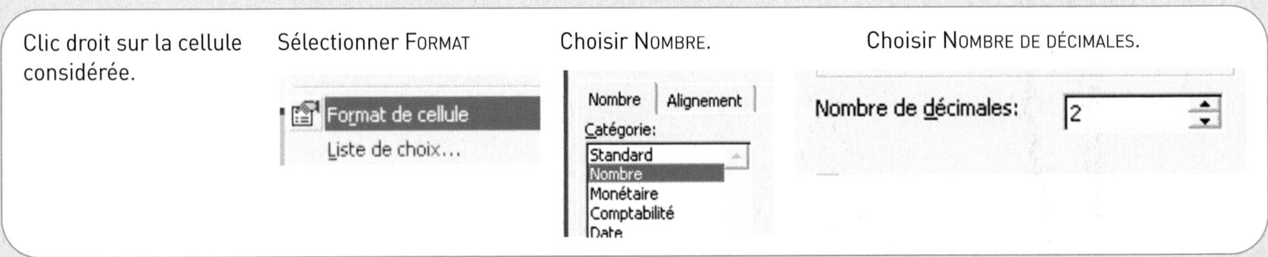

## 5. COMPLÉTER UN TABLEAU EN UTILISANT PLUSIEURS FOIS LA MÊME FORMULE

*Exemple* : On veut remplir la feuille de calcul suivante le plus rapidement possible.

| | A | B | C | D | E | F |
|---|---|---|---|---|---|---|
| 1 | **aire d'un rectangle de longueur donnée en fonction de la largeur** | | | | | |
| 3 | longueur fixée en (cm) : | 15 | | largeur du rectangle (en cm) | aire (en cm²) | |
| 4 | | | | 2 | | |
| 5 | | | | 5 | | |
| 6 | | | | 12 | | |
| 7 | | | | 15 | | |
| 8 | | | | 22 | | |

**1.** On écrit la formule dans la première cellule de la colonne (la cellule E4).

| | A | B | C | D | E | F |
|---|---|---|---|---|---|---|
| 1 | **aire d'un rectangle de longueur donnée en fonction de la largeur** | | | | | |
| 3 | longueur fixée en (cm) : | 15 | | largeur du rectangle (en cm) | aire (en cm²) | |
| 4 | | | | 2 | =D4*B3 | |
| 5 | | | | 5 | | |
| 6 | | | | 12 | | |
| 7 | | | | 15 | | |
| 8 | | | | 22 | | |

B3 D4

**2.** On va recopier la formule en E5, E6, E7 et E8, mais la formule doit se transformer :
- La largeur du rectangle est en D5, D6, D7 et D8.
- La longueur ne change pas de place : en B3.

Pour indiquer qu'un nombre ne change pas dans une formule on ajoute des « $ » au nom de la ligne et la colonne de la cellule : $B$3.

**3.** Sélectionner la cellule à recopier et déplacer la souris vers le coin en bas à droite de la cellule, pour obtenir une petite croix noire.

| | A | B | C | D | E | F |
|---|---|---|---|---|---|---|
| 1 | **Aire d'un rectangle de longueur donnée en fonction de la largeur** | | | | | |
| 2 | | | | | | |
| 3 | longueur fixée (en cm) : | 15 | | largeur du rectangle | aire | |
| 4 | | | | 2 | =D4*$B$3 | |
| 5 | | | | 5 | | |
| 6 | | | | 12 | | |
| 7 | | | | 15 | | |
| 8 | | | | 22 | | |

Laisser le bouton enfoncé et étirer la cellule jusqu'à la dernière ligne concernée par cette formule.

**4.** En double cliquant sur une cellule la formule utilisée par le tableur apparaît. On peut vérifier qu'elle est correcte.

| | A | B | C | D | E | F |
|---|---|---|---|---|---|---|
| 1 | **Aire d'un rectangle de longueur donnée en fonction de la largeur** | | | | | |
| 2 | | | | | | |
| 3 | longueur fixée (en cm) : | 15 | | largeur du rectangle | aire | |
| 4 | | | | 2 | 30 | |
| 5 | | | | 5 | 75 | |
| 6 | | | | 12 | =D6*$B$3 | |
| 7 | | | | 15 | 225 | |
| 8 | | | | 22 | 330 | |

### Exercice

**1.** Suivre la procédure ci-dessus sans écrire les $. Que se passe-t-il ?

**2.** Recommencer en utilisant convenablement les $.

# Quelques logiciels

## LOGICIELS DE GÉOMÉTRIE DYNAMIQUE COMMERCIALISÉS

 Cabri 3D  Cabribéomètre

Mac, Windows
http://www-cabri.imag.fr/

 Geoplan  Geospace

Windows
http://www2.cnam.fr/creem/
http://www.cndp.fr/Produits/

## LOGICIELS LIBRES DE GÉOMÉTRIE DYNAMIQUE

 Ateliers de géométrie 2D
Linux, Mac, Windows
http://atelier.apinc.org/

 Ateliers de géométrie 3D
Linux, Mac, Windows
http://atelier.apinc.org/

 GeoGebra
Linux, Mac, Windows
http://www.geogebra.at/

 Géonext
Linux, Mac, Windows
http://geonext.de/

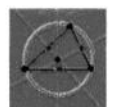 Kseg
Linux, Mac, Windows
http://www.mit.edu/~ibaran/

 Déclic
Linux, Windows
http://www.ofset.org/drgeo/

 DrGéo
Linux
http://www.ofset.org/drgeo/

 Euclid'
Windows
http://mathocollege.free.fr/

 Tracenpoche
Mac, Windows
http://tracenpoche.sesamath.net/

 KGeo
Linux
http://kgeo.sourceforge.net/

 Kig
Linux
http://edu.kde.org/kig/

 Wingeom
Windows
http://math.exeter.edu/rparris/

## TABLEURS COMMERCIALISÉS

 Microsoft Office
Mac, Windows
http://www.microsoft.com/

Lotus Lotus 1-2-3
Windows
http://www-306.ibm.com/

COREL WordPerfect Office
Windows
http://www.corel.fr/

## TABLEURS LIBRES

 Think free Office
Linux, Mac, Windows
http://www.thinkfree.com/

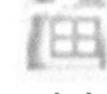 Open Office
Linux, Windows
http://fr.openoffice.org/

 Gnumeric
Linux, Windows
http://www.gnome.org/

 Tee chart Office
Linux, Windows
http://www.steema.com/

 Neo Office
Mac
http://www.neooffice.org/

 KOffice Workspace
Linux
http://www.koffice.org/

# Dictionnaire

## À propos des mots

Les mots en mathématiques sont souvent utilisés dans un sens très précis (mais aussi et parfois de façon ambiguë), souvent dans un sens différent du sens habituel. Ces quelques pages précisent le sens des mots en mathématiques, leur origine, leur utilisation...
Pour certains mots on trouvera l'endroit du manuel où avoir plus de précisions (pour « Abscisse » par exemple on se reporte aux pages 10 et 34), la ligne « Voir... » indique d'autres mots de la liste qui permettront de poursuivre la réflexion.

### A

**Avec des lettres**
Les exercices « Avec des lettres » font travailler l'utilisation des lettres dans les calculs. En cinquième on commence à apprendre à les manipuler :
- quand on recherche un nombre (exemple : « trouver un nombre qui vérifie $2 \times a \times a = 18$ »)
- quand on veut donner une formule générale (la formule de la distributivité page 78 par exemple).
- quand on étudie une situation où un des nombres de l'énoncé est variable (exemple : n 46p233).

▶ *Voir Lettres*

**À ... près**
▶ *Voir Valeur approchée*

**Abscisse** ...................... pages 10, 34
Les abscisses sont utilisées dans deux contextes différents en cinquième. Elles servent à repérer la position d'un point :
- sur une droite graduée elle est lue directement sur la graduation.
- dans le plan on utilise deux axes gradués perpendiculaires pour repérer la position d'un point. La première des deux coordonnées s'appelle l'abscisse du point.

▶ *Voir Axe gradué, Coordonnée, Repère*

**Adjacents** ......................... page 142
**Origine du mot** il provient du latin, il signifie « jeté à côté ».
En mathématiques, on dit par exemple que deux angles sont adjacents quand ils ont un côté en commun (et le même sommet).

**Agrandissement** ................ page 58
En général en mathématiques on agrandit sans modifier la forme : les dimensions de l'objet agrandi sont proportionnelles à l'original.
▶ *Voir Échelle*

**Aigu**
Un angle aigu est un angle qui mesure moins de 90°.
**Origine du mot** il a la même origine latine que « aiguille », « aiguillon » ou « aiguiser », tous ces mots sont liés l'idée de « pointe ».

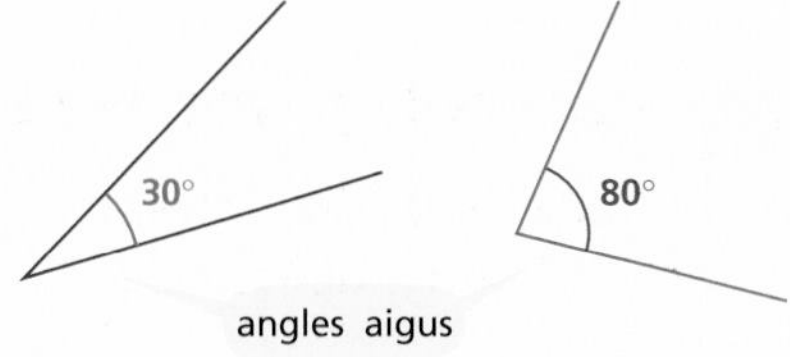

angles aigus

▶ *Voir Obtus*

**Aire** ................................ page 201
En mathématiques « surface » et « aire » n'ont pas le même sens : l'aire est la mesure de la surface.
**Origine du mot** latine, il était lié à l'idée de « sol uni, libre ». On l'utilise encore dans ce sens quand on parle de l'aire de lancement d'une fusée par exemple.
Attention à l'orthographe : il ne faut pas confondre « aire » et « air » (celui que l'on respire).
▶ *Voir Mesure, Surface, Mètre carré*

**Aire latérale** .................... page 208
▶ *Voir Aire, Latéral*

**Alignés**
Objets (ou personnes) placés le long d'une ligne droite.
En géométrie : points appartenant à une même droite.
En cinquième on étudie deux nouvelles façons de prouver que trois points A, B et C sont alignés : on peut utiliser l'inégalité triangulaire ou prouver que l'angle $\widehat{ABC}$ est plat (mesure 180°).
▶ *Voir Inégalité triangulaire*

**Alternes-internes** (angles).. page 142
En biologie on parle d'un feuillage alterne quand les feuilles sont disposées de chaque côté de la tige à des hauteurs différentes.
En mathématiques deux angles alternes sont formés par une sécante coupant deux droites, ils sont placés de part et d'autre de cette sécante.
Sur cette figure les angles *a* et *b* sont alternes-internes, les angles c et d sont alternes-externes (ce mot n'est pas étudié en cinquième).

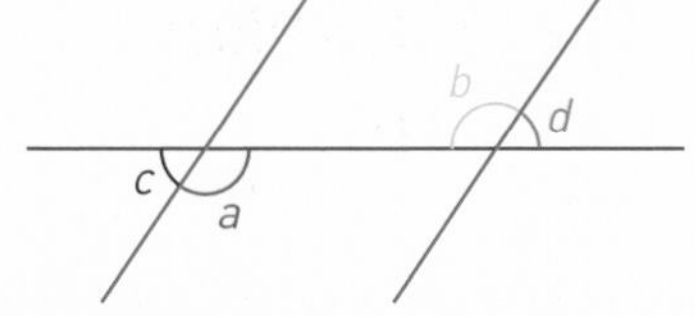


**Origine du mot** « alterne » et « interne » se ressemblent mais n'ont la même origine en latin : « alterne » vient de « alter » qui a donné aussi « autre », et « interne » vient de « ter » signifiant « du côté de » et de « in » signifiant dedans.
▶ *Voir Correspondant*

**Amplitude** .......................... page 34
Écart entre deux valeurs extrêmes.
En cinquième ce mot est utilisé pour mesurer la largeur des classes quand on regroupe les données pour en faciliter l'analyse.
▶ *Voir Classe, Histogramme*

**Angle**
En mathématiques le mot « angle » désigne souvent deux choses : l'objet géométrique d'une part et sa mesure d'autre part.
L'angle a été défini en sixième : « deux demi-droites de même origine forment un angle ».

**Appartenir**
Le sens mathématique est « faire partie de ». On dit aussi « être sur ».
▶ *Voir Être sûr*

**Appliquer**
Utiliser une méthode, une règle de calcul, ou bien une formule (par exemple la distributivité).
Dans ce manuel on fait des exercices d'« application » !

**Approché**
▶ *Voir Valeur approchée*

**Approximatif**
Un calcul approximatif est souvent un calcul rapide et imprécis. On ne connaît pas exactement l'erreur commise.
Ce n'est donc pas la même chose qu'un calcul approché pour lequel on essaye d'avoir une idée de l'erreur commise.

**Arête**
En géométrie dans l'espace, c'est un segment reliant deux sommets consécutifs.
**Origine du mot** il n'est pas sans lien avec l'arête principale des poissons.

**Arrondi**
▶ *Voir Valeur approchée*

### Astucieusement
On utilise cet adverbe pour signaler qu'une idée simple peut faciliter le travail à faire (voir par exemple les exercices n23p17 et n62p109).

### Axe
Une droite qui a une importance particulière dans la situation étudiée s'appelle un « axe ».
En cinquième on voit les axes d'un repère, les axes gradués, les axes de symétrie d'une figure.
Dans le langage courant on parle d'« axe routier » qui désigne une route importante.

### Axe gradué .................. pages 10, 34
Droite muni d'une origine, d'une unité de longueur et d'un sens. Ce qui permet de repérer chaque point de la droite par son abscisse :

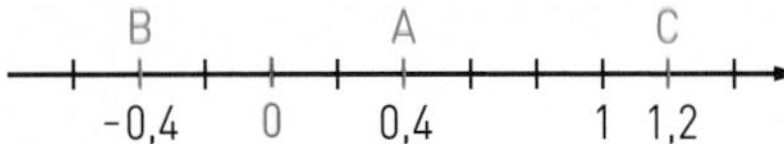


### Axiale
▶ *Voir Symétrie axiale*

## B

### Base .............. pages 186, 188, 206, 210
Le mot a un double sens en mathématiques.
- Il désigne un objet : un segment (dans un triangle) ou une surface (dans un solide) ;
- mais il désigne aussi une mesure (longueur de ce segment, aire de cette surface).

Il faut donc bien réfléchir quand on l'utilise ou quand on le lit. De plus, dans une situation où on manipule un triangle et un prisme il faut faire très attention à préciser de quelle base on se sert.

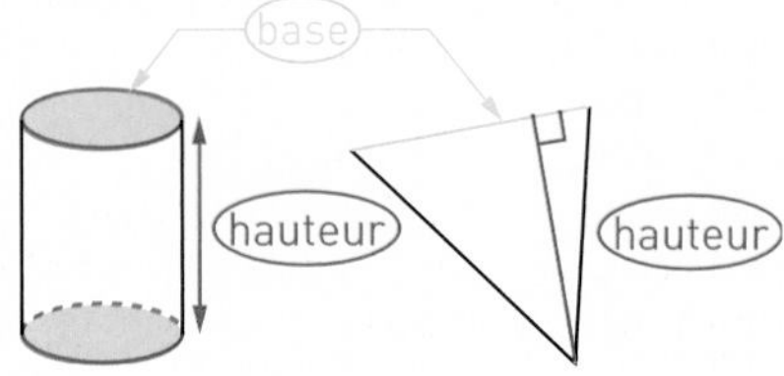


### Bissectrice
La bissectrice est la droite qui coupe un angle en deux angles qui ont la même mesure. C'est l'axe de symétrie de l'angle.

**L'origine du mot** signifie « qui coupe en deux ».

## C

### Caché
Quand on dessine un objet de l'espace qui n'est pas transparent, on ne devrait pas dessiner les parties que l'on ne voit pas.
En mathématiques on dessine les parties cachées des objets pour « voir » l'ensemble de l'objet sur un seul dessin. On les trace en pointillés.
Les parties visibles (celles que l'on voit dans la réalité) sont tracées en traits continus.

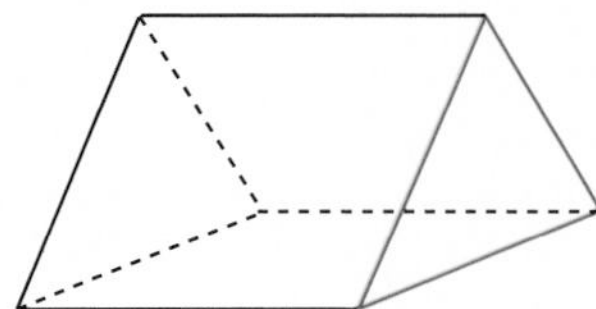

### Calcul
**Origine du mot** « calcul » vient du latin « calculus » qui signifie « petit caillou ». En effet, autrefois on s'aidait de cailloux pour compter avec de grands nombres.

Les programmes de cinquième évoquent plusieurs types de calculs :
- automatique (par exemple pour les tables de multiplication),
- de tête (calcul mental),
- réfléchi (on choisit la technique la plus rapide),
- posé à la main,
- avec la calculatrice ou l'ordinateur.

### Calculer
Quand un exercice demande de calculer il faut donner un résultat exact et écrire les détails de son calcul.

### Caractériser
Mettre en évidence ce qui définit un objet et le distingue des autres.

### Carré ............................... page 144
**Origine du mot** « carré » a la même origine que le mot « quatre ».

Pour calculer l'aire d'un carré on multiplie la longueur du côté par elle-même, ce fait a donné son nom à l'opération de multiplier un nombre par lui-même : le carré de 7, par exemple, est 49 (on note $7^2 = 49$).
▶ *Voir Mètre carré*

### Cavalière ......................... page 183
**Origine du mot** La perspective cavalière était la vision de quelqu'un placé en hauteur (sur un cheval par exemple).

La perspective cavalière des mathématiciens est maintenant bien loin des chevaux, elle obéit à des règles mathématiques précises (voir approche n1p183). Le but reste malgré tout de restituer la vision d'un observateur éloigné de l'objet.
▶ *Voir Perspective*

### Centre ............................. page 124
**Origine du mot** en latin « centrum » désignait la pointe du compas.

En mathématiques « centre » désigne le point qui est à la même distance de tous les points du cercle.
En cinquième on découvre un nouvel usage du mot « centre » dans l'étude des symétries centrales : on parle du « centre de symétrie » d'une figure.
▶ *Voir Symétrie centrale*

### Cercle
Les points du cercle sont tous à la même distance du centre.

**Origine du mot** « Cirque », « circulation », « cerceau », « circulaire »... sont des mots cousins de « cercle ».

### Cerf-volant
Un cerf-volant est un quadrilatère dont une diagonale est un axe de symétrie.
Bien sûr cette figure géométrique doit son nom à sa ressemblance avec certains cerfs-volants.

### Chiffre
**Origine du mot** « chiffre » provient du mot arabe « sifr » qui signifiait « vide » et qui désignait une idée venue d'Inde : le zéro. L'utilisation en France des chiffres arabes (et de la numération de position) coïncide avec la découverte et le début de l'utilisation du zéro.

### Circonférence
Périmètre d'un disque.
▶ *Voir Périmètre*

### Circonscrit....................... page 168
**Origine du mot** vient du latin « circum » (autour) et « scribere » (écrire).

Un cercle circonscrit à un polygone est un cercle qui passe par tous ses sommets. Il n'en existe pas un pour tous les polygones mais on apprend en cinquième qu'il en existe toujours un pour les triangles (son centre est à l'intersection des trois médiatrices).

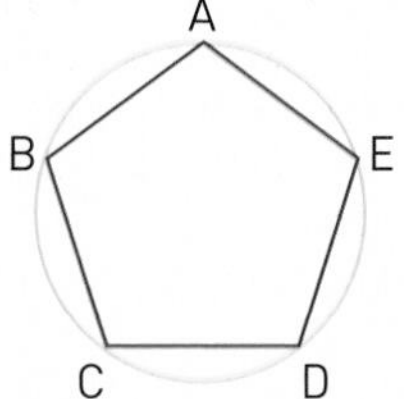


▶ *Voir Cercle*

## Circulaire
Qui a la forme d'un cercle ou d'un disque.

## Citer
Quelques exercices demandent de « citer », il s'agit toujours de faire la liste des objets vérifiant une propriété.

## Classe .................................. page 34
Une « classe » est un regroupement permettant une organisation. C'est dans ce sens que le mot est utilisé tous les jours au collège.
On l'utilise aussi en mathématiques quand on souhaite organiser des données pour les analyser plus simplement.
▶ *Voir Amplitude*

## Classer (des nombres)
Classer des nombres c'est, en général, les recopier dans l'ordre croissant ou dans l'ordre décroissant.

## Classer (des objets)
Quand il ne s'agit pas de nombres « classer » veut dire organiser, séparer en groupes.
▶ *Voir Classe*

## Cocycliques
On dit que des points sont cocycliques quand ils appartiennent tous à un même cercle.

## Codage
Ce sont des informations que l'on porte sur la figure pour donner certaines propriétés : on peut indiquer que des longueurs sont égales, que des angles ont même mesure, que des droites sont perpendiculaires...

## Coder
Résumer des informations sur la figure à l'aide de symboles simples.

## Coefficient .......................... page 56
**Origine du mot** il signifie « celui qui fait, qui agit avec ». On retrouve la même idée dans le mot « facteur » (celui qui fait) et dans le mot « produit » (le résultat).

Le mot « coefficient » est associé à l'idée de multiplication.
▶ *Voir Proportionnalité*

## Commun ..................... pages 78, 100
Le mot signifie « qui appartient à plusieurs ».
On le voit apparaître dans plusieurs expressions :
- en géométrie : deux quadrilatères peuvent avoir des côtés communs par exemple,
- à propos de la distributivité : les termes d'une somme ont un facteur en commun,
- on ne sait faire la somme de deux nombres en écritures fractionnaire que lorsqu'ils ont un dénominateur commun (c'est-à-dire le même dénominateur).

▶ *Voir Distributivité*

## Comparer
C'est un verbe qui a plusieurs sens en mathématiques :
- comparer des objets ou des données c'est essayer de comprendre leurs points communs et leurs différences,
- comparer des nombres c'est en général dire s'ils sont égaux et, s'ils ne le sont pas, les ordonner.

▶ *Voir Ordonner*

## Compas
**Origine du mot** « compas » a d'abord été lié à l'idée de mesurer (« avec le pas »). Les marins utilisent encore le compas à pointe sèche (sans crayon : avec deux pointes) uniquement conçu pour reporter des longueurs.

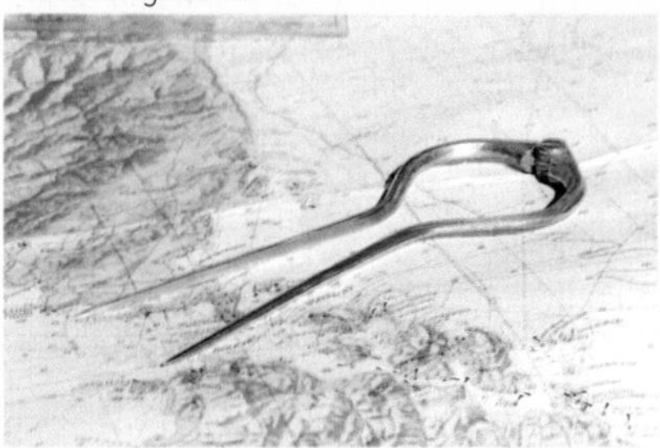

## Complémentaire ............. page 142
La somme des mesures de deux angles complémentaires vaut 90°. Il faut faire attention au fait que deux angles complémentaires ne sont pas forcément adjacents.

**Origine du mot,** dans l'Antiquité, l'angle droit était considéré comme un angle parfait. On complétait (on le rendait complet) un angle aigu pour obtenir un angle droit.

▶ *Voir Supplémentaire*

## Compris entre
Placé entre un nombre plus petit et un nombre plus grand.
▶ *Voir Ordonner*

## Compter
**Origine du mot** il a la même origine que le mot anglais « computer » (ordinateur). Il est très lié (encore maintenant) à la manipulation de l'argent (compte en banque, comptable...).

## Concentrique
Deux cercles qui ont le même centre sont concentriques.

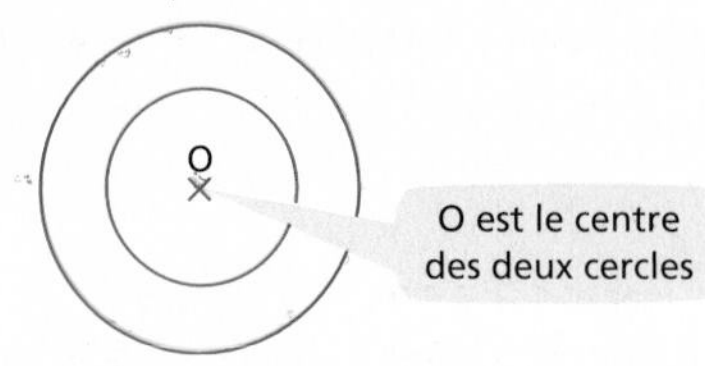


## Conclusion
Dernière étape d'une preuve, d'un raisonnement, d'une analyse.
Quand on répond à une question, il faut toujours vérifier que la conclusion correspond bien à la question posée.
▶ *Voir Preuve*

## Consécutifs
Qui se suivent. On parle de nombres entiers consécutifs ou de sommets consécutifs sur un polygone par exemple.

## Construire
Le verbe « construire » est utilisé à propos de tableaux mais surtout en géométrie (des constructions).
Il faut choisir et rassembler des renseignements (de l'énoncé, du cours...) et utiliser une technique, une méthode ou des outils.

## Contenance ....................... page 54
Quantité de ce qu'un récipient peut contenir. La contenance est une grandeur qui s'apparente au volume. On la mesure en litres.
▶ *Voir Volume*

## Conversion ....................... page 54
En mathématiques une conversion est un changement d'unité de mesure.
Les mesures dans une unité sont proportionnelles aux mesures dans l'autre unité : une conversion est une simple multiplication.
▶ *Voir Proportionnalité, Mesurer*

## Coordonnées .................... page 32
Pour repérer la position d'un point dans un plan on se sert de deux coordonnées. Les coordonnées sont des nombres permettant de connaître la position du point par rapport à deux axes.
La première coordonnée s'appelle l'abscisse (axe en général horizontal), la seconde coordonnée s'appelle l'ordonnée (axe en général vertical).

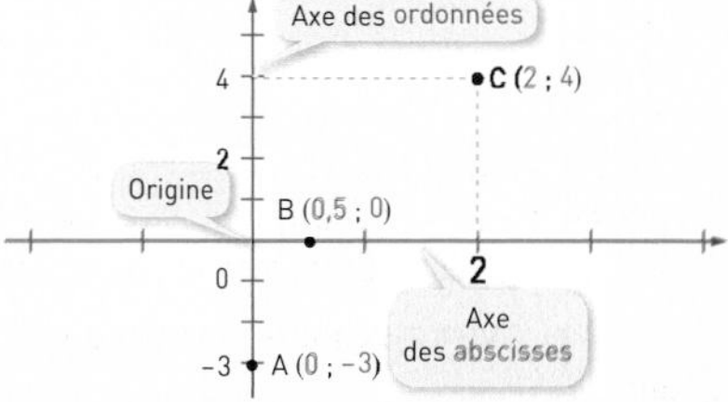

**Correspondants** (angles) ..... p. 142
Sur cette figure les angles *a* et *b* sont correspondants.

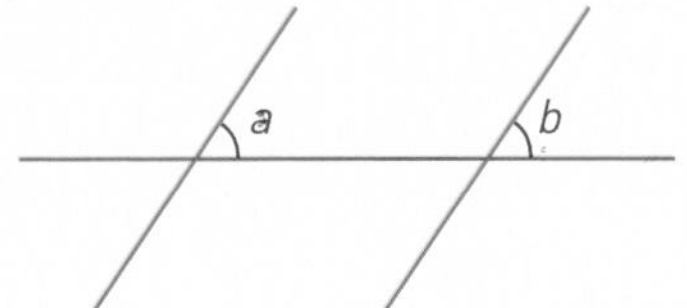


▶ *Voir Alterne-interne*

**Côté**
Segment reliant deux sommets consécutifs d'un polygone.
Ce mot désigne aussi la longueur de ce segment : on peut dire, par exemple, que le périmètre d'un carré est proportionnel à son côté.
▶ *Voir Polygone, triangle*

**Couper**
Quand deux lignes (droites, cercles, segments...) sont sécantes on dit qu'elles se coupent.
▶ *Voir Intersection, Sécante*

**Couronne**
Une couronne est la surface délimitée par deux cercles concentriques.
▶ *Voir Concentrique*

**Crochets**
On utilise des parenthèses pour structurer les calculs complexes. Quand plusieurs parenthèses sont nécessaires on peut utiliser des crochets.
▶ *Voir Parenthèses*

**Croissant**
Du plus petit au plus grand.
▶ *Voir Ordonner*

**Cube**
Le mot apparaît pour désigner l'objet (solide ayant six faces de forme carrée) mais aussi dans les noms des unités de volume. Par exemple le centimètre cube ($cm^3$), le décimètre cube ($dm^3$).

**Origine du mot** il désignait dans l'Antiquité les dés et le jeu de dé.

▶ *Voir Mètre cube*

**Cylindre** ........................... page 188
**Origine du mot** grecque qui signifiait (bien avant de devenir un terme mathématique) « tourner en rond », « rouleau ».
Le cylindre étudié au collège est le cylindre de révolution. Il a une forme de rouleau.
▶ *Voir Révolution*

## D

**De tête**
Calculer de tête (sans crayon ni papier, sans calculatrice) demande de la mémoire, de la technique, de l'astuce... Cela demande surtout beaucoup d'entraînement.
▶ *Voir Calcul*

**Déca-** (Hecto-, Kilo-, Méga-, Giga-, Tera-...)
**Origine du mot** « déca » (dizaine d'unité), « hecto » (centaine d'unités), « kilo » (millier d'unités) sont des préfixes qui proviennent directement du grec où ils voulaient dire respectivement 10, 100 et 1 000. « méga » (million d'unités), « giga » (milliard d'unités), « tera » (millier de milliard d'unités) et toutes les grandes unités sont aussi des mots d'origine grecque.
▶ *Voir Déci-*

**Déci-** (Centi-, Milli-, Micro-, Pico-...)
**Origine du mot** « déci » (dixième d'unité), « centi » (centième d'unité), « milli » (millième d'unité) sont des préfixes qui proviennent directement du latin où ils signifiaient 10, 100, 1 000. « Micro » (millionième d'unité), « pico » (milliardième d'unité) et toutes les petites unités sont aussi des mots d'origine latine.
▶ *Voir Déca-, Mètre carré, Mètre cube*

**Décimal(e)** .................. pages 76, 98
C'est un mot qui a plusieurs sens :
• nom : « une décimale » est un chiffre dans la position des dixièmes, des centièmes...
• adjectif : « les nombres décimaux » sont des entiers divisés par des puissances de 10, on commence à les étudier au primaire,
• adjectif : « l'écriture décimale » d'un nombre est une de ses écritures possibles, c'est l'écriture « à virgule ».
▶ *Voir Écriture, Déci-*

**Décomposer** (un nombre)
C'est écrire un nombre sous forme d'une somme ou d'un produit pour effectuer un calcul plus simplement :
• $(^+7) + (^-3) = (^+4) + (^+3) + (^-3) = {}^+4$ (on a décomposé $^+7$ en une somme)
• $13 \times 19 = 13 \times (20 - 1) = 13 \times 20 - 13 \times 1 = 260 - 13 = 247$
(on a décomposé 19 en une différence)
• $\frac{2}{3} \times \frac{6}{7} = \frac{2 \times 6}{3 \times 3} = \frac{2 \times 2 \times 3}{3 \times 7} = \frac{4}{21}$
(on a décomposé 6 en un produit)

**Décomposer** (une surface) ............ pages 208, 209
C'est imaginer le découpage d'une surface en surfaces plus simples afin de calculer son aire. On peut, par exemple, décomposer un losange en 4 triangles rectangles de même aire.

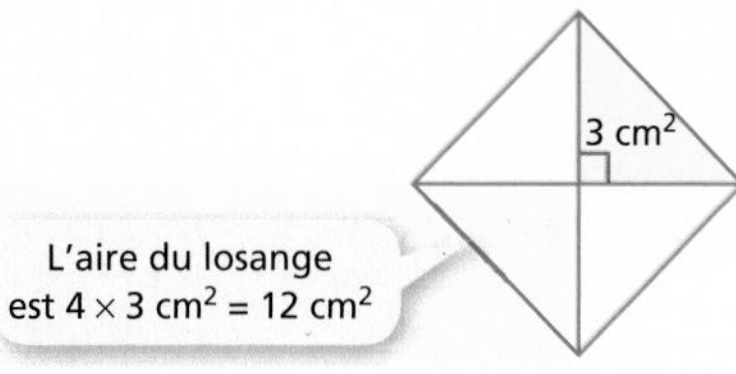

3 cm²
L'aire du losange est 4 × 3 cm² = 12 cm²


▶ *Voir Aire*

**Découpage**
Couper avec des ciseaux. On découpe par exemple un patron pour vérifier s'il est correct.

**Décrire**
Il s'agit de choisir les informations à donner, savoir les présenter dans le bon ordre.

**Décroissant**
Du plus grand au plus petit.
▶ *Voir Ordonner*

**Déduire**
Souvent « déduire » signifie qu'il faut se servir d'un résultat vu juste avant.

**Origines du mot** c'est un cousin de « conduire ». Le raisonnement doit mener à la conclusion.

Déduire peut vouloir dire soustraire mais cette utilisation est assez rare.
▶ *Voir Preuve*

**Définition**
Définir une chose c'est indiquer ce qu'elle est et ce qu'elle n'est pas. En mathématiques on part des définitions pour essayer de prouver des propriétés (voir par exemple les approches 3 et 4 page 140).
Pas facile de définir le mot « définir » !
▶ *Voir Preuve, Caractériser*

**Degré**
En mathématiques le degré est une unité de mesure des angles.
Mais le même mot sert en sciences physiques (unité mesurant les températures), en musique (hauteur des sons), c'est aussi une unité pour mesurer la quantité d'alcool dans une boisson.

**Demi-droite**
Une demi-droite est une partie de droite limitée par un point d'un côté et infinie de l'autre côté.

**Demi-tour**
Tourner de 180° autour d'un point.
Quand on fait faire un demi-tour à une figure autour d'un point, on obtient son symétrique par rapport au point (voir approche 1 et 2 page 117).

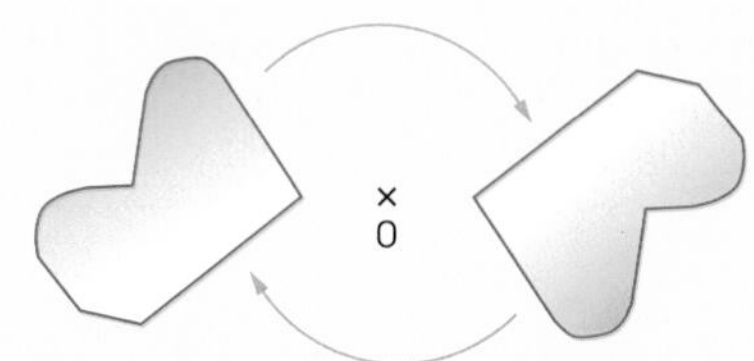


▶ *Voir Symétrie centrale*

## Démonstration
▶ *Voir Preuve*

## Dénivelé, dénivelée ............ page 8
Évolution de l'altitude entre un point de départ et un point d'arrivée.
Sur cet exemple le dénivelé est de 320 m.
▶ *Voir Nombre relatif*

## Dénominateur
Dans une écriture fractionnaire c'est le nombre qui est sous le trait de fraction.
Quand on lit une fraction, le dénominateur permet de préciser la partie de l'unité que l'on compte : le quart, le tiers, les centièmes...

numérateur — nombre de parts

$\frac{3}{4}$ = trois quarts

dénominateur — nom des parts

**Origine du mot** « numérateur » vient de « celui qui compte », « dénominateur » vient de « celui qui dénomme ».
▶ *Voir Écriture*

## Dessin
Le dessin est ce qui est tracé sur la feuille.
Le mathématicien essaye toujours de faire des dessins propres et précis mais les traits tracés avec le crayon, leur couleur, leur épaisseur ne l'intéressent pas vraiment : il s'intéresse aux objets.
On peut par exemple réfléchir aux propriétés d'un losange à partir d'un dessin à main levée (même si, sur le dessin, les côtés ne sont pas exactement de même longueur).
▶ *Voir Figure, Main levée*

## Déterminer
Trouver.
▶ *Voir Donner*

## Deux à deux ..................... page 144
On peut dire d'un groupe de points qu'ils sont « deux à deux symétriques » (approche 5 p. 119) ; que des nombres sont « deux à deux égaux » (n9p104) ; que les côtés d'un polygone sont « deux à deux de même longueur » (p. 146).
Cela signifie qu'on peut regrouper tous les objets deux par deux de façon à ce que tous les couples vérifient la même propriété.

## Diagonale
Pour les quadrilatères la diagonale relie un sommet au sommet opposé.

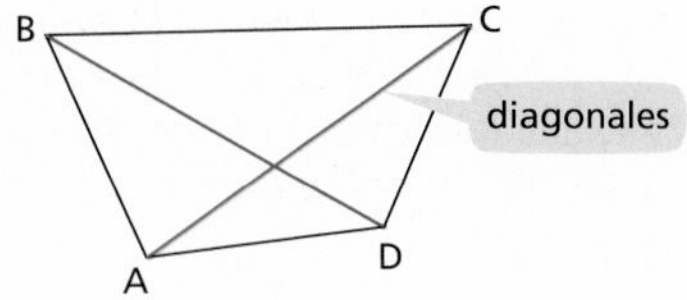


**Origine du mot** « dia » vient du grec et signifie « à travers ». « gônia » voulait dire « angle ».

## Diagramme........................ page 34
Graphique représentant des données. On travaille cette année les diagrammes en bandes, les diagrammes en tuyaux d'orgue, les diagrammes circulaires. En sixième les diagrammes semi-circulaires ont été étudiés.

**Origine du mot** « dia » vient du grec et signifie « à travers ». « graphaein » voulait dire « écrire ».
▶ *Voir Diagramme, Orgue*

## Diamètre
Diamètre peut désigner deux objets :
- un segment reliant deux points d'un cercle et passant par le centre
- la longueur de ce segment (ce qui correspond à l'origine du mot).

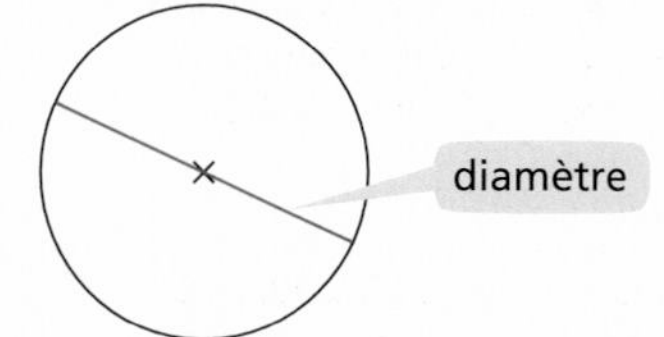


**Origine du mot** « dia » vient du grec et signifie « à travers ». « metron » voulait dire « mesurer ».

## Dimensions
Mesures de la taille d'un objet : on parle ainsi de toutes ses mesures à la fois (longueur et largeur pour un rectangle) ou de mesures qui n'ont pas de nom simple (dimensions d'un prisme).

## Dire
« Que peut-on dire ? » ou « dire si... est vraie ».
C'est souvent une façon de demander quelque chose sans donner d'indice. Il n'est toujours facile de répondre.
En général, même s'il est demandé de « dire », on écrit sa réponse..

## Disque
Surface limitée par un cercle. C'est l'ensemble des points situés à une distance du centre inférieure ou égale au rayon.

## Distance
Longueur du segment séparant deux points.

## Distributivité
**Origine du mot** c'est un mot construit à partir du verbe « distribuer ».
En effet, quand on effectue la multiplication $k \times (a + b)$ en utilisant la distributivité on obtient $k \times a + k \times b$. On peut dire qu'on a distribué le facteur $k$ aux nombres $a$ et $b$.

## Dividende
Dans une division, c'est le nombre que l'on divise.

## Diviseur (division)............. page 102
Dans une division, c'est le nombre par lequel on divise. En cinquième on étudie les divisions ayant un diviseur décimal.

## Diviseur (nombres)
Le nombre $a$ est un diviseur du nombre $b$ si le quotient du nombre $b$ par le nombre $a$ est un nombre entier. Par exemple les diviseurs de 18 sont 1, 2, 3, 6, 9 et 18.

## Divisible
On parle de « divisible » à propos des nombres entiers.
Le nombre $b$ est divisible par le nombre $a$ si le quotient du nombre $b$ par le nombre $a$ est un nombre entier. Par exemple 18 est divisible par 6 mais n'est pas divisible par 5.

## Dix (Dixième, Dizaine)
**Origine du mot** a été écrit « dix », « dis » ou « diz » selon les époques. Ces écritures proviennent toutes du latin « decem » (qui a aussi donné déci-).
▶ *Voir Deci-*

## Donc
C'est une conjonction (un mot qui relie deux parties d'une phrase, deux idées). En mathématiques, ce qui suit le « donc » est une conséquence de tout ce qui le précède.
Par exemple :
$a = 2{,}5$ et $b = 2 \times a + 2$ donc $b = 7$.
▶ *Voir Déduire, Preuve*

## Données (statistiques, géométrie)
En statistiques les données sont l'ensemble des renseignements recueillis.
En géométrie on parle aussi des données à propos d'une figure : c'est, en général, l'ensemble des renseignements de l'énoncé.

## Donner (énoncé)
Le verbe « donner » est beaucoup utilisé dans les énoncés :
- soit à propos des renseignements qu'il énonce (par exemple : « les mesures sont données en cm »),
- soit pour poser une question (le verbe « donner » a alors le même sens que « dire » par exemple).

**Droit**
Un angle droit a une mesure de 90°.

**Durée** ................................ page 54
Grandeur correspondant à l'écoulement du temps.

## E

**Échelle** .............................. page 58
Quand on veut représenter un objet réel par un dessin ou une photo, il est rare que l'on puisse respecter les dimensions réelles. On utilise alors une réduction ou un agrandissement. On se trouve dans une situation de proportionnalité. L'échelle est le coefficient qui permet de passer des longueurs réelles aux longueurs sur la représentation.

**Écrire**
« Tracer des signes organisés ».
Les signes peuvent être des lettres : on forme alors des mots, des phrases, on rédige... Les signes peuvent aussi être des chiffres : un nombre a de nombreuses écritures (fractionnaire, décimales... etc.).
▶ *Voir Écritures, Rédiger*

**Écriture décimale**
C'est l'écriture des nombres à l'aide de la numération de position : chaque chiffre a une valeur en fonction de sa position (unité, dizaine, centaine... dixième, centième...).
Exemple :
$\frac{3}{2}$ a pour écriture décimale 1,5. $\frac{1}{3}$ n'a pas d'écriture décimale exacte mais on peut donner une écriture décimale d'une valeur approchée :
$\frac{1}{3} \approx 0{,}33$ (au centième près).
▶ *Voir Valeur approchée*

**Écriture en ligne**
Écrire un calcul en ligne c'est l'écrire sans écriture fractionnaire (remplacée par opération). On utilise les parenthèses pour préciser les priorités.
▶ *Voir Parenthèses, Crochets*

**Écriture fractionnaire**........ page 98
Les quotients ont une écriture sous forme de fraction. Longtemps les mathématiciens ont essayé de montrer que tous les nombres pouvaient s'écrire sous forme de fraction, on sait maintenant que pour certains nombres c'est impossible (par exemple $\pi$).
▶ *Voir Fraction*

**Écriture fractionnaire simplifiée** .......................... page 98
Un quotient a une infinité d'écritures fractionnaires.
Par exemple : $\frac{2}{3} = \frac{4}{6} = \frac{6}{9} = \frac{8}{12} = \frac{10}{15} = \frac{12}{18}...$
Pour effectuer les calculs plus rapidement ou pour reconnaître que deux nombres en écriture fractionnaire sont égaux on essaye systématiquement de simplifier les écritures fractionnaires (c'est-à-dire d'écrire des fractions avec des numérateurs et dénominateurs « petits »).
Pour simplifier une fraction on ne peut que diviser le numérateur et le dénominateur par un même nombre (on peut le faire plusieurs fois de suite).
▶ *Voir Fraction, Commun, Irréductible*

**Effectif** ................................ page 36
C'est une quantité d'objets, de personnes.

**Effectuer**
▶ *Voir Calculer*

**Élément de symétrie** ............ pages 115 à 136
On connaît maintenant deux symétries : les symétries axiales et les symétries centrales. Quand une figure a, à la fois, un centre de symétrie et un (ou des) axe(s) de symétrie on peut parler de ses éléments de symétrie.
▶ *Voir Symétrie*

**Ellipse** ................................ page 184
L'ellipse est un cercle plus ou moins aplati. Un cercle ou un disque en perspective cavalière sont représentés par des ellipses.

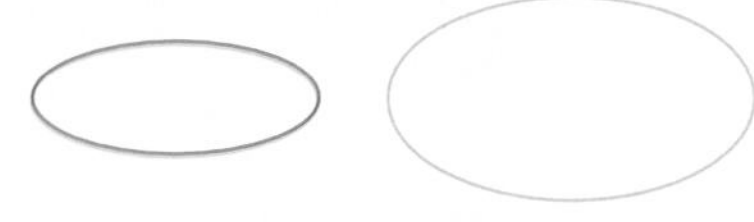

**Encadrer**
Encadrer un nombre c'est en donner un nombre plus petit et un nombre plus grand. Par exemple 4,1 et 5 sont des nombres qui encadrent le nombre 4,2.
On note : $4{,}1 < 4{,}2 < 5$.

**Environ**
▶ *Voir Approximatif*

**Équidistant**........................ page 168
À la même distance.

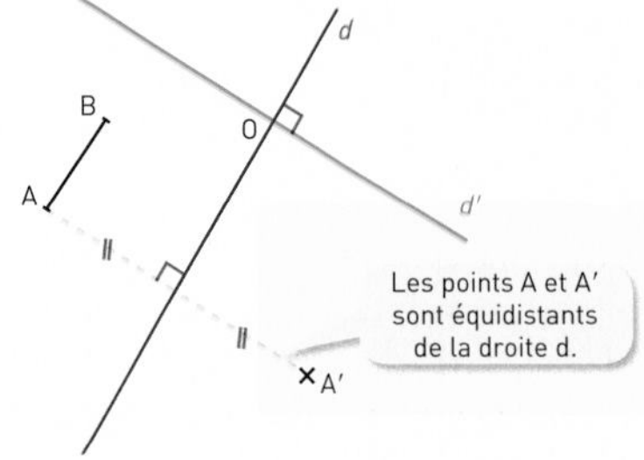
d
d'
B
O
A
A'
Les points A et A' sont équidistants de la droite d.

**Origine du mot** Le préfixe « équi » veut dire « même », on le retrouve dans « équivalent » (qui a la même valeur), « équinoxe » (le jour et la nuit « nox » ont la même durée)... et dans « équilatéral ».
▶ *Voir Médiatrice*

**Équilatéral**
Les trois côtés d'un triangle équilatéral ont la même longueur.
**Origine du mot** « équi » veut dire « même » et « latus » veut dire « côté ».
Exemple de propriétés :
• un triangle qui a 3 angles de même mesure est équilatéral,
• la médiatrice d'un côté d'un triangle équilatéral est aussi la médiane et la hauteur relatives à ce côté.

**Erreur**
« Acte de l'esprit qui tient pour vrai ce qui est faux, et inversement ». Faire des erreurs quand on découvre quelque chose de nouveau est normal, il faut par contre apprendre à (re)connaître ses erreurs et à les éviter.

**Espace** ........................ page 181, 201
La géométrie dans l'espace est celle qui s'intéresse aux solides, aux volumes...

**Être sur**
▶ *Voir Appartenir*

**Être sûr**
Être certain
▶ *Voir Preuve*

**Évolution** ........................... page 14
Il s'agit de la variation d'une mesure. On peut parler de l'évolution d'un nombre de personnes, d'une longueur, de la température... etc.
Formule :
Évolution = Mesure finale – Mesure initiale.

**Expliquer**
Les énoncés demandent souvent d'expliquer pour que la réponse ne soit pas trop courte : il s'agit de détailler la méthode utilisée, ou de donner un argument...

**Expression** .................... page 11, 79
En mathématiques une expression est l'écriture d'un calcul ou d'un nombre.
▶ *Voir Exprimer*

**Exprimer**
Trouver une écriture particulière d'un nombre (par exemple « exprimer le quotient sous forme fractionnaire »), écrire le calcul à effectuer.
▶ *Voir Écrire, Fonction*

## F

**Face**
Partie plane qui limite un solide. Un cube, par exemple, a six faces qui sont toutes des carrés.

## Face latérale
Ce terme est utilisé à propos des prismes. Les prismes ont :
- deux bases de forme polygonales,
- et des faces rectangulaires. Ce sont les faces latérales.

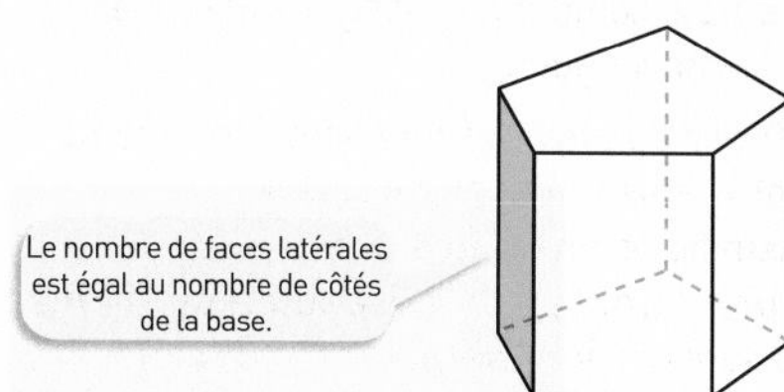

Le nombre de faces latérales est égal au nombre de côtés de la base.


▶ *Voir Latérale*

## Facteur
Dans une multiplication c'est un des nombres que l'on multiplie.

**Origine du mot** C'est « celui qui fait » le produit.

## Facteur commun
Quand on additionne deux produits il se peut qu'ils aient un facteur en commun (par exemple dans $3 \times 4{,}2 + 3 \times 5$ les deux produits ont le facteur 3 en commun). Ce nombre s'appelle alors « facteur commun ».
▶ *Voir Commun*

## Figure
Une figure est un dessin idéal : les droites y sont infinies et n'ont pas d'épaisseur, les angles droits sont parfaitement droits... etc.
Souvent on demande de « tracer une figure » ce qui est bien sûr impossible : on ne peut pas tracer un parallélogramme dont les côtés sont exactement 2 à 2 de même longueur.
En géométrie dans l'espace la différence entre figure et dessin est plus nette : on dessine sur une feuille plate une figure qui est, en fait, en relief.
▶ *Voir Dessin, Représentation*

## Fonction de (en)
« En fonction de » apparaît dans divers contextes :
- on trace un graphique faisant apparaître une donnée en fonction d'une autre (n 72p68),
- un tableau peut aussi présenter les valeurs d'une donnée en fonction de celle d'une autre (n103p25),
- on utilise des formules qui permettent de calculer des grandeurs en fonction d'autres grandeurs (l'aire en fonction du côté et de la hauteur relative d'un parallélogramme par exemple).

## Forme
On parle de « forme » pour :
- l'écriture des nombres (« écrire un nombre sous forme fractionnaire » par exemple),
- la représentation des données (« présenter des données sous la forme d'un tableau, ou d'un diagramme »),
- l'écriture d'un calcul, d'une expression (« exprimer le résultat sous la forme d'une addition »).

En géométrie (surtout en géométrie dans l'espace) le mot est aussi utilisé avec le même sens que dans la langue courante (« forme d'un objet »).
▶ *Voir Expression*

## Formule
Opérations à effectuer pour trouver un résultat.
En cinquième on étudie des formules de calcul d'aire (triangle, parallélogramme, disque, aire latérale d'un prisme ou d'un cylindre), de volume (prisme, cylindre).
On découvre aussi une formule pour calculer une longueur à partir de l'abscisse de deux points sur une droite, la formule de calcul d'une fréquence...

## Fraction
C'est un mot qui désigne à la fois le partage (voir *Fraction de*) et l'écriture fractionnaire d'un nombre.
▶ *Voir Écriture fractionnaire*

## Fraction de
C'est une « partie de... ».
Par exemple les cinq sixièmes d'une tarte.

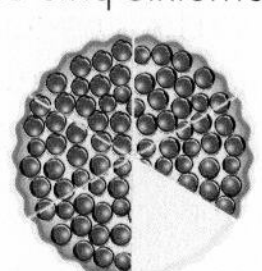

## Fréquence ......................... page 36
Rapport entre un effectif et l'effectif total.

$$\text{Fréquence} = \frac{\text{Effectif}}{\text{Effectif total}}$$

▶ *Voir Effectif*

## Fuyantes ......................... page 183
Ce sont les droites, dans un dessin en perspective, qui partent vers l'arrière. On dit aussi « ligne de fuite ».
Dans une perspective cavalière les fuyantes sont parallèles.

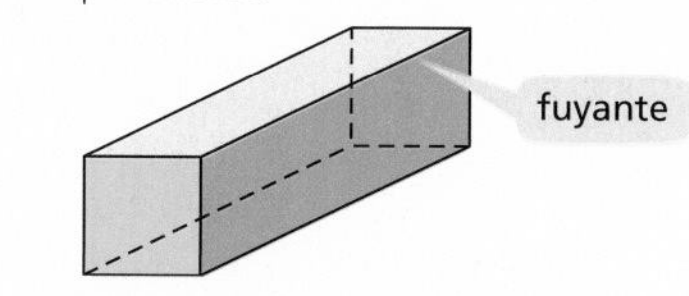


▶ *Voir Perspective*

# G

## Gabarit ............................ page 139
Modèle fabriqué en vraie grandeur servant à reproduire ou à vérifier une forme.
En mathématiques on utilise par exemple les gabarits d'angles.

## Grades ............................ n67p155
Unité de mesure des angles pour laquelle un angle plat mesure 200 grades.
Il y a proportionnalité entre les mesures en grades et les mesures en degrés.

## Graduation ......................... page 33
Sur une droite : ensemble de petits tirets sur un axe gradué indiquant le nombre d'unités parcourues (mesure) et permettant de retrouver facilement l'abscisse des points (repérage).
Les rapporteurs ont aussi une graduation.

## Graduée (ou non)
Certains exercices demandent d'utiliser une règle non graduée. Il ne s'agit pas de trouver une règle n'ayant pas de graduation, mais plutôt de ne pas utiliser la graduation de la règle.
▶ *Voir aussi Axe gradué*

## Gramme
Unité de mesure des masses.

## Grandeur .......................... page 54
Toutes les grandeurs rencontrées au collège (Angle, Aire, Longueur, Masse, Durée, Volume, Contenance... etc.) peuvent être mesurées. Il est important de se rappeler qu'on peut les manipuler sans mesure.
On peut reporter les longueurs pour les comparer, on peut découper et recomposer des surfaces pour comparer leurs aires, on peut comparer des angles à l'aide de gabarits... etc. etc.

## Graphique ......................... page 27
C'est une façon imagée de résumer ou de présenter des données.
▶ *Voir Représentation*

# H

## Hauteur (parallélogramme)... p. 206
Ce sont des longueurs. On peut mesurer deux hauteurs sur un parallélogramme.

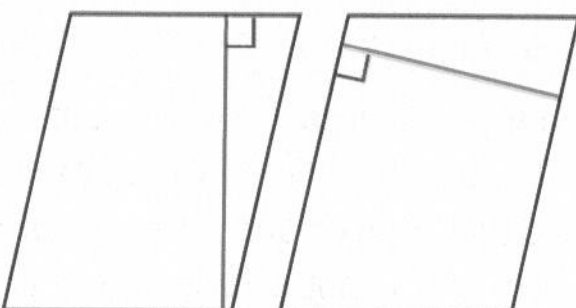

## Hauteur (prisme, cylindre) .................. pages 186, 188
La hauteur d'un prisme ou d'un cylindre est la distance qui sépare les deux bases. Attention, la hauteur n'est pas toujours représentée verticalement.

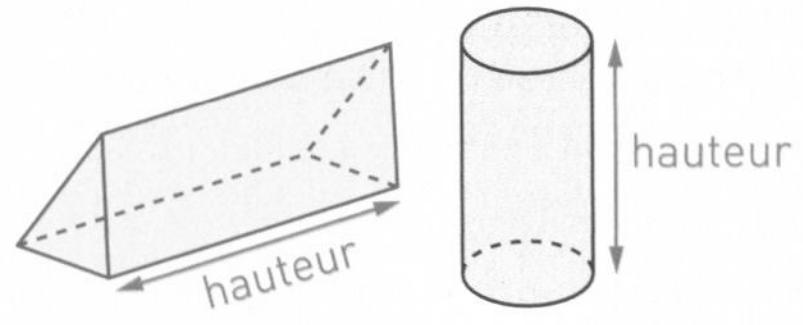


## Hauteur (triangle) ............ page 206
Il y a trois hauteurs dans un triangle. Ce sont des droites. Chacune passe par un sommet et est perpendiculaire au côté opposé.
Attention le mot hauteur désigne aussi la longueur du segment séparant le pied de la hauteur du sommet opposé.

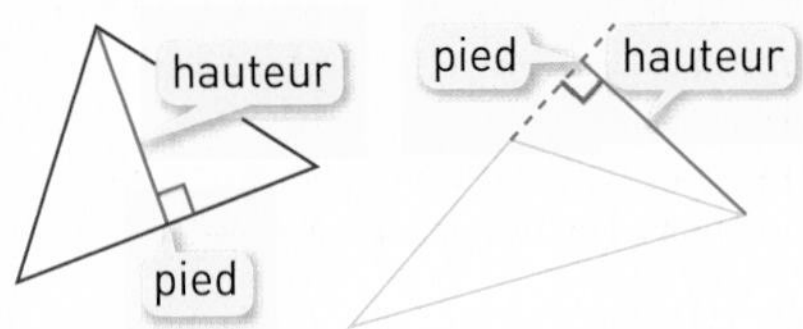


▶ *Voir Relative, Issue*

## Hexagone
Polygone à six côtés.

**Origine du mot** « hexa » signifiait « six » en grec et « gonia » signifiait « angle ».

## Hexagone régulier
Hexagone dont les sommets sont disposés sur un cercle et dont tous les côtés ont même longueur.

## Histogramme .................... page 34
**Origine du mot** est un mot d'origine grecque. « histos » désignait le métier du tisserand, « gramma » signifiait « écriture, inscription ».

L'histogramme doit donc sans doute son nom à sa ressemblance avec un dessin sur un tissu.

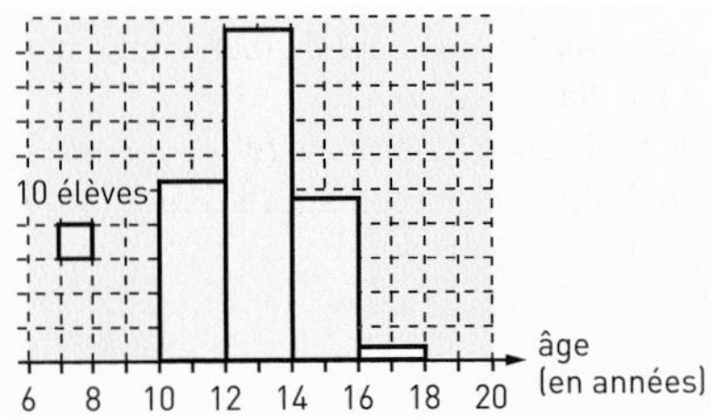


▶ *Voir Graphique*

# I

## Impair
Nombre qui n'est pas divisible par 2.

## Inconnu
Le mot peut être un adjectif « nombre inconnu », « longueur inconnue »... etc.
Pour pouvoir effectuer certains calculs on représente souvent les nombres inconnus par les lettres.
Le mot peut aussi être un nom : quand on parle d'« une inconnue » en mathématiques il s'agit d'un nombre inconnu.
▶ *Voir Avec des lettres, Lettres*

## Inégalité
Une inégalité est une formule utilisant les symboles « $<$ » ou « $>$ ». Elle permet de comparer deux nombres.
▶ *Voir Comparer*

## Inégalité triangulaire ....... page 164
C'est une inégalité affirmant que la longueur d'un côté d'un triangle est toujours plus petite que la somme des longueurs des deux autres côtés.

## Inférieur
Plus petit.
▶ *Voir Ordonner*

## Intercaler
Placer entre. Intercaler un nombre entre deux nombres $a$ et $b$ (avec $a < b$) c'est trouver un nombre $c$ tel que $a < c < b$.
▶ *Voir Ordonner, Encadrer*

## Interpréter
Traduire, expliquer le sens.

## Intersection
Deux droites ont en général un point d'intersection. On parle aussi de l'intersection de deux cercles (s'ils se coupent, il y a en général deux points d'intersection).
▶ *Voir Couper, Sécante*

## Irréductible
Une fraction est irréductible quand on ne peut plus la simplifier : il n'y a plus de nombres qui divisent à la fois le numérateur et le dénominateur.
▶ *Voir Simplifier*

## Isocèle
Un triangle isocèle a deux côtés de même mesure.

**Origine du mot** vient du grec il voulait dire « qui a des jambes égales » (« iso » signifiait « même » et « skelos » signifiait « jambe »).

Exemples de propriétés :
- un triangle qui a deux angles de même mesure est isocèle,
- un triangle isocèle a deux côtés de même mesure et deux angles de même mesure.

D'autres propriétés ont étés vues en sixième (sur la symétrie par exemple).

## Issue
Dans un triangle chaque médiane et chaque hauteur passent par un sommet. On dit aussi qu'elles sont issues de ce sommet.
▶ *Voir Médiane, Hauteur, Relative*

# J

## Justifier, justification
C'est expliquer pourquoi ce que l'on dit ne contient pas d'erreur, pourquoi ce que l'on dit est « juste » (origine du mot).
▶ *Voir Preuve*

# L

## Latéral
Dans un prisme ou un cylindre c'est tout ce qui ne concerne pas les bases. On parle de surface latérale, d'aire latérale, et pour le prisme de faces latérales et d'arête latérale.

**Origine du mot** vient directement du latin, il signifiait « sur le côté ». On retrouve la même racine dans « équilatéral ».

## Légende ............................ page 58
Une légende indique, en général, les codes utilisés dans un graphique, par exemple les codes de couleurs.

## Lettres
Les lettres ont un rôle important en mathématiques.
Elles servent à nommer des objets, les points par exemple en géométrie (lettres majuscules).
Les lettres servent aussi à désigner des nombres : en géométrie on appelle souvent « L » une longueur, « $c$ » un côté, « V » un volume... En 5e on utilise de plus en plus les lettres pour désigner des nombres inconnus, ou des nombres que l'on ne veut pas fixer.
▶ *Voir Avec des lettres*

## Ligne
Le mot ligne se rencontre dans de nombreux domaines en mathématiques :
- ligne d'un tableau (groupe de cases horizontal),
- calcul en ligne (on écrit mais on ne pose pas l'opération en détail),
- en géométrie c'est un objet qui a la forme d'un trait, d'un fil.

## Lire (abscisse, coordonnées)
Les énoncés demandent souvent de « lire » une abscisse sur une droite (les coordonnées dans un repère). Pour répondre à la question il suffit d'écrire l'abscisse trouvée.

## Litre
Unité de mesure des contenances, des volumes.

## Littéral
Avec des lettres.
▶ *Voir Lettres*

## Longueur
C'est la dimension d'un segment.
C'est aussi le plus grand côté d'un rectangle (et sa mesure).

## Losange ........................... page 144
Définitions et propriété dans le chapitre 7.

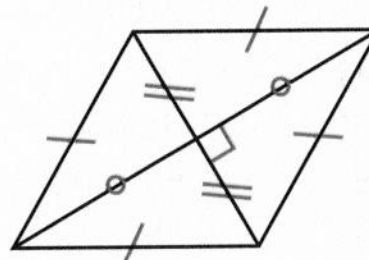

**Origine du mot :** on pense, le losange doit peut être son nom à sa ressemblance avec certaines pierres (« lauzes », mot provençal), ou avec certains gâteaux (« lawzine », mot arabe).

# M

## Main levée
Faire un dessin à main levée c'est le faire sans utiliser les instruments. C'est en général plus rapide, mais il faut de l'entraînement pour que le dessin soit lisible.
▶ *Voir Dessin*

## Médiane ........................... page 168
Dans un triangle une médiane est une droite qui passe par un sommet et par le milieu du côté opposé. On utilise quelques fois ce mot pour parler du segment joignant ce milieu et ce sommet.
▶ *Voir Relative, Issue*

## Médiatrice
La médiatrice d'un segment lui est perpendiculaire et passe par son milieu. Les points de la médiatrice sont à la même distance des extrémités du segment.

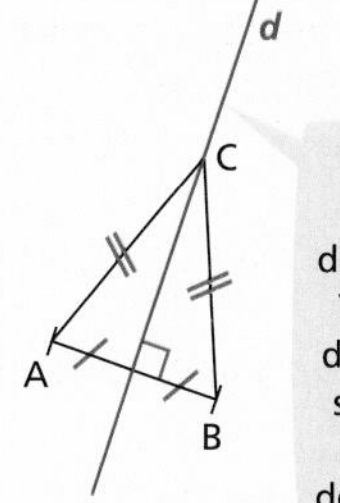


La droite *d* est la médiatrice du segment [AB]. Tous les points de la médiatrice sont à la même distance des points A et B.

**Origine du mot** est un mot très jeune : qui a été proposé en 1923 pour l'enseignement de la géométrie.

## Mentalement
▶ *Voir De tête*

## Mesurer
Mesurer un objet c'est déterminer le nombre d'unités correspondant à l'objet pour une certaine grandeur. On utilise en général un instrument (règle graduée pour les longueurs, rapporteur pour les angles, verre mesureur pour les volumes... etc.).
▶ *Voir Grandeur, Unité*

## Mètre
Unité de mesure des longueurs.

**Origine du mot** est un mot de la même famille que « mesurer ».

## Mètre carré
Unité de mesure de l'aire. Cette unité correspond à l'aire d'un carré de un mètre de côté.
Attention : le décimètre carré n'est pas le dixième du mètre carré. Le décimètre carré correspond à l'aire d'un carré de 1dm de côté, c'est le centième du mètre carré.
De même, il y a 10 000 centimètres carrés dans un mètre carré.
▶ *Voir Aire, Déci-*

## Mètre cube
Unité de mesure de volume. Cette unité correspond au volume d'un cube de un mètre d'arête.
Attention : le décimètre cube n'est pas le dixième du mètre cube. Le décimètre cube correspond au volume d'un cube de 1dm de côté, c'est le millième du mètre cube.
De même, il y a 1 000 000 centimètres cubes dans un mètre cube.
▶ *Voir Volume, Déci-*

## Milieu
Le milieu d'un segment sépare ce segment en deux segments de même longueur : il est à égale distance des deux extrémités.

## Mode de représentation .... page 34
Pour les graphiques il s'agit des différents types existant : histogramme, diagramme en bâtons, diagramme en tuyaux d'orgue, diagramme circulaire... etc.
▶ *Voir Représentation*

## Montant
Quantité d'argent.
▶ *Voir Somme*

## Mouvement uniforme ........ page 36
Il s'agit d'une situation de proportionnalité. C'est un mouvement pour lequel la distance parcourue est proportionnelle à la durée. La vitesse est constante.
▶ *Voir Proportionnalité, Vitesse*

## Multiple
On parle de « multiple » à propos des nombres entiers.
Le nombre *a* est un multiple du nombre *b* si le nombre *a* est le produit du nombre *b* par un autre nombre. Par exemple 18 est un multiple de 3 car $18 = 3 \times 6$. Les multiples de 3 sont 3, 6, 9, 12, 15, 18, 21, 24... etc.

# N

## Nature
Donner la nature d'un objet géometrique c'est dire à quel groupe d'objets il est associé : quadrilatère, carré, rectangle, losange, parallélogramme, trapèze, cerf-volant... Triangle rectangle, triangle équilatéral, triangle isocèle... etc.

## Nombre décimal
Un nombre décimal est le quotient d'un nombre entier par une puissance de 10.
Par exemple : $\frac{3}{10\,000}$ est un nombre décimal.

## Nombre entier
Un nombre entier représente une collection d'unités entières (non fractionnées).

## Nombre négatif .................. page 5
Un nombre négatif est un nombre plus petit que zéro. On note les nombres négatifs avec un signe « − ».
Ils sont introduits pour pouvoir effectuer certains calculs : par exemple $7 - 12 = {}^{-}5$.

## Nombre positif .................... page 5
Un nombre positif est un nombre plus grand que zéro. Tous les nombres étudiés jusqu'en sixième sont des nombres positifs.

## Nombres relatifs ................ page 5
C'est l'ensemble de tous les nombres : positifs ou négatifs. On précise « relatif » quand on veut souligner qu'on ne parle pas que des nombres positifs.

## Nommer
C'est donner un nom (en mathématiques, en général, le nom est une lettre). Cela permet aussi de parler simplement des objets que l'on manipule.
On peut donner un nom à un point ou une droite en géométrie mais aussi à un nombre que l'on cherche par exemple.
▶ *Voir Lettres*

## Nul
**Origine du mot** vient du latin « nullus », il signifiait « aucun ».

En mathématique un résultat nul est un résultat qui est égal à zéro. Par exemple, $5 + ({}^{-}3) - 2$ est nul.
▶ *Voir Zéro*

## Numérateur
C'est le nombre qui est au-dessus du trait de fraction dans une écriture fractionnaire.
▶ *Voir Dénominateur*

# O

## Objet
En mathématiques, un objet désigne souvent quelque chose que l'on imagine, on y travaille surtout « dans la tête » : un nombre, une figure... Sont des objets mathématiques. On se sert de d'écritures ou de dessin (c'est-à-dire de représentations) de ces objets pour y réfléchir.
▶ *Voir Représentation*

## Obtus
Angle de plus de 90°.

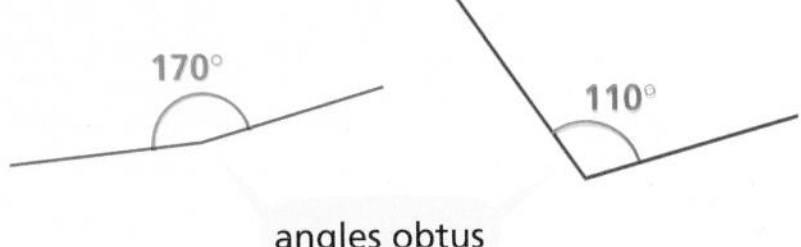


**Origine du mot** il voulait dire « émoussé », « usé ».

## Octogone
Polygone à huit côtés.

## Opposés (côté, sommets)
Dans un quadrilatère deux côtés opposés sont des côtés non consécutifs.
Dans un triangle le côté opposé à un sommet est celui qui n'a pas ce commet comme extrémité.

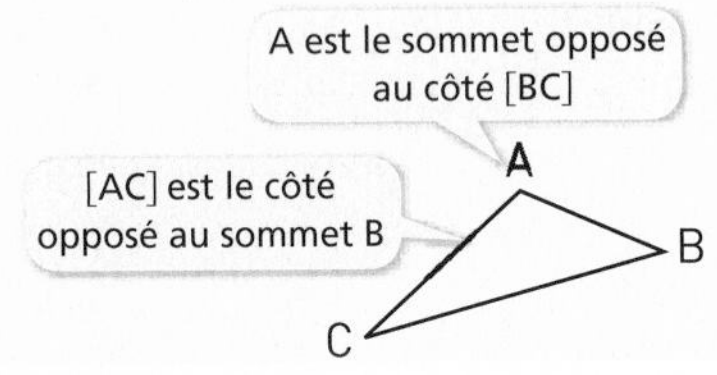


## Opposés (nombres) ........... page 10
Deux nombres qui sont de part et d'autre de zéro et à la même distance sont opposés. L'un est positif, l'autre est négatif.
▶ *Voir Nombre relatif*

## Opposés par le sommet (angles) ........... page 142
Les angles $\widehat{ABC}$ et $\widehat{DBE}$ sont opposés par le sommet.

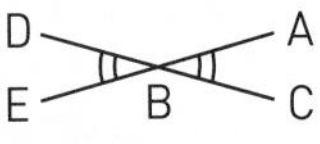


## Ordonnée ........... page 32
▶ *Voir Coordonnée, Repère*

## Ordonner
C'est ranger dans un certain ordre, selon un critère. Par exemple du plus petit au plus grand (on dit alors « classer par ordre croissant »).

## Ordre (calcul)
▶ *Voir Priorité*

## Ordre (nombres)
Pour les lettres on a l'ordre alphabétique. En général les nombres sont classés du plus petit au plus grand (croissant), ou du plus grand au plus petit (décroissant).
▶ *Voir Ordonner*

## Ordre de grandeur
L'ordre de grandeur d'un résultat doit simplement donner une idée de la valeur du résultat.
Par exemple, la somme 10,032 + 0,9142 a un ordre de grandeur de 10.

## Orgue ........... page 34
Le diagramme en tuyaux d'orgue doit son nom à la disposition des tuyaux d'un orgue.

▶ *Voir Diagramme*

## Origine ........... page 32
Sur un axe gradué c'est un point que l'on choisit pour avoir l'abscisse nulle. Dans un repère l'origine a pour cordonnées (0;0) : elle est à l'intersection des deux axes.
▶ *Voir Repère, Axe gradué*

## Orthogonal
**Origine du mot** vient simplement, de « ortho » qui veut dire droit, et « gonia » qui veut dire angle.
▶ *Voir Repère*

## Ovale
Mot d'origine latine : « forme d'œuf ».
▶ *Voir Ellipse*

# P

## Pair
Nombre qui est divisible par 2.

## Parallèle
Le parallélisme est étudié de plusieurs points de vue en cinquième : rapport avec les angles (angles alternes-internes, angles correspondants), rapport avec le parallélogramme, rapport avec les symétries...

## Parallélogramme ........... page 144, 208
Définitions et propriété dans le chapitre 7.
Calcul de l'aire au chapitre 10.

**Origine du mot** Déjà en latin le mot « parallelogrammum » signifiait « composé de lignes parallèles ».

## Parenthèses ........... page 76
Dans une expression les parenthèses (ou les crochets) indiquent un calcul à faire en priorité.
▶ *Voir Priorité, Crochets*

## Part
▶ *Voir Fraction de*

## Particulier
On utilise cet adjectif pour signaler qu'un objet (un triangle, un quadrilatère...) n'est pas quelconque : il n'est pas comme tous les autres objets de même nature.
Un losange est un parallélogramme particulier, il n'est pas comme les autres parallélogrammes : ses diagonales sont perpendiculaires.

## Patron ........... page 190
Ce mot est utilisé en géométrie de l'espace, il a presque le même sens qu'en couture : c'est un dessin plan qui permet de construire (après découpage, collage...) un solide de l'espace.

## Pavé droit
On peut aussi l'appeler « parallélépipède rectangle » ou « pavé ». C'est un solide ayant six faces rectangulaires. C'est un prisme à base rectangulaire.
Le volume du pavé droit a été étudié en sixième, une formule de calcul est apprise cette année.

## Périmètre
C'est la mesure du contour d'une figure.

**Origine du mot** vient du grec « péri » (autour de) et « mètre » (mesurer).

## Perpendiculaire
Deux droites perpendiculaires forment un angle droit.

**Origine du mot** vient du latin, il a longtemps désigné le fil à plomb (« per » signifie « à travers », et « pedere » « pendre »). Le lien avec l'angle droit vient donc de l'angle entre la verticale (indiquée par le fil à plomb) et l'horizontale mesure 90°.

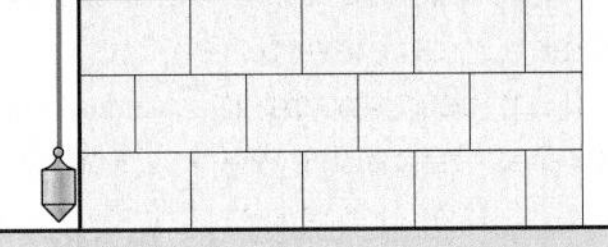

▶ *Voir Droit*

## Perspective ........... page 183
C'est une façon de représenter des objets de l'espace sur une feuille qui, elle, est plane.

## Pied (d'une hauteur) ........... page 206
Le pied d'une hauteur est le point d'intersection entre la hauteur et le côté auquel elle est perpendiculaire.
▶ *Voir Hauteur*

## Placer
Mettre à sa place.
On utilise ce verbe pour positionner des points (ou des nombres) sur un axe gradué, ou plus généralement pour positionner des points (par exemple : « placer le milieu I du segment [AB] »).

## Plat (angle)
Angle formé de deux demi-droites opposées (les deux demi-droites forment une droite). Sa mesure est de 180°.

## Polygone
Un polygone est une ligne fermée composée de segments. Les extrémités des segments s'appellent les sommets.

**Origine du mot** vient du grec « poly » (nombreux) et « gonia » (angles).

## Poser l'opération
Poser une opération c'est utiliser le calcul en colonne pour les additions, les soustractions et les multiplications, pour les divisions c'est utiliser l'écriture verticale.

## Pourcentage
Proportion rapportée à cent unités.
« 15 pour cent » ou « 15 centièmes » se notent « 15 % ».

## Preuve
En mathématiques, une preuve est un texte ou un discours. Dans les deux cas l'objectif est de convaincre quelqu'un que ce que l'on pense est vrai.
À l'oral la personne à convaincre peut être le professeur, un élève ou la classe.
À l'écrit on peut imaginer que l'on essaye de convaincre un autre élève. Comme on ne peut pas savoir s'il comprend il faut essayer d'être clair et très précis, de ne pas oublier d'étape, de dire exactement d'où vient ce que l'on sait (du cours, de l'énoncé...).
On utilise aussi le mot « démonstration ».

## Priorité .............................. page 76
Afin que tout le monde calcule de la même façon une expression on a fixé des règles pour savoir quelle partie du calcul doit être effectuée en premier. Ce sont les règles de priorité.
▶ *Voir Parenthèses*

## Prisme .............................. page 186
Le prisme étudié au collège est le prisme droit. Il a deux bases de forme polygonale et des faces rectangulaires.

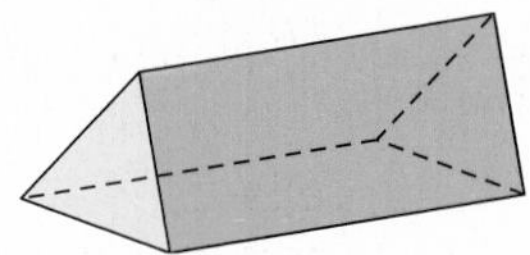

**Origine du mot** vient de « prisma » en grec qui signifiait « sciure, morceaux, débris de bois sciés ».

## Produit
Résultat d'une multiplication.

## Programme de construction
C'est une suite d'instructions très détaillées permettant de dire à quelqu'un (un autre élève par exemple) comment construire une figure.

## Proportion
On utilise en général le mot proportion comme synonyme du mot part ou du mot rapport. On devrait le réserver aux situations de proportionnalité.

## Proportionnalité ................ page 49
Deux grandeurs sont proportionnelles quand on passe de l'une à l'autre en multipliant par un nombre. Le périmètre d'un cercle, par exemple, est proportionnel, à la longueur de son rayon (le coefficient est $2\pi$).
Un tableau est un tableau de proportionnalité quand on passe d'une ligne à une autre en multipliant par un nombre.
▶ *Voir Coefficient*

## Propriété
Description d'une particularité d'un groupe d'objets ou d'une situation.

## Prouver
Donner une preuve.
▶ *Voir Preuve*

# Q

## QCM
Questionnaire à Choix Multiples.
Il s'agit d'un exercice pour lequel il suffit de choisir la ou les bonnes réponses dans une liste (il arrive aussi qu'aucune bonne réponse ne soit parmi les réponses proposées).

## Quadrilatère
Polygone à quatre côtés.

**Origine du mot** « quadri » signifie « quatre » en latin et « latus », que l'on retrouve dans « équilatéral » signifie « côté ».

## Quatrième proportionnelle
Imaginons un tableau de proportionnalité très simple : deux lignes, deux colonnes. Si trois des cases sont remplies on peut toujours calculer la quatrième. C'est ce qui s'appelle calculer la « quatrième proportionnelle ».
▶ *Voir Proportionnalité*

## Quelconque
Ce mot s'oppose à « particulier » : il s'utilise beaucoup en géométrie pour parler d'un objet qui n'a pas de propriété spéciale. Un parallélogramme quelconque, par exemple, n'est ni un carré, ni un losange, ni un rectangle... etc.
▶ *Voir Particulier*

## Quotient .............................. page 76
Le quotient de $a$ par $b$ est le nombre $c$ qui vérifie : $a \times c = b$. On le note $\frac{a}{b}$.

# R

## Ranger
▶ *Voir Ordonner*

## Rapport .............................. page 98
Un rapport est un quotient entre deux mesures de grandeurs.

## Rapporteur
Instrument permettant de lire la mesure d'un angle. C'est en général un demi-cercle gradué en degrés.
Son utilisation a été étudiée en sixième.

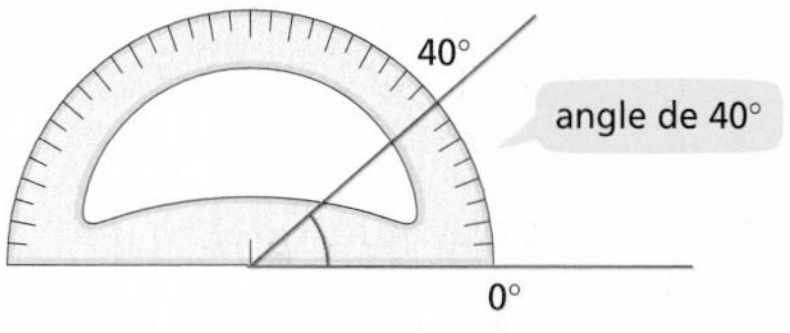


## Rayon
Le mot « rayon » désigne deux choses en mathématiques :
- le segment qui relie le centre d'un cercle et un point du cercle (penser aux rayons d'une roue de vélo),
- la longueur de ce segment.

Le rayon d'un cylindre est le rayon de sa base.

## Réalité
▶ *Voir Échelle, Représentation*

## Rectangle (adjectif)
Triangle rectangle, parallélépipède rectangle, trapèze rectangle... Ce sont des objets géométriques qui ont des côtés perpendiculaires.

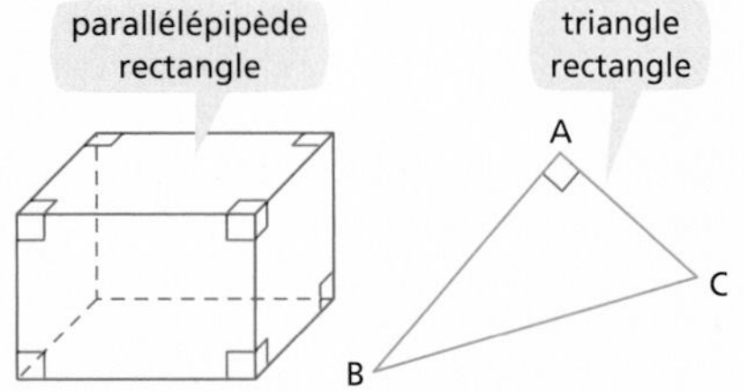


**Origine du mot** vient du latin « recta » qui voulait dire « droit ».

## Rectangle (nom) .............. page 144
Définitions et propriétés dans le chapitre 7.

## Recueillir
Dans une enquête on recueille les données en interrogeant les personnes concernées (sondage). On peut aussi chercher et regrouper des données déjà existantes.

## Rédiger
Lorsqu'on répond à une question par écrit on a quelques fois tendance à donner seulement un résultat numérique ou à répondre d'un mot. Rédiger consiste à répondre de façon plus compréhensible, on imagine que l'on explique sa réponse à quelqu'un, on forme donc des phrases.
▶ *Voir Preuve*

## Réduction (dénominateur) .. page 78
On ne sait additionner deux nombres en écritures fractionnaires que s'ils ont le même dénominateur. Quand ce n'est pas le cas on peut transformer une des écritures (ou les deux) pour se ramener au cas où les dénominateurs sont égaux. Quand on fait cette transformation on « réduit » au même dénominateur.

Exemple : $\frac{7}{3} + \frac{3}{12} = \frac{7 \times 4}{3 \times 4} + \frac{3}{12} = \frac{21}{12} + \frac{3}{12}$

## Réduction (échelle)
En général en mathématiques on réduit sans modifier la forme : les dimensions de l'objet sont proportionnelles à l'original.
▶ *Voir Échelle*

## Relative ..................... pages 168, 206
Dans un triangle, une médiane passe par le milieu d'un des côtés, on dit que c'est la médiane relative à ce côté.
Dans un triangle, une hauteur est perpendiculaire à un côté, on dit que c'est la hauteur relative à ce côté.
▶ *Voir Hauteur, Médiane, Issue*

## Repère .............................. page 32
Dans le plan on utilise deux axes gradués perpendiculaires pour repérer la position d'un point. Ces deux axes forment un repère orthogonal.
▶ *Voir Coordonnées*

## Repérer
Donner une position précise.
▶ *Voir Axe gradué, Repère*

## Reporter
Porter ailleurs.
En mathématiques on utilise ce verbe dans deux situations :
- reporter d'une longueur (avec le compas ou une bande de papier par exemple)
- reporter un renseignement sur une figure ou un graphique.

## Représentation (données)
Quand on dispose de données en grande quantité il est important de trouver une façon simple de les présenter.

## Représentation (échelle)
Une représentation est une image de la réalité. Une façon d'avoir une image fidèle de la réalité est de respecter une échelle : les dimensions de l'image sont proportionnelles à celle de la réalité.

## Représentation (géométrie)
L'idée de représentation est une notion très importante en géométrie.
Les dessins qu'on utilise sont des représentations. Les dessins en perspective, par exemple, permettent de réfléchir à des objets volumineux en faisant un travail sur papier.

## Reproduire
C'est recopier fidèlement. En géométrie c'est dessiner une figure en respectant toutes les données de l'énoncé (texte ou codage) ou en suivant exactement le programme de construction.

## Résoudre
Trouver la solution.

## Respectifs, respectivement
En mathématiques on utilise « respectif » et « respectivement » pour dire « en respectant l'ordre ».
« Les points I et J sont les milieux respectifs des segments [AB] et [AC] » peut se dire aussi « le point I est le milieu du segment [AB] et le point J est le milieu du segment [AC] »

## Révolution
**Origine du mot :** dans « Faire volte face » le mot « volte » a la même racine que le mot « révolution ». Faire une révolution c'est « tourner ».
▶ *Voir Cylindre*

## Sécante
Deux droites sécantes sont deux droites qui se coupent : elles ont un point commun, elles ne sont pas parallèles.
**Origine du mot** « secare » voulait dire « couper » en latin. On le retrouve dans « intersection », on ne le reconnaît presque plus dans « segment ».
▶ *Voir Couper, Intersection*

## Segment
Un segment est un morceau de droite. Il est délimité par deux points : ses extrémités.

## Sens (axe)
Une droite graduée est associée à une origine, une unité et un sens. Pour chaque droite on peut choisir deux sens.
▶ *Voir Axe gradué*

## Séquence de touches
C'est la suite des touches sur lesquelles il faut appuyer sur la calculatrice pour obtenir le résultat voulu.

## Signe .................................. page 10
Les nombres négatifs sont notés avec un signe « ⁻ » (par exemple ⁻3, les nombres positifs sont parfois notés avec un signe « + » (par exemple 2,5 ou ⁺2,5).
Ces signes sont très proches des signes de l'addition « + » et de la soustraction « – ».
Il faut faire très attention en lisant un calcul à bien distinguer les signes.
▶ *Voir Relatif*

## Semi-circulaire
Un diagramme semi-circulaire a la forme d'un demi-disque.

## Simplifier ..................... pages 78, 98
On cherche souvent à simplifier les écritures en mathématiques. On voit cette année deux exemples :
- la simplification des fractions,
- la simplification des expressions utilisant des lettres.

▶ *Voir Écriture, Expression*

## Solide .............................. page 181
On appelle ainsi les objets géométriques étudiés en géométrie dans l'espace.

## Somme
Le mot a deux sens : le résultat d'une addition, ou une quantité d'argent.
▶ *Voir Montant*

## Sommet principal
- L'extrémité commune des deux côtés de même longueur d'un triangle isocèle est son sommet principal.
- Le sommet correspondant à l'angle droit d'un triangle rectangle est son sommet principal.

sommet principal du triangle isocèle

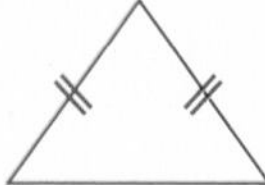

sommet principal du triangle rectangle

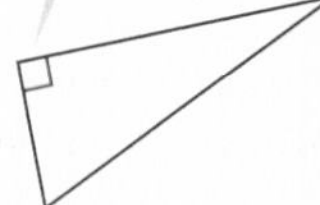

**Sondage** ..................pages 229, 230
Un sondage est une enquête pour laquelle on interroge une population ou une partie de la population sur quelques questions précises. Les données recueillies sont ensuite analysées.

▶ *Voir Données*

**Successivement**
L'un après l'autre.

**Supérieur**
Plus grand.
▶ *Voir Ordonner*

**Supplémentaire**
La somme des mesures de deux angles supplémentaires vaut 180°. Il faut faire attention au fait que deux angles supplémentaires ne sont pas forcément adjacents.
▶ *Voir Complémentaire*

**Surface**
Une surface est une zone délimitée par un contour. Par exemple un cercle délimite une surface (qui s'appelle un disque), la face d'un pavé droit est une surface.
Il y a la même différence entre « surface » (objet géométrique) et « aire » (sa mesure) qu'entre « segment » et « longueur ».

**Surface latérale**
▶ *Voir Latéral*

**Symétrie axiale, centrale**
• Deux points A et B sont placés symétriquement par rapport à une droite si cette droite est la médiatrice du segment [AB]. La droite s'appelle alors « axe de symétrie ».
• Deux points sont placés symétriquement par rapport à un point si ce point est le milieu du segment. Le point s'appelle alors « centre de symétrie ».

**Origine du mot :** « summetros » signifiait « de même mesure que » en grec. « Sum » signifiait « avec », et « metron » signifiait « mesure ».

**Symétrique** (figure)
Deux figures sont symétriques si chaque point de l'une est le symétrique d'un point de l'autre.

## T

**Tableau** ..............................page 27
C'est une façon de présenter des données. On les regroupe par colonnes et par lignes. Chaque colonne et chaque ligne ont, en général, un titre.

**Tableur** ............................page 240
C'est un logiciel permettant de gérer et d'analyser des données en grande quantité. De nombreuses fonctions sont automatisées : le tri, la fabrication des graphiques... etc.

**Tangent** ........................page n2p191
On dit qu'une droite et un cercle son tangents quand : ils n'ont qu'un seul point commun la droite est perpendiculaire à un rayon de cercle.

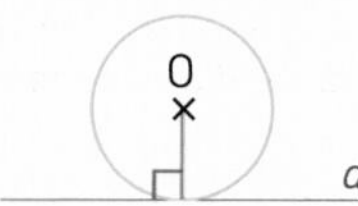


**Tel que**
« Tel que » peut être, en général, remplacé par « qui vérifie que » ou « qui a la propriété ».

**Terme**
Dans une addition chaque nombre que l'on ajoute s'appelle un terme.

**Tester**
Essayer sur plusieurs exemples. C'est ce que l'on fait pour tester si une égalité est vérifiée.
Exemple :
« Pour quels nombres $a$ l'égalité $a \times a = a$ est-elle vraie ? ». Il suffit de tester quelques valeurs pour se rendre compte que les nombres $a = 0$ et $a = 1$ conviennent.

**Titre**
On met un titre à un graphique, à un tableau, aux colonnes et aux lignes d'un tableau... Mais on met aussi un titre aux chapitres aux paragraphes du cours, aux exercices. Un titre est un résumé qui, en quelques mots, permet de désigner, les informations que l'on va présenter.

**Tracer**
Faire un trait.
▶ *Voir Dessin*

**Trapèze**
Quadrilatère ayant deux côtés opposés parallèles. On dit qu'un trapèze est isocèle quand, de plus, les deux autres côtés sont de même longueur.

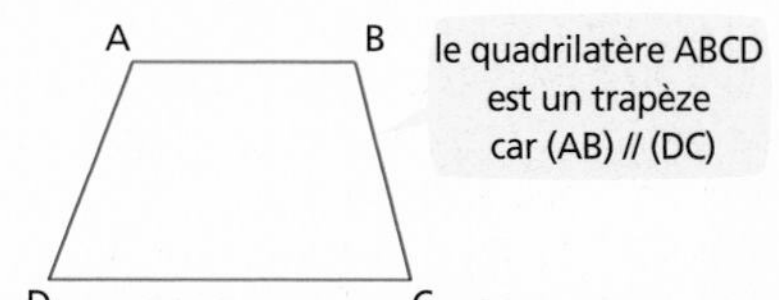


le quadrilatère ABCD est un trapèze car (AB) // (DC)

## U

**Unité**
Le mot « unité » a plusieurs utilisations en mathématiques :
• unité sur un axe ou dans un repère,
• chiffre des unités de l'écriture décimale,
• unité de mesure pour une grandeur.

## V

**Valeur**
Le mot « valeur » est utilisé quand on manipule des lettres dans un calcul.
Dans le calcul $3 \times b - 5$ si on choisit $b = 1$ on dit qu'on donne la valeur 1 à $b$. On calcule alors la valeur de l'expression $3 \times b - 5$. On trouve $^-2$.

**Valeur approchée**
Une valeur approchée d'un nombre est une valeur proche de ce nombre. On dit aussi « arrondi ». En sciences on se donne les moyens d'être plus précis :
• on peut dire si la valeur est approchée par un nombre plus grand ou plus petit (valeur approchée par excès ou par défaut).
• on peut donner un encadrement
• on peut aussi préciser la proximité (valeur approchée à une unité près, à un dixième près...).
Exemple :
• 3,1 est une valeur approchée par défaut de $\pi$ à un dixième près.
• 0,33 est une valeur approchée de $\frac{1}{3}$ à un centième près.
▶ *Voir Encadrer*

**Valeur exacte**
On peut travailler avec des valeurs approchées mais il est parfois nécessaire (pour garder la précision) ou plus pratique de travailler avec des valeurs exactes.
On garde alors les écritures fractionnaires, on garde l'écriture de $\pi$ sous la forme d'une lettre.

**Vérifiée** (égalité)
Vraie.

**Virgule**
**Origine du mot :** c'est un mot qui a signifié « petite baguette ».
La virgule est le signe qui sépare la partie entière de la partie décimale dans l'écriture décimale d'un nombre.

**Visible**
▶ *Voir Caché*

**Vitesse**
C'est le rapport entre une distance parcourue et le temps mis pour la parcourir.

### Volume
C'est un mot a double sens (comme le mot « rayon ») :
- C'est la mesure de cette partie d'espace.
- Un volume est une zone, une partie de l'espace limité par une surface. En général on parle aussi de « solide ».

### Vraie grandeur
Reproduire en vraie grandeur c'est faire le dessin en respectant les données de l'énoncé (si l'énoncé ne précise pas les dimensions il faut les reporter à partir de la figure du manuel).

## Z

### Zéro
► *Voir Chiffre*

## Chapitre 1

**1** Nombres positifs : $^{+}2$ ; 5 ; $^{+}6$ ; 4,5 ; $^{+}0,5$ ; 0.
Nombres négatifs : $^{-}3$ ; $^{-}1$ ; $^{-}4,4$ ; 0.

**2** **a.** 5 ; 6 ; $^{+}2,4$ ; 0 ; $^{+}12$
**b.** $^{-}5$ et 5 sont opposés. Il y a un autre couple de nombres opposés.

**7** **a.**

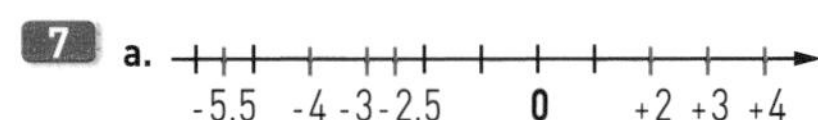


**b.** $4 > 3 > 2 > {}^{-}2,5$ ...

**10** Par exemple :
**1.** $4 < 4,4$ ; $^{-}11 < {}^{-}4,4$ ; $^{-}19 < {}^{-}14$ ; $^{-}12 < {}^{-}11,2$
**2.** $5 > 4,4$ ; $^{-}3 > {}^{-}4,4$ ; $^{-}10 > {}^{-}14$ ; $^{+}25 > {}^{-}11,2$

**11** Par exemple :
**a.** $^{+}2,7 < 2,8 < 3,6$ **b.** $^{-}2 < {}^{-}1,3 < {}^{-}1$
**c.** $^{-}0,4 < {}^{-}0,1 < 0$

**12** Par exemple :
**a.** $^{-}2,4 < {}^{-}2 < {}^{-}1$ **b.** $^{-}1 < 0 < {}^{+}0,5$

**16** A = $^{-}94$ B = 42 C = $^{-}85$ D = 572 E = $^{-}69$
F = $^{-}9$

**19** $(^{+}25) + (^{-}37) = {}^{-}12$ ; $(^{-}25) + (^{-}37) = {}^{-}62$
Les autres résultats peuvent être déduits des deux premiers.

**20** **a.** A = $^{-}10$ **b.** B = $^{-}10$

**22** A = $(^{+}85) + (^{-}99) = {}^{-}14$
B = $(^{+}19,25) + (^{-}18,65)$

**24** A : On peut remarquer que
$3 + (^{+}5) + (^{-}8) = 0$, puis regrouper les nombres de même signe.
B : Par exemple, $(^{-}1) + (^{-}2) + (^{+}3) = 0$. Un autre regroupement a aussi pour résultat 0.
C : On peut commencer par calculer $(^{-}6,7) + (^{+}2,7)$.

**30** A = $(^{-}124) + (^{+}37)$
B = $(^{-}97) + (^{-}19)$ C = $(65) + (^{+}94)$

**31** $(^{-}3) + (^{+}5) = (^{-}3) - (^{-}5)$
$(^{-}3) + (^{-}5) = (^{-}3) - (^{+}5)$

**35** **a.** A = $(^{-}12) + (^{-}41,5) + (^{+}32) = {}^{-}21,5$
B = $7 + (^{+}12,4) + (^{+}4) + (^{-}14,8)$
C = $(^{-}2,05) + (^{+}3,5) + (^{+}4,45) + (^{+}1)$

**37** A = $2 - [(^{+}3) + (^{-}4) + (^{+}6)]$
$= 2 - (^{+}5) = {}^{-}3$
B et C = compter en premier dans les crochets.

**38** **a.** On doit calculer $^{-}480 - (^{-}570)$
**b.** On doit calculer $^{-}212 - 75$

**41** **b.** -6,5 -5 -2 -1 0 1

**44** **a.** Avec $^{+}1$ comme nombre de départ :
$(^{+}1) + (^{-}3) - (^{+}10) + (^{-}91) - (^{-}100) = {}^{-}3$
**b.** Ajouter $(^{-}4)$

**50** Par exemple : $9,53 - 20 = {}^{-}10,47$

### QCM

**53** 1 **54** 3 **55** 1 et 3 **56** 3
**57** 1 **58** 3 **59** 1 **60** 2
**61** 1 **62** 2 **63** 1 **64** 3

### À chacun son parcours

**65** Ⓐ **a.** $^{-}7 < {}^{-}6,9 < {}^{-}6,89 < {}^{-}6,8 < {}^{-}6 < 7,89 < 8,45$
**b.** Par exemple : $^{-}0,8$ ; 0 et 0,1

**65** Ⓑ Par exemple : $7,83 > 7,35 > 3,45 > {}^{-}1,68 > {}^{-}1,7 > {}^{-}1,79$
Et : $^{-}10,1 < {}^{-}3 < {}^{-}2,05 < {}^{-}1,79$

**66** Ⓐ A = $^{-}12$ B = 4 C = 8 889

**66** Ⓑ A = $^{-}15,5$ B = $^{+}56$ C = 0 D = 8,99

**67** Ⓐ **a.** A = 9 B = $^{-}7$ C = $^{-}33,4$ D = 47,45
**b.** E = $^{-}5$ F = 34 G = 79

**67** Ⓑ **a.** A = 7,32 B = $^{-}17,9865$
C = 104,1 D = $^{-}7,425$
**b.** E = $^{-}6$ F = $^{-}12$ G = $^{-}6,15$

**68** Ⓐ $^{-}1\ 335 - 18 = {}^{-}1\ 353$

**68** Ⓑ Décès de Ramsès II :
$^{-}1\ 304 + 67 = {}^{-}1\ 237$
Naissance de Ramsès III :
$^{-}1\ 134 - 32 = {}^{-}1\ 166$
Donc $^{-}1\ 166 - (^{-}1\ 237) = 71$ ans d'écart.

## Chapitre 2

**2** *Aide* : Ne pas tracer l'axe jusqu'à l'origine.

**7** Résultats : OI = 0,7 ; OK = 0,15 ; OM = 0,15 ; KI = 0,55 ; JL = 0,09 ; KM = 0,3 ; IJ = 1,59.

**8** Résultats : QR = 1,75 ; RN = 3,3 ; NP = 5,8 ; PQ = 0,75.

**9** B(0) et C(10)

**15** Sur l'axe des abscisses 1 est représenté par 0,5 cm.

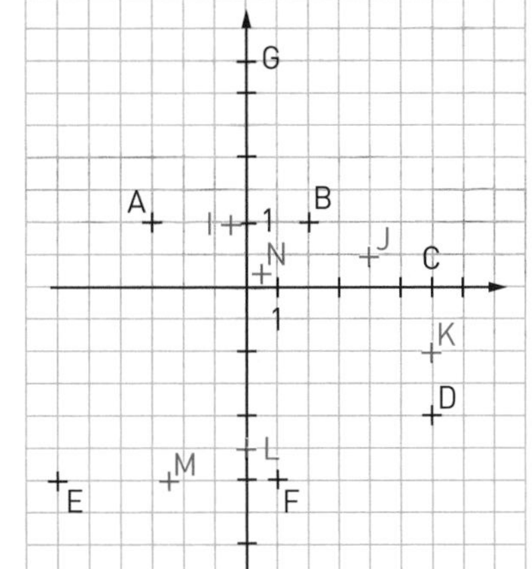


**17** **a.** Diagramme en tuyaux d'orgue. Avec le nombre de décibels en ordonnées : 1 cm pour 10 décibels.

**18** **a.**

| Moins de 18 ans | De 18 à 68 ans | Plus de 65 ans | Total |
|---|---|---|---|
| 450 000 | 1 150 000 | 2 400 000 | 4 000 000 |

**20** **a.** Largeurs possibles : eau = 6 cm, matières organiques = 3,9 cm, sels minéraux = 0,1 cm.

**24** Mettre les températures en ordonnées (positives et négatives). L'axe vertical doit au moins aller de $^{-}6,1$ °C à 21,6 °C : ne pas prendre une unité trop grande pour pouvoir placer ces températures sur la feuille.

**26** F1 = P3 = ... ; F2 = P2 ; F4 = P1 ; ...

**27** Environ 17 % des classes sont des classes de 5^e^ (à justifier).

**32** Calculer d'abord l'effectif total.

**33** **1.** Le nombre d'adultes illettrés est supérieur dans le pays A, mais la population y est aussi plus importante.
**2.** On calcule le pourcentage d'illettrés par rapport à la population totale. Les deux pourcentages sont approximativement égaux.

**36** **b. c.** et **d.** C($^{-}9,5$) ; D($^{-}11,5$) ; E($^{-}13,5$)
**e.** AE = 8 unités
**f.** AE = 4 × AB = 4 × 2

**38** **a.** Autres abonnements le 31/12/03 : 3 514 ; le 31/12/04 : 3 239
**b.** 31/12/03 : 11 % ; 31/12/04 : 7 %
**c.** 31/12/03 : 15 % ; 31/12/04 : 27 %

### QCM

**39** 2 **40** 1, 2 et 3 **41** 2 **42** 2 et 3
**43** 2 et 3 **44** 1, 2 et 3 **45** 3

### À chacun son parcours

**46** Ⓐ A($^{-}3,75$)

A G H
-3,75 -2,25 -1 0 4,5

**46** Ⓑ

W X
-1,6 0 1 3,4

**47** Ⓐ
Poulet : bandes = 6,7 cm, 2 cm, 1,3 cm.
Pâtes : 1,3 cm, 7 cm, 1,35 cm, 0,35 cm.

**47** Ⓑ Prendre longueur totale égale 10 cm ou 20 cm.

**48** Ⓐ **a.** 33 g de matière grasse.
**b.** Sans eau : 16 %. 160 g de matière sèche.
**c.** Environ 20 %

**48** Ⓑ 30 g de camembert donne 13,5 g d'eau donc 16,5 g de matière sèche donc 8,25 g de matière grasse.
30 g d'emmental donne 22,5 g de matière sèche donc 9 g de matière grasse.

## Chapitre 3

**2** On peut prendre cette longueur pour la largeur du rectangle et la reporter deux fois pour la longueur.

**4** $1\ mm^2 = \frac{1}{100}\ cm^2$ ; $1\ dm^2 = 100\ cm^2$ ;
$1\ m^2 = 10\ 000\ cm^2$.

**7** $1\ m^3 = 1\ 000\ 000\ cm^3$ ; $1\ mm^3 = \frac{1}{1\ 000}\ cm^3$ ; ...

**9** $6\ 700\ dm^3$ ; $56\ 400\ mm^3$ ; $500\ mm^3$ ; 12 dL ou $1\ 200\ cm^3$.

**10** 1 h = 60 min donc par exemple
4 h = 4 × 60 min = 240 min ;
2 h 20 min = 2 × 60 + 20 = 140 min.

**11** $1\ min = \frac{1}{60}\ h$ donc par exemple 15 min =
$15 \times \frac{1}{60}\ h = \frac{15}{60}\ h = \frac{15}{4 \times 15}\ h = \frac{1}{4}\ h.$

**13** 1L = 1 $dm^3$. Convertir les $cm^3$ en $dm^3$ et les cL, dL, mL en Litres.

**17** $\frac{4,65}{7,44} = 0,625$ ; $\frac{2,325}{3,72} = 0,625$ ;

$\frac{16,74}{26,78} \approx 0,62509335$.

Tous les coefficients ne sont pas égaux donc le tableau n'est pas un tableau de proportionnalité.

**20**

$\frac{35}{28} = 1,25$. On complète : $7,5 \times 1,25 = 9,375$.

$\frac{28}{35} = 0,8$. On complète : $25,625 \times 0,8 = 20,5$.

**22**

| 71 = 65 + 6 | 32,5 = 65 ÷ 2 | 6 | 32,5 + 6 = 38,5 |
|---|---|---|---|
| 45,5 + 4,2 = 49,7 | 45,5 ÷ 2 = 22,75 | $6 \times \frac{45,5}{65} = 4,2$ | 26,75 = 22,75 + 4,2 |

**24**

| 24 | 16 |
|---|---|
| 39 | $x$ |

Ce tableau doit être un tableau de proportionnalité.

**25** Non. Si le volume était proportionnel au rayon, la formule serait de la forme «un nombre fixe rayon».

**31** **a.** 2 secteurs : angle 1 : 23° ; angle 2 : 177°.

**33** $\frac{67}{83} \approx 0,80722$, tandis que $\frac{12}{15} = 0,8$.

Le mouvement n'est donc pas uniforme.

**34** **a.** 40 km (l'ordonnée passe de 20 km à 60 km).

**b.** 140 km

**c.** Étudier si le tableau

| 20 | 90 |
|---|---|
| 40 | 140 |

est un tableau de proportionnalité.

**35** C'est une réduction, l'échelle est plus petite que 1.

$\text{Échelle} = \frac{\text{mesure sur la représentation}}{\text{mesure réelle}} \approx \frac{1,5}{17} \approx 0,09$.

**37** **b.** La masse de 4,8 millions de pièces représente 4 fois la masse de la tour Eiffel.

**c.** Masse moyenne = 6,25 kg : ce qui est impossible. L'info du magazine est incomplète : 4 fois la masse de la tour Eiffel correspond probablement à la masse des pièces frappées en une année. Soit 4,8 × 365 millions. Masse d'une pièce = 17 g environ.

**41** **1.** Oui, le volume est proportionnel à l'aire car on passe d'une grandeur à l'autre en multipliant par un même nombre.

**2.** Le volume du second pavé est le tiers du premier.

**43** **1.** Il s'agit d'un agrandissement.

**2.** Échelle si la Vénus mesurait environ 1,65 m : 1,2.

**3.** Tête : 24 cm.

**45**

| | Afrique | Amérique | Asie | Europe | Océanie |
|---|---|---|---|---|---|
| Angles | 49° | 49° | 219° | 41° | 2° |

## QCM

**46** 3 **47** 2 **48** 3

**49** 1 et 3 **50** 2 et 3 **51** 3 **52** 1

**53** 1 **54** 2 **55** 1

## À chacun son parcours

**56** **A** La masse

**56** **B**

**1.**

**2.** Si on fixe la hauteur d'un rectangle, l'aire du rectangle est proportionnelle à la longueur de la base.

**57** **A** Durée = 3 h 15 min = 3,25 h.

L'angle pour 3 h 15 min sera donc 3,25 fois plus important que pour 1 h : Angle = 3,25 × 30° = 97,5°

**57** **B** **a.** Il y a proportionnalité car l'aiguille avance « régulièrement » en fonction de la durée.

**b.** On commence par calculer l'angle parcouru pour une durée de 1h.

| 12 h | 1 h |
|---|---|
| 360° | 30° |

Puis on procède comme à l'exercice **57 A**.

**c.** $108 \times \frac{1}{30} = 3,6$. 108° correspondent donc à 3,6 h = 3 h 36 min.

**d.** Formule : Angle = Durée (en heure) × 30.

**58** **A** **2. a.** Il faut commencer par calculer le total (qui correspond à 180°).

| Montant | Angle |
|---|---|
| 45,69 | 92° |
| 30,03 | 60° |
| 13,84 | 28 |

**58** **B** Il y a proportionnalité entre les longueurs des bandes et les mesures des angles.

| | Longueur de la bande (cm) | Angles |
|---|---|---|
| Chine | 0,7 | 19° |
| Japon | 1,3 | 34° |
| Corée | 0,5 | 13° |
| Taiwan | 3,2 | 85° |
| Autres pays | 1,1 | 29° |
| Total | 6,8 | 180° |

# Chapitre 4

**2** Les priorités sont indiquées en rouge :

E = 7 × (16 − (2 + 9))
F = (9 − (9 − 8)) × ((2 + 7) ÷ 3)
G = 4 × (39,2 − (2,4 + 4,8) + 3)
H = 120 ÷ [(66 − (25 + 8 − 7)) ÷ 2]

**7** Le calcul des quatre expressions s'effectue progressivement de gauche à droite.

P = 39 − 7 + 3 S = 3 × 21 ÷ 7 × 5
P = 32 + 3 S = 63 ÷ 7 × 5
S = 9 × 5

**8**

T = ⁻14 − (5 − 8) U = (5 − 8) − (⁻2 + 3 × 4)
T = ⁻14 − (⁻3) U = (⁻3) − (⁻2 + 12)
T = ⁻14 + 3 U = (⁻3) − 10

V = ⁻30 − 4 × 7 W = 3,5 × (⁻5 − (⁻7))
V = ⁻30 − 28 W = 3,5 × (⁻5 + 7)

**10** **a.** A est le produit de 10 par la somme de 7,5 et 2.

B est le produit de ... par le résultat de la soustraction de 3 à 5.

C est le quotient de 54 par ...

**b.** A = 95 ; B = 20 ; C = 9 ; D = 20,5 (détailler les calculs).

**11** **a.** $Q_1$ est le quotient de $\frac{1}{4}$ par $\frac{10}{2}$.

**b.** $Q_3$ est le quotient de 48 par $\frac{6}{2}$.

**c.** $Q_1 = \frac{0,25}{5} = 0,5$ ; $Q_2$ et $Q_3$ sont des entiers.

**12** A = 10 ÷ 4 ; B = 0,8 + 3,2

**13** **b.** $E_1 = 23 + \frac{7}{2}$ ; $E_2 = \frac{...}{...}$.

**15** *Aide* : exprimer d'abord la longueur du rectangle à l'aide des données de la figure (et sans faire de calcul).

Des parenthèses sont nécessaires à l'écriture de l'expression de l'aire.

**17** On utilise la distributivité :

**a.** 150 × (2 + 4 + 6) = 150 × 2 + 150 × 4 + 150 × 6

**b.** (56,4 − 6,01) × 100 = 56,4 × 100 − 6,01 × 100

Effectuer les calculs en respectant les priorités.

**19** On cherche à appliquer la distributivité.

**a.** *Aide* : 12 = 10 + 2 ; 30,4 = 30 + 0,4

**b.** *Aide* : 19 = 20 − 1 ; 48 = 50 − 2

**20** On utilise l'indication de fin d'exercice :

**a.** 52 × 0,5 = 52 ÷ 2 = 26.

6,4 × 100,5 = 6,4 × (100 + 0,5)
= 6,4 × 100 + 6,4 × 0,5

Poursuivre le calcul en respectant les priorités et en utilisant : 6,4 × 0,5 = 6,4 ÷ 2.

**21**

**a.** 38 × 45 + 38 × 55 = 38 × (45 + 55)

6,5 × 15 − 3,5 × 15 = (6,5 − 3,5) × 15

**b.** et **c.** il faut, là aussi, trouver un facteur commun.

**25** **a.** $4 \times x + 2 \times x = (4 + 2) \times x = 6 \times x = 6x$

$2 \times z + z = 2 \times z + 1 \times z = (...) \times z = ...$

**b.** $11 \times y - y + 3 \times y = 11 \times y - 1 \times y + 3 \times y = ...$

$7,5z + 0,5z = 7,5 \times z + 0,5 \times z = (7,5 + 0,5) \times z = ...$

**27** Le côté du petit carré mesure $c$, son périmètre est donc $4 \times c$.

Le côté du second carré mesure $2 \times c$, son périmètre est donc $4 \times 2 \times c$ soit $8 \times c$.

Exprimer le côté et le périmètre du grand carré et effectuer la preuve demandée.

**28** *Aide* : l'écriture $3x$ signifie $3 \times x$.

**29** **a.** Pour $a = 1,6$ on a A = 5 × 1,6 = 8

Pour $a = 0$ on a A = 5 × 0 = 0.

**b.** Pour $a = 3$ on a B = ... = 22 ;

Pour $a = {}^-1$ on a B = 2 × (14 − (⁻1))

B = 2 × (14 + 1) = ...

**c.** *Aide* : $2a = 2 \times a$ et $10a = 10 \times a$

**33** K = 5 × 8 + 2 × 3 − 7

L = (8 + 3) × (7 − 3)

M = 8 × 3 × (7 − 2)

N = 3 − 8 − 7 ÷ 2

Respecter les priorités pour terminer les calculs.

**34** **a.** Pour $x = 6$ on a :

$1,5x + 3 = 1,5 \times 6 + 3 = 9 + 3 = \mathbf{12}$

et $2x = 2 \times 6 = \mathbf{12}$.

**b.** Pour $x = 3$, chacune des deux expressions vaut 25.

**36** *Aide* : l'égalité $9a + 3 = 12a$ n'est pas vraie pour $a = 5$.

Lorsque $a = 5$ on a $0,5a = a - 2,5 = 2,5$ (effectuer les deux calculs).

Calculer séparément $2 \times (a - 1)$ et $4 + a$ lorsque $a = 5$.

**38** **a.** Périmètre du triangle : $3 \times x = \mathbf{3x}$.

Périmètre du rectangle :

$2 \times (x + 0,5) + 2 \times 2 = \mathbf{2 \times (x + 0,5) + 4}$

*Remarque :*

on peut appliquer la distributivité à $2 \times (x + 0,5)$, on obtient alors l'expression $2x + 1 + 4$

c'est-à-dire **2*x* + 5**. **d.** Utiliser les résultats du **c.**

**40** **a.** L'égalité est $c + 1 = p \div 2$.
**b.** *Remarque :* ne pas choisir des valeurs trop grandes qui seraient incohérentes avec le contexte.

**43** Une des expressions est :
$0,6 \times 5,90 + 0,9 \times 5,90 + 1,2 \times 5,90$.
*Aide* : dans la seconde expression, le nombre 5,90 n'intervient qu'une seule fois.

**52** Premiers pas des calculs :
$X = 4 - 5 \quad Y = \frac{4 + 15}{2} \quad Z = 8 + \frac{9}{10}$

**53** **b.** Pour $e = 2$ : $B = 2 \times (3 + 2 \times 2) = ... = 14$.
Pour $e = 3,6$ : $B = 3,6 \times (3 + 2 \times 3,6) = ... = 36,72$.
Pour $e = 8$ : $B = 8 \times (3 + 2 \times 8) = ... = 152$.

### QCM

**56** 2 **57** 3 **58** 2
**59** 1 et 3 **60** 1 **61** 2 et 3
**62** 2 **63** 1 et 3 **64** 1, 2 et 3
**65** 2

### À CHACUN SON PARCOURS

**66** Ⓐ I = 15 (détailler le calcul).
J = 18 (le calcul entre crochets est prioritaire).

**66** Ⓑ **a.** I = 112 (détailler le calcul).
J = 70 (le calcul entre parenthèses est prioritaire).

**67** Ⓐ $42 \div (2 + 4) = 42 \div 6 = 7$.

**67** Ⓑ Il faut calculer $(42 + 18) \div (18 \div 3)$.

**68** Ⓐ **a.** Périmètre du triangle : $2 \times 12 + 8$.
**b.** *Aide :* les côtés du losange ont même longueur et le périmètre est $2 \times 12 + 8$.

**68** Ⓑ **a.** *Aide* : exprimer d'abord le périmètre du triangle XYZ.
Imaginer que le périmètre du trapèze RSTU est connu, comment calculer RS ?

**69** Ⓐ **a.** $9 \times (32 + 18) = 9 \times 50 = 450$.

**69** Ⓑ **a.** $15 \times (2,4 + 1,6) = ...$
**b.** $9 \times 6,1 + 9 \times 1,9 = 9 \times (...)$

**70** Ⓐ $K = 5 \times 1,4 + 5 \times \frac{1}{2} = 7 + 5 \times 0,5 = ...$

**70** Ⓑ $K = 5z \times y - 5z \times 7$.

**71** Ⓐ Lorsque $x = 0,5$ on a :
$x + 4,5 = 0,5 + 4,5 = \mathbf{5}$
et $10x = 10 \times 0,5 = \mathbf{5}$.
Donc $x + 4,5 = 10x$ lorsque $x = 0,5$.

**71** Ⓑ Lorsque $a = 0,5$ on a :
$12a - 3 = 12 \times 0,5 - 3 = ... = 3$
et $6 \times (a + 0,5) = ... = 6$ ;
donc l'égalité n'est pas vraie pour $a = 0,5$.

## Chapitre 5

**1** $\frac{9}{18}$ ou $\frac{1}{2}$ ; ... ; $\frac{3}{8}$ ; $\frac{4}{12}$ ou $\frac{1}{3}$.

**3**

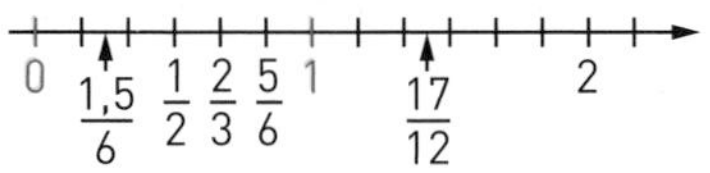


**5** **a.** $14 \times \frac{1}{7} = \frac{14}{7} = 2$ ; $3 \times \frac{1}{13} \times 13 = 3 \times \mathbf{1} = 3$.

**6** *Aide* : $\frac{10}{8} = 10 \times \frac{...}{...}$ ; $5 \div 40 = \frac{5}{40}$ = ... (simplifier).

**7** **a.** 5,3 ; 0,5 ; 0,2 ; 1,0 ; 2,1.
**b.** 0,83 ; 1,21 ; 1,08 ; 0,35 ; 0,15.

**10** $\frac{20}{30} = \frac{20 \div 10}{30 \div 10} = \frac{2}{3}$ ; poursuivre en simplifiant les fractions.

**15** **1. a.** *Aide :* les fractions ont le même numérateur.
**b.** *Aide* : écrire les nombres sous la forme d'une fraction de dénominateur 13.
**2.** *Aide* : écrire les nombres sous la forme de fractions ayant toutes le même numérateur ou bien toutes le même dénominateur.

**17** **a.** *Aide* : les nombres plus petits que 1 sont ceux dont le numérateur est inférieur au dénominateur.
$\frac{9}{4}$ est plus grand que 2 car $\frac{9}{4} > \frac{8}{4}$ et $\frac{8}{4} = 2$.

$\frac{4}{3}$ et $\frac{7}{6}$ sont inférieurs à 2 car $\frac{4}{3} < \frac{6}{3}$ et $\frac{7}{6} < \frac{12}{6}$.

**18** **a.** Les chiffres des centièmes des deux nombres sont 5 et 3.
**b.** Les chiffres des millièmes sont 5 et 1.
**c.** Les chiffres des dix-millièmes sont 9 et 7.

**21** $A = \frac{1 + 1}{2} \qquad B = \frac{16 - 2}{7}$

$C = \frac{7 + 9}{8} \qquad D = \frac{7 + 5}{3}$

**23** **a.** $\frac{2}{3} + \frac{1}{6} = \frac{2 \times 2}{3 \times 2} + \frac{1}{6} = \frac{4}{6} + \frac{1}{6} = \frac{5}{6}$

$\frac{5}{6}$ des élèves n'étudient pas l'italien.

**b.** Calculer $\frac{2}{3}$ de 144.

**24** $A = \frac{1}{5} + \frac{5}{5} \qquad B = \frac{9}{9} + \frac{1 \times 3}{3 \times 3} - \frac{1}{9}$

$C = \frac{14}{7} - \frac{3}{7} \qquad D = \frac{13,5}{3} - \frac{1}{3}$

**25** Donner une écriture fractionnaire simplifiée de chacun des trois nombres puis effectuer la comparaison.

**27** $A = \frac{1 \times \not{6}}{\not{6} \times 5} = \frac{1}{5} \quad B = \frac{\not{10} \times 5}{11 \times \not{10}} = \frac{5}{11}$

$C = \frac{5 \times 7 \times 9}{9 \times 5 \times 7}$

Le numérateur et le dénominateur de C sont égaux.

(les traits en rouge indiquent une division : par 6 pour A)

$G = \frac{10 \times 3,5}{1 \times 20} \qquad H = \frac{20}{48} \qquad I = \frac{49}{21}$

... simplifier ces nouvelles écritures de G, H et I.

**29** $A = \frac{3 \times 11}{5 \times 5} \times \frac{5}{2 \times 11}$

$B = \frac{2 \times 7}{3 \times 5} \times \frac{2 \times 5}{7}$ ;

$D = \frac{4}{3}$ ; $E = \frac{16}{9}$ ; $F = \frac{5}{6}$

$G = 1$ ; $H = \frac{1}{2}$ ; $I = \frac{2}{5}$ (détailler les calculs).

**31** Le double de un tiers correspond au produit $2 \times \frac{1}{3}$.
Lire en leçon 3 « fraction d'un nombre » page 102.

**32** **a.** « Le tiers des demi-pensionnaires » correspond au tiers de $\frac{5}{8}$ (des élèves qui mangent à la cantine).
*On peut faire un schéma pour vérifier le résultat obtenu : la partie bleue représente*

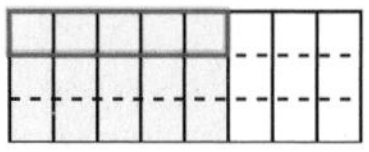

$\frac{5}{8}$ *du nombre total des élèves, la partie rouge (tiers de la partie bleue) représente le tiers de* $\frac{5}{8}$ *des élèves : en comptant on vérifie bien que cela représente les* $\frac{5}{24}$ *des élèves.*
**b.** Utiliser **a.**, ou calculer le nombre de demi-pensionnaires puis calculer le tiers de ce nombre.

**35** $A = \frac{14,28}{0,7} = ...$ ; $\qquad B = \frac{5}{3,6} \times \frac{9}{10} = ...$

$C = \frac{6,3}{10,5} = ...$ ; $\qquad D = \frac{30,6}{1,8} = ...$

**39** $7 \times \frac{2}{7} = 2$ ; écrire les autres nombres sous la forme d'une fraction simplifiée.

**46** La part que représentent les fuites d'eau par rapport à la quantité totale d'eau pompée est $\frac{2\,160}{3\,600}$ ou 60 % car $\frac{2\,160}{3\,600} = \frac{2\,160 \div 36}{3\,600 \div 36} = \frac{60}{100}$.

**48** *Aide* : on peut simplifier A par 5 dès le début du calcul puis par 2 ;
B : le dénominateur commun est 45 ;
C : on peut écrire 4 sous la forme $\frac{20}{5}$ ;
D et E : le calcul entre parenthèses est prioritaire ;
F : le résultat de $2 \times \frac{3}{2}$ est immédiat.

### QCM

**49** 1, 2 et 3 **50** 2 **51** 2 et 3
**52** 2 et 3 **53** 1 et 2 **54** 1
**55** 1 et 2 **56** 3 **57** 1, 2 et 3

### À CHACUN SON PARCOURS

**58** Ⓐ $\frac{3}{6}$ du rectangle noir est colorié en bleu.
$\frac{3}{6} = \frac{3 \div 3}{6 \div 3} = \frac{1}{2}$

**58** Ⓑ Pour trouver la fraction, le rectangle noir doit être partagé en parties égales.

**59** Ⓐ $\frac{48}{72} = \frac{48 \div 8}{72 \div 8} = \frac{6}{9} = \frac{6 \div 3}{9 \div 3} = \frac{2}{3}$

**59** Ⓑ *Aide* : $65 = 5 \times 13$.
Simplifier $\frac{1\,650}{1\,550}$ en plusieurs étapes.

**60** Ⓐ
**a.** $\frac{16}{17}$ est proche de $\frac{17}{17} = 1$ ; $\frac{55}{27}$ est proche de $\frac{54}{27} = 2$.
**b.** $\frac{16}{17} < 1 < 2 < \frac{55}{27}$.

**60** Ⓑ $\frac{2\,374}{2\,375}$ est proche de $\frac{2\,375}{2\,375}$ ... ;
$\frac{453}{150}$ est proche de 3 car ...

**61** Ⓐ
*Aide* : pour calculer $N_1$, écrire $\frac{3}{4}$ et $\frac{1}{10}$ sous la forme de fractions de dénominateur 20 ; pour $N_2$, on observe que 6 est un multiple de 2 et de 3.

**61** **B** Calculer séparément les deux termes de l'égalité.

**62** **A** Poser le calcul ainsi :

$$\begin{array}{r} \frac{1}{2}+\frac{1}{3}+\ldots+\frac{1}{10} \\ +\frac{1}{2}+\frac{2}{3}+\ldots+\frac{9}{10} \\ \hline \ldots \end{array}$$

**62** **B** Associer astucieusement chaque fraction qui compose X avec une des fractions de Y.

**63** **A**

$F_1 = \frac{5 \times 11 \times 3 \times 2}{3 \times 11}$ ; $F_2 = 4 \times \frac{6}{6}$

*(on divise par 3 et par 11)*

Terminer les calculs.

**63** **B** Décomposer 34 et 25 en produits. Observer les quatre fractions avant de débuter le calcul de $F_2$.

**64** **A** $\frac{3{,}74}{0{,}68} = \frac{3{,}74 \times 100}{0{,}68 \times 100} = \frac{374}{68} = \frac{22 \times 17}{4 \times 17}$.

Simplifier cette fraction.

**64** **B** Écrire 15,2 ÷ 4,75 sous une forme fractionnaire et transformer cette écriture afin d'utiliser les données.

## Chapitre 6

**2**

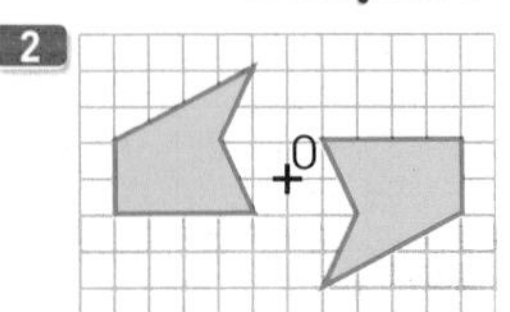


**7** **a.** Le point C doit être au milieu du segment joignant le point D à son symétrique.
**b.** On cherche le milieu du segment [EG].

**9** **1. a.** Le point C est au milieu de ...
**b.** Le milieu du segment [BD] est ...
**2. a.** Les points E et G sont symétriques par rapport au point P.

**12** *Indice :* le symétrique d'une droite est une droite parallèle.

**14** Le contour de la demi couronne rouge est composé de deux segments de longueur 2 cm, d'un demi-cercle de diamètre 3 cm (pourquoi ?) et d'un demi-cercle de diamètre 7 cm (pourquoi ?).

**15** **b.** Si $a$ = 5 cm, le rectangle ABCD a pour aire 15 cm² (pourquoi ?), son symétrique par rapport au point S a la même aire. L'aire totale est donc de 30 cm².

**18** **a. b.** et **c.**

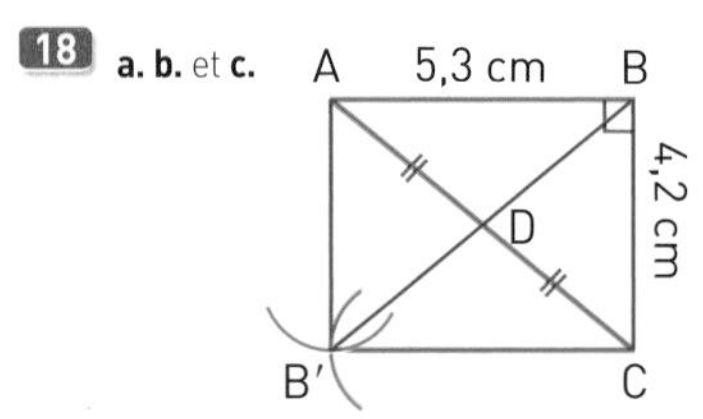


**d.** L'angle $\widehat{CBA}$ est le symétrique de l'angle $\widehat{ABC}$ par rapport au point D.

**21** $\widehat{OJM} = \widehat{OLK}$ = 74° car ces angles sont symétriques par rapport au point O.
$\widehat{KML} = \widehat{MKJ}$ = 25° car ...
$\widehat{KMJ} = \widehat{MKL}$ = 36° car ...

**23**

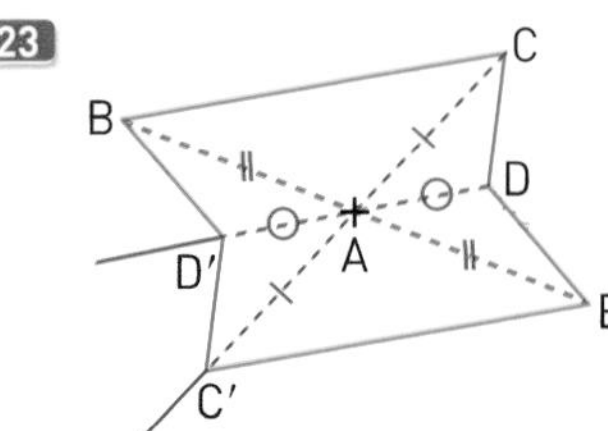


**25**

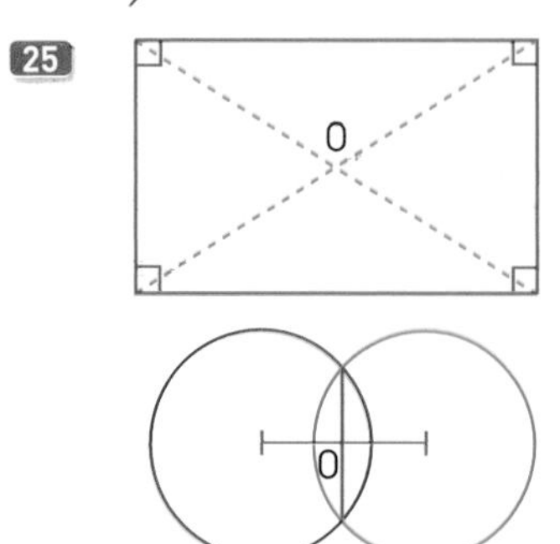


**28** Calculer d'abord l'aire du triangle rectangle.

### QCM

**38** 1 **39** 3 **40** 1

**41** 2 et 3 **42** 3

### À chacun son parcours

**43** **A**

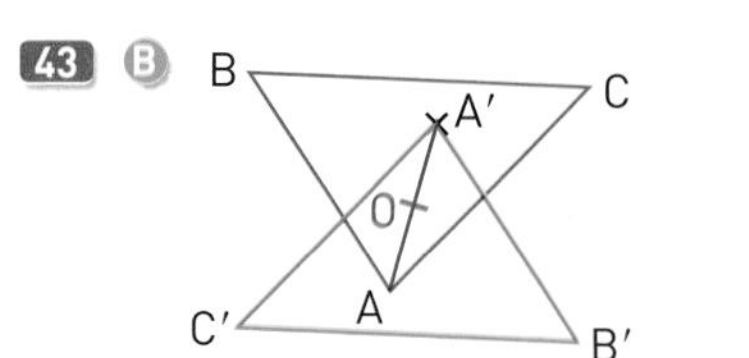


**43** **B**

**44** **A** **a.**

Périmètre = 2 × 5,4 cm + 2 × 3 cm + 2 × 4,1 cm.
**b.** Le symétrique d'un segment est un segment de même longueur.

**44** **B** **a.**

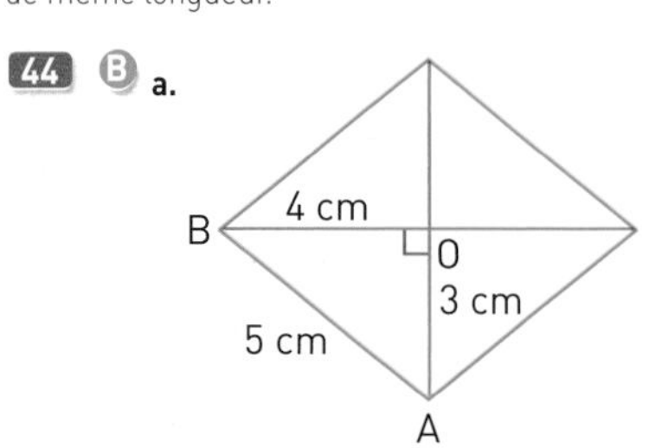


**b.** L'aire de la figure vaut le quadruple de l'aire du triangle AOB. On obtient 24 cm².

**45** **A**

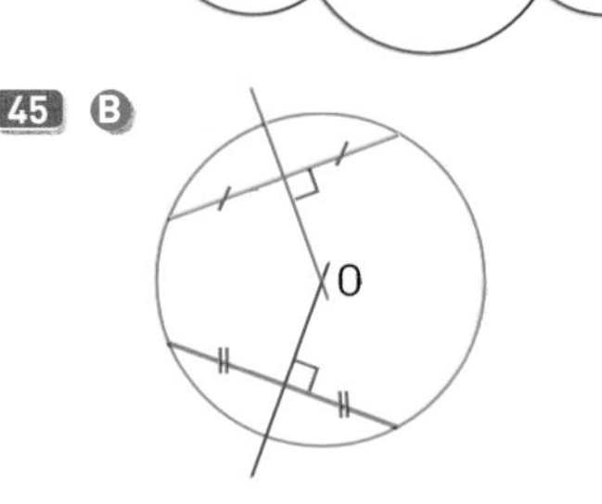

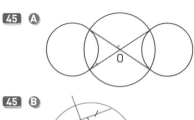

**45** **B**

## Chapitre 7

**1** **a.** Exemple : $\widehat{AIJ}$ et $\widehat{CJI}$ (il y a un autre couple d'angles à trouver).
**b.** Exemple : $\widehat{EIB}$ et $\widehat{IJC}$.

**2** **a.** On dessine d'abord deux droites parallèles, puis une 3ᵉ droite qui forme un angle de 56° avec l'une des deux autres.

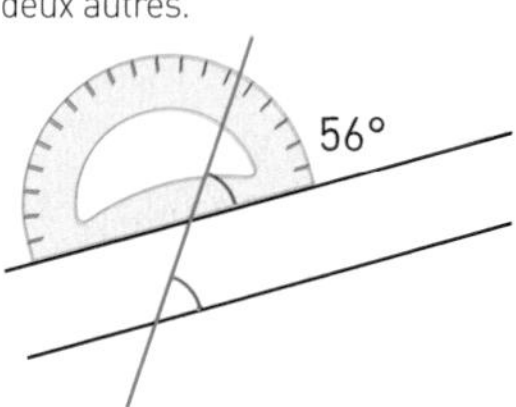


**4** Angles obtus : $\widehat{BHG}$, $\widehat{HGE}$, $\widehat{BCF}$, $\widehat{CFE}$, $\widehat{ADC}$. Il y a trois angles droits et 6 angles aigus.

**6** 61° (expliquer les calculs).

**11** Triangles isocèles : ABC, BCD, CDA et DAB.

Il y a 4 triangles rectangles.

**14** **a.** La médiatrice d'un segment lui est perpendiculaire et passe par ...
**b.** Les points de la médiatrice d'un segments sont ... de ses extrémités.

**16** **a.** Prouver d'abord que les points E, D et C sont alignés.
**b.** Utiliser la propriété du point d'intersection des diagonales dans un parallélogramme.

**21** **a.** Les côtés parallèles ne doivent pas être de même longueur (trapèze).
**b.** Les diagonales ne doivent pas se couper en leur milieu (cerf-volant).
**c.** Les côtés consécutifs ne doivent pas être perpendiculaires (losange).

**26** Prouver que les segments [AL] et [BP] sont parallèles et de même longueur.

**28** Coder sur la figure le fait que les rayons ont même longueur.

**30** Le quadrilatère ABCD a des diagonales de même longueur, mais qui ne se coupent pas en leur milieu. Donc ce n'est ni un rectangle, ni même un parallélogramme.

**32**

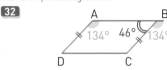

**33** $\widehat{BAC}$ = 180 − 77 − 32 = 71°

**37**

## QCM

**45** 3 **46** 2 **47** 2 **48** 2

**49** 2 et 3 **50** 2 et 3 **51** 3

## À CHACUN SON PARCOURS

**52** Ⓐ

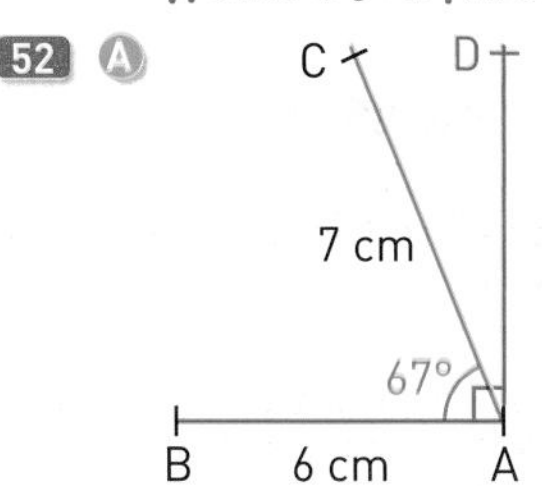


**52** Ⓑ

**53** Ⓐ $\widehat{AOD} = 75°$.

**53** Ⓑ $\widehat{VBP} = 25°$.

**54** Ⓐ Si deux droites sont parallèles entre elles, toute parallèle à l'une est ...

**54** Ⓑ Si deux droites sont perpendiculaires à une même droite ...

**55** Ⓐ Les diagonales du rectangle sont toujours de même longueur.

**55** Ⓑ Commencer par tracer un triangle rectangle dont le plus grand côté mesure 7 cm.

**56** Ⓐ AC = AC′ et AB = AB′ (symétrie), et AB = AC (triangle isocèle) donc les diagonales ont le même milieu et la même longueur.

**56** Ⓑ Le point O est le milieu des segments [AC] et [BD] (symétrie), et (AC) ⊥ (BD) donc le quadrilatère ABCD est un losange.

# Chapitre 8

**1** Cas n° 1 : le triangle n'existe pas car 13 mm + 14 mm < 28 mm.
Cas n° 3 : le triangle n'existe pas car ...
Cas n° 4 : attention aux unités : 1,14 dm = 11,4 cm.
11,4 cm + 3,8 cm = 15,2 cm et 15,2 cm > 14,5 cm donc le triangle existe.

**2** **1. a.** 3 + 5 = 8 et 8 > 7 donc le triangle DEF est constructible.
**c.** 6,3 + 4,8 = 11,1 et 11,1 > 7,5 donc le triangle GHI est constructible.

**2.**

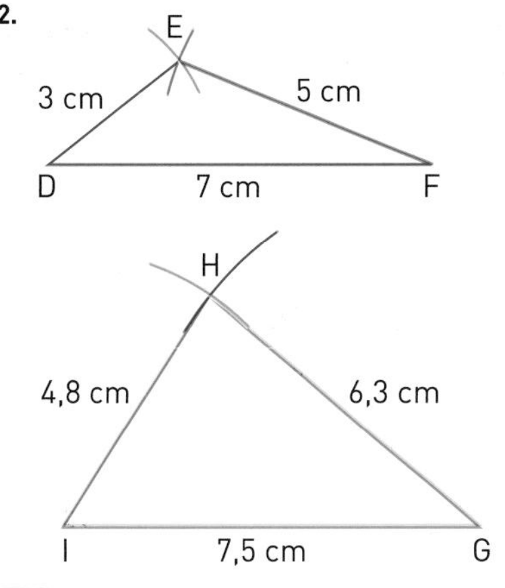


**4** Le point S est situé sur le segment [RT] car 4,4 cm + 5,6 cm = 10 cm.

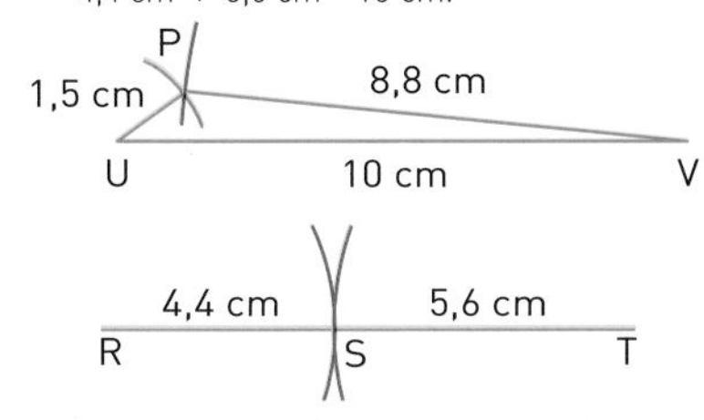


**7** **a.b.**

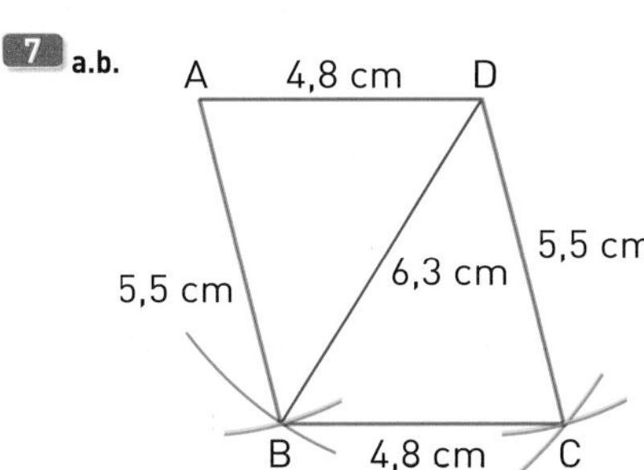


**c.** *Aide :* AD = BC et AB = DC.

**9** **2. a.** – Construire un triangle BIC tel que ...
- Placer le point A tel que le point I soit ...
- Tracer ...

**b.** – Construire un triangle EFJ tel que ...
- Placer le point G tel que ...
- Tracer ...

**13** **a.** Dans un triangle, la somme des trois angles est égale à 180°.
**b.** Figure ④ : 31° + 57° = 88°, le troisième angle mesure 92° car 88° + 92° = 180°.

**16** Pour calculer l'angle manquant voir l'exercice 13. On trouve : $\widehat{B} = 40°$, $\widehat{F} = 70°$ et $\widehat{I} = 68°$ (détailler les calculs).
Pour construire les figures, commencer par tracer le segment dont on connaît la longueur.

**18**

| Nature de ABC | Dessin à main levée | $\widehat{A}$ | $\widehat{B}$ | $\widehat{C}$ |
|---|---|---|---|---|
| Isocèle en A | | 96° | 42° | 42° |
| Rectangle en A | | 90° | 40° | 50° |
| Isocèle en B | | 41° | 98° | 41° |

| $\widehat{A}$ | $\widehat{B}$ | $\widehat{C}$ | *Calculs* |
|---|---|---|---|
| 96° | 42° | 42° | 42° + 42° = 84°<br>84° + 96° = 180° |
| 90° | 40° | 50° | 90° + 50° = 140°<br>140° + 40° = 180° |
| 41° | 98° | 41° | 98° + 82° = 180°<br>82° ÷ 2 = 41° |

**19** **a. b.** Calculer la mesure des angles $\widehat{L}$ et $\widehat{Y}$.
**c.** La mesure de l'angle $\widehat{U}$ est 90°, calculer celle de $\widehat{V}$.
**d.** RST est un triangle isocèle en R donc les angles $\widehat{S}$ et $\widehat{T}$ sont égaux...

**22** La droite bleue est la médiatrice du segment [AB].
Dans le triangle DEF, la droite bleue est la médiane issue du sommet F (ou bien la médiane relative au côté [DE]).
Dans le triangle MNO, la droite bleue est la médiatrice ..., c'est aussi la médiane ...

**25** C'est vrai : il suffit que les trois sommets de chaque triangle soient placés sur le cercle.

**26** Chercher dans la leçon 3 la définition du cercle circonscrit à un triangle.

**28** **b.** Le point I est le milieu du segment. Le triangle UVW est équilatéral donc WU = WV. On en déduit que...
**c.** *Aide :* expliquer pourquoi la droite (IW) est la médiatrice du segment [UV] et pourquoi cette droite est aussi la médiane relative au côté [UV]. Puis répondre à la consigne de l'énoncé.

**30** Les médiatrices des segments [AB] et [BC] se coupent au point U. Or, dans un triangle, les médiatrices ...

**32** **a.** 3 cm, 5,5 cm et 8 cm sont les dimensions d'un triangle car 3 cm + 5,5 cm > 8 cm.
**b.** 11 mm, 7 mm et 15 mm sont les dimensions d'un triangle car 11 mm + 7 mm > 15 mm.

**34** **a.** L'angle de 48° peut avoir pour sommet A, B ou C.
Voici le dessin à main levée de l'une des possibilités :

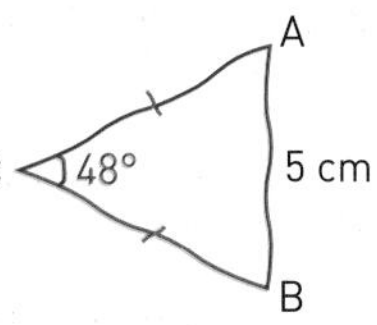


**41** **a.**

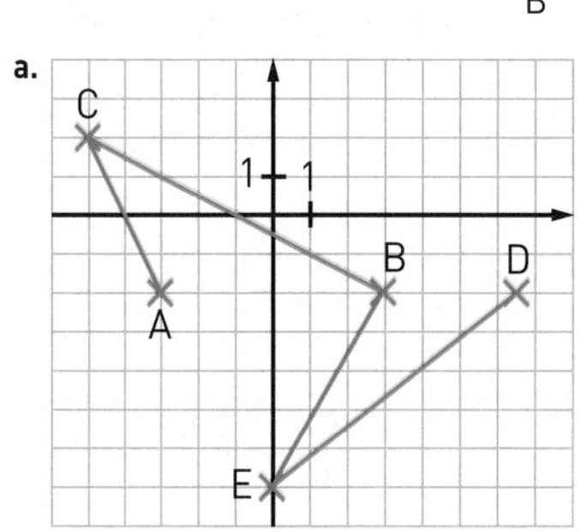


## QCM

**43** 1 **44** 1 et 2 **45** 3

**46** 2 **47** 3 et 2

**48** 3 et 1 **49** 1

## À chacun son parcours

**50** Ⓐ **a.** 13,4 cm ne peut pas être la troisième dimension car 13,4 cm > 6 cm + 6 cm
**b.** Construire un triangle de dimensions
11,8 cm / 6 cm / 6 cm
puis un autre de dimensions 0,9 cm / 6 cm / 6 cm.

**50** Ⓑ **a.** La troisième dimension peut être : 1 cm, 2 cm, 3 cm, ..., 25 cm.
Justification :
- Avec 25 cm, le triangle est plat car 12,5 cm + 12,5 cm = 25 cm.
- Si le 3ᵉ côté mesure 1 cm, le triangle existe car 1 cm + 12,5 cm > 12,5 cm.
Il en est de même en remplaçant 1 cm par 2 cm ou 3 cm, ..., ou 12 cm.
- Si le 3ᵉ côté mesure 13 cm, le triangle existe car 12,5 cm + 12,5 cm > 13 cm.
Il en est de même en remplaçant 13 cm par 14 cm ou 15 cm, ..., ou 24 cm.

**51** Ⓐ La distance AB est inférieure à 6 cm + 7 cm (soit 13 cm) c'est une inégalité triangulaire du triangle ABC.
Donc le périmètre du triangle ABC est inférieur à 13 cm + 6 cm + 7 cm (soit 26 cm).

**51** Ⓑ On peut nommer le losange ABCD et le milieu de ses diagonales I.
IA = 32 cm ÷ 2 = 16 cm et IB = 28 cm ÷ 2 = 14 cm.

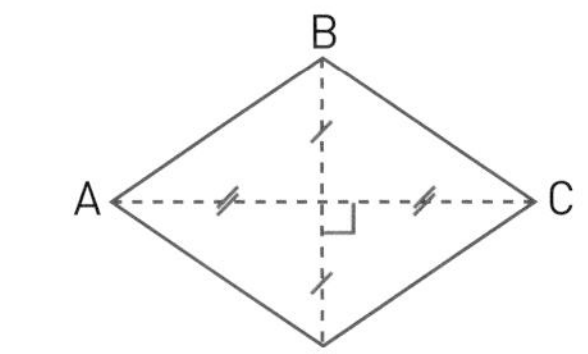


Poursuivre en écrivant une inégalité triangulaire du triangle ABI.

**52** Ⓐ **a.** Dans un triangle, la somme des trois angles est égale à 180 °
Dans le triangle ABC : ...
Le triangle ADC est isocèle en D donc $\widehat{ACD} = \widehat{CAD} = 77°$. Calculer la mesure de $\widehat{ADC}$.
**b.** Prouver que $\widehat{ACB} + \widehat{ACD}$ n'est pas égal à 180°. Ainsi l'angle $\widehat{DCB}$ n'est pas un angle plat (les points D, C et B ne sont pas alignés).

**52** Ⓑ **a.** Calculer les angles $\widehat{BEA}$ et $\widehat{CBE}$.

**53** Ⓐ **b.** La construction des médiatrices de deux côtés du triangle ABD suffit pour obtenir le centre du cercle circonscrit.
**c.** La médiane relative au côté [BD] passe par le milieu du segment [BD] et par le sommet A.
**d.** Se rappeler la définition du cercle circonscrit à un triangle.
**e.** Les points A, B, C et D sont sur un cercle de centre O, on peut donc en déduire des distances égales.

**53** Ⓑ **e.** Utiliser le point I.
**f.** Le triangle BCD est le symétrique du triangle ABD par rapport au point I.

# Chapitre 9

**2** Commencer par reproduire le trapèze (tracer la hauteur pour qu'elle joigne les milieux des deux bases).

**5**

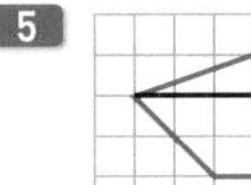

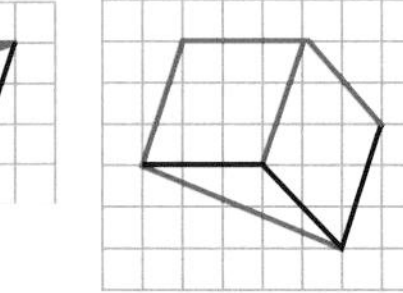

**7** **a.** Il y a 8 arêtes de 1 cm, 4 arêtes de 3 cm et 6 arêtes de 5 cm (ce sont les 6 arêtes latérales).
**b.** Il y a 8 faces, dont : deux bases à 6 côtés, et 6 faces latérales (4 rectangles de 1 cm sur 5 cm, et 2 rectangles de 3 cm sur 5 cm).

**9** **b.** Le « toit » (3 arêtes latérales), le cube (4), la « maison » (5), le prisme à base hexagonale (6).

**12** Ce n'est pas un cylindre car les bases de ce solide ne sont pas des disques.

**17** **a.** Qu'obtient-on en découpant la bûche au milieu de sa hauteur ?
**b.** Les deux cylindres obtenus ont le même rayon (3 cm) et la même hauteur (15 cm).

**19** La troisième figure.

**20** **a.** Il faut faire tourner un cercle.
**b.** Ce solide n'est donc pas un cylindre de révolution.

**24** **a.** Ce solide est un pavé droit.
**b.** Pour dessiner le patron, on doit donc tracer 6 rectangles de dimensions...

**28** Que va-t-il se passer lorsqu'on va le plier pour construire le solide ?

**30**

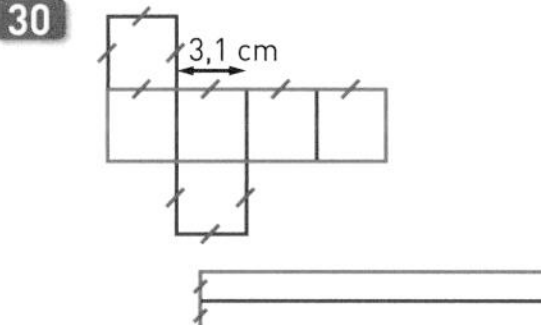


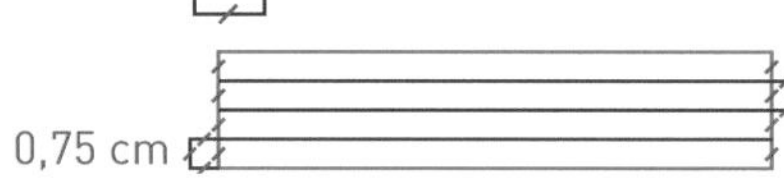


**31** Au maximum, combien un prisme droit peut-il avoir des faces latérales non rectangulaires ?

**32** Seule la figure 2 est un patron de prisme droit, les patrons 1, 3 et 4 ayant plus de deux faces non rectangulaires.

**36** **a.** On obtient un cylindre.
**b.** Rayon = 1,2 cm,
hauteur = 3 cm (2 mm × 15 = 30 mm = 3 cm)

**40** Déterminer la forme des bases et en déduire le nombre d'arêtes latérales, puis le nombre total d'arêtes.

## QCM

**46** 2  **47** 2 et 3  **48** 1 et 2
**49** 1 et 2  **50** 2

## A chacun son parcours

**51** Ⓐ **a.**

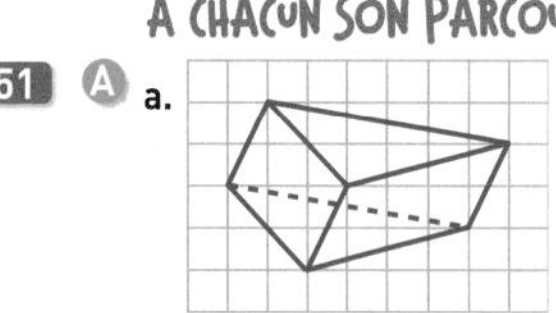

**b.** Il y a trois arêtes latérales.

**51** Ⓑ 3 arêtes latérales :

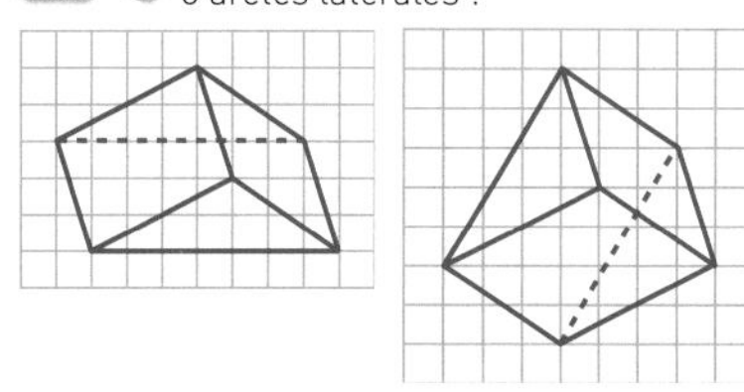

ou : 4 arêtes latérales

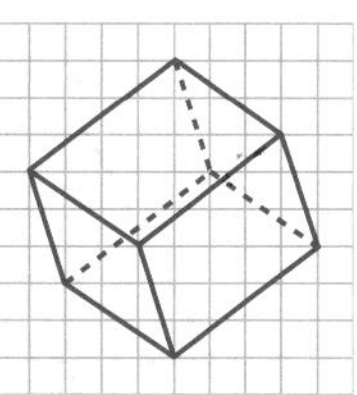

**52** Ⓐ Représenter les bases de ce cylindre par des disques de rayon 6 cm (2 × 3 cm).

**52** Ⓑ Il y a deux cylindres possibles :
- les bases sont des disques de rayon 1,5 cm (et la hauteur mesure 6 cm)
- ou les bases sont des disques de rayon 1 cm (et la hauteur mesure 9 cm).

**53** Ⓐ – les bases ont pour côté 3,5 cm (et la hauteur du cylindre est de 4,2 cm)
– ou bien les bases ont pour côté 1,4 cm (et la hauteur mesure 11,5 cm).

**53** Ⓑ Il y a quatre solides possibles :

| Côtés de la base | | | Hauteur |
|---|---|---|---|
| 3 cm | 3 cm | 4 cm | 7 cm |
| 3 cm | 3,5 cm | 3,5 cm | 7 cm |
| 1 cm | 3 cm | 3 cm | 10 cm |
| 2 cm | 2 cm | 3 cm | 10 cm |

# Chapitre 10

**3** *Aide :* pour le ② : deux hauteurs sont à l'extérieur du triangle.
Pour le ① : les 3 hauteurs sont à l'intérieur du triangle.

**4** Utiliser une propriété des diagonales du cerf-volant (vu en 6ᵉ).

**6** Triangle ① : 7,5 carreaux.
Triangle ② : 10 carreaux.
Triangle ③ : 8 carreaux.
Triangle ④ : 16 carreaux
Triangle ⑤ : 8 carreaux.

**8** Faire les mesures sur le dessin :

| Hauteur | 2,1 cm | 3,2 cm | 4,8 cm |
|---|---|---|---|
| Base | 9 cm | 6 cm | 4 cm |
| Aire approximative | 9,45 cm² | 9,6 cm² | 9,6 cm² |

**12** Utiliser la propriété de la médiane pour calculer l'aire du demi parallélogramme.

**13** On utilise la formule du cours.
Aire = 110,88 cm²

**14** Calcul 1 = 5 cm × 3,5 cm = 17,5 cm²

**15** **a.** Aire = 12,25 × π cm².
**b.** Aire ≈ 38,38 cm².

**17** *Aide :*

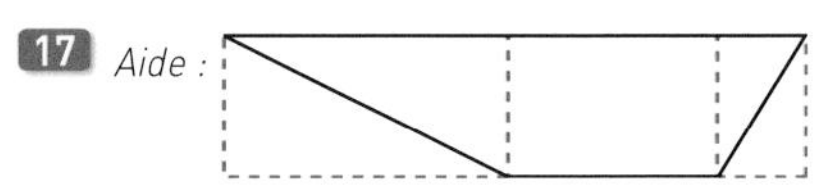

**22** Aire couronne = $10^2 \times \pi - 6^2 \times \pi$, en m²

**23** *Aide :*

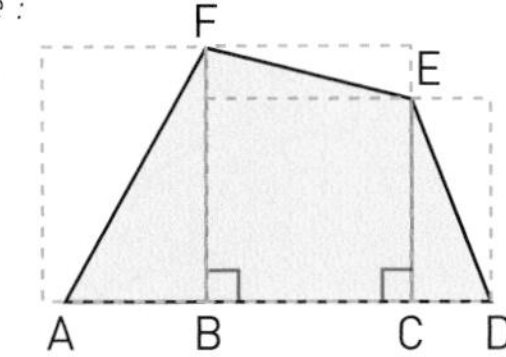


**25** Valeur exacte : exprimée en fonction de $\pi$
Valeur approchée, on remplace $\pi$ par une valeur approchée.

**26**
Aire = (1 cm + 2,5 cm + 4 cm + 4 cm + 2 cm) × 5 cm

**28** On utilise la formule du cours : 48 $cm^3$

**31** Calculer d'abord l'aire de la base.
Volume = 26,25 $cm^3$

**36** Volume ≈ 1 507 $cm^3$ = 1,507 $dm^3$ = 1,507 L

**42** **b.** H(⁻4,5 ; ⁻2) et I(⁻3,5 ; 3)

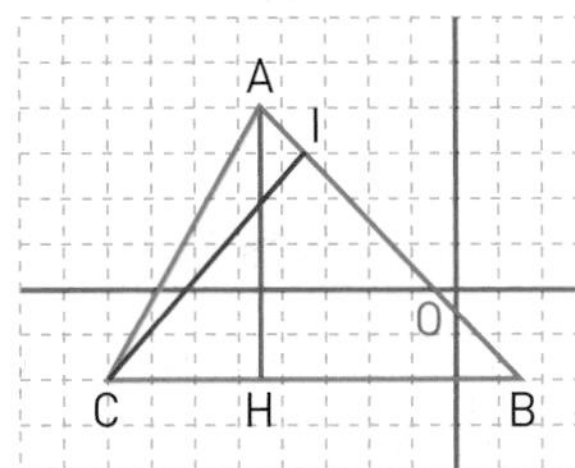


**45** *Aide :* on peut nommer les points pour s'exprimer plus simplement.
On utilise deux fois la propriété de la médiane.

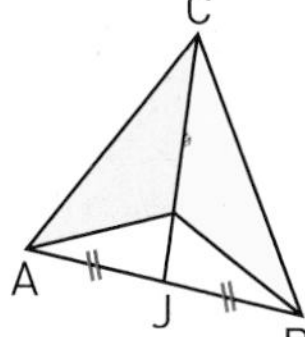


**50** Volume ≈ 330 $cm^3$ = 0,33 $dm^3$ = 0,33 L = 33 cL

## QCM

**54** 1, 2 **55** 1 et 2 **56** 3

**57** 1 et 2 **58** 1 et 2 **59** 1 et 3

## A chacun son parcours

**60** **A** (échelle 0,5)

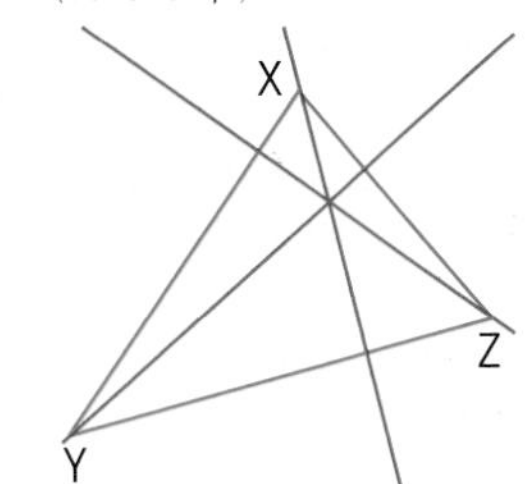


**60** **B** (échelle 0,5)

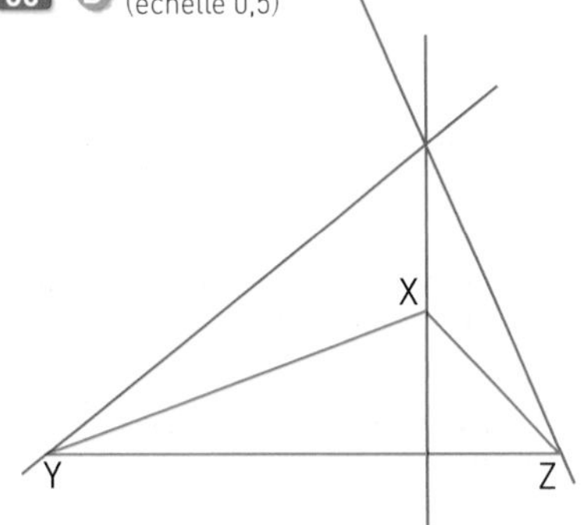


**61** **A** **a.** aire ≈ 63,62 $cm^2$
**b.** Les deux aires sont différentes.

**61** **B**
**a.**

| | | | | |
|---|---|---|---|---|
| Fraction de disque | 1 | $\frac{1}{3}$ | $\frac{1}{5}$ | $\frac{1}{6}$ |
| Angle | 360° | 120° | 72° | 60° |

**b.** aire ≈ 58,09 $cm^2$
Pour la portion de 60° :
Aire = $\frac{1}{6}$ de aire totale ≈ 9,68 $cm^2$
**d.** C'est faux, par exemple ici le sixième de l'aire de départ est ≈ 9,68 $cm^2$ et l'aire avec rayon est ≈ 1,61 $cm^2$

**62** **A** **a.** aire = 5 $cm^2$ ; **b.** volume = 0,01 L.
**c.** volume = $5x$

**62** **B** **a.** Aire trapèze = 18,75 $cm^2$
Volume = $18{,}75x$
**b.** On veut $18{,}75x > 1\,000$ $cm^3$, avec $x = 54$ cela convient.

**Crédits photographiques :**
6 bas CNRS / SYGMA-JOUVAL Frederique ; 6 ht RMN / Jean-Gilles Siméon ; 9 GETTY IMAGES France / Will & Deni McIntyre ; 16 BIS / Ph. Coll. Archives Larbor ; 23 d BIOS / Rotman Jeffrey ; 23 g BIOS / Dirscherl Reinhard ; 24 GETTY IMAGES France / Image Bank ; 25 bas LEEMAGE / Costa ; 25 ht AFP / Hemispheres Images / Jose NICOLAS ; 28 bas g METEO FRANCE ; 28 ht Bibliotheque de l'Ecoles des Mines de Paris ; 50 bas d PHOTOBLOT.COM ; 50 bas g REA / Valerie Macon ; 50 ht d BIOS / Gayo ; 50 ht g HPP / Hoa-Qui / NaturePL / Jose B. RUIZ ; 50 m ARCHIVES NATHAN ; 51 d Hemera ; 51 g GETTY IMAGES France / Photodisc vert / Ryan McVay ; 51 m d Hemera ; 51 m g GETTY IMAGES France / Photodisc vert / Ryan McVay ; 53 COSMOS / SPL / Burdbridge ; 62 Helene GOSSET ; 63 RMN / Daniel Arnaudet / Jean Schormans ; 66 Syndicat des Eaux d'Île-de-France, service public d'eau potable regroupant 144 communes ; 94 d REA / Claude PARIS ; 94 g ARCHIVES NATHAN ; 94 ht CORBIS / Christine Osborne ; 108 COSMOS / SPL / Alain Sirulnikoff ; 111 d CORBIS / Matthew Klein ; 111 g REA / Gilles ROLLE ; 114 AFP ; 116 bas d COSMOS / SPL / Pasquale Sorrentino ; 116 bas g BSIP / Scott CAMAZINE ; 116 ht COSMOS / SPL / M-SAT-LTD ; 116 m Mairie de Vesdun, Cher ; 132 Photodisc ; 138 bas SHOM, autorisation de reproduction n° 25/2006, NE PAS UTILISER POUR LA NAVIGATION ; 138 ht CORBIS / M. Desjeux, Bernard ; 138 m ARCHIVES NATHAN / Hemera ; 160 bas d CORBIS / Galen Rowell ; 160 bas g ROGER-VIOLLET ; 160 ht AFP / Roger-Viollet ; 160 m GEOMAG SA ; 161 ARCHIVES NATHAN ; 182 bas d VARINI Felice, ADAGP 2006 ; 182 bas g VARINI Felice, ADAGP 2006 ; 182 ht d GETTY IMAGES France / Grant Faint ; 182 ht g GETTY IMAGES France / GREEK ; 192 CORBIS / Roger Rossmeyer ; 196 URBA IMAGES/AIR IMAGES / J. CHATIN ; 202 bas d CORBIS / Royalty-Free ; 202 bas g GETTY IMAGES France / Aaron Graubart ; 202 ht AKG / Erich Lessing ; 205 GETTY IMAGES France / Dorling Kindersley ; 214 GETTY IMAGES France / Wendell Webber ; 216 GETTY IMAGES France / Photodisc Bleu ; 218 HPP / TOP / Hervé CHAMPOLLION ; 220 Photodisc ; 221 bas GETTY IMAGES France / Chip Forelli ; 221 ht AIRBUS / exm company P. Masclet ; 224 bas COSMOS / SPL / Pr Peter Goddard ; 224 ht THE PICTURE DESK / Art Archive ; 229 CIT'IMAGES / Jean Luc DOLMAIRE ; 245 m FOUCRAS Gilles ; 252 d CORBIS / Historical Picture Archive ; 252 m PHOTONONSTOP / JC & D. Pratt ; 253 GETTY IMAGES France / National Geographic / Raul Touzon

**Édition** : Patricia Kingué Édémé
**Conception graphique (couverture et intérieur)** : Marc et Yvette
**Schémas** : CGI
**Illustrations** : Bruno Salamone
**Infographies** : Vincent Landrin
**Iconographie** : Juliette Barjon
**Mise en pages** : CGI

**Nous tenons à remercier les personnes suivantes pour leur collaboration :**

Jean MORIN - Sophie ROSSETTINI

Valentina CELI - Lalina COULANGE - Sophie GOBERT
Mariam HASPEKIAN - Magali HERSANT - Séverine LEIDWANGER

N° d'éditeur : 10128519 - CGI - Avril 2006
Imprimé en Italie par ROTOLITO